꺼삐딴 리 외

전광용문학전집 1

꺼삐딴 리 외

초판 제1쇄 인쇄 2011년 11월 20일
초판 제1쇄 발행 2011년 12월 15일
지은이 | 전광용
엮은이 | 전광용문학전집 간행위원회 편
펴낸이 | 지현구
편집장 | 박종훈
편 집 | 김수영 김보미
디자인 | 이보아 이효정
펴낸곳 | 태학사
등록 | 제406-2006-00008호
주소 | 경기도 파주시 문발동 파주출판도시 498-8
전화 | 마케팅부 (031) 955-7580~82 편집부 (031) 955-7585~89
전송 | (031) 955-0910
전자우편 | thaehak4@chol.com
홈페이지 | www.thaehaksa.com

ⓒ 2011 전광용, 태학사

전6권 150,000원

ISBN 978-89-5966-462-7 04810
      978-89-5966-461-0 (세트)

전광용 문학전집

1

꺼삐딴 리 외

태학사

『전광용문학전집』을 내면서

　소설가이며 국문학자이셨던 백사(白史) 전광용(全光鏞) 선생의 모든 저작을 한데 모아 『전광용문학전집』전6권을 새로 펴낸다. 1권, 2권, 3권에는 선생이 발표한 소설들을 수록하였고, 4권과 5권은 단행본으로 발간된 바 있는 『한국현대문학논고』와 『신소설연구』를 각각 수록하였다. 그리고 6권은 선생이 생전에 발표한 수필과 산문들을 찾아 한 권의 책으로 꾸몄다.

　전광용 선생은 호적부에 1919년 3월 1일 출생으로 기록되어 있지만 실제로는 1918년 음 9월 5일 함경남도 북청군 거산면(居山面) 하입석리(下立石里) 1011번지에서 태어났다. 성천촌(城川村)이라는 작은 마을의 과수원집에서 성장한 선생은 부친 전주협(全周協)과 모친 이녹춘(李氽春)의 2남 4녀 가운데 장남이었다. 고향인 북청에서 북청공립농업학교을 졸업한 후 경성경제전문학교에 입학하였는데, 해방 직후 이 학교가 서울대학교 상과대학으로 바뀌자 2년을 수료한 후 진로를 바꾸었다. 1947년 9월 서울대학교 문리과대학 국어국문학과에 입학하면서 문학에 뜻을 두게 된 것이다.

　전광용 선생의 글쓰기 작업은 소설가로서의 창작활동을 통해 그 특징이 잘 드러나고 있다. 선생은 1948년 11월 정한숙(鄭漢淑), 정한모(鄭漢模), 남상규(南相圭), 김봉혁(金鳳赫) 등과 함께 《주막(酒幕)》 동인을 결성하고 창작활동을 시작하였고, 1955년 1월 조선일보 신춘문예에 단편소설 「흑산도(黑山島)」가 당선되면서 정식으로 소설문단에 등단한다. 비록 다작은 아니었지만 열정을 담은 많은 문제작을 내놓았다. 선생의 작품은 주로 냉철한 현실적 시각으로 인간의 삶을 그려놓고 있기 때문에, 현실에 대한 비판적 의미가 두드러지게 나타나고 있다. 선생은 생전에 『흑산도』, 『꺼삐딴 리』, 『동혈인간』, 『목단강행 열차』 등의 작품집과 장편소설 『태백산맥』, 『나신(裸身)』, 『창과 벽』, 『젊은 소용돌이』 등을 발표하였다. 이러한 소설적 작업은 '동인문학상', '대한민국문학상' 등의 수상으로 더욱 그 권위를 인정받게 되었다. 선생의 소설은 대부분 인간의 삶과 현실에 대한 진실 탐구에 그 목표를 둔 것이었고, 엄격한 윤리적 가치관에 의해 그 주제가 표출되곤 하였다. 선생은 창작활동 후반기에 이르면서 망향의 정을 그린 소설을 자주 발표하였다. 북에 두고 온 가족과 고향에 대한 사무친 그리움이 단편집 『목단강행 열차』에 감동적으로 스며들어 있다.

전광용 선생은 국문학자로서 모교인 서울대학교 국어국문학과에서 교육과 연구에 평생을 바쳤다. 선생이 주로 관심을 두었던 학문영역은 우리 근대문학의 성립 단계에 형성된 신소설에 대한 연구이다. 6·25전쟁 직후 한국현대문학 연구가 대학에서 학문적 기반을 제대로 갖추고 있지 못한 상태에 놓여 있을 때, 선생은 아무도 거들떠보지 않는 신소설 연구에 몰두하였다. 처음으로 서울대학교 문리과대학 국어국문학과 전임교수가 되어 한국현대문학 강의를 맡으면서 그 학문적 체계화를 위해 힘을 기울였다. 선생의 신소설 연구는 철저한 자료조사, 정밀한 해독, 엄격한 가치평가로 이미 널리 알려져 있거니와, 그 성과에 힘입어 한국현대문학의 첫머리에서 서술되게 마련인 신소설에 대한 설명이 명확한 소설사적 체계를 갖출 수 있게 되었다. 이러한 학문적 성과는 '사상계논문상'으로 높이 평가되기도 하였다. 선생은 모교에서 정년퇴임을 맞이할 무렵에 제자들의 권유에 따라 그동안 발표한 연구논문들을 모아 『한국현대문학논고』와 『신소설연구』를 발간하였다. 선생의 「이인직연구」를 서두에 싣고 제자들이 논문을 모아 한국현대소설사를 정리한 정년퇴임 기념논문집인 『한국현대소설사연구』가 만들어지자 당신의 저작을 책으로 묶는 것을 허락하였다. 이 두 권의 책은 선생의 학문적 열정과 태도를 확인할 수 있는 중요한 업적이라고 할 수 있거니와『한국현대소설사연구』와 더불어 현대문학 연구의 학문적 토대가 쌓여진 과정을 그대로 드러내고 있는 것이라고 하겠다.

전광용 선생은 고향인 함경도 북청을 떠나 문학 공부를 위해 서울로 올라왔고, 분단 후 다시 고향을 찾을 수 없었다. 그렇기 때문에 단신으로 온갖 어려움 속에서 문학과 학문의 꿈을 키워야만 하였다. 문학이 유일한 길이었고 삶의 전부였던 것이다. 선생은 문학에 대한 열정을 강조하면서도 이것을 생업으로 삼기에는 너무 고달픈 일이라고 하였다. 창작이든 문학 연구든 간에 각별한 사랑과 열정이 없이 문학을 한다는 것은 잘못이며, 거기서 물질적인 것을 구한다는 것도 기대할 수 없는 일이라는 거였다. 아마도 이러한 충고와 훈계는 모두 개인적 경험에서 비롯된 것이 아닌가 생각된다.

전광용 선생은 언제나 학문의 성과에 대한 엄격한 평가를 강조하였지만, 다른 학자들의 연구업적에 대해 결코 무시하는 법이 없었다. 학위논문을 쓰면서, 선배들의 연구업적에 대한 소개를 소홀히 하거나, 자기주장에만 매달린 학생에게는 몹시 꾸중을 하였다. 이는 앞서 걸어간 사람들의 고통을 생각하지 않는 경망을 훈계하기 위한 일이었다. 그러면서도 선생은 결코 당신께서 해온 연구작업을 부추겨 내세우는 법이 없었다. 1950년대 중반부터 시작된 신소설 연구가 거의 10여 년에 걸쳐 지속되었고, 그것을 함께 모아 한 권의 책으로 묶을 수 있는 분량이 훨씬 넘었을 뿐만 아니라, 국문학계에서도 그 업적의 발간을 기다렸지만 선생님께서 한사코 이를 사양하였다. 책을 간행한다는 것이 자칫 자기 학문의 불필요한 과시가 될 수도 있다는 말씀을 하신 일이 있다. 그러나 이보다도 한국현대소설사의 윤곽을 해명할 수 있을 때까지 그 간행을 미루었던 것이 아닌가 생각되기도 한다.

전광용 선생은 1988년 6월 21일 세상을 떠났다. 이제는 다시 선생의 모습을 뵈올 수 없고 그 음성을 들을 수도 없지만, 선생이 남긴 소설과 연구 논문은 한국문학의 한복판에 자리하고 있다. 선생의 가르침을 따라 한국현대문학 연구의 학풍을 이어가는 것이 우리 제자들이 선생의 뜻을 기리는 일일 것이다. 오늘『전광용문학전집』이라는 이름으로 한데 묶여진 선생의 책과 글 속에 담긴 소중한 뜻이 조금도 헛되지 않게 이어지길 기대한다. 이 책을 엮는 데에 참여한 모든 제자들은 함께 머리 숙여 선생의 명복을 빈다. 어려운 여건 속에서 전집의 간행을 맡아준 태학사 지현구 사장께 감사드린다.

2011년 가을에 권영민

흑산도 黑山島

첫 조금이 지난 달무리였다. 철에 고깝지 않게 포근한 날씨가 새벽눈이라도 내릴 것만 같았다.

손바닥 오그린 모양으로 오붓하고 아늑하게 생긴 좌청룡(左靑龍) 우백호(右白虎)에 감싸인 마제형(馬蹄形)의 형국(形局)이라는 나루였다.

평나무·누럭나무·재빼나무가 우거진 속 용왕당(龍王堂)이 버티고 서 있는 당산(堂山) 기슭에 감아붙어 갯밭에 오금을 고이고 조개껍질처럼 닥지닥지 조아붙은 마을 한 기슭으로 뒷주봉 나왕산(羅王山) 골짜기에 꼬리를 문 개울이 밀물을 함빡 삼켰다가 썰물에 구렁이처럼 갯벌로 꿈틀거리고 흘러내리는 것이 희미한 달빛에 비늘처럼 부서진다.

갯가에서는 마을 장정들의 흥거운 노랫소리가 꽹과리, 장구소리에 섞여 당산까지 울렸다가는 숨죽은 듯 고요한 바다 위로 다시 퍼져 흩어진다.

인실이네 마당에서는 큰애기들이 손에 손을 잡고 둘레를 돌면서 메기고 받는 강강수월래가 그칠 줄을 모른다.

딸아딸아 막내딸아

인실어머니의 메기는 소리다.

　강강수월래 –

큰애기들은 목청을 돋우어 받는다. 빨리 돌 때는 큰애들의 심단 같은
머리채가 궁둥이를 치고 허리통에 휘감긴다.

　너만 곱게 잘만 커라.
　강강수월래 –

어느덧 노래는 그들이 가장 즐기는 「둥당의타령」으로 바뀌었다.

　둥당에다 둥당에다
　당기둥당에 둥당에다

큰애기들은 홍겨워 저도 모르게 어깨춤에 가랭이질이 섞인다.

　저기가는 저생애는(생애 – 喪輿)
　남생앤가 여생앤가(남생애 – 남자가 죽은 상여)
　여생질에 가거들랑(여생질 – 여자가 죽어 상여로 가는 길)
　우리엄마 만나거든
　어린자식 보챈다고
　백수벵에 젖을싸서
　한숨으로 마개막아
　무지개로 끈을달아
　전하라소 전하라소

안개속에 전하라소

까막개[黑浦]의 밤은 추위도 모르고 깊어만 갔다.

북술이는 동무들과 맞잡고 둥당의 노래를 부를 때는 아무 시름도 없이 즐겁기만 했다. 그러나 혼자서 이 노래를 읊조리면 얼굴 모습조차 기억 속에 더듬기 어려운 어머니의 옛이야기처럼 서러움이 꿀컥 치밀었다. 둘 레를 돌면서도 북술이의 눈은 이따금 갯가로 옮겨졌고, 그럴 때마다 용바 우의 믿음직한 목소리가 귓전을 어루만져 슬픔을 가라앉히곤 했다.

갯가에서는 막걸리를 나누는 참이었는지 한참 잦았던 징소리가 이번에 는 더 세차게 마을을 스쳐서는 뒷주봉에 메아리를 울렸다.

– 한아부지가 기다릴라 –

아쉬운 생각도 없지 않았지만 노래 중간에서 뺑손이를 쳐 나온 북술이 의 걸음은 집에 가까울수록 무거워만 졌다.

당산 밑 낭떠러지에 등을 대고 다가붙은 갯집 큰방에는 불빛도 보이지 않았다. 정지와 큰방과 마루를 둘러싼 앞마당은 그대로 행길이자 갯가였다.

"인자사 와……."

굴뚝 뒤로 우거진 동백(冬栢)나무 그림자에서 불쑥 튀어나오는 소리였다.

"아이고 놀랐재라우, 누고……."

"나야, 나."

용바우의 크고 벌어진 어깨가 북술이 앞으로 다가왔다.

"난 또 누구라고, 갯가에서 벌써 왔는지라우."

"안갔재라, 내일이 유왕님[龍王] 고사 모시는 날이랑이께."

"응, 그랴."

북술이는 깜빡 잊었던 용왕제(龍王祭)가 생각났다.

"그렁께로 술도 고기도 못먹고 정히 한다이께."

까막개 사람들은 바다와 싸우면서 바다를 의지하고 살아왔다. 폭풍우를 만나면 바다가 적이었고, 고요하게 잠자는 날이면 바다보다 다사로운 벗은 없었다.

이 섬에서는 일 년의 넉 달은 농사가 살펴주고 나머지 여덟 달은 바다가 키워주어 미역과 좌반과 생선으로 목숨을 이었다.

그들은 바다에서 나서 바다에서 죽었다. 용바우 아버지도 그랬고, 북술이 아버지도 그러했다. 원수인 바다에 끝없는 저주를 보내면서 바다에 대한 지성은 그들의 신앙이었다.

그러기에 가장 허물없고 깨끗한 젊은이들이 해마다 정초에는 용왕께 집사(執事)로 뽑혔다. 용바우도 금년에는 이 정성스러운 일에 한 몫 들었다.

용바우는 열다섯에 첫배를 탔다. 털보영감으로 통하는 안선달과 두 살 만이이지만 알이 작기에 대추씨라는 별명을 가진 두칠이 틈에 끼어 북술이 할아버지 박영감과 함께 칠산(七山) 바다에서 연평(延坪) 앞개까지 올리훑는 조기잡이로 시작된 뱃길이 어느새 십 년이 흘렀다.

세월은 박영감의 등에서 살점을 앗아가고, 머리빛을 갈아내고, 이마에 밭이랑 같은 주름을 박아가는 사이에 용바우는 제법 소금섬 두 가마씩을 단숨에 지고 발판을 나는 듯이 뱃전으로 오르내리게 되었다. 간물에 절은 검붉은 얼굴은 윤기를 띠웠고 이글이글 타는 화경 같은 눈동자는 박영감의 가슴 속 빈 구석을 채워주었다.

용바우에게 북술이는 거리낌도 수줍음도 없었다. 나이야 먹어가던 말던 그대로 장난이요 반말이었다. 그러던 북술이가 어느덧 용바우 앞에서 옷고름을 물지 않으면 앞섶을 만지작거리는 버릇이 생겼다.

박영감은 박영감대로 용바우에 대한 속셈을 했고 용바우는 어느새 북술이가 제 물건처럼 소중해졌다. 북술이도 노상 용바우가 싫지는 않았다.

"그라문 간물에 몸을 씻고 가지라우."

"내일 새벽 일찍이 씼는당께."

"배는 언제 떠나고."

"이자 배꼴을 박고 *끄스리문* 모레 쯤 떠나제. 올에는 새로 묵은 배니께 흥두 날께라."

"그랑이께, 두 밤 자문?"

"응, 그랴."

용바우는 달빛에 어린 북술이의 얼굴이 봉오리 벌어지는 동백꽃보다 더 아름답다고 느껴졌다. 몸집이 마음놓고 굵어진 것 같아 부풀은 가슴이 풀먹은 인조견 저고리 앞자락을 슬며시 들고 일어섰다.

"북술이는 또 나이 하나 더 먹었으니께 인자 열아홉이제."

"누군 나이를 안먹고 나만 먹는지라우."

고름 끝을 비비는 북술이의 입가에는 엷은 웃음이 어렸다. 용바우는 북술이의 입이 가장 복스럽다고 생각되었다. 그 입으로 말이건 웃음이건 거푸거푸 새어나오게 하고만 싶었다.

－북술이는 지 어무니를 닮았재라우, 고 복스런 입이 더－

입버릇처럼 뇌까리는 인실이 어머니의 말이 떠올랐다.

"인자 씨집도 가양께."

처음 하는 소리였다. 그러나 지난 봄부터 용바우의 혀끝에서 맴도는 한 마디였다.

"누가 씨집 간다는지라우."

"그랴문 씨집두 안가구 큰애기로 늙으라제."

"언제 누가 큰애기로 늙는당께……, 남의 걱정 말구 장가나 가라재라우."

북술이도 이번에는 가슴이 탁 트이도록 소리를 내어 웃었다.

어느 사이엔지 용바우의 삿대 같은 팔은 북술이의 겨드랑이를 스쳐 사등뼈가 바스라지도록 껴안는 판에 가슴은 숨막히게 가빴다. 용바우의 뜨거운 입김이 북술이의 이마를 확확 달구었다.

"어디 참말 씨집 앙가나 보자이께."

"누구는……."

봉창문이 삐걱 소리를 내었다. 박영감의 쿨룩거리는 기침소리였다.

"누구라."

"……"

"누가 왔는게라."

"나 북술이라우."

"응, 북술이라."

"야."

북술이의 허리를 놓은 용바우는 슬며시 갯가로 돌아 까막바위 쪽으로 내려갔다.

"누가 왔지로."

"저, 용바우가."

"새날이문 유왕님 고사에 나갈 놈이 가시나하고 무슨 짓이라."

다시 박영감의 해소가 끊이지 않는 사이에 북술이는 방에 들어가 쪼그리고 누웠다. 그러나 용바우의 입김은 아직도 이마에 뜨거웠다.

먼동이 트기 전부터 내리는 눈은 솜송이 같이 함박으로 퍼부어 미처 녹다 못해 오래간만에 쌓여졌다. 당산에서는 본당(本堂) 정면에 단청(丹靑)으로 그려진 남녀 괘화(掛畵) 앞에 소 한 마리가 사각(四脚)과 두족(頭足)으로 동강이 나 놓여있고, 이 한 해의 잡귀(雜鬼)를 몰고 풍어(豊漁)를 기원하는 고축(告祝)도 끝났다. 만선(滿船)을 축원하는 용바우의 머릿속에는 북술이가 크게 자리잡고 있었다.

한낮이 되자 하늘은 개이고 거의 녹아버린 눈길에 마을 사람들은 명절보다 더 기뻤다.

달이 나왕봉 마루에 기울기 시작했다. 까막바위 앞에 웅크리고 앉은 두 그림자는 이윽하도록 움직이지 않았다. 잔물결이 바위 밑에 부서졌다가는 밀려가는 것이 차츰 거세어졌다.

"그라이께, 새벽참에 꼭 떠나야제."

"그랴."

"한아부지가 보름이나 지나믄 나가자는디."

"물감자(고구마)도 그만 다 떨어졌지라, 먹을 것이 바닥이 났으라우."

"그랄테지라, 하지만……."

"아니요, 보름 전에 한 축은 해야 한다이께."

용바우는 담배를 말아서 불을 붙였다. 두툼한 양 볼이 오무라지게 빨았다가는 길게 내뿜었다. 눈 온 뒤에는 꼭 바람이 터진다는 할아버지의 말이 다시 떠올라 북술이는 어쩐지 불안스러웠다.

"보름을 쇠구 가제, 그라요."

"보름은 손구락을 빨구 쇤당께. 새벽참에 떠나문 보름 전에 돌아오지라."

잊었던 찬 기운이 겨드랑이로 스며들었다. 북술이는 용바우 무릎에 바싹 다가앉았다.

"그라이께 말이여, 이번 한채만 잘 하믄 그걸 포라서 북술이 신발을 싸고 나도 작업복이나 한 벌 갈아입어야제."

"……."

용바우의 거북등 같은 손아귀에 꽉 쥐인 북술이의 손은 해면처럼 오그라들었다. 북술이는 용바우가 껴안는대로 잠자코 있었다. 머루알 같은 젖꼭지에 용바우의 손끝이 닿으니 등줄기가 저리도록 간지러웠다.

용바우는 박영감을 찾았다.

"나두 인자 이만큼 하이께 한아부지는 그만 쉬지라우, 올해는 셋이서 넷몫을 하랍니데."

"글쎄라……."

"털보영감과 두칠이두 그랬지로, 해소가 심한디 조섭을 해야지라고."

"이래도 배에만 오르믄 상관없는지라."

박영감은 곰방대를 들면서 긴 한숨을 꺾었다.

"가알[秋]도 아니고 절[冬]에 안되지라."

"그래섰지마는 어디 그랄수야……."

벌써 몇 번이나 되풀이 되는 이야기였다. 정지에서 뱃점심 고구마를 솥에 앉히고 있던 북술이는 코허리가 시큰했다. 눈가풀을 가물거리니 기어코 방울이 떨어졌다. 설 보름과 제사 때만 맛보던 쌀밥이건만 아버지 제사에 쓰려던 메쌀을 갈라서 고구마 솥에 깔았다.

첫닭이 울었다. 배는 물 때를 따라서 떠나야 했다. 앞개에 늘어선 배마다 불이 환했다. 나루터는 찾는 소리 대답하는 소리에 와자지껄 고와댔다.

털보영감은 홍어 주낫을 올리고 두칠이와 용바우는 뒷장에 그물을 실었다. 물동이를 이고 나오는 북술이의 뒤에 박영감이 따라섰다.

두칠이는 닻을 올리고 털보영감은 뒷줄을 풀었다. 용바우가 삿대를 내려밀자 털보영감은 이내 키를 잡았다. 두칠이는 노를 풀어 놋좆을 제자리에 박고 노걸이를 걸었다.

배가 움직이기 시작했다. 어둠 속에 썰물을 타고 달아나는 뱃머리에 부딪는 물결소리만이 아우성에서 멀어져가는 새벽의 고요를 깨뜨렸다.

"알맞은 샛매[西南風]라, 돛을 올리제."

털보영감의 의기를 띤 소리였다. 용바우와 두칠이는 돛대를 발바닥으로 지긋이 밀면서 총줄을 팽팽이 죄였다. 용두줄을 당기어 뒷장에 꼽을 돛[大帆]을 올리고 허리돛마저 올렸다. 새벽바람에 활처럼 탱겨진 돛은 바람먹은 복어가 물 위에 떠가듯 가볍게 미끄러졌다.

안개를 벗어난지 이윽해서 용바우는 멀리 홍도(紅島)께로 내다보았다. 먼동이 트기 시작하나 수평선은 아직 어둠 속에 잠겼다. 아득히 석끼미 등대불만이 깜박거렸다.

용바우의 머리에는 간밤 진주알 같은 눈망울로 쳐다보던 북술이의 모습이 떠올랐다. 가슴이 뛰었다.

- 만선을 해가꾸 들어가야제 -

이렇게 바다로 나가는 것이, 아니 사는 것이 모두 북술이 때문에 보람 있는 것같이 그런 심정으로 자꾸만 이끌어졌다.

－언제 누가 큰애기로 늙는당께－

북술이의 말소리가 아직도 귓가에서 떠나지 않았다.

큰 바닥에 나오니 바람은 휘몰아치고 너울은 점점 거세어졌다.

"치(키)를 좀 외로 틀제."

이무장[前舫]에 걸터앉은 털보영감은 뒷장에 서 있는 용바우를 건너다 넌지시 한 마디 던지고는 담배를 피워 물었다. 털보영감은 까칠어진 손을 비비면서 아들놈도 장성해 가니 이제 금년으로 뱃길은 끝내야겠다고 생각에 잠겼다. 그리고는 애송이 같은 것이 그래도 하이칼라랍시고 머리밑을 도리고 다니는 아들녀석의 굵어가는 뼉다구를 가늘어진 눈언저리에 그리며 만족한 듯한 미소를 입 가장자리에 여물렸다.

아직도 갯가에 서 있는 박영감은 지금쯤은 배가 옥섬(玉島) 모퉁이는 돌았겠다고 생각되었다. 뭇 배가 다 떠나고 갯밭이 조용해질 때까지도 박영감은 돌처럼 그 자리에서 움직이지 않았다.

얼마 동안을 지났던지 비금도(飛禽島) 쪽에 포개졌던 엷은 구름이 가시고 햇발이 솟아오르기 시작했다. 육십평생 보아온 하늘이건만 하루도 똑같은 날은 없었다.

－바다가 유헹덕이라면 하늘이사 제갈양이제, 참 조화야, 암만 가구 싶어도 하누님이 말면 못가이게－

박영감의 눈은 동녘 하늘에 못 박히고 있다. 활대구름이 허리띠처럼 가로놓여 있기 때문이었다.

－거기다 해까지 노란 씨레를 달았군, 옘평 가마깨에서 배가 곤두박질한 것도 저 구름이었다. 아들놈이 서바닥 호쟁이꼴에서 소식이 없어진 것도 바로 저 구름이었지……. 오늘밤엔 하누바람[西風]이 터질테라－

갯밭에서 마을 길로 옮기면서도 박영감의 시선은 항시 구름에서 떨어지질 않았다. 누더기가 되다시피 한 솜옷 위에 언젠가 데구리 선장이 던지고 갔다는 군복잠바를 걸친 박영감은 뒤로 보아서는 야윈 얼굴이 짐작될 바도 아니나 옆에서 치켜보면 목덜미의 힘줄이 지렁이처럼 내솟구고 있다.

－올 해사나 잘 되문 가알에는 성례(成禮)를 시켜야제－

박영감은 한순간 흐뭇한 기분으로 중얼거렸다. 북술이는 귀엽고 용바우는 고마웠다. 멀리 안개로 들어서는 겐자꾸[巾着船]의 고동소리가 박영감에게는 못마땅했다.

해초(海草) 뜯기는 조금게가 제일 알맞았다. 북술이는 바구니를 들고 까막바위 쪽으로 돌아갔다.

정이월부터 삼사월까지는 좌반과 우무를 뜯고, 오뉴월이면 잠질해서 생복이나 성게를 땄다. 칠팔월에는 미역이 한창이었고, 구시월 접어들어 동지섣달까지는 김[海苔]을 주웠다. 갯밭을 파는 조개잡이는 사철 가리지 않아 이렇게 까막개 아낙들은 여름은 여름대로 겨울은 겨울대로 바다와 더불어 손끝이 닳아갔다.

"잉아, 북술이 니는 뭍[陵地]에 가봤제."

작년 봄에 과부가 된 새댁이 북술이 허벅다리를 꾹 찔렀다.

"응, 한 번."

"나도 꼭 한 번 목포에……."

큰애기 머리채처럼 치렁치렁한 좌반 포기를 바구니에 주워담던 그들은 허리를 폈다. 그들의 눈길은 멀리 동쪽 기좌도(箕佐島) 팔금도(八禽島)의 희미한 능선에 머물렀다. 까막개 큰애기들에게는 뭍이 향수(鄕愁)처럼 그리웠다.

"인자 그만 뭍에가 살았으문……."

새댁은 바위 끝에 주저앉으며 동의를 구하는 듯한 눈매로 북술이를 쳐다보았다. 북술이의 마음도 그러했다. 바다를 떠나서는 살 수 없으면서도 해마다 그 꼴로 되풀이 되는 섬 살림이 이젠 진절머리가 났다.

"그라문 새댁은 뭍으로 가제."

"북술이는 용바우가 있으니끼로 안되지라우."

"……"

북술이의 가슴은 화살을 맞은 것 같았다. 사실 북술이도 뭍이 뼈저리게 그리웠다.

"누가 용바우 때문이라우."

"유왕제 전날 밤도 살금이 새어서 용바우를 만났재."

"……"

머리를 저었으나 북술이의 얼굴은 붉어졌다.

지난 여름 물을 실어간 건착선의 곱슬머리가 찾아왔다.

"북술이, 금년에도 물좀 부탁해."

"야."

"이거는 빨래고."

곱슬머리가 다녀간 후 보따리를 헤치니 빨래비누 세 개와 담배갑이 굴러나왔다.

할아버지는 그거는 왜 받았느냐고 몹시 나무랐다. 그러나 얼마 안가서 노인은 풀잎을 썰어 피우던 쌈지를 밀어놓고 권연을 끄집어내기에 북술이도 겨우 마음을 놓았다.

떠나는 뱃길이 썰물이라면 돌아오는 뱃길은 밀물이었다. 갯벌은 장작 횃불에 야시(夜市)처럼 환했다. 그러나 간밤부터 몰아치는 돌개바람은 아직도 가라앉지 않고 너울은 굶주린 이리떼처럼 태질을 했다.

마을 사람들은 나루터에서 밤을 새웠으나 아직도 배 세 척이 돌아오지 않았다.

열흘만에야 하태도(下苔島)에 불려갔던 구장네 배가 돌아왔다. 그러기에 그들은 아직도 한 가닥의 희망은 버리지 않았다. 이제 순돌이네 배와 용바우가 탄 배만 돌아오면 되었다.

바다는 언제 그런 폭풍우가 있었느냐는 듯이 시치미를 딱 떼고 거울같이 맑았다. 마을 사람들은 아무 일도 없은 듯이 또 배를 타고 바다로 나갔고, 아낙네들은 바구니를 들고 갯벌로 나갔다.

북술이는 나왕봉 꼭대기로 올라갔다. 이 마루턱에 서면 멀리 홍도가 검은 바윗빛으로 나타나고 그 사이에 호쟁이꼴이 가로놓여 있기 때문이었다.

북술이의 마음 속에는 용바우가 꼭 살아서 돌아올 것만 같은 생각이 들었다. 북술이는 하루종일 홍도바다에 눈을 박고 장승처럼 섰다. 그러나 해가 하늘 끝에 기울어도 수평선에 까물거리는 고랫배[浦鯨船] 외에는 낯익은 아무 것도 나타나지 않았다.

북술이 아버지 제삿날 밤이었다. 같은 날에 세 사람의 제사였다. 그러나 까막개에는 이것이 그렇게 신기한 일은 아니었다. 다행히 같은 배에서 살아오는 사람이 있으면 죽은 날이 밝혀졌고, 기다리다 지쳐서 단념을 하게 되면 떠나던 날이 제삿날로 되었다.

바다는 그들에게서 눈물을 핥아갔고 한숨마저 뿌리채 빼어갔다.

"하이끼로 구만 예(禮)를 올리제."

희망 잃은 구장의 말이었다. 그러나 아무도 대꾸하는 사람이 없었다. 성복(成服)을 한다는 것은 망령(亡靈)에 대한 산 사람들의 정성이겠지만 가족들에게는 그것이 혹 살아올지도 모르는 요행마저 도려가는 것 같아서 석달이고 반 년이고 파묻어두는 일이 예사였다.

"그놈의 기골이 그라케 비명으로 죽을 놈은 아닌디."

무거운 침묵을 깨뜨리고 박영감의 입이 열렸다.

"글쎄 인실이 아부지도 그 때 석 달만에 살아왔으니께."

다른 사람에게 틈을 주지 않고 불길(不吉)을 막으려는 듯 용바우 어머니가 가로챘다.

"인실이 아부지 같은 천명(天命)이야 어떻게 바란다우. 대마도까지 불려갔으니께."

하나도 이치에 어긋나는 이야기가 아니건만 가족들은 구장의 말이 제각기 못마땅하였다.

"그놈의 겐자꾸 '요다끼[夜焚]'인가 불바다가 돼 가지구 하룻밤에 우리가 잡는 일 년 몫을 쓸어가는지라, 나갈제는 소잡으러 나가는 것처럼 소리치고 나가지만 들어올 때는 죽을 지경으로 들어오니께."

박영감의 말이었다.

"데구리까지 제멋대로 끌고 당기이께 양짝서는 퍼실어도 가운데는 못 잡지라우."

곱새등이 입을 내밀었다.

"왜정 때만 했어도 연해(沿海) 삼십 마일 밖에라야 데구리 허가를 했는데 요새는 손 앞에서 막 해먹으니께로 고기 종자가 없제."

도무지 세상 되어먹는 꼴이 눈꼴 사납다는 듯한 구장의 말투였다.

"맹아더론(맥아더라인), 그것도 상관 없는지라."

이번에는 구레나룻의 주격턱이 맞장구를 쳤다.

까막개의 밤은 이야기로 새었고, 주리고 부은 얼굴들엔 그렇게라도 해야 어지간히 화풀이가 되었다.

벌써 두 달이 꼬박 흘러갔다. 마을 사람들은 길어진 해가 원망스러울수록 허리띠를 더 졸라맸다. 집집마다 계량(繼糧)이 끊어졌다.

이젠 그들의 입에서 털보영감이나 용바우 이야기가 점점 살아져갔다. 기억 속에서도 아지랑이처럼 흐려갔다. 그러나 북술이만은 날이 갈수록 용바우의 윤곽이 더 뚜렷이 돋아올랐다. 구리빛으로 타는 얼굴이 눈에 서언했다.

북술이는 나루터로 나갔다. 어젯저녁 꿈자리가, 오늘은 꼭 용바우가 돌아올 것만 같았다. 그러나 밤이 이슥하도록 고기가 낚이지 않아, 빈 배로 돌아오는 마을 사람들의 시들어진 얼굴 속에 용바우의 모습은 보이지 않았다.

이튿날 아침 북술이는 묵을 쑬 우무를 고아서 동이에 받아놓고 집을 나섰다. 인실이 어머니를 찾아 산으로 올라갔다. 벌써 달포나 우려먹은 우무묵과 좌반 나물에 시달려 종아리가 허전했다.

칡(葛)뿌리 파기에는 힘이 겨워 송기(松皮)를 벗겼다. 소나무의 곧은 줄기라곤 다 없어지고 앵드러진 가지 밖에 남지 않았다. 한나절이 지나서야 송기는 바구니에 반이나 찼다.

"북술애 쪼금 쉬재이."

"그라재라우."

인실이 어머니가 주저앉은 옆에 북술이도 다리를 뻗고 앉았다. 인실이 어머니의 얼굴은 멀겋게 부었다. 만삭(滿朔)이 되어서 그런지 몸뚱어리도 부은 것같이 유별히 크게 보였다.

인실이 어머니는 다리를 쭉 펴고 정갱이를 엄지손가락으로 꾹 눌렀다가 떼었다. 한참 있어도 손가락 자리는 부풀지 않았다.

"이렇게 배도 부었제라."

북술이는 마음이 쓰렸다. 이번에는 그 손가락으로 북술이의 정갱이를 더 힘주어 눌렀다. 북술이 다리도 손가락 자리가 옴폭했다. 그러나 손바닥으로 문지르니 그 자리는 금방 그대로 되었다. 북술이는 제 손가락으로 이렇게 되풀이 하면서 쓴웃음을 지었다.

인실이 어머니는 북술이 다리를 베고 누워 북술이에게 머릿니를 잡히면서 이야기를 시작했다.

"북술이는 꼭 지 어무니를 닮았재, 고 입이 더, 북술이 어무니는 소문나게 고왔재라, 마을 머시마들이 오금을 못썼으이께, 그란디 육지루만 씨집가겠다구 그라는지라."

처음 듣는 이야기였다. 북술이는 이 잡던 손을 멈추고 인실이 어머니

입만 내려다보았다.

"그랴, 북술이 아부지가 홍도에 장가를 가셨는디 가서 잔칫날 각씨를 다리고 오고는 사흘만에 첫질가는디 풍파가 심했어라. 좋은 날 받아 갈라니 또 풍파가 일구 또 일구 그래서 북술이를 나가꾸 첫질을 갔재라."

북술이는 침을 꿀꺽 삼키고 또 인실이 어머니의 입만 지키고 있다.

"그란디 그 다음 해 호쟁이꼴에서 그만 북술이 아부지가……."

인실이 어머니는 숨을 길게 들이키었다. 북술이의 눈언저리가 흐려졌다.

"북술이 어무니는 날마다 나왕봉에 올라갔재라 석 달을 두고……. 옛날에도 그래 망부석(望夫石)이 있어라. 그런디 인실이 아부지 오이께 소식을 듣고 병이 났지라."

북술이의 눈물이 인실이 어머니의 이마에 떨어졌다.

"그런디 북술이 어무니는 밤에 없어졌재라."

"어디로?"

잠자코 듣고만 있던 북술이가 다급하게 물었다.

"물에 빠져 죽었다이께……, 육지에서 봤다는 사람도 있재."

"육지에……."

어머니가 죽었다고만 들은 북술이는 제 귀를 의심했다. 육지가 어머니의 젖가슴처럼 그리워졌다. 북술이는 급기야 흐느껴 울었다. 인실이 어머니는 무릎에서 일어났다.

"울지 말라이께, 다 옛말이라, 인자 북술이도 육지로 씨집을 가야제."

북술이는 용바우가 돌아오지 않는 바다라면 정말 싫증이 났다. 바다가 미워졌다. 아예 바다를 떠나야만 살 것 같았다.

북술이의 머리에는 건착선의 곱슬머리가 떠올랐다. 육지에 같이 가 살자고 그렇게 조르는 곱슬머리에게 오늘은 대답하리라고 마음먹었다.

북술이는 정지에 들어서자 난데없는 자루에 눈이 둥그래졌다. 풀어 보니 쌀자루에 고무신 한 켤레가 들어 있었다. 그렇잖아도 풀물만 마시고 누워있는 할아버지에게 쌀 미음 한 그릇이라도 따끈히 권하고 싶은 요사이의 심정이었다.

"한아부지 쌀이라우."

방 쪽을 향하여 묻는 말이었다.

"응 북술이라. 그 겐자꾸 젊은이가 가져왔지라."

지난번 담배 때와는 딴판으로 별로 나무래는 눈치는 아니었다.

오래간만에 다루어보는 쌀이었다. 북술이는 쌀을 한웅큼 쥐어서는 부서져라 비비고 손바닥을 살그머니 폈다. 오드득 소리나게 마른 쌀이 손가락 사이로 간지럽게 흘러내려갔다.

이번에는 고무신을 신어보았다. 발에 맞기는 하나 눈처럼 흰 빛이 소복(素服) 같아서 용바우에 대한 무슨 불길한 예감이 떠올라 겁이 났다.

그러나 미음 솥에 불을 지피면서도 북술이는 오래간만에 가슴이 후련했다. 부지깽이로 정짓문을 내밀치고 마당에 나섰다. 당산끝 낭떠러지에 팽꽃이 한창이었다. 둔부꽃도 피기 시작했다. 동백새가 짝을 찾는지 찢어지는 소리를 내며 숲 속으로 사라졌다. 저녁 노을이 나왕봉 마루에 걸렸다. 차츰 땅거미가 산골짜기에서 갯벌로 퍼졌다.

할아버지는 쌀 미음에 구슬땀이 흘렀다. 북술이도 치마끈을 늦추었다. 그러나 할아버지도 손녀도 다시는 쌀자루에 대한 이야기는 없었다.

까막조개 등잔에서 뱀 혀끝 같은 심지가 빠지작 빠지작 타들어갔다.

새벽에 진통이 시작하였다는 인실이 어머니가 해질 무렵에 어린애가 걸린대로 죽었다는 소문이 온 마을에 퍼졌다. 다물도(多物島)에 배를 가지고 갔던 인실이 아버지가 의사를 모시고 돌아온 것은 이미 운명한 뒤였다.

북술이는 송기 벗기러 갔을 때의 손가락 자리가 종시 솟아나지 않던 인실이 어머니의 다리가 자꾸만 눈앞에 어른거렸다. 나도 시집을 가면 저러랴 싶으니 등골이 오싹했다.

의사가 있는 육지에 가 살아야지. 북술이의 마음은 자꾸만 육지로 줄달음쳤다.

　곱슬머리가 사흘째 찾아왔다.

　"겐자꾸가 내일 저녁 목포로 떠나, 꼭 같이 가지?"

　"그라재라우!"

　북술이의 눈망울은 안개보다 깊었다.

　"내일 저녁 해 떨어지문 곧……."

　"야."

　"까막바위로 와."

　"가지라우."

　곱슬머리에게 승낙을 하고 난 북술이의 마음은 한곳으로 정해졌다. 육지에 가서 자리만 잡으면 할아버지도 모시자는 곱슬머리의 눈동자에는 진정이 고였다고 생각되었다.

　자기를 아껴주는 사람이면 다 고마웠다. 북술이의 머리에는 언제인가 한 번 보았던 육지의 화려한 모습이 그물코처럼 연달아 떠올랐다. 기차를 타고 자꾸자꾸 가고만 싶었다. 곱게 생겼다는 어머니의 얼굴도 그려보았다. 그럴수록 북술이의 머릿속은 엉클어져 뜬 눈으로 밤을 새웠다.

　집을 나선 북술이는 끝내 까막바위로 나갔다.

　해는 수평선에 가라앉았다. 어둠이 밀물처럼 스며들었다.

　뎀마가 까막바위에 와 닿았다. 그러나 북술이는 보이지 않았다. 곱슬머리는 북술이가 자기를 놀라게 하려고 숨었나 싶었다. 몇 차례나 바위를 돌았다. 아무리 돌아도 북술이의 모습은 찾을 길 없었다.

　곱슬머리는 뎀마를 나루터로 돌렸다. 그러나 마을 어느 구석에도 북술이의 그림자는 찾아 볼 수 없었다. 건착선에서는 연달아 고동이 울려왔다. 뎀마가 갯가에서 사라진 후 얼마 안되어 건착선은 앞개를 떠났다.

　까막바위에 선 북술이의 눈앞에는 고래등 같은 용바우가 가로막고 섰다.

할아버지의 꿀대를 파고 솟구치는 가래침소리가 목덜미를 잡았다. 다음 용왕당과 나루터와 갯벌이 머릿속이 비좁게 감돌았다.

－그랴문 씨집도 안가구 큰애기로 늙으라제－

용바우의 황소같은 목소리가 어깻죽지를 붙잡았다.

뎀마의 물 가르는 소리가 점점 까막바위로 가까워왔다.

북술이는 갑자기 마을 쪽으로 쏜살같이 달아났다. 용바우가 내일 틀림없이 연락선으로 돌아올 것만 같았다.

까막개의 아낙네들은 그리다가 목마르고, 기다리다 지쳐서 쓰러지면서도 바다와 더불어 살았다.

자리를 털고 일어난 박영감은 끌과 자귀를 들고 밖으로 나섰다. 굴뚝 뒤 바위 위에 엎어놓은 낡은 근깃배를 끌어내렸다. 해풍에 강마른 뱃바닥에 햇볕이 새었다. 박영감은 앨기 끝에 배꼴을 끼어 벌어진 틈을 메우기 시작했다. 부러진 노를 이었다. 박영감은 아픈 허리를 두드리면서 아들보다 용바우가 더 그리웠다.

저물녘에는 짚불을 피워 배연애가 까맣게 된 근깃배가 나루터에 떴다. 배 윗장에서 이마에 손을 대고 북녘 하늘을 쳐다보는 박영감의 긴장된 얼굴이 엷은 경련을 일으켰다.

－갈바람[南風]이제, 고기사 밤에 잘 물재라－

주낫(줄낚시)을 실은 박영감은 뼈만 남은 양 어깨가 부서지도록 노를 저었다. 배는 나루터에서 멀어져갔다. 바다는 속물이 약해지는 첫 께끼였다.

박영감의 가슴에는 장수라는 별명을 듣던 삼십 대의 시절이 번개같이 어렸다.

－혼자서 셋 몫은 실히 해넘겼겠다. 유황제가 끝나면 첫 조금에서 열물을 넘어 마지막 께끼를 되풀이하는 사이 서바닥에서 한 몫 보구, 간나안 앞바닥에서 상어잡이가 끝나면 칠산에서 옘평까지 조기떼를 따라 물

줄기를 거스르며, 용호동에서 만선에 기를 지르고 강화(江華)로 들어갔겠다. 생선회에 한 말 술을 기울이면 객주집 계집들도 노상 파리떼 모이 듯했겠다ー

홍겨웠던 뱃노래가 어제일 같이 또렷했다.

어야 디어ー어가이여ー차
영ー차 영ー차
우리내 배임자 신수가 좋아서
칠산 옘평에 도장원 하였네
어ー요 에ー어ー야
우리배 사공님 정심이 좋아서
안암팍 두물에 만선이 되었네
어ー요 에ー어ー야

멀리 나루터의 북술이 그림자가 주먹만큼 했다가 팥알만큼 변하는 대로 박영감의 시야에서 아물아물 사라졌다.

흑산도(黑山島)!

숙명처럼 발목을 매어 잡는 이름이었다.

할아버지의 배가 사라진 영산(影山) 모퉁이에서 옮겨진 북술이의 눈은 하늘을 건너 아득한 육지 쪽에 얼어붙었다.

해풍에 나부끼는 머리카락 밑으로 저녁 노을에 빗긴 양 뺨은 흠뻑 젖어들었다.

『朝鮮日報』, 1955. 1.

진개권 塵芥圈

　　금화(金化)와 철원(鐵原)의 갈림길을 끼고 앉은 쓰레기칸이었다. 떨기나무[灌木] 덤불을 건너 공동묘지가 쳐다보이는 묵은 밭에 가시줄[鐵條網]로 어리를 하여놓은 경사지였다.

　　쓰레기 구덩이에서는 간밤 비에 좀 가늘어졌지만 처음 불을 당긴 이래 꺼져본 적이 없다는 기름 묻은 찌꺼기 타는 연기가 뿌연 김에 섞여 연달아 올라가고 있다.

　　가시줄 한모퉁이에 몇 그루의 백양나무를 의지하고 창고(倉庫)니 취사장(炊事場)이니 하는 하꼬방들이 되는대로 늘어섰다.

　　그 한 끝 돼지우리에서는 만삭이 다 된 암놈이 몸뚱이를 가누지 못하여 한모로 쓰러진 대로, 아침 햇살을 받고 찌쭤찌쭤한 눈만을 꿈벅거리고 있다. 다른 놈들은 이런 일에는 아랑곳없다는 듯이 땅을 파헤치고, 물구시를 뒤짚어 놓고 우리 가장자리에 가로지른 나뭇대에 앞발을 올린대로 비대한 체구에 어울리지도 않는 꼬리를 내저으면서 뚤뚤대고만 있다.

　　무슨 버젓한 사업체의 명칭이라곤 없지만 '싸진'인가 하는 미군부대 청소 책임자가 저희들의 표식 삼아 나뭇조각에 붉은 뺑기로 써서 붙이고 간 '빅토리'라는 이름에 덧붙여서 너 나 할 것 없이 '빅토리 쓰레기칸이라고 불렀다.

빅토리사장(社長)으로 통하는 장서방은 갈보굴이라는 새거리의 철원집에서 해장을 하고 돌아왔다. 뼈가 굵은 체구에 사철 미군작업복을 걸치고 있었다.

"손님이 온다ー."

장서방의 호기 띤 소리에 일군들은 소스라쳐 일어섰다. 쓰레기차가 온다는 소리였다. 언제 누구의 입에서 '손님'이라는 말이 시작되었는지 기억조차 희미한 일이었다. 그러나 저희들끼리 통하는 이런 계열의 말이 한두 가지가 아니었다.

일꾼들은 이 소리가 가장 신이 났고, 나들이 간 사람이라도 맞이하듯이 흥이 나서 반겼다.

비에 젖은 낡은 책과 신문지조각을 널어 말리고 있던 염소수염에 술이 고주라는 곰보영감, 빈병을 궤짝에 채워 넣고 있던 순여엄마, 가리고 남은 쓰레기를 구덩이에 쓸어 넣으면서도 장서방의 농을 웃음으로 받아넘기는 쌍과부, 꿀꾸리죽을 돼지우리로 들고 가던 영희, 할 것 없이 모두 하던 일을 내동댕이치고 차 오는 쪽으로 모이를 기다리는 병아리떼처럼 모여섰다.

창고 옆에서 작두로 깡통을 따고 있던 택식이란 놈은, 어느 틈에 벌써 설 자리를 찾아 뒷걸음치는 '지·엠·씨'에 재빠르게 뛰어올랐다. 뚜껑도 없는 만년필을 눈 껌벅거릴 사이에 작업복 궁둥이 쪽에 집어넣고 상고머리를 내저으며 두리번거리고 있다.

차가 머물기 바쁘게 다른 축들도 다람쥐처럼 매어달렸다. 미처 차에 오르지 못한 순여엄마는 쓸어 내려뜨리는 쓰레기 속에서 주먹보다 더 큰 귤 한 개를 주어내자 몸빼 가랑이에 쭉쭉 훑어서 한 입 뚝 떼어보고는 입다시는 소리에 얼려 눈을 딱 감으면서 옆에 놓은 보루 상자에 집어넣는다. 갈퀴로 쓰레기 속을 뒤지던 개똥이는 라디오 다마를 바지 호주머니에 집어넣고 반이나 남은 치약 튜브를 들고 머뭇거린다. 모두들 눈에 독이 올라 힐끔 힐끔 장서방 쪽을 곁눈질하면서 쓰레기 속을 노리고 있다.

"그자들이 보구 있을 때는 좀 눈치를 채란 말이야……."

뒷곁에서 핏대를 세우고 고함치는 장서방의 목소리에 깜짝놀라 흠칫했다. 벌써 운전대에서 내린 깜둥이가 그들의 하는 짓을 언짢은 듯이 눈여겨보고 있다.

담배갑, 텐트 조각, 사과 껍질, 자루 부러진 쇠스랑, 마대, 깨어진 의자, 빠다 깡통, 총알 깍지, 찌그러진 궤짝, 책 부스러기, 화장품 병, 오만 가지가 흩어져 쏟아졌다.

차 꼭대기에서 거꾸로 숙여진 알루미늄통 속에서는 우윳빛의 짙은 식사 잔재물(殘滓物)이 땅위 드럼통으로 흘러들어가고 있다. 시금털털한 비린내가 기름냄새에 뒤범벅이 되어 코를 찔렀다. 이 축들이 말하는 '꿀꾸리죽'이었다.

깜둥이가 차에 가려진 틈을 타서 고깃덩어리 한 점을 집어든 쌍과부는, 재빠르게 입안으로 가져가자 거의 반사적으로 손등에다 입술을 훔치었다.

"제에기, 서방하구 입맞추어야 하겠는데 식전부터 꿀꾸리죽하구 입맞추네."

짓궂게 내쏘는 장서방의 농에 얼굴을 붉히는 쌍과부를 쳐다보면서 모두들 웃음이 한바탕 터져나왔다.

"암, 과부 설움은 홀애비가 알아야지!"

곰보영감이 쌍과부와 장서방을 번갈아보면서 슬며시 던지는 말에 태식이 놈과 영희란 년은 무슨 영문 있는 웃음을 지으면서 눈짓을 주고받았다.

"흥, 꿀꾸리죽 땜에 이제 돼지와 사람이 사촌이 됐어."

깨똥이란 놈이 한발 들이밀었다.

입에 대보지도 않고 부대 취사장에서 남은대로 나온 꿀꾸리는, 깨끗한 드럼통에 받아져서 사람 입으로 돌아갔고 나머지는 돼지물로 들어갔기 때문이었다.

간혹 고장난 라디오 같은 것이 섞여 나오는 일이 있으면 제각기 눈에 쌍심지를 돋우고 아귀다툼을 했다. 그들이 말하는 '노다지'였다.

장서방의 눈만 피하면 발굴자가 그대로 노다지의 주인이었다. 그러기에 일군들은 보수가 없어도 군소리 하나 없었고, 무슨 구실이라도 일자리에서 떨어져 나갈까봐 그것이 오히려 걱정이었다.

이 칸에서 보수라고 명토 있는 돈 구경을 하는 사람은 처음 일을 시작할 때부터 관련이 있다는 곰보영감과, 도급조로 깡통을 따는 태식이나 개똥이 뿐이었다.

사실 지난 겨울부터 올 보릿고개까지 두메마을 사람들은 여느 때 얼씬하기도 싫어하던 공동묘지 앞에 아침부터 줄을 지었다.

피난처에서 옛집이라고 돌아왔으나 이미 농사철은 거지반 지난 때라, 무슨 대책이라도 세워주려니 하던 막연한 생각이 꼼짝 못하고 앉아서 굶어죽게 만들었다.

풀뿌리나 나무껍질을 우려먹던 입에 꿀꾸리죽은 쌀밥에 진배없었다. 산마루턱을 둘씩이나 넘어와 하루 종일 기다리다가 그들이 말하는 대로 '꿀꾸리배급'을 못타 가지고 가는 날에는 맥이 풀려 산길을 더듬었다.

쌍과부가 이 칸에 일자리를 가지게 된 것도 밤을 새워가며 배급을 기다린 그 때의 연분이었고, 날개 돋히듯 꿀꾸리에 시세가 붙은 것도 이 무렵의 일이었다.

시어머니와 며느리의 이대 과부라 해서 쌍과부라고 불렀다. 그러나 이제 환갑이 다 된 노인에게 붙일 맛은 없어서 쌍과부라면 으레 젊은댁을 부르는 말로 되었다.

열아홉 살에 시집을 왔었다. 방위군엔가 끌려간 남편의 소식은 알 길이 없이 유복자를 낳았다.

해마다 가을이면 돌아온다는 판수의 말도 이제는 믿어지지 않았다. 시어머니는 며느리를 의지하고 살아왔고 며느리는 아들 때문에 산다고 했다.

"젊은댁은 너무 고와서 팔자가 센가봐……."

하고 순여엄마가 쌍과부에 마음이 끌려하면,

"아니, 거저 썩히긴 아까운 하이칼라랜대두……."

하고 곰보영감이 가로채었다.

"하이칼라가 머예요?"

쌍과부가 반문하면 곰보영감은 서슴지 않고,

"하이칼라가 머긴, 꽃같이 젊으문 하이칼라지."

하고 천연스럽게 웃어넘겼다.

마을 아낙들은 쌍과부더러 복스러운 모색이라고 했다. 그러나 시어머니가 박복해서 그 고생을 뒤집어쓴 게라고들 그랬다.

여름내 뙤약볕에 그을어 까맣게 탔으나, 탐스러운 얼굴이었다. 맑은 눈이 늘 금시 터질 듯한 웃음을 머금고 있었다. 곰보영감의 말대로 한다면 그것이 음란할 징조라고 했다. 이런 두메산골에 태어났으니 말이지, 서울 장안에만 났으면 큰 놈 몇 씩 들어먹겠다고 했다. 그러나 입이 여물게 생겼기에 그것을 막아내리라고 했다.

지난 말복 날 저물녘이었다. 돼지 두족을 한틀 가져다 추렴이 시작되려는 판이었다. 땀에 쩔은 먼지를 씻어버리려고 앞개울에 나갔다. 소낙비가 온 다음 날이어서 산골 물은 거울처럼 맑았다. 사내들은 속내의까지 훌훌 벗어버리고 물속으로 풍덩 뛰어들어갔고, 여인들은 아랫목에서 윗통만을 벗고 속옷바람으로 땀을 들였다.

쌍과부의 마음씨는 비단결보다 곱다고 느껴오던 순여엄마도 과부댁의 살결이 그렇게 고운 줄은 모르고 지냈다. 무릎을 세우고 돌 위에 걸터앉아 정갱이를 물속에 담그고 있는 쌍과부의 허벅다리 안쪽배가 눈결같이 맑아 어루만지면 융같이 부드러울 것만 같았다.

"젊은댁, 애기가 들 무렵인가 봐!"

언제 어린애를 낳아보았으랴 싶게 밑으로 처지지 않고 꼭지보깨를 그대로 엎어 놓은 듯이 여물은 젖가슴에 유심히 눈길을 머무르면서 순여엄마는 쌍과부의 구미를 건드렸다.

"아이구, 망칙해라."

쌍과부는 양팔을 가슴에 오그리면서 웃음 띤 눈을 가느스름히 흘겼다.

"망칙하긴, 초록두 한철이라는데……."

"……."

"젊은댁두 이제 팔자를 고쳐야지."

쌍과부는 후 하고 한숨을 쉬었다.

"서방덕 못 본 년이 무슨 자식덕 바랜댓다구, 요샛 세상에 자식덕 보겠다는 쓸개빠진 년도 없겠지만, 자식이란 노 부모 속이나 태웠지……."

순여엄마의 말에 쌍과부는 아무 대답도 없었다.

첫애를 낳았다고는 하지만 오밀조밀한 정분도 느껴볼 새 없이 떠나간 남편이었다. 그러나 언제까지든 남편이 돌아오기를 기다려야 한다고 생각했다. 시어머니를 섬기고 자식을 기르는 것이 살아가는 낙이라고 믿었다. 친정 식구와 함께 원주까지 피난갔을 때만해도, 앞뒤 군대가 들쑥날쑥 하는 쑥새판에서 감자굴 안에 들어가자고 깨웠다.

보름께가 가까워 달이 떠오르기 시작했다. 쌍과부의 얼굴이 유난히 맑게 상기를 띠었다.

"빨리 오시래요."

먼저 들어갔던 영희가 뛰어나왔다.

"몇 번이나 불렀는지 몰라요. 목이 아파 죽겠어요."

"응, 먼저 들어가. 곧 들어갈게."

돌 위에서 일어선 쌍과부의 얼굴은 어느 새 젖어 있었다.

"한세상이 얼마라구, 꽃 같은 나이루 늘 고렇게 살겠수. 나 같은 거야 이제 성 쌓구 남은 돌이지만, 내외간에 의지하는 심정은 더 커간대두……."

"허구헌날 이러구 있을 수도 없지만 어린애가 학교라두 들어가는 걸 보구라야 어떻게 하지 않아요."

"외갓집에 보내지, 제 어미 없으문 애가 굶어 죽을까봐……. 장서방 같은 이두 드믈대두, 내 어디 중신할까."

쌍과부는 그저 웃어넘기기만 했다. 이날 저녁 오래간만에 노래라고 입밖에 내었다.

명색 조반이라고 얼굴이 비치는 죽물이나 우려먹고 나온 일군들은 점심 한밥 허리띠를 늦추고 양껏 채우는 일이 하루의 낙이었다.

비료값·품삯·정미소 삯을 긁어내면 가을 제철에 벌써 계량이 떨어지는 그까짓 농사는 해서 무얼 하느냐고, 곰보영감은 올 봄에도 밭갈이에 손댈 염도 않고 이 자리에서 버티었다.

쓰레기 꼭대기에 늘 덧붙여 앉아 오는 얼치기가 운전대 걸상 밑에서 보루 상자 세 개를 끄집어냈다. 서발장대 같은 꺽다리 키에 움푹 패인 눈이나, 대답할 때에 예외 없이 군장단으로 붙이는 흥! 흥! 하는 소리가 꼭 양키 같고, 거기다 통역이라고 지껄여댄다는 것이 모르는 사람이 들어도 안타까울 정도로 서투른 솜씨가 빤히 들여다보이는 얼치기래서, '얼치기양키'라고 부르던 것이 어느 새 양키는 도태되고 '얼치기'만으로 통용되었다.

"이거 얼마야?"

"여섯 장!"

장서방의 물음에 얼치기가 깜둥이의 눈치를 살펴가며 건너는 말이었다.

"노, 화이부 오케!"

머리를 가로젓던 장서방은, 발길로 빨래비누 상자를 툭 차면서 다섯 손가락을 쫙 펴 깜둥이 쪽에 내대었다.

망설이던 깜둥이 입에서,

"흥! 흥! 오케!"

하는 소리가 떨어지자,

"뚜껑도 열지 않은 거야."

하고 얼치기가 그 뒤를 이어받았다.

창고 앞까지 가서 돈 오천환을 받아 쥔 얼치기는 군복 가슴을 헤뜨리고 양담배 보루를 집어냈다.

"자, 이것도."

"이건 혼자 돗따하는 거지."

"흥! 흥! 어서 돈만 내래두."

"다, 제 염통만 챈다니까."

장서방의 반생은 술과 계집이었다.

노가다 판 날인부에서 십장으로, 흥남공장에서 다시 청진으로, 나중에는 목단강에서 쟈무스까지, 아무 일이라도 닥치는 대로 해넘겼다. 사주를 들고 정식 결혼이라곤 해본 적이 없지만 카페 여급이니, 기생이니, 공사판에서 눈속이 맞은 처녀니 하여 버젓이 살림이라고 차린 일은 열 손가락을 꼬부렸다 펴고도 다 헤아릴 바 없었다.

그러나 그 살림이 일년을 넘은 적이 별로 없이 갈라지고 말았다. 친구들은 괴팍스런 성질이라고 했고, 떠나가는 계집들은 변태라고 그랬다.

장서방은 자기 과거를 이야기하는 법이 없었다. 지난 일을 돌이키기란 가장 아픈 상처를 쑤시는 일이라고 했다. 한잔 마시기만 하면,

"계집이란 아예 애 낳는 데 밖에 쓸모가 없다니까……."

하면서 제 성미에 맞지 않으면 무엇이든지 부수는 버릇이었다.

그러던 장서방의 기질이 이 쓰레기칸에 와서 점점 달라지기 시작했다.

－나는 인간의 쓰레기야, 쓰레기 중에도 깡통 하나 골라 낼 것 없는 다 썩은 쓰레기야－

술만 들이키면 계집을 나무라던 주정이 제 한탄으로 바뀌어졌다. 그리

고는 자기 나이를 세는 습성이 늘었다.

—마흔 넷! 마흔 넷! 홍 사사야 죽을 때 됐어, 암 죽어야지, 한 일이 없이 죽는다니까—

누구 하나 대답해 주는 사람이 없어도 혼자 부르고 쓰고 했다.

—이거 외로워서 죽겠어. 어디 마음 붙일 곳이 있어야지—

제멋대로 지껄이고 고함을 쳐도 시원치 않으면 나중에는 황소같이 엉엉 소리를 내어 울었다.

자동차 두 대만 다녀가면 가을 해는 허리를 꺾기 시작했다. 그래도 이 패들에게는 아침나절이 지루했다. 바람결에 풍겨 오는 고깃국 냄새가 코끝을 스칠 때마다 숨을 더욱 길게 들이켰다.

"제사보다 젯밥에 더 눈독이 간다니까!"

일손이 풀려가는 눈치를 보면 무턱대고 내뱉는 장서방의 무뚝뚝한 말투였다.

"아무렴, 산에 간 비둘기가 마음이사 콩밭에 있달 밖에."

이럴 때면 정해 놓고 받아치는 곰보영감의 뒷받침이 어색한 분위기를 얼버무렸다. 앞니가 빠진 곰보영감의 입이 헤벌어질 때마다 장과부는 제 입마저 호물거리면서 웃음을 참지 못했다.

점심참이 지났다. 곰보영감은 아까 깡통 틈에서 찾아 낸 네모진 병의 두 잔가위가 넘는 양주를 입술에서 쪽 소리가 날 때까지 병나팔을 불고 나더니 거나한 기분이었다. 거미줄처럼 주름이 얽힌 눈 가장자리에 개기름이 번지르르 했다. 화천(華川) 전투에서 이등상사로 있던 외아들이 전사했다는 것이 노상 영감의 자랑이었다. 아들만 있으면 이 꼴이 아니라고 내세웠다. 가슴이 아플 때는 마누라보다 술잔이 더 다정하다고 우겼다. 차만 오면 깡통이나 과일 나부랭이보다 빈병을 주워 모으는 것이 일이었다.

등을 쪼이는 오후의 햇볕이 간지러울 정도로 다사로웠다. 토요일은 늘 바빴다. 일요일치까지 겹쳐서 실어 내오기 때문이었다. 그러나 이날은 오히려 한산했다.

일손이 좀 가벼워지는 때면, 태식이 놈의 가사(歌詞)도 신통치 않은 유행가가 제멋대로 터져나오고, 어느 사이에 덩달아 영희년의 가냘픈 목소리가 뒤를 이었다. 이쯤 되면 곰보영감의 콧소리 수심가가 목을 지르고 나중에는 순여엄마와 쌍과부의 흥타령이 한다리 끼었다.

누가 시키는 것도 아닌 참에 후렴은 한데 어울려서 오후의 쓰레기칸은 흥겨워만 갔다.

자동차 고동소리에 갑자기 노래를 멈추고 소리나는 쪽으로 머리를 돌이켰다. 군대차가 들어오고 있다. 구령에 맞추듯이 일제히 자리를 떴다. 가까이 가니 쓰레기차가 아니다.

"파리떼야, 파리떼!"

개똥이가 태식이더러 소곤거렸다. 무엇을 좀 달라고 손바닥을 내미는 축들을 이렇게 불렀다. 무슨 부대니 무슨 단체니 하는 데서 돈푼이나 내라고 조르는 일은 말할 나위도 없이 많았지만, 보루 상자니 널판자니 하는 등속을 얻으러 오는 패도 끊이질 않았다.

"물 사겠소, 물?"

군대차였다. 휘발유를 사겠느냐는 말이었다.

"오늘은 현금이 없어서……."

"후에라도 괜찮으니 받아두어요. 자, 그릇을 가져와요."

젊은 군복이 운전대에서 뛰어내렸다. 황급히 당꾸에다 고무호스를 박자, 한 끝을 입에 물고 빨더니 찌그리는 상판을 하면서 입속의 호스를 재빠르게 휘발유 초롱에 옮겼다. 금방 세초롱이나 빠져나왔다.

"시내로 들어가는데 나무를 좀 실어야겠어."

검문소(檢問所)를 통과하기 위하여, 차에 실은 도당과 철망(鐵網) 위에다 나무 부스러기를 싣고 가야 하겠다는 것이다.

차가 떠난 후 뒷매무새를 하고 난 일꾼들은 돌아갈 차비를 하였다.

순여엄마는 닭고기 깡통을 귤이 들어 있는 상자에 집어넣고 전화줄로 얽어매었다.

"홍, 쓰레기칸 때문에 비행기로 실어 온 닭고기 반찬을 먹지, 어디 엄두나 내던 일이야."

곰보영감이 자기 몫에 걸린 닭고기를 종이에 꾸리면서 하는 소리였다. 선반을 매겠다는 라왕 널판에 닭고기 봉지를 얹어 노끈으로 짐바를 만들어서 지고 나섰다.

영희년은 재봉통을 하겠다고 채색한 동그란 캔디통을 들었고, 태식이란 놈은 집안 도벽을 하겠노라면서 양키잡지 한 묶음을 끼고 있다. 쌍과부는 어린애를 주라고 장서방이 내놓은 과자통에 빨래비누 두 개를 얼려가지고 일칸을 나섰다.

그들은 제 짐보다 남의 보따리에 더 눈이 갔다.

지난 여름부터 유엔군이 철수한다는 소문이 떠돌기 시작했다. 그러나 밤을 자고 나면 교체되는 일선 부대의 이동이기에 그리 대수롭게 생각하지 않은 장서방이었다.

이주일 전만해도 이 구역의 유엔군이 완전 철수한다고 했지만, 결과에 있어서는 이곳 부대가 일본으로 이동되고 그 뒤에 전선 부대가 옮겨 왔었다.

그러나 이번은 한국 부대와 완전히 교체한다는 것이었다.

사실 쓰레기차가 매일 줄어들어갔다. 그보다도 장서방은 패씸한 생각이 들었다.

작자들이 뒷수습도 하지 않고 꽁무니를 뺀다는 심정이 들었다. 모조리 떠나가고 나면 또 사흘 안에 미아리까지 밀고 들지나 않을까 하는 턱없는 생각도 들었다.

급기야 그들이 다 철수하고 난 뒤면 꿩 구워먹은 자리가 될 쓰레기 칸이 떠올랐다. 지금까지는 무턱대고 해 온 것이 어딘가 아쉬운 생각이 없지도 않았다.

해가 어지간히 기울어 찬기가 오금에서 등골로 기어오르기 시작했다. 아침부터 계속되는 탱크며, 군인을 실은 차가 아직도 끊이지 않고 먼지 속에 꼬리를 물고 달아나고 있다.

멍하니 철수 대열만 바라보고 있는 장서방 옆에 짚차가 와 닿았다. 청소 책임자 '싸진'이었다.

내일 본국으로 돌아간다는 것이었다. 이년 가까이 부대 출입을 해온 장서방은 그의 말에서 줄거리는 딸 수 있었다.

'싸진'은 자랑삼아 패스포드 갈피에 끼워 둔 마누라 사진을 끄집어내고 남들이 부러워하는 미인이라는 말을 또 되풀이 하였다. 한국 전선에 와 있는 사이에 저금한 돈으로 신형 승용차를 장만해 가지고 집으로 돌아가겠다는 말도 덧붙였다.

장서방은 멀거니 듣고만 있었다. '싸진'은 이 '빅토리' 쓰레기 칸의 일은, 다시 이 구역에 미군부대가 들어올 때는 우선권이 있을 것이라고 하면서 지나간 실적에 대한 자기의 보증 사인이라는 타이프에 찍은 글 쪽을 장서방의 손에 쥐어주었다.

새거리에서 짚차를 내린 장서방은 가나디안 위스키 한 병을 안겨서 '싸진'이 단골로 다니는 양공주 '안나'의 집에 그를 몰아넣고 돌아섰다.

벌써 일주일이나 쓰레기차는 보이지 않았다. 묵은 짐마저 정리가 끝난 일꾼들은 매일 목이 기다랗게 차를 기다리다가 지쳐서 돌아갔다.

녹 슨 깡통, 찢어진 보루 상자, 깨뜨려진 병, 나뭇조각 등이 너저분하게 흩어져 있을 뿐이었다.

장서방에게는 세상이 온통 쓰레기로만 보였다. 장터도, 교회도, 정당도, 회사도, 군대도, 학교도 모조리 쓰레기칸과 더불어 머리를 스쳐갔다. 짚은 지식은 없어도 세상을 넓게 밟아온 장서방이다. 그 속에서 자기 자신이 가장 쓸모없는 쓰레기라고만 생각되었다.

나중에는 쓰레기더미 속에 쌍과부의 얼굴이 어렸다. 무슨 구원의 손길같게만 여겨져 오늘밤은 기어코 끝장을 내야겠다고 제 마음에 다짐을 했다.

떡갈나무의 앙상한 가지 끝에 신음소리를 내던 거센 바람이 자작나무 가지에 걸린 낡은 까치둥을 훑어가고야 말았다. 음산한 날씨가 금시 눈이라도 쏟아질 것만 같았다.

남쪽으로 염주(念珠)알처럼 이어 달아나는 철수 차량의 헤드라이트가 황토색 먼지 속에 올빼미 눈같이 판득거렸다. 뺑손이를 치는 대포구멍은 모두 북쪽으로 향하고 있었다.

"제에길, 무기까지도 모조리 긁어가지고 가는군."

곰보영감의 못마땅해 하는 말소리에 몇 번이나 혀를 차는 소리가 계속되었다.

땅거미가 묘지를 스쳐 쓰레기 칸을 뒤덮어도 철수차의 대열은 끊이지 않았다.

기어코 눈깨비가 거센 바람에 휩싸여 뺨을 갈기고 어깨를 적시었다.

철원집에서 곰보영감과 마주앉은 장서방은 '쓰레기를 벗어나야 산다니까 쓰레기를'하면서 곰보영감의 영문도 모를 소리를 술잔마다 되풀이 하였다.

흙탕길을 적시면서 쓰레기 칸에 들어선 장서방의 눈이 찌꺼기 더미 한 구석에 못 박혔다.

틀림없는 쌍과부였다. 쌍과부가 연기속의 쓰레기를 뒤지고 있었다. 마치 먹새를 찾는 암탉꼴이었다. 땅 위에는 갓 주어낸 듯한 자질구레한 나뭇조각이 흩어져 있었다.

사흘째 계속되는 첫얼굼에 냉돌에 몸져누운 시어머니는 죽는다고 앓는 소리를 했고, 어린 것은 잠을 자지 않고 울기만 하였다. 쌍과부는 한잠도 이루지 못했다.

　어린 것이 있고 시어머니 있는 방안에서 힘에 겨운 외로움이 자꾸만 솟구쳤다. '장서방이 어때서-'하고 거의 날마다 건드려보던 순여엄마의 말이 떠올랐다. 하룻밤을 흐느껴 새웠다.

　장서방과 마주친 쌍과부는 훔치다 들킨 사람처럼 몸 둘 바를 모르고 망설였다. 차츰 얼굴에 핏기를 잃고 콧등에 솟은 엷은 땀이 빗물에 씻겨져 떨어졌다.

　장서방의 게슴츠레한 눈에서 처음 보는 번갯불이 번득이는 순간, 쌍과부의 꺼멓게 젖은 손은 장서방의 되박 같은 손아귀에 부서지도록 쥐어져 있었다.

　철수 차량의 대열은 아직도 끝없이 계속되고 있다.

　어느 사이에 눈깨비가 함박눈으로 변하여 앞이 보이지 않게 퍼부어 쌓이고, 쓰레기 칸에는 습기를 띤 연기가 언제껏 타오르고 있었다. 국군의 연습기지(演習基地)에서인지 간헐적으로 대포소리에 엇갈려 조명탄 섬광이 눈 속을 뚫고 쓰레기 칸에 점멸(點滅)하였다.

『文學藝術』, 1955. 8.

동혈인간 凍血人間

총소리가 달아나는 사람들의 발꿈치를 다급하게 따라오고 있다.

자기 자신이 살아야만 되겠다고 성희도 어느덧 생각하게 되었다.

애기가 혼수상태에 들어간 지도 벌써 일주야가 넘었다. 불덩어리가 된 몸뚱이를 비비꼬며 태질을 하다 헐떡이는 가쁜 숨결에 가슴팍은 물결처럼 흔들리고 있다. 가끔 거센 경련이 스치는지 실오리만한 목을 갑자기 뒤로 젖혔다가는 사지를 부르르 떨고 있다. 초점을 잃은 눈동자는 흰자 속에 희미해졌고, 탄력이 가신 눈꺼풀은 거의 위쪽에 달라붙어서 움직이지 않는다. 이제 보온병(保溫甁)의 우유도 다 식어버렸다. 나지 않는 젖이나마 젖꼭지를 물려보았다. 본능적으로 간신히 오물거리는 입술이 다시 맥없이 헤벌어질 뿐이었다.

컴컴한 어둠을 뚫고 불규칙한 포성이 점점 가까워지고 있다. 내일 아침은 기어코 떠나야만 하겠다고 초조해지는 마음이었다. 아이들에 시달려 지칠 대로 지쳤다. 사흘 밤을 꼬박이 뜬눈으로 새웠다.

일곱 살 난 경순이는 눈길을 곧잘 걸었다. 그러나 네 살내기 영수에게는 힘에 겨운 일이었다. 가끔 제 언니가 업고 걸었으나 몇 걸음 지탱하지 못하였다. 하루에 겨우 십 리 몫이나 되었다.

성희는 열이 나는 애기를 업고 걸었다. 악을 쓰며 영수가 길에 주저앉아 못가겠다고 앙탈을 부릴 때면 경순이가 억지로 손목을 끌고 왔다. 그러나 애기가 위독하여지자 한 걸음도 옮기지 못한 것이 벌써 나흘 째나 되었다.

마을 안은 텅 비었다. 의원이란 말할 것도 없거니와 제 몸조차 가누지 못하는 병자와 집 지키는 노인 몇 사람이 남아 있을 따름이었다.

성희는 애기를 안은 채로 깜박 눈이 감겼다. 끌려갔던 남편이 대문을 두드리는 소리에 소스라쳐 잠이 깨었다. 윗목에는 새우 두 마리를 내동댕이치듯 오누이가 사지를 웅크리고 누워있다.

성희는 애기를 팔에서 방바닥에 내려놓았다. 심장을 들먹이는 품이 숨을 거둘 시간이 촉박했나 싶었다. 난 지 반년도 못되는 핏덩이에, 어미가 극도로 영양부족이 되었으니 갓난애기의 꼴이란 말할 나위도 없다. 거기다 사십 도나 되리라고 짐작이 가는 고열에 줄곧 시달리고 보니 이제는 뼈에 껍질을 붙여 놓은 셈 밖에 안되었다. 살아나지 못할 바에야 이 밤 안으로 아예 끝장이 났으면 싶었다.

그러나 애기 목에서 가래 끓는 소리가 까칠하게 계속되는 것을 들으니 가슴이 조여드는 것만 같았다.

이따금 거센 눈보라가 창문을 후려갈길 때마다 문풍지의 비명이 방안의 공기를 더욱 음산하게 뒤흔들었다.

깜박거리던 등불이 그림자를 흔들고 바지지 꺼졌다. 기름이 바닥이 드러났다. 허공에 손을 휘저어보아야 소용이 없다. 다만 창문이 있는 방향이 알려질 뿐이다. 이제는 애기의 가래 끓는 소리로 죽음을 가늠하는 수밖에 없다. 숨가쁜 시간이었다. 빨리 날이 새었으면 하는 초조뿐이었다.

새벽이 되자 포탄의 작렬하는 소리는 더욱 잦게 거듭되었다. 끝까지 집을 지킨다던 안방 노인도 동트기 전에 이미 마을을 떠났다.

성희는 움찔 일어났다. 엷은 어둠 속에서 결의를 품은 눈동자엔 살기까지 스쳐지고 있다. 그는 애기를 들쳐업고 경순이와 영수를 들볶아서 갈 준비를 차렸다.

보따리를 이고 뜰에 나섰으나 다리가 휘청거려 몸가눌 바를 모를 지경이었다.

며칠 째 끼니를 제대로 치루지 못한데다 매운바람이 뺨을 에이니 트집이 센 영수는 한 발도 옮기지 않고 서 있다. 아무리 팔목을 끌어당겨야 선 자리에서 찡찡대고만 있다.

한참 뒤였다.

성희는 방안으로 다시 들어가자 업었던 애기를 방바닥에 내려놓았다. 마지막 순간이 닥치듯 손발이 시려들어오나 숨은 아직 끊어지지 않았다.

성희는 애기 몸뚱이에 포대기를 뒤집어 씌워놓고 실신한 사람처럼 밖으로 뛰어나왔다. 재빨리 영수를 들쳐 업고는 경순의 손을 붙잡고 뒷덜미를 치는 듯한 포성 속에 남쪽으로 걷기만 하였다.

몇 번이나 뒤를 돌아다보는 성희의 가슴 속에는 헤아릴 수 없는 슬픔이 벅차올랐다.

『朝鮮日報』, 1956. 1.

경동맥 硬動脈

1

성희(聖姬)는 팔자나 운명, 이런 것을 부정하고 살아왔다. 다만 자신의 선택이 있을 뿐이라고 생각하였다.

자기 자신이 선택한 일에 대하여는 후회하는 일이 없었다.

설령 그 결과가 섣부르게 되는 경우에도 못마땅한 뒷푸념을 늘어놓는 습성이 아니었다.

그러면서도 한 번 마음에 먹었던 일은 결단내고야 속심이 편해지는 좀 괴팍스러운 성미였다.

흔히들 자신의 타락된 몸가짐이나, 향락적인 생활 태도를 어쩔 수 없는 불행이나 뒤범벅이 된 사회 현실에 결부시켜 자기의 삶을 합리화하려는 그러한 사람들이 성희의 구미에는 애당초 맞지 않았다.

2

겨울 방학을 앞두고 전시회니 발표회니 하여 중첩되는 행사 때문에 성희는 매일 같이 통행금지 시간이 가까워서야 집으로 돌아왔다.

식모 아이가 객주집에 묵었던 손님이 아침상을 물리고 떠나가듯이 쉽사리 나가버린 뒤 하는 수 없이 임시변통으로 친정 어머니가 와서 어린 것들의 뒷배를 돌보아주나 칠순이 가까운 노인이기에 집안 꼴이라곤 말이 아니었다.

성희는 겨울에 접어들면서부터 몸이 무척 쇠약해짐을 느꼈다.

지난번 가사 실습 시간에는 생전 처음으로 현기증까지 일으켰기에 이대로 과로가 덮치다가는 몸져눕게 되지나 않을까 하는 우려도 없지 않았다.

차라리 직장이고 뭐고 집어치우고 고스란히 집안에 들어박혀 아이들 치다꺼리나 제대로 하여 주고 싶은 생각이 하루에도 몇 차례씩 떠오르는 요사이의 심정이었지만 집안 살림이 온통 자기 한 팔에 매달려 있는 형편이니 어쩔 수 없는 노릇이었다.

여학교 동창간에 S 사이라고 불리어지던 선배가, 요절한 남편의 유산을 기울여 신설한 대학이라 아직 모든 일이 자리가 잡혀 있지 않았다. 그래도 성희에게는 과(科)의 책임까지 지워 놓았고 대소사 간에 학교 일에는 일일이 학장의 손발이 되어야 하는 힘쓸 다리이니 성희 자신에게 있어서도 보람있는 일에 한몫 끼었다는 의젓한 느낌이 없는 바도 아니나, 제 힘에 벅찬 과남하고 고된 일이라고 주춤거려지는 적도 한두 번이 아니었다.

오늘도 성희는 늦게야 집으로 돌아왔다. 밖에 나갔다가 지쳐서 대문 안에 들어설 때마다 물 밀 듯 밀려오는 어딘가 모르게 허전한 심정이 연말을 앞두고 한층 더 하여지는 것만 같았다.

남편 동호가 있을 때도 성희 자신이 한 때 직장을 가졌었지만, 남편이 자기보다 먼저 돌아오지나 않았나 하는 그것이 늘 걱정이 되어 현관문을 열자마자 아버지 오셨니 하고 누구에게랄 것 없이 묻는 것이 거의 습성처럼 되었었다. 자기가 늦었을 때에는 미안쩍은 생각으로 변명이라기보다 늦게 된 사연을 부리나케 내쏟고야 속이 시원해졌고, 남편이 아직 안 돌아왔을 때에는 다행이라 싶어 안도의 숨을 쉬면서도 기다리는 조바심 속에 어린애들과 더불어 밤이 즐거웠다.

산월(産月)이 가까워서 직장을 그만두고 집에 들어앉은 후에는 법조계에 토대가 굳건하여진 남편이 거의 밤마다 취하여 늦게 돌아와도 언제 한 번 쓴 얼굴을 하는 적이 없이 달게 웃음으로 맞이하였다.

온 식구가 단잠을 깰 정도로 성가시게 대문을 두드리는 밤이라도 목젖까지 솟구치는 화를 억지로 참고 술 깨인 아침에야 별렀던 화풀이로 적잖이 바가지를 긁어대면 남편도 미안한 표정에 웃음을 띠어 슬쩍 받아넘기기만 하였다.

방안에 들어서니 어린 인식이는 벌써 아랫목에서 잠이 들었고, 새로 타 온 겨울 숙제를 뒤적거리던 영애가 벌떡 일어나며 반겼다.

"엄마 이제 와, 우리 오늘 방학했어, 이거……."

성희는 외투를 벗으면서 영애가 내미는 통지표를 받아들었다.

"나 이번에는 모두 수(秀)야."

영애는 통지표를 들여다보고 있는 어머니 옆에 기대어 어머니의 얼굴만 빤히 쳐다보고 있다.

"그러문 우단 잠바 새로 사준댔지……."

"……"

"응? 안 그랬어, 엄마."

"응 응."

성희는 통지표 속의 과목을 따져보면서 마음이 적이 유쾌하여졌다.

제 학급의 누구는 성적이 어떻고, 아무개는 무엇이 어쨌다고 지껄여대던 영애도 소리 없이 쓰러진 뒤에야 성희는 자리를 깔아 애들을 바로 눕히고는 아랫목 벽에 기대인 채 멍하니 허공만 쳐다보고 있다.

날마다 셈본이니 미술이니 하여 연약한 영애에게는 힘에 겨운 숙제를 닥아몰 듯이 시켜왔고, 일제고사 때면 졸려서 비틀어지는 것을 억지로 쥐어박으며 채찍질했던 일이 너무 가혹했구나 싶어 오히려 가여운 생각이 들었다.

성희 자신, 그따위 공부는 잘해서 무얼해요 어디 우등한 사람만 잘 사는 세상이랍디까, 하고 밖에 나가서는 속알 있는 뜻으로 뇌까리지만 집안에 들어와서는 어린것에게 과중한 부담을 강요한 것만 같아 어떤 양심의 자책감 같은 괴로운 심사도 없지 않았다.

생각은 꼬리에 꼬리를 물고 줄달음치다가, 이런 밤에는 남편이 있었으면 얼근히 취한 기분으로 돌아와서 얼마나 기뻐할 것인가 하고 가슴이 뭉클하여졌다.

입은 채로 자리에 들었으나 눈만 말똥말똥할 뿐 머릿속이 엉클어지기만 하였다.

어젯밤만 해도 학장실에서 밤늦게 마신 짙은 커피 때문에 끝내 잠을 이루지 못하고, 인식의 양말 한 켤레를 다 뜨고 나니 첫 전차소리가 들여왔다.

성희는 밤이 두려웠다. 긴 밤이 사뭇 지루하였다. 이 몇 해 동안 옷이라곤 벗고 누운 적이 별로 없었다. 일부러 불을 끄고 자리에 들어가도 단숨에 잠이 드는 밤이라고는 드물었다.

일손을 쥐고 버티다가 자정이 지나서도 끝끝내 졸음이 오지 않으면 이번에는 책을 들고 씨름을 하여본다. 그것마저 효과를 내지 못하는 밤이면 하는 수 없이 두 아이 틈에 끼어들어 누운 대로 천장의 타원형 무늬를 세어본다. 이러는 사이에 어느덧 불을 끄고는 갑갑증이 나서 누워있지 못하는 버릇이 생겼다.

사지가 노곤할 대로 지쳐 상머리에서 그대로 새우 꼴로 꼬꾸라지는 밤이면 훤히 동이 트는 것이 반가웠고, 태양이 한결 고마웠다.

3

우수(雨水)가 지나 얼음 녹은 땅이 질벅거리는 저녁이었다.

부산 국제시장 골목에서 성희가 구제품 장사보따리를 막 싸 놓고 허리를 폈을 때였다. 자기 모습을 눈 여겨 쏘아보고 있는 사나이와 얼굴이 마주쳤다.

낡은 유엔 잠바에 방한모를 눈썹까지 눌러썼기에 분간하기는 어려우나 키꼴이 큰 폼으로나 야위기는 하였어도 으리으리한 눈매가 틀림없이 현수(玄洙) 같았다.

사나이의 비교적 태연한 태도에 비하여 성희는 약간 당황한 표정으로 잠시 동안 몸을 가눌 바를 모르고 망설이는데,

"성희 아니요."

사나이의 편에서 먼저 말을 붙였다.

그래도 의아해 하는 성희의 동정을 알아차린 사나이를 곧 이어 제 이름을 불렀다.

"나 현수입니다."

"아니, 김 선생님 이런데서……."

성희는 도떼기시장 장돌뱅이가 다 된 듯한 자기 꼴이 어색하여 거의 반사적으로 자기 몸을 훑어보고 나자 주위의 시선을 피하는 듯이 장사보따리를 옆 좌판에 앉은 평양 노친에게 맡겨 놓고는 현수를 앞질러 서서 다짜고짜 옆 골목 우동집으로 들어갔다.

"김 선생님, 대체 어떻게 된 일이에요."

운동과 약주 한 잔을 청하여 놓고 이번에는 성희 편에서 먼저 말문을 텄다.

"지난 철수 때 나왔습니다."

"곧장 부산으루요."

"함께 몰려서 거제도 수용소로 왔었지요."

"여기에 언제 오셨어요."

"어저께 나왔습니다."

약주 한 잔을 들이키고 난 현수는 몹시 궁금한 듯이,

"동호군은 어디 있습니까."

하고 성희 남편의 안부를 묻는 것이었다.

한참 머뭇거리다가 성희는 입을 떼었다.

"소식을 모릅니다."

현수는 까스름이 눈을 감았다. 아끼던 벗이 새삼스럽게 그리웠다.

그렇게 탐스럽고 품위 있던 성희의 모습은 어쩌면 이렇게 변하였을까.

매끈하고 뾰족하게 잘 빠졌던 손길이 매듭이 도드라지게 굵어져 살갗이 까칠하게 되었다.

퇴색한 몸빼에 국방색 도꾸리셔츠를 걸치고 제대로 가다듬지도 못한 성희의 차림새가 서른을 갓 넘은 제 나이에 비하여 놀랄 만큼 늙어 보였다.

"그럼 이북으로 갔는가요."

"유월 그믐 날, 그러니까 천하가 뒤집힌 사흘 째 되던 날인가 봐요. 아침에 찾아온 동료하구 같이 나가신 후 그대로 소식이 없어요."

성희는 후 하고 긴 한숨을 내어꺾었다.

"생사도 모르나요."

"네, 그도 모르겠어요."

어두워지는 하꼬방 속에서 성희의 양미간이 흐려져갔다.

"어린애들은 몇이신가요."

"둘이에요. 갓난애기는 피난 내려올 때 죽었구……."

"여간 고생이 아니시겠는데요."

"다들 당하는 고생인데 어디 나만이라구……."

성희는 현수 앞의 빈 유리잔을 보고 현수의 사양하는 팔을 물리치면서 약주 한 잔을 더 청하여 놓고는 다시 말을 이었다.

"그런데 참 결혼하셨지요."

"네, 해방 직후에 곧 했습니다."

"다 함께 나오셨겠군요."

"아니요. 폭격 때문에 가족은 교외로 소개를 시켜놓고 나 혼자 평양에 남아 있다가 갑자기 떠났으니까요."

밖에서 빗방울이 떨어지기 시작하기에 그들은 다시 언제 만나자는 약속도 없이 막연한 인사만으로 갈라졌다.

4

결혼만 해도 성희는 자기의 정확한 선택에 만족하고 살아왔다.

현수와 동호가 거처하는 아파트로 동호의 이종인 은주를 따라 처음 찾아간 것은 여자대학에 입학하던 해 초여름이었다.

그 때 법과 졸업반에 적을 둔 동호는 고문 준비에 머리를 싸매고 도서관에 처박혔고, 미술 전공인 현수는 교내 전람회에 출품할 작품 제작에 골몰하고 있었다.

그러나 그들은 가끔 도심지를 벗어나서 함께 즐거운 시간을 보낼 수 있었다.

날이 갈수록 동호도 현수도 성희에게 대하여 걷잡을 수 없는 애정을 느끼게 되었다.

그러나 그들은 어디까지든지 우정의 한계를 벗어나지 않겠다고 농담조라도 서로 다짐을 하였다.

그 후 졸업을 앞둔 성희에게 정식으로 동호가 은주를 통하여 결혼의 의사를 표시하였다는 소식을 들었을 때 현수는 적잖이 놀랐을 뿐만 아니라, 마치 손에 쥐었던 보석이라도 놓지는 것만 같은 미련을 가지면서 지그시 단념하였다.

그러나 그 때에 생긴 동호에 대한 야릇한 기분은 현수의 가슴에서 오래도록 가셔지지 않았다.

한편 성희는 성희대로 꼭 공리적으로 따졌달 수는 없지만 쾌활하고 씩씩하면서도 정에 끌리는 현수보다는 좀 꼬치꼬치 캐는 빡빡한 점도 있지만, 인생을 차근차근한 판단으로 내다볼 수 있는 동호를 택하는 데 거의 불만이 없었다.

5

비 개인 하늘에 구름 한 점 없이 가슴이 탁 트이도록 맑은 가을 아침이었다.

성희는 주위의 모든 일을 잠시 잊고 어디든지 끝없이 여행하고 싶은 충격까지 느끼면서 집을 나섰다.

아침 강의 시각이 촉박한 탓도 있었지마는 오래간만에 티 없이 상쾌하여진 마음을 거슬리지 않기 위하여 버스 승강구에 매어 달려 뚝심으로 윽박지르는 북새판을 바라보다가 지나가는 택시를 집어탔다.

창경원 모퉁이를 돌면서 짙게 채색된 단풍이 넘겨다보이는 원내의 눈부신 단장에 새삼스럽게 계절의 감촉이 육박하여 옴을 느꼈다.

오늘 오후에는 학생들 몇몇을 끌고 비원 구경이라도 할까 하는 심정까지 들었다.

학교에 다다르니 테이블 위에 새하얀 각봉투 하나가 놓여 있다. '현수'라고 하였을 뿐 주소도 우표도 없었다.

부산서 한 번 만난 후에는 지금껏 소식을 알 길이 없어 간혹 궁금한 생각도 없지 않았고, 그 때의 초라했던 자기 몰골에 쑥스러운 생각이 들어 저도 모르게 어깨가 주춤하여졌다.

"어저께야 학생들 이야기 끝에서 겨우 거처를 알았습니다. 오늘 세 시에 틈을 내실 수 있으면 '르네상스'에서 만났으면 합니다."

간단한 사연에 다방 약도가 붙어 있었다.

그러나 어쩐지 성희의 마음은 아주 범연하지는 못하였다.

오후의 세 시간 계속되는 가사 실습을 대충 중요한 대목만 설명하고 흑판에 재료의 분량과 요령을 메모하여 놓은 다음 실습 결과에 대한 상호비판으로 과정을 끝낼 것을 지시해 놓고는 정각 바로 전에 다방으로 나갔다.

현수는 벌써 와서 앉아 있었다. 성희를 보자 자색의 펠트 새 모자를 벗으면서 다정스럽게 맞아주었다. 성희도 깍듯이 인사를 하고 자리에 앉았다.

"얼마나 고생하셨어요. 애들은 다들 잘 있구……."

"네."

"참 오래간만입니다."

"선생님은 그 때보담 아주 신관이 좋아지셨네요."

성희는 현수의 새로 맞춰 입은 듯한 회색 구레빠 스프링 속에 갸웃이 내민 새하얀 와이셔츠 칼라에서 현수의 얼굴로 시선을 돌리면서 말을 건넸다.

"저보담 그 사이 성희씨가 훨씬 젊어지셨습니다. 하하하……."

현수는 예전의 그 시원하던 웃음을 터뜨리면서 성희의 얼굴을 뚫어지게 들여다보고 있다.

"아이, 선생님두."

"아니, 사실인걸요."

그제서야 성희도 참았던 웃음이 터져나왔다. 입가에 손을 대고 웃음을 막으려는데 현수는 옆에 온 레지와 성희를 번갈아 보면서 차를 주문하고 있다.

"참, 뭐 드실까요, 커피?"

"아뇨, 홍차 들겠어요."

"그럼, 홍차 두 잔만."

현수는 양담배갑을 꺼내어 한 대 피워물면서 나지막하게 천천히 말을 시작하였다.

"그래 얼마나 고되세요."

"이제 지치다 못해 만성이 됐는걸요."

"만성이라두 됐으면. 아무튼 습관화된다는 것이 어렵고도 중요한 일이거든요."

"선생님은 좋은 그림 많이 그리셨어요?"

현수는 담배 한 모금을 깊게 빨아서 큰 한숨과 함께 내뿜고 나서는 다시 차 한 모금을 마신 다음 무겁게 입을 열었다.

"그림이 다 뭡니까. 이북에서 선전용 초상화만 그려먹던 놈이 무슨 양심으로 좋은 그림을 그립니까, 이 손도 간판장이로 굳어버렸지만……."

성희는 가슴이 뭉클하였다. 늘 한다는 말이란 한평생 그림을 그리다가 그대로 죽겠다느니, 예술을 위하여서는 모든 것을 아낌없이 희생하겠다느니 하던 학창시절의 현수의 정열에 넘쳤던 모습이 번개같이 망막을 스쳐갔다.

"양심을 속이고 예술이 된답니까. 이런 생활 속에서 무엇이 되겠어요. 그래 이왕 더러워진 마음이라 이제 돈이나 벌기로 했습니다."

호주머니에 손을 넣던 현수가.

"자, 이렇습니다."

하고 내미는 명함을 받아보니 도서출판 현문사(玄文社) 전무취체역 김현수로 되어 있다.

"나야 어디 동전 한 푼 가지고 왔어야지요. 돈 가진 친구 하나가 마침 함께 일을 좀 해보자구 하기에 둘이서 같이 굴리고 있습니다."

"잘 하셨어요."

엉겁결에 나온 성희의 말이 떨어지기도 전에,

"잘하기는 뭘 잘해요, 그래도 배운 도둑질이라 미련이 남아서 오늘은 성희 씨를 만나서 오래간만에 국전(國展)이나 가 보렵니다."

하고 자리에서 일어섰다.

현수와 차속에 나란히 앉은 성희는 중앙청을 돌아 효자동 길을 올리달리면서 옆에 앉은 현수에서 오는 체취가 마치 남편 동호인 것만 같은 착각마저 느낄 뻔하였다.

종점에서 오른편으로 구부러지는 커브에서 내린 그들은 노랗게 물든 은행나무 밑 보도를 가지런히 걸어갔다. 고성(古城)에 얽힌 담쟁이의 진주홍이 코발트 하늘색에 더욱 도드라지게 수놓인 짙은 가을의 저물녘은 그들의 마음을 한껏 즐겁게 하였다.

현무문(玄武門)을 지나 궐내(闕內)에 들어서니 고색창연한 전각(殿閣)과 허물어진 양옥들이 성희나 현수의 아물지 않은 난리의 상처를 방불시켜, 그들은 제각기의 생각을 더듬으면서 묵묵히 걷고만 있었다.

미술관 앞에서 현수가 예전에 같이 그림 그리던 벗들을 만나 감격에 찬 인사를 주고받을 때에야 그들의 침묵은 비로소 깨뜨려졌다.

서예실(書藝室)에서 동양화·조소(彫塑)·서양화의 끝방까지 거치는 사이에 현수는 여러 차례 그림 앞에 멈추어 눈을 가느스름하게 감기도 하고 앞으로 다가섰다 뒤로 물러섰다 하면서 사뭇 감회 깊은 표정을 하였다.

성희는 그림에 대하여 묻고 싶은 대목도 있었으나 그러는 것이 오히려 현수의 삶의 전환에 대한 가장 큰 상처를 건드리는 것 같게 느껴져서 묵묵히 따라가며 보기만 하였다.

종치는 소리를 듣고야 그들은 밖으로 나왔다. 바람은 약간 싸늘하여졌다.

"지루했었지요."

현수는 성희에게 대하여 너무 자기도취만 하였다는 듯한 미안한 어조였다.

"아뇨."

"소감이 어떠세요."

"저야 원체 그림을 알아야죠, 섣부른 평이라는 건 오히려 예술을 모독하기 쉬워서……."

"예술에 더 잘난 평이 있어요? 모든 사람이 보아서 좋으면 좋은 거예요. 옛날 사람이 보아도 좋고, 지금 사람이 보아도 좋은 그런 거 말이에요."

"일대 전환을 하셨다면서 아직도 향수를 가지고 계시는군요."

"향수뿐입니까. 적잖이 미련이 있습니다. 마치 지난날의 그 때처럼……."

현수가 '그때'에 힘을 주어서 말하는 어조에 성희는 가슴에 거센 충격을 느껴 망설이다가 입을 열었다.

"그러나 후회는 하시지 않겠지요."

"글쎄요."

"자기가 옳다고 선택한 일에 대하여는 후회를 말자, 그것이 저의 신념이에요. 자기의 행동에는 자기가 책임을 지자, 이것이 하찮은 저의 자가류의 철학이랄까요……."

종로에서 저녁을 마치고 난 다음 그들은 돈화문에서 구름다리를 거쳐 고궁의 담벽을 돌아 낙엽을 밟으면서 동소문 언덕 위에 있는 성희의 집 앞까지 다다랐다.

성희가 이왕 예까지 왔으니 집안에 들어갔다가 가라는 것도 마다하고 현수는 돈암동 하숙으로 돌아갔다.

6

성희는 첫눈을 얼마나 목마르게 기다렸는지 모른다.

솜눈이 얼굴을 스치고 옷자락에 사뿐히 머무는 이 밤을 끝없이 걷고만 싶었다. 허전한 가슴팍 한구석에 흐뭇한 무엇이 어루만져지는 심정이었다. 온누리에 다사로운 평화가 깃들인 것만 같은 정다움마저 느꼈다. 자동차 헤드라이트에 반사되는 눈송이는 가을같이 풍성한 기분을 주었고, 발바닥에 닿는 가벼운 탄력은 부드러운 감촉으로 온 몸을 가뜬하게 해주었다.

붐비는 사람들 틈에 끼어 백화점 문안에 들어서니 화끈거리는 온기가 얼굴에 맞닿았다.

그제서야 머리며 어깨 위의 눈을 털지도 않고 들어온 것을 깨달았다.

바로 오늘 아침 막 집을 나서려고 거울 속을 들여다보다가 문득 눈 가장자리의 잔주름살에 손끝이 만져지는 때였다.

"엄마, 오늘은 일찍 와."

"응."

"꼭."

다짐을 받다시피 하며 어머니의 치맛자락에 매어 달려 애원하는 듯 하던 인식의 모습이 떠올랐다.

성희가 신을 신고 문을 나서려니까,

"엄마, 참 오늘 저녁에 산타클로스 할아버지가 선물 가져오지 응?"

"아니란다, 우리 반 영옥이가 그러는데 산타클로스 할아버지가 가져오는 게 아니라 어머니가 그러는 거래."

인식의 말이 떨어지기가 바쁘게 제 누나가 받아챘다.

성희는 어린 것들에게서 눈을 돌리며 혼자 웃고만 있었다.

"엄마, 난 총과 탱크 갖다 주었으면 좋겠어."

말끔히 쳐다보는 인식의 눈망울에 남편의 모습이 서린 것 같은 환상이 아른거려 성희는 아들을 덥석 끌어안았다.

"엄마, 난 장갑, 응?"

"응 그래."

영애의 말에 성희는 무심코 대답만 했다.

"참말 산타클로스 할아버지가 가져와? 엄마."

인식이 놈이 다시 한 번 다진다.

"그럼 참말이 아니구."

"오늘 밤에는 어디 한 잠도 자지 않고 볼테야, 정말 산타클로스 할아버지가 오나 지키고 있어야지."

아이들 남매가 주고받던 이야기를 곱씹으면서 성희는 사람이 물결쳐 들끓는 아래층 인형부를 다녀서 이층으로 올라갔다.

올 겨울에는 자기도 목도리 하나 갈아매야 하겠다고 생각하면서 넓은 점포를 거의 한 바퀴 돌았다.

성희 옆에서 흥정을 하던 같은 또래의 젊은 여인이 넥타이를 집어들고 머리를 갸웃거리면서 받을 사람의 취미에 맞을까를 걱정하고 있는 것이 눈에 띄었다. 그 여인이 흰 와이셔츠에 넥타이를 받쳐서 싸들고 나간 후에도 성희의 시선은 멍하니 허공에 매달리고 있다.

진정을 서려 선물을 주고 싶은 사람이 뼈저리게 그리운 밤이었다.

성희는 쥐었던 목도리를 다시 어루만질 흥도 없이 아이들 물건만 마련해가지고 그대로 양품부를 나왔다.

층층대를 내려오면서도 무엇인가 아쉽고 그리운 생각이 줄곧 머리를 휩쓸고 있었다.

"성희 씨."

나지막한 목소리가 등 뒤에서 들리면서 어깨 위에 가벼운 압력을 느꼈다.

성희는 헷갈리는 생각 속에서 깜짝 놀라며 뒤를 돌아다보았다.

현수였다. 성희는 반가웠다.

현수는 몸집이 통통한 중년 신사와 나란히 바로 성희 뒤에서 층층대를 내려오고 있었다.

"아! 김 선생님."

"그동안 안녕하셨어요?"

"네."

"뭘 그렇게 많이 사셨어요."

사람들 틈바구니에 끼어 밀리다시피 현관 앞까지 나왔을 때 현수는 성희의 안고 있는 보따리에 눈길을 주면서 물었다.

"아이들 선물이에요."

"참 어린애들 잘들 자라지요?"

"네."

"그렇잖아두 오늘 저녁 쯤 찾아뵐려고 했는데……. 어디 식사라도 하십시다."

중년 신사가 뒤에 따라나온 점원에게서 상품 여러 꾸러미를 받아 대기하고 있는 짚차에 싣는 것을 보고 성희는 현수의 바쁜 시간을 축내는 것이 미안할 것만 같은 생각이 들었다.

"방금 먹었어요."

"그럼 차라도……."

오래간만에 이야기라도 나누고 싶은 심정이었으나, 성희 자신도 학교에서의 망년회 시간이 임박했기에 굳이 사양했다.

백화점 앞에서 현수가 중년 신사와 함께 짚차를 타고 달아나는 뒷모습을 보면서 성희는 학교 쪽으로 발을 돌렸다.

그러나 현수의 허탈한 호의가 자꾸만 허전하던 가슴팍을 꿰뚫고 밀려들어옴을 어찌 할 수가 없었다.

7

망년회가 끝난 다음 이차회를 하자느니, 댄스파티로 옮기자느니 하는 소리들을 들은 체 만 체하고 성희는 집으로 돌아갔다.

많은 사람들이 흥에 겨워 왁자지껄 떠들던 분위기에서 혼자 나오니 허황한 기분이 왈칵 치밀어 올랐다.

혹 지금쯤은 현수가 와 있지나 않을까 하는 부질없는 생각이 떠오르자 성희의 걸음은 저절로 빨라졌다.

영애와 인식은 서로 껴안은 채 곤히 잠이 들고 있었다.

어린 것들이 산타클로스 할아버지 오는 것을 꼭 보겠다고 하면서 엄마를 기다리다 못해 제풀에 잠이 들었다고 하면서 부엌으로 나가는 할멈의 말을 듣고 성희는 가슴이 쓰렸다.

보자기를 풀어서 탱크와 총과 초콜릿을 묶어 인식의 선물을 줄에 매어 달아 놓고, 영애의 몫인 장갑을 인형처럼 몽그려 양말 속에 넣어 가지고 크레파스, 크레용을 한데 묶으려는데 부스럭거리던 영애가 눈을 떴다.

"엄마, 이제 왔어?"

"응."

"인식아, 엄마 왔어, 엄마가."

제 동생을 흔들어 일으키는 서슬에 성희는 선물을 손에 든 채 망설이고 서 있었다.

"봐, 인식아, 선물은 엄마가 주는 거래두. 산타클로스 할아버지가 아니야."

잠이 덜 깨어 눈을 비비는 인식이를 부축하고 있는 영애의 야무진 목소리에 성희도 불현 듯 웃음을 터뜨리면서도 마치 잘못을 저지르다가 들킨 때처럼 거북스러운 생각이 들었다.

"참 엄마, 아까 어떤 아저씨가 찾아왔댔어. 엄마 아직 안 들어왔느냐고 하면서 뭘 두구 갔어……."

성희는 영애가 벽장에서 가져온 상자를 받아들고 포장지를 풀었다.

케이크 상자 위에 포개 놓은 작은 상자 뚜껑을 여니 수박색 바탕의 마후라가 차곡이 포개어져 있었다.

　─후회 안 하실 새해를 축복합니다. 김현수─

마후라 속에서 나온 카드에는 이같이 적혀져 있었다.

마후라를 들고 있는 성희의 눈언저리가 뜨거워졌다.

아이들이 다 잠든 후였다. 선물을 안고 깊은 꿈에 잠긴 어린 것들의 뺨에 성희는 뜨거운 입술을 몇 번이고 비비었다.

그러나 현수의 얼굴은 초점을 잃은 사진처럼 겹겹이 엇갈리다가 또렷이 눈앞을 가리었다.

어느덧 성희의 얼굴은 핏기를 잃고 창백하여졌다.

동맥이 이미 굳어진 석고상처럼 움직이지 않았다. 그의 양뺨에는 끝없이 눈물이 방울져 흐르고 있었다.

유리창을 거쳐 솜눈은 아직도 함박으로 퍼붓고 있다.

『文學藝術』, 1956. 3.

지층 地層

1

박쥐같이 햇빛을 등지고 살아온 칠봉이었다.

낮과 밤을 분간할 수 없었다. 영하 이십 도의 바깥 세계와는 완전히 격리된 굴속이었다. 온기가 서려 훈훈하기까지 하였다.

파이프에서 새어나오는 에애[壓搾空氣]의 숨가쁜 소리가 그칠 사이 없이 어둠 속으로 흩어졌다.

다이너마이트의 폭음이 간헐적으로 굴 안을 뒤흔들고 달아난 뒤는 석탄부스러기가 머리 위에 튀었다. 동발(坑木) 틈에 고였던 물방울이 퉁기어 목덜미에 선뜻한 찬기가 서리다간 등골로 스쳐갔다.

주먹만한 안전등(安全燈)이 철모(鐵帽) 앞이마에 달라붙었다. 한 줄기 불빛이 자욱한 먼지를 누벼가며 탄벽(炭壁)에 부서지는 반사광이 조각조각 윤기를 띠고 번득였다.

태백산맥의 큰 줄기를 머리에 이고 있는 험산 준봉의 뱃속을 가로질러 꿰뚫은 갱도(坑道)속이었다.

간선탄도(幹線炭道) 복판에서 바른 쪽 벽을 후비고 밋밋하게 기어올라간

수백메타의 사갱(斜坑)을 거슬러 포인트(分岐點) 지점에서 다시 옆굴로 갈라졌다. 파다 버린 폐광구(廢鑛口) 앞에서 왼쪽으로 꺾여 얼마 동안을 꼬불꼬불 들어가 이제 더 갈 곳이 없는 막다른 한 끝의 채탄장(採炭場)이었다.

칠봉이는 쳐들었던 곡괭이를 검은 벽을 향하여 내려찍었다. 곡괭이 날이 젖혀질 때마다 무너지는 석탄덩어리가 발목을 덮었다. 이제 자가웃만 더 파들어가면 동발 한 틀을 새로 세울 수 있으리라고 생각하면서 그는 연속 내려박았다.

곡괭이 자리마다 안전등 불빛이 따라갔다. 불빛이 다음으로 옮겨지는 대로 곡괭이 끝은 이동되어 갔다.

자칫하면 불발(不發)된 남포구멍을 다칠 뻔하였다. 착암기를 대고 넓찍이 파내야 되겠다고 마음먹었다.

새로 나타난 암벽(岩壁)을 피하여 구불게 파들어갔다. 탄맥이 점점 좁아지는 것으로 보아 새로운 줄기를 찾아야 할 것이라는 생각이 들었다.

앞쪽이 널찍한 곽삽으로 쌓여진 석탄을 퍼서 바닥에 깔아 놓은 철판 위로 옮기었다. 이젠 속내의에 땀이 배에 축축해왔다.

레일에 긁히는 쇠바퀴소리가 아득히 들려왔다. 권노인이 물고 나간 탄차(炭車)가 돌아오는 상 싶었다.

2

왜정 말엽에 아버지의 뒤를 이어 미성년 견습 탄부(炭夫)로 들어와서 해방과 육이오의 두 고비를 석탄굴 속에서 겪은 칠봉이다.

지난 칠석에는 씨름판을 휩쓸고 황소 한 마리를 탔다.

사끼야마[先由夫]라는 탄광 특유의 칭호로 불리우는 숙련 광부 칠봉이는 탄강패들 속에서 모르는 사람이 없었다.

아버지만 불의의 조난으로 세상을 떠나지 않았던들 그는 아버지의 소원대로 이 두메산골에서 벗어났을 것이었다. 애당초 이 탄광에 밥줄을 걸어매지 않았을는지도 모를 이이다.

그 이야기는 아직도 칠봉이의 머릿속에 되살아오는 냉랭한 기억이었다.

무덥고 침침한 날씨에 사지와 창자가 늘어진 일군들은 묵호(墨湖) 쪽에서 사들여온 송아지 만큼한 개 두 마리를 엎어놓고 복놀이에 배꼽이 들석하도록 한밥 잘 치루고 난 저녁이었다. 진국인 밀주 몇 잔에 칠봉이 아버지도 얼근한 기분으로 자정 가까워서야 밤일을 교대하여 굴속으로 들어갔다.

칠봉이 아버지가 일하던 채탄장에는 간밤부터 습새어 떨어지는 물줄기가 연방 검은 덩어리를 밀어내가고 있었다. 심상치 않게 본 그는 그날 밤 마련으로는 동발부터 먼저 덧세우리라 마음먹었었다. 일을 파하고 나갈 때에 보급계에 동발 신청까지 해놓았다.

그러나 정작 이날 밤은 거나한 기분으로 농탕치며 들어가는 바람에 그런 일들은 생각할 엄두도 내지 못하였다.

일을 시작한지 한 시간도 못되어서 갱목이 삐끌어졌다. 암석이 굴러떨어지며 낙반(落盤)이 되었다. 칠봉이의 아버지를 비롯한 굴속의 다섯 사람은 그대로 생매장이 되었다.

이듬해 봄 칠봉이는 학교를 그만두고 탄광에 첫발을 들이밀게 되었다.

안전등의 불줄기가 점점 가까워왔다. 칠봉이의 불빛은 권노인이 몰고 오는 탄차 쪽을 비추었고 저쪽 불빛은 칠봉이 앞으로 다가왔다.

석탄가루에 범벅이 된 칠봉이의 얼굴에서는 땀이 흘러내려 검은 판때기에 물자리가 패이고 눈알만이 광채를 띠우고 있다. 그는 삽을 놓고 소맷자락으로 이마의 땀을 훔치면서 탄차 앞으로 발을 옮기었다.

쩍 벌어진 어깨 위에 걸쳐진 작업복은 본바탕 제빛을 알아볼 자취도 없이 석탄빛으로 반들반들했고, 목에 감은 조각도 까맣게 변하였다.

칠봉이는 탄차를 이끌어서 레일 끝쪽에까지 당겨놓고 삽을 들어 석탄을 퍼 담기 시작하였다.

권노인은 석탄 무더기 위에 몸뚱어리를 거의 내던지듯이 주저앉으면서 눈에 조여드는 땀을 닦았다.

"담배나 한 대씩 피우고 합세."

권노인의 말이었다.

"붙든 참에 실어 놓고 쉴랍니더."

"앙이, 그만하구 옵세, 있다가 같이 퍼담지비."

"……"

"오랑이까, 빨리."

칠봉이는 삽을 탄차에다 걸쳐 놓고 권노인 옆에 와 앉았다.

그는 담배 한 대를 붙여 물었다. 길게 빨아들이킨 연기는 송두리째 삼켜 졌다가 큰 숨에 섞여 뿌옇게 흩어졌다. 가슴 속이 후련해 오는 것 같았다.

"사끼야마는 아직 시장하지 않소, 보리밥이라능게 그게 영 실속이 없거덩."

"그걸 먹고야 어디 배에 심을 줄 수 있능기요."

칠봉이는 벌써 허기가 찬 듯한 권노인의 말에 얼굴은 돌리지 않고 말대꾸만 하면서도 자기도 어지간히 배가 쓰려옴을 느꼈다.

"글쎄, 그놈의 배급이라능게 몇 달씩 밀리다가 준다는 것이 겨우 그 꼴이 아니오, 입쌀은 뉘만큼 밖에 안되고 보리쌀 투성이니 그게 어디 되겠소, 간죠두 벌써 석 달씩이나 밀리구두 핑 구버 먹은 소식이 아니오."

"내일 내일하구 핑게만 했싸쿠 한바탕 맛을 바야 알지, 그놈의 자슥들이, 흠"

칠봉이는 큰기침 끝에 건 가래덩어리를 내뱉었다.

"글쎄, 돈을 받아줘어야 가든지 오든지 하지 않겠소, 내 원."

"언제 떠날랑기요."

"간죠가 나능거 바사 알지비."

"참 영희는 어떻게 할랑기요."

"어떻게 하기는……."

"시집 줄랑기오, 안줄랑기오."

벌써 몇 번이나 권노인더러 농처럼 다짐을 받아보는 말이나 칠봉으로서는 진심으로 나온 실토였다.

권노인은 자기에게 도움이 되는 칠봉이가 고맙고 믿음직스러웠다.

영희도 한 가족같이 칠봉이와 흉허물 없이 지냈다.

그러나 혼인은 아무리 당사자가 주라고 하지만 이 낯선 땅에, 그것도 지금의 권노인으로서는 단 하나의 피붙이인 딸을 그대로 팽개치듯이 내어 놓을 수는 없다는 고까운 생각이 들었다.

속초에나 가면, 속내를 잘 아는 고향사람들끼리 얽어놓은 것이 마음 편하리라고 생각해온 권노인이었다.

대답 없이 건너다보는 권노인의 머릿속에는 딸, 영희의 장다리같이 커만가는 모습이 떠올랐다.

권노인은 눈을 가늘게 덮으면서 등을 탄벽에 기대었다.

서호진(西湖津)에서 마지막 철수선을 타고 집을 떠난 것이 어제일 같았다. 우선 형편이나 알아보려고 부둣가에 나온 것이 마지막이었다.

웬 영문인지 초급중학에 다니고 있던 영희 하나가 묻어 떠났다. 다른 식구들은 모두 버려두고 그것 하나만이 무슨 바람에 휩싸여 붙어 왔는지 통 모를 일이라고 생각되었다. 이럴 때면 권노인은 다 운이야 운 하고 만사를 운명에 돌리고 체념을 곱씹는 것이었다.

흰 머리카락이 부쩍 늘어간 권노인을 존대하여 탄광패들은 '노인'자를 붙여 불렀다. 하지만 아직 오십 안팎의 권노인으로서는 그 소리가 그리 달갑지 않았다.

배에서 짐짝처럼 부려진 곳이 거제도(巨濟島)였다. 거기서 여수로, 여수에서 다시 목포로 알 만한 사람이 줄 닿는대로 전전하여 흘러갔다.

사실 늦어도 석달 안으로 고향에 돌아갈 줄만 믿었다.

차츰 나이 차 가는 딸의 앞길이 걱정되었다. 고향 사람들이 많다는 속초로 갈량으로 영암선에 접어들었던 것이 오늘의 시초였다.

삼척까지의 중턱인 철암(鐵岩)에서 하룻밤을 묵게 되었다. 객주집에서 만난 얼굴들이 서로의 사연을 주고받았다.

대소한(大小寒)이 가로막힌 추위에 석탄만이라도 흔한 고장에서 겨울을 나고 해동하거든 가는 것이 좋겠다는 이야기들이었다.

꼭 집어낼 목표라곤 없는 걸음에 귀가 솔깃해졌다.

꿈에도 생각하지 못하였던 탄광 일에 손을 대게 되었다.

— 다 운이요, 운 —

권노인의 운명론은 더욱 잦게 되풀이 되었다. 그는 곧잘 토정비결(土亭秘訣)을 펼쳐 놓고는 태세(太歲)니, 월건(月建)이니 하고 짚어보는 것이었다.

3

딸은 눈만 뜨면 빨리 떠나자고 졸랐다. 이제 죽어도 이 석탄 굴에서는 더 못살겠다는 것이었다. 입춘만 지나면 떠날 걸음이 아니냐고 타일러왔다. 요 며칠은 아버지에게 툭툭 쏘아붙이면서 자기 혼자만이라도 먼저 떠나겠다고 발버둥을 쳤다. 어제 저녁도 자리 속에서 오래도록 흐느끼는 것을 듣고 권노인은 혀가 아리도록 담배만 연신 피웠다.

그러나 그것도 임금을 받아쥔 다음이야 어찌할 것이 아니냐고 욱박질렀다. 오히려 가슴 속이 서먹해왔다.

매운 바람이 무연탄 무더기를 휩쓸고 달아나면 검은 가루가 뽀얗게 머리며, 목덜미에 기어 들었다.

석탄가루 속에서 괴탄(塊炭)을 주어내는 아낙네들은, 마치 거름더미 위에서 모이를 찾아내는 병아리떼 같았다.

이따금씩 떠들어대는 젊은 가시네들의 유행가 곡조가 선탄장(選炭場)의

지루한 하루를 아물어주었다.

현장 감독인 강주사는 제주도산이라고 노 자랑하는 흑산호 물뿌리를 담배불이 붙었건 말았건 입에서 떼지 않고 왔다 갔다 서성거리고 있다. 궤짝에 주어 채우면 전표 한 장씩 떼어 주는 것이 그의 일이었다.

색안경을 새로 장만한 강주사의 눈은 항시 영희에게서 떨어지질 않았다.

석탄 가루가 눈에 들어가기 때문이라고 핑계는 대지만 기실은 영희에게만 눈총을 박고 있는 것이 멋쩍어서 하는 소리라고들 했다.

말없이 석탄덩어리만 주워 담는 영희의 마음은 훨훨 북쪽으로 줄달음치고 있다. 언제 갈지 아득한 고향이었다. 차라리 서울로 가고 싶었다. 얼어서 튼 손등은 그물코처럼 금이 갔다. 점점 무능해 가는 아버지를 원망하고 싶은 심정이었다.

요즘 여러 날을 계속해서 영희에게는 한 궤짝이 끝날 때마다 전표가 두 장씩 쥐어졌다. 받네 안받네 승강이를 할 수도 없었다. 영희의 손에 전표를 놓을 때마다 강주사의 손가락 끝이 영희의 손바닥을 꼭 찔렀다. 이번도 재빨리 손을 빼면서 전표를 움켜쥐고 제 일자리로 뛰어왔다. 얼굴이 붉어지며 화끈 달아올랐다.

"영희는 꿩먹구 알먹구가 아잉가베."

눈치 빠른 필순엄마가 눈을 끔벅하며 핀잔을 주었다. 영희는 어쩔 줄을 몰랐다. 억울한 생각이 들어 코허리가 찡하여 왔다.

"영희는 좋겠네요. 사끼야마 칠봉이도 장가들겠다지, 강주사도 저렇게 안달이 나서 눈에 달이 올랐지……."

또 무슨 말이 나올지 몰라 영희는 다른 쪽으로 돌아섰다.

영희는 칠봉이에게 마음이 쏠리지 않는 것도 아니었다. 몸을 아끼지 않고 묵묵히 일만 하는 칠봉이가 가여운 생각이 들었다. 부산에서 본, 화려한 거리의 거짓으로 가득 찬 사내들보다 얼마나 믿음직한 일꾼인가 싶었다.

그러나 이럴 때마다 영희 자신은 죽어도 이 탄광에서는 이 이상 더 살지는 못하겠다는 생각이 겹쳐들었다.

그러고 보면 칠봉이에 대한 자기의 심정은 한갓 동정에 지나지 않는 것인가 하고 미안쩍은 마음을 걷잡을 수도 없었다.

서울!

서울이라면 무슨 짓을 해서라도 가고 싶었다. 강 주사 쪽으로 힐끔 머리를 돌리다가 눈이 마주쳤다. 강 주사는 강 주사대로 서울을 그리는 영희의 마음속에 낚싯줄을 느리고 있었다.

전표 타러 간 필순엄마는 입을 삐쭉하며 강 주사를 처다보았다.

"누군 장님인줄 아는가베, 내 말 한마디문 거저……."

말끝을 어리벙벙하면서 필순엄마는 영희께로 눈길을 슬쩍 돌리는 흉을 하였다.

강 주사는 쉬 하고 입에 손가락을 대면서 필순엄마에게 전표 두 장을 더 쥐어주고는 사무소 쪽으로 천천히 걸어갔다. 마지막 참에서 강 주사는 영희의 손에다 전표 한웅큼을 꾹 우겨주었다.

"서울로 가구 싶어 한다지, 내가 데려다 줄게……."

"……"

"내 말만 들어."

영희는 당황하였다. 필순엄마가 곧 뒤에 다가오는 바람에 머뭇거리다가 그대로 돌아서고 말았다.

4

짜증이 나게 씨익거리던 에아 소리가 뚝 그쳤다.

제삼 번 교대로 밤 열두 시에 일자리에 붙었으니 벌써 네 시간이나 흘러갔다. 새벽닭이 첫홰를 칠 시간에 점심 소동이었다.

칠봉이의 뒤를 따라 권노인도 허리를 펴고 일어섰다.

그들은 부지런히 석탄을 퍼담았다. 쇠로 만든 한 톤짜리 탄차가 가득 찼다. 권노인 혼자 밀기에는 힘에 벅찬 무게였다.

칠봉이는 권노인과 나란히 탄차를 밀고 점심터인 포인트께로 나갔다. 철길의 분기점을 지나 본선에서 대기하고 있는 기관차 도로리 뒤에 탄차를 연결시켜 놓고 포인트 옆 석탄불 둘러리에 모여들었다.

이미 먼저 온 일꾼들이 불 가장자리에 삥 들어앉았다. 재빠른 축들은 벌써 점심 그릇들을 내놓고 식사를 시작하고 잇다. 안전등불 빛에만 의지 하던 그들은 포인트 뒤 천정에 달려 있는 휘황한 고촉 전등에 눈이 아물 거렸다. 검은 얼굴들이 유달리 두드러져 입 놀리는 대로 하얀 이빨만이 표나게 반사되었다.

칠봉이도 권노인과 마주앉아 점심보자기를 풀었다. 된장 냄새가 콧구 멍으로 기어들었다. 시장한 뱃속이었다. 어느 틈에 끝나는지 모르게 후딱 치워버리고 더운물로 입가심을 하여 배를 채웠다.

고된 노역 속에서도 하루 한 번의 가장 정다운 점심참이었다. 이야기 장판이 벌어졌다.

"넝감은 몇 축이나 햇쉐까."

노름판의 '섰다' 대장으로 '땡이'라는 별명을 가진 춘삼이가 권노인 쪽을 돌아다보며 말을 건넸다.

"게우 네 번 밖에 못했음메."

"늙은이가 그만 하문 잘한 폭이디."

모두가 도급이었다. 일한 분량대로 임금이 정해져 나왔다. 하루 종일 굴속에 들어와 있어도 땡이처럼 군장단으로 시간을 보내면 몇 푼 얻어쥐 지 못하였다. 그들에게는 채찍질이 필요 없었다. 오히려 그들은 자기 힘 에 벅찬 과로를 악을 쓰면서 견디어 나갔다.

"칠봉이 자넨 동발 하나 더 들어갔갔디."

땡이는 칠봉이에게로 말머리를 돌렸다.

"보리밥 먹구는 어림도 없능기야. 땡이 니는 어찌했나."

"나야 뭐 걱덩 있어야디, 간죠날 '섰다'해서 봉창하문 될건데, 거 땀 흘리구 멀해, 못나게 스리 돈두 안나오는 판에."

"나도라, 정 이라문 가만 안둘랑기다."

"글쎄 말이디 웅, 때려죽일 놈의 새끼들이 한 달에 몇 만톤씩 파 내놓은 석탄은 다 어디다 팔아먹구시리 이따위 수닥들을 한다는 거야. 한수네 석이야 일디감티 잘했디. 미군부대를 따라 원주엔가 갔대니께."

"이거 죽은 듯이 가만이 있을기 아이고 무슨 본때를 뵈줘야 할꺼 아인기오."

"칠봉이와 춘삼이 두 사람이 또 한번 대표로 일을 봅세, 대중을 위해서 어찌겠음메."

칠봉이의 말에 멍하니 앉아 있던 권노인이 입을 열었다.

"그것이 좋겠소."

여러 사람이 같이 찬동을 하였다.

씨익 하고 에아의 통하는 소리는 점심참의 흥을 깨뜨렸다.

칠봉이는 머리에서 떼어놓았던 안전등을 철모에 다시 꽂고 자리에서 일어서면서,

"에, 빨리 끝내구 돌아가는 길에 영월집에 들려 대포타령이나 안할랑기요?"하며 땡이의 옆구리를 쿡 찔렀다.

"좋아, 홧김에 서방딜이라구, 술이나 진탕 먹어보디."

칠봉이는 권노인과 함께 빈 탄차를 밀고 채탄장 쪽으로 들어갔다.

둘은 말없이 차에다 석탄을 퍼담았다. 권노인이 탄차를 몰고 나간 다음 칠봉이는 새로 세울 동발을 톱으로 잘랐다.

안전등으로 천반을 골고루 비쳐보았다. 온통 단단한 너리바위로 되어 있었다. 양쪽 지주(支柱)만 단단히 박히면 가로지를 도리는 그리 어렵지 않으리라 싶었다. 석자 간격으로 새 지주를 벽에 바싹 붙여세우고 밑을

단단히 다졌다. 건너 편 벽에다가 다시 새 지주 한 개를 박았다.

가름자 도리를 들어 위쪽에 홈이진 한 쪽 지수 위에 올려놓고 도리의 다른 한쪽을 들어 어깨에 메었다. 두 손아귀에 힘을 모아 나머지 쪽 지주 홈에 빠드득 들이밀고 기울어진 지주를 발길로 힘껏 찼다. 후 하고 큰 숨이 나왔다. 땀방울이 등으로 흘러내려가는 것이 벌레가 기어가 듯 간지러웠다.

칠봉이는 권노인과 함께 빈 탄차를 밀고 채탄장 쪽으로 들어갔다.

둘은 말없이 차에다 석탄을 퍼담았다. 권노인이 탄차를 몰고 나간 다음 칠봉이는 새로 세울 동발을 톱으로 잘랐다.

양쪽 섶의 먼저 지주와 새 지주 사이를 방목으로 연결시켜 놓고 큰 못을 박아 놓았다.

칠봉이는 동발을 한 틀씩 새로 들어갈 때마다 일한 보람을 느꼈다. 마음속이 흐뭇해왔다.

동발 검사를 왔던 조사계원이 돌아간 다음 얼마 아니되어 또 다시 에아는 끊어졌다.

칠봉이는 일손을 놓고 권노인과 함께 채탄장을 떠났다. 불발된 남포구멍을 흘깃 돌아다보면서 그대로 두고 가는 것이 어쩐지 미적지근한 생각이 들었다.

광구(曠口) 쪽으로 가까워질수록 추위는 점점 더 거세어졌다. 아득히 입구의 기르마 같은 구멍으로 환한 햇빛이 내다보였다. 하루 중에 이때가 가장 마음에 거뜬한 순간이었다. 그것도 이날같이 밤중에 들어왔다가 아침에 나가는 삼번 교대의 싱싱한 기분이 더욱 그러하였다.

탄도 한옆으로 얼음 밑을 뚫고 빠져나가는 배수로의 물소리가 요란스러웠다. 굴 어구 콘크리트 천반에는 고드름이 얼레빗살같이 가지런히 매어달렸다.

굴 밖에 나서니 아침 햇살이 눈에 부시었다. 맑게 개인 푸른 하늘 아래

흰눈을 이고 있는 산등성이는 새하얀 줄을 또렷하게 금긋고 있었다.

5

함바(飯場) 앞모퉁이에 있는 영월집에서는 탄강패들이 모여앉아 노름판이 한창이었다.

명색 섰다를 한다면서 호주머니가 말라붙은 그들은 기껏 파랑새 담배 한 대씩을 부쳐놓고 거기에 신이 나서 화투장을 뒤지고 있다.

이번에는 칠봉이가 물주요, 거기에 땡이, 포인트 담당인 고주, 도로리군 덕구 하여 칠팔 명이 방안에 가득 차게 둘러앉았다.

권노인은 아랫목에서 낮잠에 코를 골고 있다.

밖은 조금 전에 시작한 눈이 이제는 앞이 보이지 않게 쏟아지고 있다.

화투장을 나누어 주고 난 칠봉이는 제몫 두 장을 겹쳐쥐고 엄지손가락으로 바드득이 한 장을 훑어 조이고 있다.

"자, 섰다. 그라문 그렇지, 될라는 판이라……."

호기있는 소리를 치면서 사타구니 밑에 쓸어넣었던 담배 뭉치 속에서 한 대를 끄집어내어 판 가운데 덧질러 놓았다.

어디서 벌써 한 잔 걸쳤는지 땡이는 불그스레한 상판에 눈을 껌벅이며 화투장을 들여다보다가 그러면 나도 어디 하고 담배 한 대를 따라 질렀다.

"젠장, 하필 따라지야."

고주는 입을 다시면서 화투장을 판 가운데 던졌다.

한낮이 기울도록 방안에서는 '국방'이니 '땡'이니 하는 소리가 끊이지 않았고 이따금 너털웃음소리가 길가에까지 울려나왔다.

판이 거의 식어갈 무렵 술상이 벌어졌다. 권노인도 아랫목에서 부시시 일어났다.

"자, 한잔씩 들라요. 오늘은 물주가 땄으니까 한잔 살랍니더, 인자 밀린 간죠가 쏟아져 나왔싸문 외상값도 다 갚구, 앙그래요? 할마시."

술잔을 든 칠봉이가 영월집 노파를 보면서 픽 웃었다.

"밑천 다 털어먹는 판이래두, 도대체 간죠는 나온다는 거요 안나온다는
거요."

"글쎄, 염네말라우요, 곧 나온대두요."

노파의 말을 땡이가 채어받았다.

한 잔을 들이키고 난 땡이는 권노인 앞에 잔을 내밀면서 입을 열었다.

"넝감, 한잔 들라우요, 사윗감은 잘 골르셨수다. 이만하면……."

칠봉이 쪽을 흘깃 보면서 끝은 웃음으로 얼버무렸다.

권노인도 이빨을 드러내고 히히 웃으면서 잔을 받았다.

"글쎄 안준다능기야 어찌 하능기오."

칠봉이는 땡이한테 잔을 건너면서 권노인 쪽을 지켜보고 있다.

"넝감이 쓸데없는 고집 부리다간 딸만 노티디, 넝감 신탄장 강주사가 눈에
달이 올랐지요, 딸 잘 간수하라요, 괘니시리 귀신도 모르게 채가게 말구."

"앗다, 그깐 놈이야 누가 겁나능기라요."

눈이 휘둥그래지는 권노인을 보면서 칠봉이는 땡이 말을 막았으나 강
주사에 대한 속마음은 언짢았다.

"사실이야, 이런 맹충이 보게, 필순엄마가 그러는데 영희한테 잔뜩 눈
독을 들이구 있는 게 강 주사가 오금을 못쓴대두, 그 색골 몰라, 어디 내
놓는 줄 알어."

"마, 그만 하고 술이나 드이소."

태연하려면서도 칠봉이의 마음속은 부글거렸다.

주거니 받거니 몇 차례씩 술잔이 오고가는 사이에 빈속에 급히 들이킨
술이 재빠르게 취기가 돌았다.

게슴츠레한 권노인의 눈동자는 더욱 풀어졌다.

어느덧 흥이 난 땡이의 사발가가 저절로 풀려져 나왔다. 술판이 점점

익어갔다.

　-석탄 백탄 타는 데는 연기만 푸불석 나구요-

　후렴은 한데 어울려서 젓가락 장단까지 겹쳐졌다.

　권에 못이겨 권노인도 오래간만에 신고산타령의 첫 꼭지를 떼었다.

　"뚜우."

　이번 교대의 사이렌 소리가 울려왔다. 그들은 홍을 깨치고 자리를 떴다. 이제 제각기 작업복을 갈아입고 굴속으로 들어가야만 했다.

　밖은 사나운 눈보라가 시작되었고, 추위가 한결 거세어졌다.

　6

　산골의 늦겨울 저물녘은 숨 돌릴 사이도 없이 어둠을 재촉하여왔다.

　일자리로 나가던 칠봉이는 선탄장에서 돌아오는 영희와 마주쳤다. 눈보라 속에서 웅크리고 걸어오다가 칠봉이를 알아차린 영희는 갸웃이 머리를 숙이고 지나갔다.

　무심히 인사를 받고 저만큼 갔던 칠봉이는 다시 홱 돌아섰다. 갑자기 무슨 단단한 대답 한마디를 듣고 싶은 충격이 일어났다.

　영희에겐 지금까지 직접 혼담이야기를 건네본 일이 없었다. 아까 술자리에서 흘러버린 강 주사에 대한 소문도 머리에 되살아왔다. 자식이 선손을 써서 무슨 일을 저지를지 모르겠다는 의아심이 들었다.

　"영희."

　큰 소리였다. 영희는 걸음을 멈추었다. 칠봉이는 영희 쪽으로 뚜벅뚜벅 걸어갔다.

　"영희."

　다시 불렀다. 그러나 다음 말이 나오지 않았다. 술기운에서인지 가슴 속이 화끈 끓어올랐다.

"아버지가 머라 안하드나."

불쑥 내민 첫마디였다.

"아니."

칠봉이를 쳐다보는 영희의 눈동자는 놀란 표정이었다.

영희의 등을 밀어서 돌각담 섶으로 피하여 섰다.

일찍이 영희 앞에서 그렇게 거세게 느껴보지 못하였던 흥분 같은 것이 밀려왔다.

"아버지가 결혼이야기를 안하등기야…… 나하꼬."

다짐하듯이 끝의 한마디에 힘을 주었다. 영희의 머리가 수그러졌다. 새 새끼처럼 종알대느니보다 말대답이 없이 순하게 서 있는 영희가 더 좋았다.

칠봉이는 말문이 풀린 것만 같았다.

"밀렸던 간죠나 나오문 새봄에 살림두 채릴란다. 그러면 사택도 하나 받을게구. 나또 삼십 년 살다가 요새 정말 사는 것 같다. 니 영희 따문 이다."

"……"

"앙그렇나?"

"……"

"와 대답이 없나."

영희는 고개를 숙인 채 몸집을 돌리면서 아무 대꾸도 없다. 눈가루를 머금은 바람이 영희의 귓밥을 할퀴고 지나갔다.

"니 서울 가구 싶어 하능거 내 다 안다. 자식이 나서 학교로 갈 때문, 나또 그 때는 대처로 갈란다. 사내대장부가 어디 가서 못살겠나. 니 생각 은 앙그렇나."

"……"

"와 대답이 없나."

칠봉이는 영희의 허리를 끌어 돌리면서 대답을 재촉했다.

영희는 아무 말도 없이 길 옆쪽으로 걷기 시작했다. 칠봉이는 영희의 몸뚱이를 붙잡고 다그쳤다.

"대답 안할라나."

"……"

"영희, 니 싫으나, 내가."

"아니."

"그럼 와 대답이 없나."

영희는 빠른 걸음을 옮기기 시작하였다. 칠봉이는 다시 뛰어가서 영희를 붙잡았다. 멸시를 당한 것만 같았다. 슬그머니 부아가 치밀었다.

"니 정말 대답 안할라나. 알았다. 그놈 강주사가 좋아서 그라지, 맞다."

픽 돌아서는 영희의 동작이 날래어졌다.

"누가 강주사가 좋다나, 정말 난 이 석탄굴에서는 죽어두 못살겠어요, 이게 어디 사람 사는 거요, 개 돼지만도 못하게……."

영희는 칠봉이의 껴안은 팔을 뿌리치고 반 뛰다시피 달아났다.

칠봉이는 맥이 탁 풀렸다.

석탄과 파고 탄광의 영웅으로 살아온 과거가 한꺼번에 무너지는 것 같았다.

영희가 사라진 쪽만을 지켜보고 있다. 얼어붙는 눈바람 속에서 움직이지 않았다. 목을 놓아 통곡을 하고 싶었다.

"봐라, 어디 가만 두나……."

누구에게랄 것 없이 중얼거리는 칠봉이의 어깨 위로 눈보라만 사나워졌다.

7

칠봉이는 권노인을 보기에도 멋쩍은 생각이 들었다. 곡괭이질을 하는 권노인을 남겨두고 실어담은 탄차를 몰고 나갔다.

－개 돼지만도 못하게－

영희의 뱉어버린 마지막 말이 칡넝쿨처럼 머릿속에 엉키고 감겨서 풀려지질 않았다. 영희가 그렇게 원한다면 간조가 나는 대로 함께 이곳을 떠나리라 마음먹었다.

술기운에 숨이 가빠진 권노인은 쉬어가며 천천히 곡괭이질을 하였다. 해춘만하면 꼭 속초쪽으로 떠나리라는 속셈을 하면서 고향에 남긴 가족들의 얼굴을 하나하나 더듬어보는 것이었다.

요행히 그대로 생존만 했으면 팔순이 될 노모, 큰 아들이 인민군에 뽑혀가고 외롭게 남아 있는 며느리, 국민학교에서 지금쯤은 중학에 들어갔을 작은 놈, 병석에서 쿨럭거리던 마누라, 가슴 속이 짝짝 찢어지는 것만 같은 심정이었다.

토지개혁에 겨우 남은 과수원 사흘갈이도 아쉬움처럼 떠올랐다.

걷잡을 수 없는 뒤헝클어진 생각에 잠겨 빈 탄차를 몰고 돌아오던 칠봉이는 귀를 찢는 듯한 폭파소리에 깜짝 놀라 멈칫했다. 의아스러운 눈초리로 머뭇거리다가 탄차를 내던지고 그대로 굴속 한끝으로 막 뛰어갔다.

화약냄새가 코를 쿡 찔렀다. 불안한 예감이 머릿속으로 스쳐갔다.

－불발된 남포구멍이 됐구나－

칠봉이는 비틀걸음으로 어둠속을 향하여 뛰어들었다.

가까스로 앞이 잘 보이질 않았다. 뭉클 하고 밟히는 것이 있었다. 재빨리 불빛을 보냈다. 자욱한 연기 속에 길다란 토막 하나가 떨어져 있다. 끄집어 당기었다. 아직 피가 뛰어 푸득거리는 권노인의 다리 한쪽이었다. 불빛으로 다시 굴섶을 훑었다. 찢어진 고깃덩어리가 벽에 흩어져 있다. 찢기우고 부서진 조각을 주워 모을 염도 못하였다. 바스러진 머리 조각이 박쪽처럼 한끝 벽 밑에 굴러떨어져 있다.

칠봉이는 머리가 아찔하여 한모로 쓰러졌다. 권노인의 다리 조각을 붙잡고 있는 손이 떨렸다.

갑자기 정신이 들었다. 막 비명을 치고 일어나 뛰었다. 무엇이 목덜미를 끌어당기는 것만 같았다. 레일에 걸려 곤두박질을 했다. 죽음이 닥쳐오는 듯한 두려움이 오싹 몰려들었다.

일춘이 지났다. 양지발에 풀싹이 움트기 시작하였다. 햇볕에 등이 노곤해왔다. 산골짜기의 얼음 풀린 물소리가 마음속을 뒤숭숭하게 했다.

칠봉이는 철모 챙에 안전등을 달고 굴속으로 들어가고 있다. 아버지가 묻힌 원수의 굴속이다. 권노인을 자기 손으로 죽인 것만 같은 굴속이었다. 서울, 영희, 입속에서 맴을 돌았다.

저녁에 나올 때는 꼭 사무실에 들러서 이번에는 단단히 임금 지불을 따지고 해부치리라고 마음속으로 다짐하면서 걸었다.

아득한 한끝에서 반딧불처럼 안전등이 반짝였다.

영희는 탄광촌에서 이미 자취를 감춘지 오래 되었다.

『思想界』, 1958. 6.

해도초 海圖抄

일천구백사십팔년 유월 상순.

그러니까 그 어마어마한 일이 저질러진 다음다음 날인 십일 새벽 나는 경비선을 타고 포항(浦項)을 떠났다.

밤차의 고달픔이 온몸을 휩싸여 머릿속도 개운치 않았으나 좀처럼 긴장이 풀리지 않는 내 마음은 하루 종일 갑판에 나를 얽매어 놓은 채 선실로 들어가지 못하게 만들었다.

이번 사건이 내 가슴에 던져준 충격도 크려니와 내가 서울을 떠나던 전 날 과도정부 비서실에서 벌어진 기사 취재에 대한 패배감 같은 꺼름칙한 감정이 아직도 내 몸뚱어리 전체를 억누르고 있었기 때문이다.

나는 '유 피' 주재원 B씨와 함께 있었다. 앞으로 박두한 미국 정부 수립에 관한 중요한 재료의 캐치에 신경을 집중시키고 있는 때였다.

기본 요강 결정의 암시를 받은 나는 비서실에서 부장실로, 심지어는 고문관실까지 쏘다니면서 이미 성안이 다 되었을 새로운 기사의 취재에 몸둘바를 모르고 날뛰었다.

비서관은 내일 아침 정식으로 발표하게 되었으므로 오늘은 할 수 없다고 능숙하게 발설을 회피하였다. 나는 부득이 수긍하면서도 약간 미적지근한 기분을 안은 채 사에 돌아왔다.

그러나 내가 오후에 다시 출입처로 나가려는 직전, 통신 제 오편에 벌써 유 피 통신은 정부 수립에 대한 기본 윤곽을 대대적으로 보도하여 왔던 것이 아닌가.

편집부에서는 당황하여 이미 마감한 기사의 일부를 삭제하고 조판 계획을 변경하여 그것을 톱기사로 싣는 응급조치를 취하는 등 한참 동안 소란대었다.

나는 무색하기 짝이 없었다. 분하다기보다 국내 기자에 대한 어떤 굴욕감 같은 것이 엄습해 옴을 참을 수 없었다.

내가 이번 특파에 별 이견(異見)을 내지 않고 선뜻 출발하게 된 것도 이런 굴욕이나 울분감은 델리케이트(delicate)한 감정의 소치이기도 한 것이었다.

외근 출입처에서 돌아온 나는 편집마감 시간이 얼마 남지 않은 것을 보고 총총히 기사를 만들어 내려가고 있었다.

벌써 기사를 끝내버린 동료들은 자리를 비웠고, 몇몇은 테이블에 걸터앉아 담배를 피우면서 잡담들을 하고 있었다.

나는 편집국 정면에 달려 있는 전기 시계를 쳐다보면서 이날따라 시간 늦게 폭주했던 기사를 하나씩 끝내는 대로 부장 데스크에 내어밀었다.

갑자기 방안이 어수선하여지면서 편집국장 테이블 옆에 국원들이 모여섰고, 의아스러운 침통한 분위기 속에 부장급을 중심으로 한 편집국 내의 구수회의가 벌어졌다.

백주에 독도(獨島) 근해에 무차별 폭격이 감행되어 무수한 인명의 피해가 있었다는 현지의 무전 급보가 전달되었달 뿐 상세한 내용은 아직 알 길이 없다는 것이었다.

얼마 후 뜻하지 않게 사에서의 현지 특파원으로 결정이 된 나는 어리둥절한 속에서도 어떤 분노와 흥분에 겹쳐 야릇한 호기심마저 솟구침을 걷잡을 수 없었다.

울릉도의 동해안 앙상한 낭떠러지의 바위로만 된 낯선 포구에 닿은 것은 다음 날 저물녘이었다.

바위성칼의 옹졸한 나루터에는 사람들이 하얗게 떼를 지어 웅얼대고 있었다. 그들은 마치 기적같은 구원의 손이라도 발견한 것처럼 울음섞인 고함을 터뜨리며 뱃전으로 몰려들었다.

바다에서 방금 들어서는 이 새로운 배에서 그들은 무슨 색다른 소식이라도 얻으려는 듯이 겹겹이 둘러쌌으며 공포와 불안이 찬 눈들이 오들오들 떨면서 상륙자(上陸者)의 입만을 지키고 섰는 것이었다.

나는 착륙 제일신(第一信)의 보도를 장식할 수난자들의 첫인상을……, 하는 직업의식을 혼자 뇌이면서 카메라에 손이 갔다. 그러나 순간 이 참혹한 얼굴들을 뉴스 밸류의 구경거리 대상으로 내걸기 위하여 성급하게 학대하기에는 아직 시간이 너무 이르다는 자책 같은 것이 치밀어 슬그머니 카메라에서 손을 떼었다가 결국 셔터를 누르고 말았다.

배에서 내리는 길로 경찰서를 찾았다. H서장은 도세(島勢)에 대한 개략 성명을 끝낸 다음 쾌씸하다는 듯한 표정을 억지로 누르면서 말을 이었다.

"이것도 구사일생으로 살아남은 어부들이 때마침 출어(出漁) 나간 배에 구조되어 돌아왔기에 망정이지 그들까지 없어졌다면 영영 알 길이 없었을 것입니다."

그는 흥분으로 입술에 침을 튕기면서 나의 공명을 구하는 듯한 어조였다.

"언제인가 미군이 독도를 무인도(無人島)라고 해서 폭격 연습지로 사용한다는 말을 들은듯한데 어느 나라 비행기인지는 아직 확실히 알 수 없으나 하여간 우리나라 섬을 외국 비행기가 폭격 연습지로 사용한다는 것부터가 못마땅한 일입니다."

핏기를 올린 그의 목소리는 약간 떨렸다.

나는 모든 일을 제쳐놓고 우선 이 기적적으로 살아남은 유일한 목격자를 찾기로 하였다.

향나무가 비비꼬아 얽혀진 비탈길을 더듬어 모시개[苧洞]로 건너갔다. 풀잎의 이슬이 발목을 감아들어 축축하여 왔다.

두 사람의 생존자 중에서 늙은 어부는 아직 의식이 완전히 회복되지 못하고 젊은 기관사만이 물음에 겨우 대답할 정도였다.

등잔불의 심지가 타 들어가는 어유냄새가 매캐하게 코를 찔렀다.

어중충한 방안에 시력이 익숙하여 짐에 따라 누워있는 젊은이의 모습이 점점 선명하게 드러났다. 어스름한 불빛 속에서나마 거인을 연상시키는 굵직한 골격에 허틀어진 윗도리 사이로 내미는 검붉은 피부가 아직 그렇게 탄력을 잃지는 않았다고 느껴졌다.

눈과 머리에는 온통 붕대가 감겨져 있다. 모로 누워 있는 그의 왼쪽 허벅다리와 궁둥이께로 국방색 작업복바지에 피가 배어 엉겨져 있다.

간헐적으로 몸을 비틀고 신음하면서도 왼쪽 골반을 관통한 상처 때문에 돌아눕지도 못하고 안간힘만 빠드득빠드득 쓰고 있다.

번열이 난다고 가슴을 헤쳐 놓은 환자는 팔을 휘저으면서 물을 찾는다.

나의 안내격으로 동행했던 이 섬의 단 하나의 의사 R씨는 심각한 표정으로 환자를 응시하고 있다. 그는 탈지면에 물을 묻혀 환자의 입에 물려 주었다. 환자는 입술이 경련을 일으키는 것처럼 솜을 빨면서 콧구멍을 뚫고 나오는 신음소리는 여전히 계속되고 있다.

의사는 한 시간 전에 다녀갔다면서 환자의 몸 붙이지 못하는 꼴을 보다 못해 진통제를 한 대 더 찔러 놓는다.

숨결은 거친 망정 환자의 몸뚱어리가 약간 고정되어 감을 짐작한 의사는 들릴락 말락하게 내 귓전에 속삭였다.

"관통상이 중상인데다가 오래도록 한데에 방치해 두었으니까 출혈이 너무 심했어요."

그는 담배를 꺼내어 나한테 먼저 권하고 나서 불을 그어 붙여 길게 빨아 내뿜으면서 절망적인 낯빛을 보였다.

"수혈을 하면 어떨까요."

"하, 여기는 시설이 없습니다."

나의 물음에 의사는 머리를 가로저으며 대답하는 것이었다.

"선생님, 제발 목숨만이라도……."

여인의 목소리는 끝이 흐렸다. 환자의 옆에 핏기 없이 앉아 부은 눈언저리가 눈물로 번들거리는 이 연인이 환자의 아내임을 짐작하면서도 나는 환자의 움직임에 눈을 박고 아직 한 마디도 말을 건네지 않았다.

나는 바닷가로 나갔다.

둥글둥글한 곱돌자갈이 발을 옮길 때마다 맞부딪는 소리가 고요한 주위에 파문을 던졌다. 거세지 않은 파도가 밀려왔다가 쓸어나갈 때는 자갈들이 소리내어 울었다.

보름을 지난 지 얼마 되지 않은 달이 수평선에서 머리를 내밀고 있다. 온 바다가 새벽 동이 트는 것처럼 밝아져온다. 달빛으로 짜낸 한폭의 무늬가 끝없는 바다를 거쳐 달에까지 이르렀다.

아득한 세월을 두고 그렇게 수많은 생명을 삼켰으면서도 바다는 아는 체를 하지 않고 단조로운 소리만 반복하고 있다.

준구의 붕대로 처맨 얼굴과 작업복에 엉켜붙은 핏자국이 내 눈앞을 가렸다.

그 다음에는 출입처에서의 취재에 대한 불쾌했던 감정이 다시 솟구쳐 일어났다.

대체 외국 통신에 먼저 알리고, 외인 기자를 국내 기자 몰래 초청하여 제나라 일의 중대한 이야기를 먼저 토설하고, 정작 그 새로운 정책의 직접 관계가 될 자기 나라 기자에게는 은폐하려는 것이 무슨 심정들일까 하고, 나는 명(明)나라 때의 조공(朝貢) 시절이나, 일제시대의 침략자에 대한 아첨과 자기들끼리의 모함분열을 되풀이 하던 못난 조상들의 지난 일을 곱씹어보는 것이었다.

이번 일은 꼭 이러한 오랜 타성이 가져다 준 자업자득(自業自得)의 참변인 것만 같게 여겨졌다.

여사(旅舍)로 돌아왔다.

남녀의 혼성된 유행가가 흥에 겨워 숫가락장단에 섞여 건너 편 음식점에서 들려왔다. 웃음과 박수가 간간히 섞였다. 육지에서 오징어떼를 찾아온 선주(船主)패들이라고 한다.

그들의 큰 배들은 섬에서 나는 미역과 오징어를 싣고 육지로 떠나가버린다. 그러면 갯가의 사람들은 그들이 돌아오는 날 다시 고리(高利)의 장내변을 얻어서 한겨울을 난다. 다음 해 봄부터 다시 큰 배에 붙어 품팔이 사공질을 해야 한다.

똑같은 일이 그대로 해마다 되풀이될 뿐이다.

준구도 이 섬에서 나서 그러한 풍토 속에서 자랐다. 그의 소원은 발동선 선장이 되는 것이었다. 선주의 일만을 해 주는 것 같은 품팔이 사공을 면하고 싶은 것이었다.

그의 꿈은 첫 단계를 밟아, 그는 징용에서 돌아오자 발동선의 기관사로 제 기술에 자신을 가지고 버티어가는 것이었다.

팔십 년 전 흉년을 만나 어쩔 수 없이 이 섬까지 이민해 왔다는 할아버지의 무능을 나무라고는 섬을 떠나려는 일념으로 이를 깨물고 벌었다.

그러나 그는 지금 죽음 앞에서 몸부림치고 있다.

폭풍우의 천재지변도 아니고, 제 손으로 저지른 잘못도 아닌 폭악 속에서 실신상태로 누워있다.

'허물어져가는 방파제는 해방 후 손을 댄 것 같지 않다. 물결이 밀려와서는 세멘조각을 허물고 스르르 부서진다.

아침 일찍 나는 다시 준구의 집을 찾았다.

어제 저녁보다는 경과가 약간 좋아져 혼수상태에서 깨었다고 한다.

눈이 보이지 않아 몹시 갑갑한 모양으로 옆에 앉은 아내에게 바다 물결이 잦았느냐, 날씨가 맑아졌느냐, 바다에 배가 보이느냐 하고 안타까운 질문을 연거푸 계속하며 무엇인가 자꾸만 말하고 싶어 한다.

나는 겨우 때를 만났다 생각되었다.

준구는 물음에 띄엄띄엄 대답하다가는 가끔 격분하는 어조로 몸을 벌떡 일으키려는 듯이 한 쪽 팔로 땅바닥을 짚으면서 고함 비슷하게 큰 소리를 외치는 것이었다.

유월의 첫더위가 등을 거세게 쪼이던 그날은 바람이 숨죽어 맑은 날씨였다. 바다는 무늬마저 잃은 듯 잠잠하고, 허공에 맴을 도는 갈매기떼를 거쳐 하늘과 맞닿은 수평선의 가는 오리가 두드러지게 선명했다.

새벽녘에는 한두 척 밖에는 보이지 않던 배가 한낮이 되면서부터 사오십 척의 집단을 이루어 독도 바위섬을 뺑둘러 쌌었다.

준구는 발동을 끄고 기관실에서 나왔다.

수경(水鏡)을 물속에 잠그고 들여다보니 검푸르게 맑은 바다 속에 한 발씩이나 되는 미역오리가 너울거리고 그 사이로 고기떼가 유유히 헤엄치고 있었다.

배마다 선소리를 쳐가며 갈퀴로 따올린 미역을 한 아름씩 안아서는 끌고 온 뎀마선에 싣고 있다.

몇 시간의 작업으로 거의 만선이 된 배들은 새로 딴 미역을 바위 위 양지볕에 펴서 물끼를 찌게하고 있다.

준구는 배의 위치가 이동될 필요를 느낄 때마다 기관실에 내려가 발동을 걸었다. 마스트의 태극기가 부드러운 바람에 펄럭이는 것을 보면서 그는 흐뭇한 기분으로 담배에 불을 댕기었다.

며칠만 이렇게 만선을 해 가지고 들어가면 지난 해 진 빚을 물고 오래 간만에 여유 있는 살림을 마련할 수 있으리라는 생각이 들었다.

잠시 뒤를 예측할 수 없는 바다일이기에, 오후에 또 바람길이 어떻게 변할지 몰라 아무 배에서도 누구 하나 쉬지 않고 바다 속에 눈을 파묻은 채 손을 세차게 움직이고 있다.

오랫동안 폭풍우가 계속되다가 겨우 고요한 날씨를 만난 이날이었기 때문이다.

지난 해 오징어철에는 첫 추위가 접어들 때까지 신통한 수확이 없이 허탕을 치고 겨우내 죽지 못해 살아왔다.

준구는 얼마 가지 않아 해산(海産)을 하게 될 아내를 생각하여 본다. 가엾기 짝이 없다.

순산이나 하면 포항이나 부산쯤이라도 옮길까 하는 계획을 다시 뒤져본다.

별안간 비행기의 폭음이 들려왔다. 준구는 선뜻 머리를 치켜들었다.

동남쪽에서 비행기 두 대가 이쪽을 향하여 직선으로 날아오고 있다. 삼팔선 쪽으로 가겠거니 하고 등한이 보아 넘겼다.

그러나 폭음이 점점 가까워지면서 비행기는 각도를 돌리지 않고 곧장 이쪽을 향하여 급강하를 하고 있다.

어부들의 시선은 모조리 비행기 쪽으로 쏠렸다.

순간 검은 덩어리가 줄지어 떨어지면서 바위에 와 폭음을 내고 부서졌다.

뱃꾼들은 당황하여 바위 뒤쪽으로 피하여 흩어졌다.

준구는 얼른 기관실로 내려갔다.

뱃머리를 돌렸다. 파편이 배 왼쪽 옆에 와 부딪쳐 배가 한쪽으로 기울어졌다.

그는 다시 뛰어나왔다. 분명히 총알이 날아왔다. 기총소사였다. '나가사끼'에서의 일이 떠올랐다. 연합군 비행기가 까마귀떼처럼 몰려와서 총알을 퍼붓던 일이 생각났다. 잠자던 두려움이 거센 물결처럼 밀려왔다.

무슨 착각이리라 싶었다.

거의 반사적으로 그는 윗내복을 찢어 벗어들고 고함을 치며 내혼들었다. 발악 같은 애걸이었다. 막무가내다. 아무 소용도 없다.

비행기 몇 대가 더 오고 있다. 전쟁이 터졌나 싶었다. 본능적으로 물속으로 뛰어들어갔다.

폭풍에 바닷물이 솟구쳐 배겨날 수가 없다. 배가 급작스레 가라앉는다. 헤엄쳐 바위섶으로 나왔다. 동굴로 기어가 엎드렸다. 같은 배의 선장은 땅에 머리를 박고 고꾸라졌다. 콧구멍에서 피가 쏟아지고 있다. 총소리는 그치지 않았다.

성난 파도 위에 몸부림을 치면서 배들은 거의 바다 속으로 깔아지고 있다. 숨을 돌리려고 다시 머리를 드는 순간 폭풍이 눈을 휩싸고 달아났다. 앞이 보이지 않는다. 캄캄하다.

아우성소리만 요란하다. 손으로 더듬어 억지로 기었으나 손에 찬물이 닿았다.

"그 뒤는 모르겠어요. 까무러친 모양이야요."

준구는 콧등에 땀이 베지지 고였다. 마른 입술을 몇 번이나 빨고 있다. 우는 것인지, 상처에서 나오는 핏기인지 눈을 싸맨 얼룩진 붕대가 더욱 젖어 있었다.

나는 그 이상 물을 용기를 잃었다. 그의 증상이 악화될까 염려되어 더 묻지를 못하였다.

다만 그의 생명이 구출되기만 기원할 따름이었다.

그의 국방색 미군작업복에 배어 있는 피의 자국, 그리고 내 몸뚱어리에 걸친 탈색 바지와 토마루에 벗어 놓은 미제 군용화 등, 모두 다 남의 물건으로 싸여진 자신의 몰골을 대조하여보면서 나는 허황한 쓴 웃음을 씻을 수밖에 없었다.

준구의 신음소리는 다시금 애처롭게 들려왔다. 전신이 강직해가는 듯한 경련을 일으키더니 피를 한 사발이나 토했다.

남편의 입을 훔치고 요강을 옮기고 난 아내는 흐느끼고 있다.

준구의 머리맡에는 해도(海圖)가 구겨진 채 그대로 뒹굴고 있다.

군데군데에 똥그라미·삼각형·화살표 따위가 색연필로 진하게 표시되어 있다.

검푸르게 얼룩진 바다빛깔 위에 좁쌀알이 굴러가듯 섬이 흩어져 있다.

北緯 三十七度 十四分

東經 百三十一 五十二分

이 땅의 동쪽 한 끝에 팽개치듯 떨어져 있는 섬이다.

부두가 바위 절벽에 역사적인 첫 선거의 낡은 포스터가 폐병(廢兵)의 녹슬은 훈장처럼 애잔하게 남아 나의 시선을 쓸쓸히 이끌었다.

깨끗한 한표를 긁어모은 주인공들이 정말 새로운 정부를 수립하여 우리 모두들 잘 살 수 있는 새나라를 이룩하겠는지, 하고 입속으로 뇌이면서 막연한 기대를 나는 걸어보는 것이었다.

준구의 붕대로 싼 얼굴과, 만삭이 된 그의 아내의 퉁퉁 부은 얼굴이 나의 눈앞을 다시 가렸다.

나는 참사 현장을 보기 위하여 배에 올랐다.

뱃속에서도 준구의 모습은 내 머리에서 떠나지 않았다. 여섯 시간의 항행에 나는 퍽 지쳤다.

동독도와 서독도 두 섬 사이에 배를 대었다. 바위를 띄엄띄엄 건너서 동굴에 들어섰다. 동굴이라야 물이 통하는 수로(水路)에 불과하다.

폭격과 기총소사로 이끼 낀 바위조각이 떨어진 자리에 새 돌이 나타난 곳이 여기저기 보일뿐, 거센 물결에 휩싸여간 바닥에는 아무 흔적도 남아 있지 않다.

동떨어진 암초 위에 물개가 날씬한 몸을 나타냈다가 물속으로 숨어버리고, 하오의 태양 아래 갈매기가 날아다니고 있을 뿐이다.

검푸른 바다가 오히려 곱고 맑기만 하다.

나는 다시 모시개로 돌아왔다. 가슴 속이 허전하기만 하였다.

R의사가 준구의 죽음을 알려주었다.

"비행기, 아, 저기 양키 비행기가……."

이것이 그의 마지막 비명이었다는 것이다.

안개가 짙어갔다.

그래도 바람기가 없기에 배들은 언젠가 떠나갈 희망을 품고 닻줄을 감고 있다.

마치 그들의 아버지나 할아버지가 그러했던 것처럼…….

『思潮』, 1958. 11.

벽력 霹靂

1

바람기라고는 나뭇가지 잎 끝에조차 보이지 않는다. 아스팔트는 햇볕에 눅이겨져 발뒤꿈치를 신발채로 물어뜯고 있다.

눈꼽만한 물기도 구경하지 못하고 깡마른 하늘만 쳐다보는 것이 벌써 달포나 된다.

창식은 네거리에서 신호를 기다리면서도 간밤의 일이 머릿속에 엉겨붙어 떨어지질 않았다.

차도에서 인도에 올라서 첫 발을 떼려는 찰나 막 길을 건너려는 아들놈과 마주쳤다. 옆으로 피해내는 도리도 없다.

아들놈은 눈알이 휘둥그래져 아버지의 이상한 몰골을 훑어보고 있다. 어처구니없다는 표정이 분명하다. 같이 온 동급생인 듯한 제 또래와 서로 맞눈길을 보내고 있다.

홀몸에도 숨이 가쁜 무더위에 아버지는 지금 네모진 궤짝 속에 들어가 거리를 허덕이듯이 걷고 있는 것이 아닌가. 아버지가 메고 간다기보다 차라리 아래 위가 훤히 뚫린 궤짝이 아버지를 담아서 이끌고 간다는 것이 옳을 것만 같다. 이 이상야릇한 궤짝의 사면은 온통 젖통을 드러내놓은 채 춤추는 계집의 난무하는 포스터로 싸여져 있다.

아버지의 머리에는 기다랗고 뾰족한 종이 고깔모자가 얹혀져 있다. 그것도 한끝에는 너울거리는 빨간 수실이 달려 있다. 꼭 허수아비가 아니면 꼭두각시만 같다.

차를 비키느라고 길을 뛰어 건너나온 호들갑스러운 젊은 여인이 아버지의 몸집에 부딪치자 아버지의 손에 들고 있던 작은 종(鍾)이 딸랑하고 울린다. 아들놈은 어안이 벙벙하여 말문을 열지도 못하고 아버지의 다른 손에 쥐어 있는 광고삐라에 눈이 갔다. 손에 가려서 무슨 쇼라는 큰 글자밖에 보이지 않는다.

뜻하지 않은 자리에서 만난 부자(父子)는 사람이 부대끼는 서슬에 길목 책방 차일 밑으로 비키었다.

"아버지!"

그제서야 아들놈은 입을 열었다. 흐느끼는 듯한 음성이다. 눈에는 눈물이 글썽하다.

아버지는 몸가질 바를 모르는 쑥스러운 웃음만을 흘리고 있다. 나쁜 짓이라도 저지르다가 들킨 사람처럼 기를 펴지 못하고 어리벙거린다. 비굴감 같은 것이 몸을 휩쌌다.

하루 종일 의자에 앉아 고개만 끄덕이던 금테둘이 제모의 점잖은 자세가 지금 이 순간 간절하게 그리웠다. 그 때는 아들놈에게도 떳떳하였다. 정말 아까운 자리에서 본의 아니게 쫓겨나온 일이 이토록 안타까울 줄은 몰랐다.

창식의 검붉게 그을린 눈 가장자리에는 부챗살 같은 주름이 유난히 두드러져 보인다. 땀이 줄을 쳐 흘러내려 따끔한 눈을 손등으로 비비면서도 입을 열 염은 못하고 있다.

경련을 일으킨 듯이 실룩거리던 얼굴이 이그러져 굳어버린다.

"응, 집으로 가."

겨우 입을 어물거린 대답이었다.

창식은 길섶에 가만히 서서 있으니 걷고 있을 때보다 훨씬 더 무더웠다. 등에서 땀방울이 허리께로 주룩 굴러 떨어지는 것이 느껴졌다.

책가방을 든 한쪽 어깨가 축 늘어 처진 아들은 동무의 손을 잡고 멋쩍게 돌아섰다.

알록달록한 궤짝 위에 얹어 놓은 듯한 뾰족한 고깔모자가 북새질하는 사람들 틈을 새어 아버지를 천천히 움직여가는 모습이 점점 멀어져간다. 달랑거리는 종소리가 지나가는 사람들의 눈을 한곳으로 쏘이게 하는 것을 멀리 돌아다보면서 꼬마는 목마른 침을 삼키고 있다.

창식은 한 손으로는 종을 흔들고 다른 한 손으로 목에 걸어 놓은 봉지 속에서 삐라를 꺼내어 스쳐가는 사람들에게 나누어 주면서 얼빠진 녀석처럼 걷고만 있다.

앞으로 다가오는 사람들이 모두 자기만을 뚫어지게 쏘아보는 것만 같다. 모두가 다 아는 사람 같기만도 하다.

앞이 아물아물하고 잘 보이지를 않는다. 어쩌면 그들이 다 모르는 사람일지도 모른다. 그저 발가벗고 한길에 선 것만 같은 심정이다.

S극장에서 동화백화점을 지나 을지로 네거리로, 거기서 화신 앞 세종로로 시청 앞을 꺾어 돌아서 다시 을지로를 거쳐 삼가에서 퇴계로 쪽으로 극장거리까지 닿는 것이 책임진 코스다.

2

생각하면 정이 든 직장이었다. 그러기에 미련 같은 애착의 아쉬움이 아직도 송두리째 가셔지지는 않았다.

대학 내에 오래 계속되던 분쟁 끝에 임기 전에 학장이 갈리고 새사람이 자리를 잡았다.

사무직원은 말할 것도 없이, 사환이고 소제부고 모두 말을 나르던 구파(舊派)라는 명목 하에 다 갈아붙이고 소위 신파(新派)의 자기 사람으로 바꾸어 놓았다.

구내식당을 경영하던 사람도 밀려나고 새주인이 와서 문을 고친다 뼁끼칠을 한다 야단법석이 벌어졌고, 자동차 운전수도 바뀌었을 뿐만 아니라 먼저 학장이 타던 차는 기분이 나쁘다고 그것까지 다른 것으로 갈아붙였다. 세도가 기승을 부리는 서슬에 십여년의 근속 수위였던 창식이도 아무 예고 없이 해고의 선풍에 함께 휩쓸렸던 것이다.

해방 바람에 한몫 보겠다고 동료나 친구들이 다 제 갈 길을 날개 돋혀 찾아갈 때에도 창식은 여지껏 지켜온 일자리에서 적으나마 새나라의 일을 도우리라 마음먹고 그대로 남아 붙어왔던 것이다.

육이오 때에도 그저 전이나 다름없이 제 일자리를 지켜 왔다. 그 덕분에 되는대로 실어내가던 도서관 책의 행방도 알아 수복 후에 다시 찾게 되었던 것이다.

이 일은 창식에게 있어서는 적잖은 공로로도 평가되었지만 그것 때문에 불려 다니고 그 후 가끔 두고두고 찌푸린 눈총을 맞는 원인이 되기도 하였다.

그러기에 요즈막 집안이 꾀어들어갈수록 마누라 입에서, 천지가 막 뒤바뀌는 두 고비에 새 자리 하나 차지하지 못하고 그 잘난 수위자리에 못 박힌 채 있다가 끝장에는 헌신짝 내버리듯이 꼴을 당한 게 아니냐고 주변머리 없음을 나무람 받게 되지만 창식이로서는 별달리 후회하는 기색이 없었다.

다만 아무리 이렇다 할 근거도 없이 동료들의 말마따나 도매금으로 무조건 해고된 데 대하여는 억울한 생각이 없지 않으나 그것도 하는 수 없다고 치미는 분노를 그대로 억눌러 왔던 것이다.

고스란히 석달을 앉아서 뒹굴었으니 집안 꼴이 말이 아니다.

마누라는 어디서 주워들은 이야기인지 몰라도 말 한 마디 못하고 밀려 나온 남편의 처사가 뼈 없이 좋은 성품에서 오는 결과가 아니라, 이 난세 판국에 밀어줄 빽이 없어 그러는 것이라고 아침저녁으로 빽타령을 늘어 놓는 것이다.

그처럼 눅직한 성질에도 그대로 궁상 띤 집안에만 처박히기에는 이젠 견딜 수 없는 싫증이 났다.

처음으로 나온 것이 갈림길 모퉁이의 대머리 복덕방이었다. 옆에서 구 경만 하던 것이 장기 훈수에까지 참견을 하게 되었고, 이제는 제법 맞서 서 장이야 군이야 하고 소리까지 치게 되었다.

심심풀이는 되지만 저녁에 집으로 들어가는 것이 범의 굴보다 더 두려 운 생각이 들었다.

대머리영감이 손님이 밀려서 손이 모자라는 때는 셋방이나 팔림집을 안내하여 주고 요행히 거래가 있어 구전이 나오면 국물조로 막걸리잔이 나 얻어 마시고는 자질구레한 시름을 억지로 씹어 삼키는 것이었다.

어쩌다 매매의 큰 고기라도 걸리면 잔돈푼이나 몇 푼 얻어 쓰고 하지 만 그것도 하루 이틀이지 이대로 영영 버티어 갈 수는 없었다.

3

바로 어저께 일이다.

몇 친구를 찾아가서 일자리를 부탁해 보았으나 모두 탐탁치 않은 대답 이었다. 오히려 손바닥을 내밀고 무슨 구걸이라도 할까보아 먼저 제 쪽에 서 궁상을 늘어놓고 난색을 보이었다. 입으로는 동정을 하면서도 쓴 얼굴 들이 분명했다. 종일 군입질 한 번 하지 못하였어도 시장기를 느낄 마음 의 겨를도 없이 시무룩해서 집으로 돌아섰다.

언덕바지 골목에 들어서자 와자지껄하는 아낙네들의 다툼소리가 들렸다. 틀림없이 언덕 위 양옥집 마님의 호통소리였다. 또 시작이 되었구나 싶었다.

지난 봄에 중학에 새로 입학한 아들놈의 등록금으로 취하여 온 금액을 아직도 다 갚지 못하였다.

일정한 직장에 붙어 있을 때는 이자 풀이만은 달마다 성가시게 재촉하여 꼬박이 받아가면서도 본전에 대한 독촉은 별로 없던 것이 일자리에서 볼려나온 줄을 알아차린 이즈음에 와서는 본전 이자 깡그리 돌리라는 성화가 거의 매일같이 계속되고 있다.

하기야 그대로 직장에 붙어 있었으면 벌써 속 시원히 끝을 맺었을 일이었다.

그것이 공교롭게도 요즈막에 와서는 창식이네 판잣집터에서부터 행길 섶으로 축대를 쌓아올리고, 뜰도 넓힐 겸 새로 장만한 짚차의 차고를 만들겠다는 심산으로 그 돈은 안 갚아도 좋으니 하꼬방만 이전하라는 포달이 귀 아플 정도로 거듭되는 것이다.

이날 저녁도 윗집 마나님과 창식이 마누라 사이에는 어지간히 옥신각신이 벌어졌던 판인가 보아 말들이 악에 받쳤다.

"글쎄 그러면 지금 당장 돈을 내랄 밖에……."

"누가 댁의 돈을 떼어먹는댔어요, 갚겠다는데두요."

"갚는다고 말만 하고 주어야지 원."

"그래도 이자는 일할변으로 꼬박꼬박 물어오지 않았어요."

요즈음 금리가 내려서 육부니 칠부니 하기에 그것을 속 시원히 갚아 놓고 싼 변리로 다른 돈을 바꾸어칠 생각도 없지 않았다.

그러나 빈손으로 거리에 나앉게 된 형편에 단돈 몇 천환도 아니고 그만한 돈을 꾸어낼 도리가 없었다.

"누가 이자 말인가. 본전을 갚으란 밖에, 내 참 시퍼런 제 돈을 앉아 주고 서서 받게 됐으니 아쉬운 몫에 요긴히 쓰고 고맙다는 말은 못할망정 무슨 군소리야."

"……"

"그저 쉬운 방법으로 그 손바닥만한 하꼬방 터만 내놓으면 되지 않아."

말끝도 반말이 되어 나왔다. 이제 마누라는 울화도 치밀거니와 경우에도 지질러 대답이 없다.

시유지(市有地)에 산을 깎고 제 마음대로 집을 지은 이쪽 지대는 전찻길에 가깝다는 유리한 조건으로 권리금만도 평당에 만환 이상을 호가(呼價)하고 있다.

그리고 보면 최소한 열 평으로 쳐도 십만 환 값은 쉬이 가는 폭이다.

더욱이 자리는 세길목이어서 구멍가게라도 내면 몇 식구의 입에 풀칠이라도 할 수 있는 자리다. 그러지 않아도 마누라는 목돈만 얼마간 쥐면 과일이나 과자부스러기부터 벌려놓고 해보겠노라고, 푸념을 하면서도 눈 떠야 별 본다는 격으로 여태 그것조차 손을 대지 못하고 있는 형편이다.

4

이튿날 아침 창식은 일찌감치 집을 나섰다.

동대문시장으로 나갔다. 무슨 일이든지 닥치는 대로 해보려는 생각에서였다. 이제 몇 푼어치 안되는 체면이나 염치 같은 것은 머릿속에서 깡그리 사라져버렸다. 수위 시대의 몸에 배인 허세의 위엄 같은 것도 거의 자취를 감추어버렸다.

야채시장에 들어섰다. 어지간한 것은 다 이고 들고 그대로 가버린다.

조금 큼직한 짐이 하나만 나타나면 어느 골목에서 새어나오는지 지게꾼이 수없이 한데 엉켜 짐을 당기고 뺐고 한다. 짐 임자는 어리둥절하여 짐을 도로 앞으로 당겨가면 재빠른 친구는 벌써 덩경 들어 지게에 싣는다.

싸다 비싸다는 승강이를 할 사이도 없이 짐 임자가 주는 대로 받게 마련이다. 부피가 큰 짐은 지게꾼의 몫으로 못가고 구루마꾼에 빼앗기고 만다. 골목을 빠져나왔다.

한길까지 옮겨진 쌀가마는 지게꾼에게서 부려져 지나가는 하이야에 사람과 함께 실려 달아나버린다.

창식이는 앞이 아찔하였다. 수위 생활에서는 좀체 겪어보지 못하였던 생지옥을 보는 것만 같았다.

그러나 지금 자기에게는 그 지게조차 없는 빈주먹이 아닌가.

도망치듯이 시장 어구를 빠져나왔다.

입안이 텁텁하다. 담배 생각에 목안이 간질하게 그립다.

버스를 타려는 신사가 반도 타지 않은 담배를 내동댕이치고 급하게 뛰어오른다. 창식은 거의 반사적으로 발 옆에 떨어진 것을 주웠다. 몇 걸음 버스의 행방과는 반대쪽으로 걸어가면서 유유히 빨았다. 목안이 후련해온다. 서너 모금 계속 다부지게 빨았더니 손끝이 따가워지고 머리가 휭 돈다.

지금 그는 자꾸만 걷고 있다. 막연히 정거장 쪽으로 가보려는 생각이다. 자칫하면 나가던 사람과 부딪칠 뻔 했다.

정신을 차리니 S극장 앞이다. 무심히 광고판에 눈이 갔다. 남녀가 입맞추는 장면이다. 아무 흥미도 없다.

몇 걸음 더 걸어가다가 아름드리 돌기둥에 '급구광고원(急求廣告員)'의 딱지가 눈에 들었다.

눈꺼풀을 까물거리며 다시 들여다보았다. 틀림없다. 표 받는 여자가 앙칼진 목소리로 떠다미는 것을 물리치고 기둥을 손가락질 하면서 안으로 들어갔다.

거리의 새로운 '피에로', 창식은 지금 종을 흔들며 걸으면서도 조각조각의 생각들이 뒤엉클어져 머리를 휩싸고 있다. 하루에 천환씩 닷새 동안에 오천환을 벌었다. 엿새째는 극장 프로가 바뀌었다.

이 기회에 그렇게 잠꼬대처럼 원하던 구멍가게라도 한번 시작해보라는 요량으로 송두리째 마누라에게 넘겨주었다.

창식은 매일 전차도 타지 않고 걸어다녔다. 돌아오는 길에서는 선술집 앞에서 침을 꿀꺽 삼키면서도 외면을 하고 견디었다.

5

다시 며칠 동안 아무 일자리도 없이 거리를 헤매기만 하다가 겨우 걸려든 것이 도로공사장이다.

벌써 사흘째다.

창식은 이렇게 온종일 땀을 흘리고 일하여도 정 살 수 없는 세상이라면 차라리 죽어버리는 것이 편안하리라는 엉뚱한 생각이 자꾸만 머리를 치켜들어 옴을 어찌할 수 없었다.

오전 중에는 오미터씩 나누어서 하수도관이 나올 때까지 큰 길 한섶에 도랑을 팠다.

거죽의 아스팔트는 기계로 조각이 나서 뜯겨졌다. 그것을 삽으로 파헤쳐내고 그 밑부터는 곡괭이로 뜯었다. 몇 해를 두고 굳게 다져진 길바닥은 괭이 끝이 박히지 않고 철판에 부딪는 것처럼 도로 튀어올랐다. 그 한꺼풀이 다시 벗겨지고 습기를 띤 본 땅바탕이 나타나면서부터 흙은 좀 물러졌다.

일미터의 깊이나 파낸 다음에야 겨우 하수도의 둥근 시멘트관이 나타났다. 한 시간에 십분씩 쉬면서 꼬박이 계속하였다.

한 쪽 섶은 차가 통하지 못하게 교통차단을 하고 있으나 차들의 갑작스런 경적은 가끔 가슴에 급박한 충격을 가져왔다.

정으로 하수도관에 구멍을 뚫기 시작하였다. 첫 구멍은 좀처럼 박히지 않아 정 끝이 미끄러졌으나 시멘트에 큰 금이 가자 다음부터는 부시시

무너졌다.

깨뜨러진 조각을 들어 젖히었다. 찬기와 함께 썩은 냄새가 뭉클 코를 찔렀다. 둥근 관은 반 이상이 흙으로 꽉 막혔고 그 위에 썩은 물이 흐를 줄 모르고 고여 있다.

다시 속의 흙을 파내는 것이었다. 악취가 나도 끓어 이글거리는 길 위보다 찬기 서리고 물렁해서 일하기는 오히려 쉬웠다.

점심 후에는 가로수 밑에서 땀에 밴 내의가 건풍에 다시 마르도록 쉬는 동안에 풋잠이 들었다. 무슨 갈피를 잡을 수 없는 토막 꿈이 머리를 띵하게 엄습하였다.

하늘이 무겁도록 흐려왔다.

자리를 바꾸어 다시 일을 시작하면서 한 소나기 실컷 퍼부었으면 속이 시원하겠다는 생각이 들었다.

네모 궤짝이 담긴 지게를 걸머졌다. 진 채로 궤짝 속에 퍼담겨진 자갈은 어깨 위로 당기고 있던 노끈만 놓으면 밑구멍이 출렁 떨어지면서 저절로 길바닥에 쏟아져 나왔다.

조금만 허리를 덜 젖히면 떨어지던 돌맹이가 정갱이 뒷쪽과 발등을 후려갈기기가 일쑤였다. 똑 같은 일을 지루하도록 되풀이하였다.

창식이는 이 며칠 동안 네모진 궤짝과는 무슨 연분인가 싶었다.

온몸이 지쳐서 노곤해왔다. 무릎이 맥을 못 쓰게 휘청거리고 장단지에 쥐가 오르는 것처럼 굳어왔다.

전차가 가까워오는 레일의 울음소리가 들려온다. 그대로 전찻길에 눕고 싶은 유혹이 일어난다. 레일을 베고 깊은 잠에 빠졌을 때 전차가 그대로 지나갔으면 하는 생각이 든다.

눈을 지그시 감았다.

대학 정문의 네모진 굵직한 돌기둥, 초록 빛깔의 육중한 철문, 수위실의 의자와 테이블, 동그랗고 네모진 도장들, 그 속에서도 절그렁거리는 열쇠꾸러미의 매력은 손바닥에 간질거리는 촉감을 되살려낸다.

가끔 편승할 수 있었던 짚차, 아니 새 학장의 금테안경, 학자라기보다 정치가…….

"악!"

창자가 꾀이도록 증오가 치민다.

가슴 속에 꿈틀거리던 분노의 불길이 확 터져 이글거린다.

한마디 변명이라도 했던들, 그것도 못할 바에야 욕이라도 퍼부었으면 이렇게 지금토록 안타깝지는 않을 것만 같다.

마누라의 못난이라고 빈정대는 빙충맞은 얼굴, 거기에 살림에 지쳐서 걸레쪽 같이 된 앙상한 얼굴이 겹쳐진다.

손을 내밀고 돈을 조르는 아들놈과 딸년의 눈알이 뱅뱅 돈다.

뒤에서 어깨를 툭 치는 사람이 있다. 선잠에 깬 것처럼 놀라며 돌아보았다. 복덕방의 대머리영감이다.

맥없는 웃음이 헤벌어졌다. 대머리영감도 어안이 벙벙하여 한참 입을 열지 못하고 비시시 웃기만 한다.

둘이 같이 천천히 걸어서 가로수 밑으로 나왔다.

"그렇지 않아도 임자를 만나려는 참이었네, 참 잘 됐군."

"……"

"있다 들어갈 때 잠깐 복덕방에 들리지."

창식은 예사로 듣고 있다. 지금 이 시각은 죽고 사는 문제라도 별로 감각이 없다.

"이건 하루 얼만데."

대답을 망설이는 창식에게 대머리영감은 담배를 권하고 라이터에 불을 켜 댕겨주면서 연신 웃음만을 늘어뜨리고 있다.

"암, 아무 일이면 어떤가, 돈만 잘 나온다면야 하……."

"그저 죽지 못해서…… 원."

겨우 입을 어물거린 한마디였다.

"그럼 저녁에 다시 만남세, 난 저쪽 대서방에 좀 들려갈 일이 있어
서……."

괴로워하는 심정을 짐작했음인지 대머리영감은 머리를 끄덕이고 헬멧
을 벗어 부채질하면서 서서히 가버린다.

다져진 자갈 위에 모래를 뿌리면서도 창식은 자꾸만 죽음을 연상하여
본다. 죽는다는 것이 그렇게 어마어마한 것처럼 느껴졌던 것이 오히려 우
스꽝스럽다. 산다는 것에 대한 악착스런 애착이 있는 것도 아니고, 목숨
에 대한 무슨 미련 같은 것도 지금의 심정으로는 있는 것 같지 않다.

돌아오는 길에 굳게 닫혀진 은행문 앞 돌 층층대에 어린애를 끼고 앉
아 눈을 감고 손을 내저으며 구걸하는 여인의 넋두리를 들으면서도 거의
무감각하였다.

그것이 다만 자기 마누라나 자식들의 몰골 같기만 하다는 느낌뿐이었다.

주위가 어두워지고 전등불이 밝아왔다. 오늘 마누라가 첫 장사를 펴놓
겠다던 구멍가게의 결과가 궁금하여 왔다.

장사터로는 길목이 좋은 자리임에 틀림없다.

이제 뒷산 쪽으로 집들이 늘면 흥정거리가 한결 나아질 것이리라 싶었다.

6

골목 갈림길의 복덕방 간판을 보고 대머리영감 생각이 떠올랐다. 오늘
은 오랜만에 내가 한잔 사리라 마음먹으면서 들어섰다.

대머리영감은 혼자서 화투패를 떼면서 자기를 기다리고 있는 표정으로
반색을 하였다.

"이렇게 늦도록 일했어."

"날이 흐려서 그렇지, 몇시게요."

"앗다 이사람, 여덟 시가 벌써 지났네."

둘은 대포집으로 들어섰다.

"오늘은 내가 한잔 사지요."

창식은 오래간만에 이 영감의 품갚음을 좀 해야겠다고 선손을 썼다.

"아니 무슨 소리를, 내가 사야지. 임자가 고된 일에 돈 몇 푼이나 구경했을라구."

"아니 오늘은 내가……."

대머리는 창식의 손을 밀치며 안쪽을 향해서 소리를 친다.

"여기 약주 한 되 하구 기름진 안주 두어 접시만 주구려."

창식은 이렇게 된 마당에까지 굳이 제가 사겠다고 다투며 나설 수는 없었다.

첫 잔은 같이 비웠다. 영감은 창식에게 잔을 내밀었다. 창식도 영감에게 빈 잔을 권했다.

안주라곤 별로 집을 사이도 없이 잔이 비기가 바쁘게 서로 주고받았다. 주전자가 벌써 세 번째나 바뀌었다. 주기가 꽤 돌았다. 창식의 기분으로서는 이제 소리라도 한마디 부르고 싶은 심정이었다. 이럴 때면 세상만사가 다 꿈같게 여겨졌다.

대머리영감은 다시 잔을 비우고 창식에게 건너면서 지금까지 주고받던 허튼 이야기식으로 대수롭지 않게 말을 끄집어내었다.

"임자 그 집터 팔지, 시세도 괜찮고 하니……."

"에?"

창식은 술김에 으슴푸레 알아는 들었으나 똑똑히 느껴지지 않아 반문했다.

"그 집터 말이야, 팔아버리문 어떤가구……."

갑자기 술기가 깨는 것같이 정신이 홱 돌아섰다.

"뭐요, 집터가 어떻다구요?"

그 소리가 몹시 컸다. 옆자리에 앉았던 사람들까지 의아한 표정으로 이쪽으로 눈을 돌리고 있다.

밖은 아까 몇 방울씩 떨어지기 시작하던 비가 이제 본판으로 퍼붓고 있다.

"왜 팔아요?"

"그걸루 하꼬방 다시 하나 지으문 되지 않나, 이사람. 빌렸던 돈 이만환은 그대로 까지고 또 재목값으로 이만환을 덧붙이겠다는 바에야, 빚은 갚았겠다 집은 새집이겠다, 좀 좋아."

창식은 술잔을 든 채로 영감을 쏘아보고 있다. 도대체 그 집터란 말만 들어도 속이 뒤틀려왔다.

이 영감이 윗집 마나님하고 무슨 꿍꿍이속이 있었나 싶었다.

사실 며칠째 계속해 소동을 일으키고난 윗집 마나님은 이날 아침 일찍 복덕방 영감을 찾아왔었다.

몇 만환을 더 쓰고라도 그 터는 꼭 손에 넣어야만 되겠다고 생각하였다. 큰 집 대문 옆에 달라붙은 판잣집이란 얼굴의 사마귀같이 보기에도 흉했다. 철거만 된다면 뜰은 저절은 넓어질 것이요, 그보다도 매일 한데다 밤새우는 짚차의 차고가 당장 시급하였다.

영감이 시키는 대로 할 터이니 어떻게 철거만 시켜달라는 눈속이었다.

영감은 영감대로 자기 계산은 속셈으로 쳐놓고 해결을 장담했다.

부인은 그러면 축대 공사는 하꼬방 터를 합치는 예정으로 진행하겠노라고 다짐을 받고 올라갔다.

오늘 하루 일을 제대로 했으면 돌담은 어지간히 올려쌓아졌을 것이라고 생각하면서 영감은 정말 난처한 심정이었다.

"이 사람, 어디 돈 주고 등기 낸 땅인가 뭐, 빚 갚고 집 지어주겠다, 누님 좋고 매부 좋고 할 판인데 뭐 잘 생각하게나."

"흥, 윗집은 안 그렇구……."

"하기야 그도 그렇지만……."

창식이가 노기를 띠고 우락부락해도, 영감은 능청맞은 수법으로 웃어가며 달래는 것이었다.

창식은 창식대로 안내놓으면 그만이지 이 영감에게 윽박지르며 달려들 것까지 없다고 생각되어 자기 마음을 가라앉히기에 힘썼다.

"영감, 이제 그 얘기는 그만 두고 술이나 듭시다."

"누가 뭐 해로운 이야기를 하기에 그렇게 나더러 화풀이를 하는가, 사람두 원."

"글쎄 그 얘기는 그만 두자니까요."

창식은 화를 냈던 것이 미안쩍어 주전자를 들어 영감에게 술을 권하였다.

영감은 잔을 받아들고 여전히 싱글벙글 웃으면서

"아무튼 오늘 밤 양주 간에 잘 생각해보게나……."

하고 여운을 남기는 것이었다.

그래도 창식은 좀처럼 노기가 잦아들지 않았다.

술집을 나와 대머리영감과 갈라지자 퍼붓는 비를 맞으며 대뜸 자기집 골목으로 뛰어올라갔다. 집에 들어서기 전에 우선 윗집 축대부터 돌아보았다.

새로 쌓아올리기 시작한 돌담은 판잣집만을 남겨 놓고 집 양쪽 별 앞구비에 붙여 쌓아올려 이제 하꼬방은 윗집 뜰 안에 선 것처럼 되고 말았다.

구멍가게도 다 틀려먹은 꼴이었다. 집에 들어서니 마누라는 도사리고 앉아 남편 오기만 기다리고 있다.

"피천 한 잎 없는 주제에 어디 가서 술만 처먹구 고주가 되어 오는 거유."

첫 벼락이 터졌다. 그대로 빰다구니라도 후려갈기고 싶으나 훌쩍거리는 꼴이 측은하기도 하였다. 아우성 소리에 잠자던 어린 것들이 눈을 떴기에 꾹 참았다.

마누라의 울음 섞인 넋두리를 들으니 오늘 저녁에 또 윗집 아낙이 내려와서 빚을 갚고 이만환을 더 받아가려면 가고 그렇지 않으면 무허가 주택이니 헐어버리겠다고 파출소 순경까지 입회시켜 공갈을 때리고 갔다는 것이다.

창식은 기가 막혔다. 이 이상 이 핏기 없는 식구들을 들볶고는 싶지 않았다. 그는 문을 열고 밖으로 나왔다. 아까 들렀던 대포집 문을 두들겼으나 그 사이에 벌써 잠겨있다.

그 앞가게에 들려서 호주머니의 돈을 모조리 털어 사십 도의 소주를 사들고 집으로 올라왔다.

오들오들 떨고 있는 마누라 옆에서 술병채로 병나팔을 불며 들이켰다. 겁에 질린 마누라는 술병을 빼앗아 쥐고 말리다가, 남편이 눈을 부라리고 금새 죽일 것처럼 영악을 쓰는 통에 어쩌는 수가 없었다.

마지막 병도 얼마 남지 않았다.

그는 가슴이 터지는 소리로 고함을 쳤다.

"이 염병을 하다가 뒤질 연놈들아, 응 어디 두고 보자! 요것들이 털두 뽑지 않고 생으루 삼킬려구 들어. 천하에 날도둑놈들 같으니라구. 좋다, 좋아!"

그는 또 남은 술을 깡그리 들이켰다.

"내 빽은 술이다. 술, 술 빽이야."

창식의 눈에는 살기가 서리었다.

갑자기 그는 벌떡 일어나 미친 사람처럼 밖으로 뛰어나갔다.

창식은 비가 쏟아지는 컴컴한 속에서 담을 더듬어 어루만지다가 담 위로 뛰어올라가서는 새로 쌓인 돌을 닥치는 대로 헐어 무너뜨리고 있다,

"응, 누가 집터를 판대, 어림도 없다, 어림도 없어. 내 터에다 내가 집을 짓고 사는데 어느 놈이 참견이야."

그는 악을 쓰며 연방 돌을 허물어뜨리고 있다. 캄캄한 밤을 송두리째 삼킬 듯한 천둥소리가 머리 위에서 터진다. 번갯불이 천둥의 꼬리를 물고

부시게 번쩍인다.

윗집의 꺼졌던 등불이 켜졌다. 얼마 있다 사람의 그림자가 어둠 속에 가까이 왔다.

어느 틈엔가 창식의 몸뚱어리는 돌덩어리와 함께 담 밑으로 굴러 떨어지고 있다.

"아이구, 이 날도둑놈아, 아이구, 응."

목숨이 꺼져가는 듯한 신음소리 속에,

"사람 살리유, 아이구 사람 살려……."

하는 여인의 찢어지는 목소리가 악수로 퍼붓는 빗속으로 삼켜지고 있다.

우뢰소리에 뒤따르는 번갯불이 간헐적으로 담 밑을 비치고 지나갔다.

『現代文學』, 1958. 12.

주봉씨

주봉은 플랫폼에 서 있는 반야월(半夜月)의 묵흔(墨痕)이 퇴색한 역명(驛名) 선판을 차창을 거쳐 내다보면서 문득 떠오르는 생각에 붙잡혔다. 정거장 구내를 둘러친 철조망 너머로 끝없이 계속된 과수원에 눈이 가자 연희의 모습이 더욱 또렷이 떠올랐다.

바로 오늘 아침의 일이다. 발차시간이 거의 박두하여 서울역 대합실에 들어섰을 때였다.

"주 선생님!"

사람들의 잡도한 틈을 헤치고 자기를 부르는 여자의 목소리에 그는 깜짝 놀랐다.

"아니, 웬 일이야, 연희가."

밖은 아직 사람의 그림자가 누군지 잘 분간이 되지 않을 시각이었건만 전등불에 반사되는 연희의 얼굴은 풀풀 뛰는 생선 모양 건강한 광택을 발산하고 있었다.

"숨기고 떠나셔도 다 알 수 있었어요."

"숨기긴⋯⋯."

"저희들이 성의껏 모실 때는 끝끝내 마다 하시구 이렇게 외롭게 떠나시는군요."

무슨 장난이나 치는 듯이 생글생글 웃고 있다.

"이제야 겨우 틈을 탔으니까 그렇지. 그 때야 오죽 바빴어야지."

"저…… 이거 찻간에서 잡수세요."

연희는 책보에 싼 네모진 꾸러미를 주봉에게 내어밀면서 얼굴은 연신 명랑하기만 하다.

개찰구를 나와 승강구 층층대를 내려가면서도 주봉은 좀체 미안한 생각이 가시지 않았다.

연희에게 대한 이 미안쩍은 감정은 지금까지 죽 계속되었고, 이제 그 것이 가셔질만한 시간의 경과를 타서 또 그 미안한 기분이 덧붙여지는 것만 같았다.

반야월에서 과수원을 경영하고 있는 이모댁으로 연희는 일년에 한 번씩은 거의 찾아갔었고 지난 여름 방학에도 저희 몇 친구들에 어울려 주봉에게도 기어코 같이 가자고 제의하던 것을 부득이 응락하지 못한 것이 지금 과수원을 양쪽에 끼고 달리는 차속에서 거듭 미안쩍게 여겨졌다.

주봉이 출강하고 있는 Y대학에서 졸업생들의 출품을 위주로 한 미술 전람회를 앞둔 시기의 일이었다.

미술과 졸업생은 한 점 이상의 작품을 의무적으로 냈어야만 했고, 주봉도 또한 담당 강의 시간 이외의 개별적인 지도에 많은 품을 들여야만 하게 되었다.

그러나 공교롭게도 이와 때를 같이 하여 국전(國展)의 출품 기일이 발표되고 보니, 주봉으로서는 자기 일을 모조리 젖혀놓고 학생들의 지도에만 골몰할 수도 없는 형편이었다.

젊은 신진 화가 주봉에게는 아직 자기를 희생하고 후진의 지도육성에 전력을 기울인다는 그런 교육자적인 태도는 가져질 수 없었을 뿐더러, 그러는 것이 그렇게 거룩하고 보람있는 일이라고 자각되는 단계에까지는 이르지 못하였다고 생각되는 것이었다.

만일 주봉에게 이 대학에 관련되게 된 동기를 굳이 묻는다면, 그것은 자기 자신이 작품을 창작하는 데 있어서의 충동을 느낄 수 있는 자극적인 계기를 만들어보려는 데 그 주안점이 있었다고 답변하고 싶은 그런 심정이었다.

그러나 실지면에 있어서 그는 강의를 담당한 이래 아직 한 시간도 결강한 일이 없었고, 또한 학생들이 개별적으로 새로 시작하려는 작품의 구상을 상의하거나, 진행되고 있는 작품에 대한 리터치를 부탁하여 왔을 때 한번도 무성의한 지도를 한 적은 없었다.

그러던 중 국전 출품의 반입 마감이 이틀 앞으로 박두함에 따라 그는 이백호의 대작을 완성하기 위하여 거의 인색하달 정도로 시간을 아끼었다.

"선생님, 내일 나오셔서 제 그림 한 번만 꼭 보아주세요."

이날 밤 주봉의 집에까지 일부러 찾아온 연희의 부탁이었다.

아트리에서 한창 제작에 몰두하고 있던 주봉은 자기의 작품 진행 계획 때문에 약속을 지킬 수 있는 자신이 서지 않아 시원한 대답을 못하고 잠시 묵묵하였다.

"졸업 작품으론 신통치 않아요. 그렇지만 선생님께서 조금만 손보아주시면 될 것 같아요."

"……"

"네, 와주시지요?"

연희는 거의 독촉조로 다그쳤다.

"나가지."

주봉의 시선은 그의 제작 중인 작품의 화폭에서 떨어지지 않았고, 목소리만이 연희의 애걸 같은 부탁에 답변하는 것이었다.

그러나 나가주겠다는 확답을 받은 연희는 기뻐서 어쩔 줄을 몰랐다.

주봉 자신은 작품 진행이 마음대로 되지 않아 벌써 세 번째나 구도(構

圖)를 변경하여 이제 겨우 손이 났을 때였다.

　이러한 주봉의 실정을 연희도 모르는 바가 아니었다. 다른 일 같으면 자기 자신을 희생하고라도 선생님의 일을 무엇이든지 도와드리고 싶은 연희였지만 이 경우는 그럴 수 있는 한계내의 일이 아닌 것이 연희로서는 안타까웠다.

　연희는 주봉의 첫 시간 강의를 시작하였을 때부터 그 날카로운 성격과 예리한 비판안식이 첫인상에 좋았고, 지금껏 그 새겨진 인상에는 변함이 없었다.

　지금 연희에게 있어서는 졸업을 앞둔 이 마지막 출품이 어쩐지 결혼 전야라도 맞이하는 듯한 심경 같이 심각하고도 초조하여 주 선생의 모든 시간과 정력이 자기 작품의 지도에만 쏠리도록 강요하고 싶고, 또 막 응석을 부리고 싶은 심정이었다.

　"선생님, 꼭요."

　영희는 다시 한번 다짐을 받고 싶었다.

　"응, 그러지."

　그러면서도 주봉의 시선은 화폭에서 떨어지질 않았다.

　연희가 돌아가려는 것을 깨닫고야 겨우 도어 쪽으로 몸을 움직였다.

　그러나 주봉은 연희와의 약속을 지키지 못하고 전람회 전날에야 겨우 학교로 나갔다. 작품 제작실에 들어서니 주봉을 대하는 학생들의 눈초리는 의외로 싸늘하였다.

　"선생님은 참 이기주의셔……."

　마음속에 내키는 대로 서슴지 않고 내쏟는 미숙이의 성품 그대로의 약간 비꼬인 말투였다.

　늘 고지식한 정혜가 머리를 갸우뚱 인사를 하고는 제 그림 쪽을 가리키고 있다.

주봉은 복잡한 심정으로 우선 정혜의 그림에 리터치를 하기 시작하였다. 한참 손을 보고 나니 자기 마음에도 다소 나아진 것 같고 정혜도 흐뭇해하는 표정이었다.

"선생님, 제 것도 좀 보아주세요."

경은이의 말이었다.

"제 것두요."

이번에는 비꼬기만 하던 미숙이었다.

주봉은 손가는 대로 차례차례 붓을 대기도 하고, 고칠 것을 지적하기도 하였다. 그러면서도 그의 심경은 조여 놓은 땅줄같이 당긴 것이 도무지 풀리질 않았다.

그러나 어느 구석에도 연희의 모습은 보이지 않았다. 오전 중까지는 분명히 있었다는 정혜의 말이었다.

―학문은 자료와 꾸준하게 싸우면 이깁니다. 그러나 예술은 다릅니다―

강의시간에 학생들의 질문을 받던 도중 꼬리를 물고 계속되는 질의에 이끌려 두서없는 이런 이야기도 했던 것이다.

―예술은 성실성보다 타고난 선천적인 재질이 앞섭니다. 즉 예술에 있어서는 노력보다 재능이 우위에 놓인다는 말입니다―

―노력이 천재라고도 하지만 예술에 있어서는 재능의 비중이 더 큰 것입니다―

이 시간이 끝난 다음에 교수실로 주봉을 찾아온 것은 연희였다.

맑은 눈동자가 티 없이 반짝였다.

"선생님, 솔직히 말씀해 주세요. 저의 경우는 재능과 노력의 비중이 어떤 것 같으세요."

좀 당돌한 것 같은 질문이었다. 그러나 웃음 섞인 꾸밈새 없는 얼굴 표정에서 진실한 태도임을 직감하였다.

주봉은 파이프에 담배를 다져 담으면서 연희를 마주보고 신기한 듯이 웃고만 있었다.

생각할수록 대담한 것 같기도 하고, 순진한 어리광 같기도 하였다.

주봉은 이러한 경우란 흔히 질문을 위한 질문이 되기 십상팔구이지만, 이것은 연희의 자기 역량에 대한 회의에서 나온 진지한 토로일 것이라고 선의의 해석을 하고 솔직한 대답을 하기로 마음먹었다.

"연희의 경우는 아마도 재능이 약간 노력을 넘는 비율이겠지."

"네? 그럼 네 노력이 약간 부족하다는 말씀이지요?"

"아니, 그렇게 고까운 해석만 할 것이 아니라, 말하자면 충실한 노력을 할 경우에 그 때 타고난 재능의 덕을 좀 보는 편이라는 거지……."

"그럼 현재 저의 노력의 정도는요?"

시침을 떼고 추궁하는 태도로 나오고 있다.

"그거 참, 점점 대답하기 힘든 문제가 되는군."

주봉은 솟아오르는 웃음을 참을 수가 없었다.

"네, 보신대로 솔직히 말씀해 주세요."

"하기는 그렇지만…… 저 불란서의 대가 '마티스'도 칠십이 되는 일본화가 '후지다'를 보고 자네 일은 정말 이제부터라고 했다니까, 하하……."

"어머나."

연희가 붉어진 얼굴에 수줍은 웃음을 띠고 나가버린 뒤로 주봉은 대화의 뒷맛을 곱씹지 않을 수 없었다.

그 연희가 오늘은 아무리 찾아도 보이지 않는다. 학교에는 분명히 나왔다지만 지금은 아무 데를 찾아도 보이지 않는다.

지난번의 어쩔 수 없는 위약으로 연희에게 준 심적 타격이 큰 것 같아 주봉은 미안쩍은 생각을 금할 수 없었다.

전람회에 연희의 작품은 한 장도 출품되지 않았다.

주봉도 개최 전날 작품 진열 계획에 대한 참고 발언을 하고 돌아온 뒤는 학교로 나가지 못하였다.

집에 돌아온 주봉은 자신을 몹시 나무랐다.

예술을 위하기만 하였지 학생들을 진정이 통하는 인간성으로 접하지는 못하였다는 자책감이 자신을 퍽 괴롭게 굴었다.

－선생님은 참말 에고이스트야요－

영희에게서 보내온 쪽지 속에 담겨져 있는 냉소에 찬 저주스러운 구절이 머리에서 떠나지 않았다.

내가 정말 연희말대로 에고이스트였던가. 주봉은 두고두고 이 말을 곱씹어보는 것이었다.

그러나 참말로 자기가 예술을 위하여 대성할 수 있는 무기로 지닌 에고이스트라면 자기는 여하한 희생의 대가를 지불하고라도 그것을 택하리라는 심정이 반발적으로 더 거세어짐을 느꼈다.

졸업식 날 밤늦게 연희가 주봉을 찾아왔다.

"선생님, 출품도 하지 않고 선생님 축하도 없이 졸업은 했어요."

웃기는 하지만 연희의 모습은 얼음 속의 꽃송이같이 싸늘하게 느껴졌다.

"아, 축하하오, 연희 졸업을."

주봉은 어딘가 의무를 다하지 못한 때와 같은 계면쩍은 생각이 들었다.

"선생님, 국전 특선을 축하합니다. 그리고 최고상의 수상을…….."

"아, 그거 머."

주봉은 자신 당황하지 않을 수 없었다.

－에고이스트－

등골에 소름이 쪽 훑어내려감을 느꼈다.

"선생님의 특선, 그리고 저희들의 졸업을 기념해서 경주로 가게 얘기됐어요."

"……"

"어떠세요, 선생님."

"글쎄……."

"대답하세요. 네!"

"에고이스트가 머."

주봉은 웃음으로 말끝을 흐렸다.

"선생님도……."

"……."

"예스라고 선뜻 대답하세요."

"나는 다음 기회로 하지."

"이번에 같이 가세요."

"사실은 나도 별러온 일이지만……."

"그러면 잘되지 않았어요?"

"아니 다음 적당한 기회로 밀지."

몇 번이나 거듭하는 진심에 넘치는 부탁을 완강히 거절하고 난 주봉은 연희가 돌아간 뒤에 가슴 속이 공동같이 허전하여졌다.

기실 국전에 출품해 놓고부터 자기가 마음먹은 일이었다. 부산 피난시대 경주를 코앞에 두고 늘 벼르면서, 언제든지 가려니 하고 덤덤히 여겨 온 것이 환도 후에도 실천을 못보고 이제껏 밀려오고만 것이었다.

그것이 이번의 수상을 계기로, 그로 하여금 지난 날 조상들의 뛰어난 예술품에 접하려는 충격을 더욱 강렬하게 느끼게 하였던 것이다.

그러나 그는 호젓한 혼자서의 경주여행을 갖고 싶었다.

그것은 자기 자신의 기질이라고 주봉 자신도 그러한 자기 괴벽을 나무라면서도 어쩔 수 없었다.

박물관을 비롯하여 경주시가 근처의 고적유물을 찾고난 주봉은 불국사로 내려갔다.

이튿날 아침 일찍이 여사를 나온 그는 화구(畵具)를 짊어지고 토함산

(吐含山)으로 올라 동해에서 떠오르는 아침햇살을 받으면서 석굴암(石窟庵)에 들어섰다.

몇 해를 두고 별렀던 숙원인가. 우선 이곳에 찾아왔다는 것만으로도 감격이 벅차올랐다.

그러나 굴 앞에 서서 가슴과 어깨 으스름에 아침햇살을 빗겨받고 있는 석굴암 대불(大佛)의 풍만하고도 섬세한 모습에 접하였을 때, 어저께 다보탑 앞에서 느낀 이상의 감격에 젖어 어떤 위압에 눌리고 있는 자기 자신을 의식하였다.

특히 후면 벽에 돌아가며 조각된 관음상(觀音像)의 깁옷자락이 나부끼는 듯한 부드러운 선을 이루고 있는 솜씨를 대할 때 거의 자신을 잃고 황홀경에 도취되었다.

주봉은 이 격한 감정을 동도(同道)의 예술을 닦고 있는 그 누구와 꼭 서로 의견을 주고 받아가며 나누고 싶은 충격을 느끼었다. 연희랑 오자고 할 때 같이 왔다면 하는 뉘우침 같은 심정이 자신의 괴벽스러운 고집을 거세게 힐난하고 있음을 느꼈다.

자기 혼자서 이 정성어리고 뛰어난 예술품 앞에서 떠오르는 격정을 발산하지 못하고, 자기 자신의 탄성과 독백을 그대로 반추하여버리는 것은 고통스러운 안타까움이었다.

해돋이와 한낮과 저물녘, 광선의 각도가 달라짐에 따라서 이 거대한 조각물의 신비한 선은 주봉을 더욱 매혹시키고야 마는 것이었다.

주봉은 석굴암 옆에 있는 암자에 묵으면서 석가여래상과 십이관음상의 데생에 골몰하였다. 그러나 실물에서 보고 느끼는 도취한 감흥과, 화판 위에 그려진 자기 솜씨와의 거리는 너무도 먼 것 같았다. 머릿속은 머릿속 대로 감격과 흥분으로 질서 없이 격하고, 손은 손대로 머릿속과는 별개의 움직임을 나타내고 있다는, 마치 꼭 토설하고 싶은 격정이 그에 알맞는 단어의 표현을 발견하지 못하여 혀끝이 맴을 도는 때와도 같은 안타까운 심정이었다.

사흘이나 한 곳에 체류하면서도 주봉은 마음에 흡족한 그림은 한 장도 그리지 못한 채 몇 장의 불만스런 데생을 꾸려들고 불국사로 돌아왔다.

주봉은 자기 자신을 냉정히 응시하기 시작하였다. 지금 자기는 작품 제작에 조바심을 하여 손재주만을 부리고 있는 것이 아닌가 싶었다.

불국사나 석굴암뿐이 아니라 신라의 예술은 그대로 불교의 예술이다.

사실 천수백년 전의 어느 석공이 영세에 남을 위대한 예술품을 만들고자 이기적인 창작의욕으로 이 거대한 작품들을 제작하였을 것인가.

다보탑 하나만도 얼마나 오랜 세월이 걸렸을 것인가, 더욱이 석굴암 대불은?

불도(佛道)에 귀의(歸依)한 성실한 교도의 영(靈)과 육(肉)이 혼용되어 제작자의 정성이 한 덩어리로 엉켜진 그것이 바로 이 불후의 명작이 아닌가. 깊은 사색에 잠긴 주봉은 괴로운 번민에 사로잡혔다.

지금 자기에게는 대체 무엇이 있는가. 불세출의 걸작을 만들어보겠다는 성급한 타산과 공리적인 창작의욕이 선행되고 있는 것 이외의 무엇이 있다는 것인가.

주봉은 그가 못내 선망하고 사숙하여 오는 '마티스'를 생각하여 보았다.

이십세기의 가장 첨단적인 화풍을 세운 '마티스', 그는 지금 팔십의 고령임에도 불구하고 그 생애에 탁마된 예술적 총역량을 경주하여 사원(寺院)의 벽화에 정력을 바치고 있지 않는가.

그 뿐이랴, '미켈란젤로'와 '라파엘'도, 아니 '밀레'도 다 그렇다.

그들의 신앙이 그들의 위대한 예술을 창조하는 가장 큰 원동력이 되었다. 그들은 걸작을 만들겠다는 조바심에서 아쉬운 손재주를 부린 것이 아니라 은인 자자한 성도와 같은 노력 속에서 작품이 저절로 이루어진 것이다.

청운교(靑雲橋) 돌난간에 걸터앉아 저도 모르는 사이에 깊은 상념에 잠긴 주봉은 마치 꿈속을 더듬는 것 같은 환각 속에 파묻혔다.

거창한 옛사람의 정령이 깃든 예술품 앞에 자기 자신의 재질이 얼마나 미미한가를 확인 받는 심판 이외에는 아무것도 얻은 것이 없는 것 같았다.

국전의 특선! 여기에 만족의 웃음을 띠었던 자기 자신이 얼마나 옹졸하고 자질구레한가 싶었다.

오는 가을에 가지려던 개전(個展)에 대한 욕망도 풀이 꺾이었다. 신통치도 않은 손재주의 전시에 불과한 것이라 싶었다.

도불(渡佛)을 멋없이 성급하게 생각했던 자신이 허황하여졌다. 지금 자기는 자기 조상들의 유산인 예술품 앞에서도 제 지향을 발견하지 못하고 허덕이고 있지 않는가.

하물며 자기 자신 속에 남의 것을 받아들이려는 주체의식이 확립되기 이전에 불란서까지 갔댔자 무슨 신통한 수확이 있을 것인가 의심스러웠다. 기껏 외형적인 손재주를 더 배워가지고 올 것에 불과한 것이 아닌가 싶었다.

이것은 주봉 자신이 오늘 새삼스럽게 느낀 것이 아니라, 지금까지 자신의 예술적인 자세에 대하여 회의를 품고 오래 방황하고 모색하여 오던 지향이 그 전환의 계기를 포착한 것이라고 그는 스스로 생각하는 것이었다.

주봉은 하나의 조약대를 발견한 듯한 서광이 가슴 속에 비춤을 느꼈다.

그는 이 흥분된 감정을 가라앉히고 좀 더 냉정하게 다시 치밀한 관찰을 하기위해 며칠 더 묵기로 마음먹었다.

그러고 보니 연희는 물론, 지도를 소홀히 한 것 같은 다른 모든 학생들에게 미안한 생각만이 간절하였다.

자신이 예술을 한다는 것이나, 그 예술을 전수(傳授)하는 것이나 다를 바 없는 하나의 예도(藝道)라는 것이 주봉의 머리 한구석을 차지하기 시작하였다.

예술의 전수, 이것은 확실히 기량의 외부적인 전달이 아니라 신앙 같은 인간과 인간의 예술성의 영적인 교류 속에서만 이루어질 것이라는 확신 같은 것이 싹터 올랐다.

차창으로 불어오는 눈 녹인 바람이 새봄의 간지러운 감촉을 전하는 것만 같았다.

주봉은 열병이라도 앓고 난 것처럼 지치면서도 중병 후의 식미가 돌아선 듯이 무엇인가 예전과는 다른 욕구가 가슴 속에 벅차오름을 느끼는 것이었다.

－신앙이 없는 자신－

주봉은 입속으로 뇌이면서 무엇인가 신앙 같은 거룩한 압력이 막연하나마 자기의 앞길에 비쳐지는 것 같은 환상을 더듬는 것이었다.

그것은 인간 대 인간의 문제, 하나의 인간을 진심으로 사랑하고 추앙할 수 있을 때, 그러한 도취된 영감의 세계에서 종교적 신앙 같은 거룩한 상념이 결정을 이루어 그 응결된 창작의욕이 외부적으로 구체화되었을 때, 거기에는 신앙에 대치될 수 있는 극치의 예술작품이 이루어질 것만 같았다.

그러고 보면 괴벽스러운 에고이스트 주봉에 대하여 경멸이나 염증을 느끼지 않고 지칠 정도로 자기를 따르는 연희의 인간 세계, 아니 그 반영인 예술 세계가 더 폭 넓은 것이 아닌가 하는 생각이 들었다.

주봉은 연구실에 남아 있을 연희의 모습을 다시 한번 더듬어 보았다.

결국 예술은 인간 총화(總和)의 마지막 결산서인가 하는 결론 비슷한 상념이 예전의 흐리멍덩하던 단계를 넘어서 더 확연히 각인(刻印)되어 가는 것을 느꼈다.

그러고 보면 이번 나그네의 길은 예술을 보러 간 것이 아니라 인간을 보러 간 것이라는 자문자답을 곱씹어보는 것이었다.

기차는 어둠 속으로 질주하고 있다.

주봉에게는 연희가 꼭 서울역에 나왔을 것만 같게 생각되었다.

『自由公論』, 1959. 1.

퇴색된 훈장

1

아기는 불덩어리가 되어 보채고 있다. 등허리에 바늘끝이라도 꽂힌 것처럼 거의 땅에 몸을 붙이지 못하고 마냥 뒹굴기만 한다.

들어안고 있어도 누그러질 줄 모르고 막고비에 오른 누에처럼 머리를 내어젖고 있다.

아내는 아직도 돌아오지 않는다.

형우는 한 쪽 의족(義足)을 쭉 뻗은대로 자유롭게 몸을 움직이지 못하면서도 안고 있는 어린 것을 얼러보았다. 그러나 몇 시간 동안이나 울음을 계속하고 있는 아기는 목쉰 까칠한 소리로 악을 쓸 뿐 연속 태질만 하고 있다.

낮은 그럭저럭 배겨낼 수 있었지만 밤이 오는 것이 정말 두렵다. 어제 저녁은 거의 잠을 이루지 못하였다. 이대로 간다면 오늘밤도 앉아서 꼬박이 새워야만 할 것 같다. 그보다도 아침까지 아기의 목숨이 붙어날 것 같지 않다. 쌕쌕거리는 코의 단 김이 형우의 얼굴에까지 확확 닿아 오른다.

오래도록 앉아서만 버티니 옆구리가 결려온다. 어린 것을 안은대로 문손잡이를 붙잡고 겨우 일어섰다. 왼쪽 다리 관절의 쇠붙이 부딪치는 소리가 어두컴컴해 오는 방안에 불유쾌한 음향을 퍼뜨린다.

형우는 숨이 가쁘게 팔딱거리는 아기의 볼에 자기의 뺨을 대어본다. 전기알 곁에 닿는 것만 같은 열기를 뿜는다.

지금의 형우에게는 자기 자신을 위하여 산다기보다는 어린 것에 대한 어떤 책임이나 의무감 같은 것에 얽매어 살아간다는 편이 더 옳을 것이다.

절망의 밑바닥에서 결혼을 하고 다시 살아보겠다는 의욕을 가지게 된 것은 확실히 은주의 애정과 정성의 결과였다. 그러나 결혼 후 얼마 아니 되어 삶에 대한 단 하나의 의지였던 은주의 마음속에 균열이 가기 시작했던 것을 깨달았을 때, 형우의 번민은 다시 불붙기 시작하였다. 그 때 벌써 형우 자신은 점점 거리가 멀어져가는 은주를 나무라기보다는 자기 자신의 삶에 대한 극도의 염증을 느꼈고, 육군병원에서 다리를 절단하던 직후의 심경 그대로 죽음을 각오했던 것이다.

여기에 아내의 임신은 형우에게 있어서 하나의 심적 전환을 가져오게 하였다.

결국 어린 것의 출생은 절박한 그에게 있어서 처음에는 죽음에 대한 유예를 선고하는 매개물이 되었고, 시간의 흐름에 따라 아기의 성장하여 가는 모습을 육친의 사랑으로써 가슴에 벅차게 느낄 때부터는 엷으나마 삶에 대한 하나의 집착을 의식하게 되었다.

그러나 아직 삼십 미만의 젊은 나이로 어린 자식에 대한 의무나 책임 같은 것에 삶을 기대고, 창창한 자기 앞을 저울질하는 척도로 삼는다는 것은 견딜 수 없는 고역이었고, 의지를 박탈 당한 고깃덩어리의 삶 밖에 안되는 것이라고 자신의 비굴을 꾸짖는 다른 자극이 자기 심정 속에 치받치기도 하였다.

아직도 아내는 돌아오지 않는다.

고무다리로 된 한 쪽이야 힘도 줄 수 없지만 성한 다른 쪽 다리가 형우와 아기의 둘 무게를 지탱할 수 없어 발이 저려 올라온다. 거기다 파편조각이 아직도 남아 있는 골반께가 시큰거려서 견디어 낼 수가 없다. 하는 수 없이 또 문설주를 붙잡고 간신히 다리를 구부리며 아기를 내려놓았다.

눈을 멀건히 뜨고 가쁜 호흡만 계속하던 어린 것이 다시 목쉰 울음을 터뜨린다.

벽에 반 쯤 몸을 기대고 저린 다리를 쭉 뻗는다. 옆구리와 골반이 잉잉거리게 쑤신다. 이렇게 제 몸 하나 가눌 수 없는 바에야 그 때 K와 함께 흰 눈 속에 파묻혀 전사하는 편이 훨씬 나았으리라는 생각이 지금 또다시 떠오른다. 그 후 불구자의 볼썽사나운 주제로 목숨이 질기게 살아온 것을 보면 죽음도 하나의 기회인가 싶은 생각이 없지 않았다.

죽지 않고 살았기 때문에 은주와 결혼하게 된 것이라 싶어 차라리 은주가 가엾고 측은한 생각까지 들기도 하였다.

아기의 숨소리 너머 아내의 발자국소리가 들려왔다.

"여태 불도 안 켜고……."

문여는 소리와 함께 아내의 말소리가 흘러들어온다. 그제야 성냥을 더듬어 불을 켰다.

먼저 쓰던 신약이 별로 효력이 없기 때문에 오늘은 윈대진으로 한약을 지어왔다면서 약봉지를 떨어뜨린다.

아내가 아기를 싸 업고 저녁을 짓는 동안 형우는 뒷곁에 있는 콩나물 움막으로 들어갔다. 움막 공장이라도 초기에는 사과궤짝으로 하루에 몇 통씩은 생산하였다. 그러던 것이 비슷한 공장들이 이웃에 서고, 거기에 환도복귀의 선풍이 휩쓴 뒤는 한풀 꺾이어 내리막잡이를 계속하고 있다.

한창 때에는 리어카를 끌고 와서 자라기가 바쁘게 실어가던 것이, 이제는 하루 한두 통씩 겨우 팔리고 그것도 아내가 손수 가지고 나가서 처분하는 경우가 많아졌다.

형우는 콩나물 통에 물을 주면서도 아기의 병세에만 마음이 갔다. 자기의 삶이란 이제 다 익지도 못하고 시들어가는 과일 같은 것이라는 생각이 들었다. 억지로라도 산다는 데 대한 꺼질 듯한 등잔 심지를 돋우어 볼 수 있다면 그것은 자기 피를 받은 아기에게서였다.

마누라와 자기는 갈라지고 보면 그 시간부터 남남끼리 되는 것이 아닌가. 이제 자기에게서 꺼져가려는 인생의 마지막 불티는 아기에게서 희미하나마 다른 모습이 새싹으로 나타날 것이라는 믿음 같은 것이 솟아올랐다.

'아기를 구하여 주소서.'

어디를 향하여 비는지 모르는 기원의 정념이 형우의 머리를 꽉 휩쌌다.

콩나물 굴속에서 밖으로 나왔다.

뒷산 공동묘지 쪽은 암흑에 곱싸여 괴괴하다. 산등성이 위를 스쳐 뭇 별들이 반짝이고 있을 뿐 아무런 기척도 없다.

앞바다 항구 쪽에는 정박하고 있는 배의 불빛이 무수히 깜박이고 있다. 몇 개의 배는 새로 들어온 수송선인지 이 캄캄한 밤을 불야성으로 휘황하게 비치고 있다.

2

수면 부족의 흐리멍덩한 머리로 밖에 나왔다.

바람기가 싸늘하다.

구봉산 능선에서 오륙도(五六島) 밖에 아득히 보이는 수평선에 이르기까지 한 점의 구름도 없이 맑게 개였다.

그 해도 바로 이런 날씨였다. 깨어진 거울조각 같은 추억의 토막이 스쳐가고 있다.

오전 열 시의 M극장은 사람의 단기로 무더울 정도였다. 이 기이한 잔치를 보러 온 손님으로 복도에서 통로까지 가득 차 자유롭게 돌아설 수조차 없었다.

고막이 날아갈 듯이 아래 위에서 퍼붓는 박수소리에 시력마저 무디어지는 듯한 현기증을 느끼면서 앞에 선 세 전우의 뒤를 이어 형우는 아래층 남쪽 가로 무대를 향하였다.

이 시간만은 제발 지팡이 없이 성한 사람처럼 버젓이 걸어보리라는 뱃심이 부자유한 한쪽 의족을 조심하여 옮기게 하였다. 감각 없는 왼쪽 다리가 좁은 통로에 비집고 서 있는 사람들의 몸에 걸리는가 하면 멀쩡한 한쪽은 의자 쇠꼬챙이에 부딪치기가 일쑤이다.

장진호 전투에서 실명(失明)한 전우 박 상사는 다른 사람에게 부축되어 형우의 바로 앞에 서서 무대로 올라가고 있다.

형우는 여섯 명의 전우와 함께 주례 앞에 가지런히 섰다.

아직도 계속되는 박수는 간간히 주파(周波)를 높여 극장을 송두리째 뿌리빼버리려는 것만 같다. 그 주기적인 박수에 따라 북쪽 통로로부터 신부가 하나씩 무대로 올라와서 신랑 옆에 차례로 끼어 선다.

은주가, 마련된 제자리에 들어서자 형우는 한쪽으로 약간 비껴서면서 자세를 가다듬었다. 성한 한쪽 발꿈치에 힘을 주고 바짝 버티어 서 있으려니 쯥쯥한 땀방울이 입언저리로 흘러내림이 느껴졌다.

육군 군악대의 장엄한 주악이 끝나자 사회자의 개식사가 들려왔다.

형우의 왼쪽에 선 김 중사는 양쪽이 절단된 의족으로 주례의 긴 식사에 지탱하지 못하여 비틀거리기 시작한다.

그제야 사회자 측에서 의자를 들고 다니는 약간의 소동이 벌어진 끝에 일곱 쌍의 신랑 신부는 나란히 걸터앉았다.

"……나는 오늘의 주례로, 그보다는 XX장관의 책임으로 다른 여러 부처장과 함께 가장 우려되는 여러분들의 생활 방책을 타개하기에 적극 노력할 것을 이 자리에서 굳게 약속합니다."

힘을 다져서 외치는 이 한 마디는 형우를 비롯한 새로운 배필들에게 급소를 겨눈 믿음직한 공적 선언이었다.

새로 세탁한 형우의 군복 앞가슴에는 노랗고 붉고 푸른 띠의 약식(略式) 훈장이 지난 날의 가지가지 격전을 이야기하고 있지만 그 뒷잔등에는 군데군데 땀이 배어 나오고 내의는 살에 찰싹 달라붙고 있다.

형우는 앞에 앉아 있는 은주를 돌아다보았다. 은주는 머리를 다소곳이 숙인 채 움직이지 않고 있다. 지금 은주의 가슴 속에는 어떠한 감정이 흐르고 있을 것인가? 형우는 그것을 점쳐보는 것이었다.

사회자의 시키는 대로 형우는 자리에서 일어나서 오른편 쪽으로 돌아섰다. 신랑 신부의 상견례였다.

짙은 안경을 쓴 실명용사 박 상사가 신부와 틀리는 각도로 마주 섰기에 당황한 사회자가 똑바로 세우고 있는 모습이 바로 눈앞에 보였다. 형우는 피가 거꾸로 거슬러 올라가는 것 같은 충격을 느꼈다.

축사는 입법부·사법부·행정부의 대표자를 비롯하여 각계각층으로부터 신랑들의 부자유한 몸이 지칠 정도로 오래 계속되었다. 모두가 치하와 축복에 아울러 앞날의 생활은 걱정 말라는 요지였다.

이 순간 형우의 머릿속에는 지난 봄 명예제대로 현역을 떠나던 때의 광경이 번개같이 스쳐갔다.

"……찬연한 공훈을 남기고 영예의 제대를 하는 여러분의 앞날은 국가와 민족이 보장하겠습니다."

천편일률적인 격려사, 그 말들이 침도 마르기 전에 형우는 상이용사 회관을 몇 번이나 찾아갔던 것인가? 무상으로의 구호가 아니라 일할 수 있는 직장을 구하여 달라고……

말쑥한 유니폼의 여학생들이 싱싱한 꽃다발을 한 아름씩 안겨주었으나 은주의 머리는 여전히 숙여진 채였다. 감격에 벅차 울고 있는 것인가? 회한으로 괴로워하는 것인가? 형우의 심정은 궁금하고도 복잡하였다.

합창과 독창이 끝나고도 형식적 절차는 아직도 남아 있었다.

식장에 참석한 내빈들에게 신랑 신부가 첫인사를 하기 위하여 처음으로 객석을 향하였다.

형우는 앞에 보얗게 안개가 낀 것처럼 초점이 흐려졌다. 그칠 줄 모르는 요란한 박수 속에 행복감보다는 미래에 대한 막연한 불안과, 으스러지는 듯한 비굴감이 스쳐감을 느꼈다.

폭풍 뒤의 고요함 같은 가라앉음이 자신을 찾아왔을 때 형우의 바로 눈앞에는 밀가루 포대와 광목 필, 밥상과 식기 등이 장마당의 진열장처럼 나열되어 있는 것이 비로소 눈에 띄었다. 조금 전 사회자가 낭독하던 목록의 기념품이 지금 이렇게 관중의 주시 속에 구호물자처럼 벌려놓여 있는 것을 그제야 깨달았다.

그는 동상(凍傷)으로 썩어들어가는 다리로 앰뷸런스에 실려서 육군병원에 입원하였을 때, 오랜 잠 속에서 깬 것처럼 제 정신으로 돌아가는 순간 벌써 한쪽 다리는 잘라 없어졌던 때와 비슷한 공허감을 느껴 현기증을 일으킬 것만 같았다. 마치 자기의 불구된 상처를 붕대도 없이 앙상한 그대로 노출시켜 내둘러 쏘이는 것만 같은 심정이었다.

3

은주와의 결혼은 인간 일생을 살아가는 동안에 부닥치는 한두 번의 큰 우연이 있다면 그런 범위에 속하는 것이리라고 형우는 생각하는 것이었다.

동부전선, 형우가 중상으로 의식을 잃은 고지(高地) 탈환의 치열한 전투에서, 형우와 가장 가까웠던 전우 K는 전사하였다.

K의 죽음에 대한 전말을 그 유가족에게 알려야 할 일은 형우에게 있어서는 하나의 의무라고 느껴졌다.

왼쪽 허벅다리 관통상에 동상을 겹친 형우는 야전병원에서 응급치료를 받고 곧 후방 육군 병원으로 이송되었다. 그는 자기의 절단상흔이 거의 아물어갈 즈음에야 K의 재학 중이던 S고등학교로, K의 전사에 대한 개략의 경위와 함께 유가족들에 대한 전달의 조처를 의뢰하였다.

상처가 완전히 아물고 몸 전체의 건강상태가 점차 회복되어 감에 따라 형우는 여러 가지 생각으로 번민하기 시작하였다.

한쪽 다리 없는 이 불구자를 영원히 현역으로 두어둘 것 같지도 않거니와 자기 또한 이 이상 머물러 있고도 싶지 않았다.

그러나 퇴원·제대 그 다음에는 어디로 갈 것인가 하는 문제에 부닥칠 때 앞이 캄캄하여 생각이 나질 않았다.

군문에 들어가지 않고 그대로 피난했던 학우들은 제 햇수대로 학업을 계속하여 벌써 대학을 졸업하였다.

A는 재학 중에 미국 유학을 갔고, P는 목하 수속 중에 있어 불원 서독으로 떠난다고 한다. M은 모교에서 교편을 잡고, 누구는 실업계에, 누구는 금융기관에…….

대체 자기에게 지금 남은 것은 무엇인가? 형우는 자기 자신에 대한 회의를 느끼기 시작하였다.

그것은 일선에서 적과 총부리를 마주대고 불을 뿜어댈 때, 국가나 민족을 생각하는 겨를보다는 적을 증오하는 적개심이 앞섰고, 차라리 그 적개심보다는 자신이 살아야겠다는 필사적 노력, 오히려 그보다는 넋을 잃은 무의식상태에서 조준도 정확하게 가눌 사이 없이 눈을 감고 연속적으로 방아쇠를 당기던 그런 극한의 상태와는 너무도 대체되는 심정이라 싶었다.

이제 한쪽 다리를 잃고 돌아온 자기에게 이 병원 외에는 자기 한 몸을 건사할 자리조차 이 땅 위에 없는 것만 같았다.

내가 내 목숨을 마지막 고비까지 바치고 지금 얻은 것이 과연 무엇인가? 차라리 K처럼 전사하였던 것이 더 나았으리라 싶었다.

유리창을 거쳐오는 햇살이 포근하게 뜨거웠다.

형우는 양쪽 겨드랑이에 목발을 짚고 천천히 병동 복도를 지나 익숙지 않은 걸음으로 뜰로 나왔다.

벌써 개나리가 반쯤 피었다. 남쪽의 봄은 서울보다 이주일은 이른 상 싶었다. 멀리 바다가 보인다. 전투함인지 큰 배가 방파제를 지나오고 있 다. 북쪽 하늘 아득히 향수 같은 것이 어린다.

이날 처음 K의 동생 은주가 찾아왔던 것이다.

형우에게 오빠의 전사된 경위를 상세히 듣고 난 소녀는 별로 말이 없 이 울기만 하였다.

"오빠는 끝까지 용감했어, 하나도 비굴하지 않았어……."

형우는 소녀의 어깨를 흔들며 울음을 달래었다. 자기와 K가 전선 토치 카에서 중무장을 하고 찍은 사진 한 장이 남은 것을 소녀에게 주었다.

소녀가 돌아간 뒤에도 형우는 오래도록 K와 소녀의 모습을 더듬으면서 이북에 있는 자기 동생을 그려보는 것이었다.

주일 후 소녀는 다시 찾아왔다. 이름이 은주라는 것도 이때서야 알았 다. 가지고 온 꽃가지를 빈 약병에 물을 넣어다 꽂아 놓으면서 이날의 은 주는 퍽 상냥한 기분이었다.

폭격에 가족은 다 없어지고 자기만 외톨로 남아서 부산까지 밀려와 지 금은 광복동에 있는 회사에 근무하고 있다는 것이다.

"꼭 오빠를 만난 것만 같아요."

애수를 머금은 은주의 눈언저리에는 곧잘 눈물이 맺혀졌다.

소녀는 일주일에 한 번씩 거의 거르지 않고 찾아왔다. 형우는 소녀에 게서 어떤 삶의 보람을 발견한 것 같은 환희를 느꼈다. 일요일마다 소녀 가 기다려졌다. 밤에도 학교 교실의 드높은 병동 천장에 눈을 모으고 은 주의 모습 하나하나를 주어서는 한 덩어리로 짜보는 것이었다.

형우가 명예제대를 하는 날도 은주는 찾아왔다.

판에 박은 듯한 일정한 절차의 공식적인 식을 끝내고 가지각색의 불구 자들에 끼어 절름발로 식장을 나오는 형우에게 은주의 웃음을 함빡 머금 은 얼굴로 꽃다발을 안겨주었다.

형우는 눈물이 핑 돌았다. 앞으로 은주를 위하여 살아가야지 하는 적극적인 의욕이 자기 자신의 불구에 대한 열등감을 누르고 불쑥 치밀었다.

이날 밤 형우의 제대를 축복하는 몇몇 친구들의 간단한 자리가 끝난 다음 형우의 몸을 부축하고 걷고 있던 은주가 형우를 쳐다보며 입을 열었다.

"저 결심했어요."

"무엇을?"

"결혼할 것을요."

형우는 걸음을 멈추고 대담해진 은주를 또렷이 바라보면서 제 귀를 의심하였다.

"결혼?"

"네에."

"누구하고?"

이렇게 물으려다 만일의 경우 같은 예외의 대답이 나올까 두려워 목구멍까지 치민 말을 꿀꺽 삼키었다.

지금까지 지나온 경과에서 이와 같은 결말이 올 수 있는 가능성을 예기하지 않은 바도 아니지만, 막상 갑작스레 당하고 보니 당황하지 않을 수 없었다.

둘은 말없이 걷기만 하였다.

"왜 말이 없으세요."

"아니……, 그렇게 되면 은주의 희생이 너무 크겠기에……."

"저는 꼭 오빠만 같아요. 이렇게 외롭다간 그대로 죽어버릴 것만 같구요……."

은주를 보내고 초량 막바지 콩나물 공장을 하는 친구의 집에서 잠을 자면서도 은주의 육친에 대하는 것 같은 순정을 그대로 받아들일 것인가 하는 종국적 문제에 대하여도 망설임이 앞서지 않을 수 없었다.

은주는 나를 사랑하기보다는 내가 그의 오빠의 위치에 대치될 수 있다는 환상으로 나를 따르는 것이다. 거기에 또 나와 은주와의 일 대 일의 동등한 인간으로서의 사랑보다는 불구자에 대한 동정 같은 연민의 정이 소녀의 순정을 불붙게 한 것이라고 생각되자 형우는 더욱 마음속이 복잡하기만 하였다.

그러나 어떠한 것이 동기였던 간에 은주의 형우에 대한 정성은 더욱도를 가했고, 마침내 순결한 사랑으로 형우를 송두리째 휩싸고 말았다.

4

아기는 의식을 잃었다. 울지도 못한다. 눈을 까뒤집고 검은 동자보다 흰자위가 많아졌다.

숨을 모두어 쉬고 있다. 열은 여전히 내리지 않는다.

아침에 다녀간 의사의 말이 급성폐렴으로 악화되었다는 것이다. 말은 하지 않았지만 의사의 표정 속에는 거의 절망적이라는 암시가 흐르고 있었다.

젖꼭지를 물려도 빨지 못한다. 의사가 두고 간 약을 숟갈에 타서 떠 넣어도 그대로 도로 쏟아져 나온다. 겨우 한두 모금 넘어가면 금방 먹은 양보다 더 많이 토하여버린다.

창백한 얼굴에 움푹 패어진 아내의 눈은 어린 것의 호흡만 지키고 있다.

지금 아기의 모습이 최후의 경각을 다투는 이 숨막히는 분기점에 서서 아내는 자기보다 더 초조할 것인가 하고 형우는 아내의 옆모습을 훔쳐보면서 눈을 감았다.

-여보 속시원히 갈라집시다-

결혼 일년 후부터 이런 말은 아내의 입에서 예사로 튀어나왔다.

그것은 마치 형우가 제대하던 날 밤 형우의 겨드랑이를 끼고 걸으면서,

-저 결심했어요-

하고 자기 의사를 서슴자 않고 솔직하게 나타내던 그 때처럼 어떤 심각

성보다는 차라리 경쾌할 정도로 튀어나오는 어조였다.

은주의 결혼에 대한 고백이 병원에 처음 찾아온 날 벌써, 자기 오빠의 영상을 형우의 모습 속에 발견하는 순간 싹튼 것이라면, 언제든지 갈라질 수 있는 불균형한 동정적인 애정의 숙명도 이미 그 첫날부터 잉태되어 있는 것이나 아닐까 하고 형우는 좀 가혹하게 생각해 보는 것이었다.

─거저 뱃속에 든 핏덩이만 없으면……. 이 원수의 것이─

임신 이후의 은주는 직장도 그만 두게 되자 집안에서 콩나물 공장의 짓궂고 성가신 일에 부딪칠 때마다 거의 반사적으로 내쏟았다.

결혼 직후였다. 아직 신혼의 막연한 희망이나 이상 같은 것이 가슴 속 한구석을 차지하고 있을 시기의 일이다.

형우는 동부인하여 극장에 갔었다. 날씨 좋은 일요일이었다. 극장 안은 초만원을 이루어서 앉을 자리가 없었다. 형우는 무더운 속에서 몸이 더욱 지쳐오기에 중도에서 나오자고 하였으나 아내는 기왕 왔으니 끝까지 보고 나가자고 우겼다.

그렇다고 형우의 몰골을 보고 선뜻 자리를 양보하는 사람도 없었다. 하는 수 없이 통로 계단에 걸터앉아 끝날 때까지 겨우 견디었던 형우는 땀에 흠뻑 젖어서 밖으로 나왔다.

사람이 붐비는 극장 앞에서, 아내는 형우를 돌아보며 걱정을 하면서도 옆에 접근하지 않고 어쩔 바를 모르는 난색한 표정을 지었다.

이 일이 있은 후 형우는 불구에 대한 어쩔 수 없는 열등감을 자기 자신으로서는 하나의 운명처럼 달게 받고 살아가겠지만, 아내에게 이런 대외적인 데서까지 비굴감을 연장시킬 필요는 없다는 충격을 받아 다시는 동반하여 나가는 일이 없었고 이따금 아내더러 혼자 다녀오라고 하였다.

아내는 미안쩍어 대부분의 경우 거절하였지만 그것도 횟수가 잦아감에 따라 자연 혼자 떠나는 경우가 생기게 되었다.

아기를 난 후의 아내의 태도는 일변하였다. 불안정한 자세가 가셔지고 체념 속의 어떤 각오가 자리잡혀갔다. 이러한 결과는 형우의 삶에 대한 용기를 적이 북돋아주었다.

그러나 그것도 얼마 동안이었다.

- 그저 이것만 없으면 지금 당장이라도 -

시간이 흐름에 따라 표현방법이 달라졌을 뿐 아내의 가슴 속에 잠재하고 있는 남편과의 불균형에 대한 열등의식은 식구가 늘고 경제가 핍박하여 갈수록 더 커지고 굳어져가는 것이라고 형우는 느끼는 것이었다.

자기와 아내와의 거리에서 어차피 헤어져야만 하는 강박감 같은 것을 느끼면서도 형우에게는 아기의 존재가 하나의 완충지대로 느껴졌다.

- 모두가 다 자기에게서 떠나고 나면 아기와 단 둘이서 살지 -

이런 극단적인 생각도 가져보는 것이었다.

그러나 이십 대의 불붙는 정열을 자기 자신이 아닌 다음 세대를 위하여 산다는 것은 벌써 자신의 삶을 반 이상 포기하고 들어가는 것이라고 생각되면서도 어쩌는 수가 없었다.

자기 자신에 대한 희망이나 지표가 무참히 짓밟혀지면서 이타적으로만 살아야 한다는 것은 얼마나 쓰라린 고행인가 하는 것을 시간이 갈수록 더욱 뼈저리게 느꼈다.

5

은주는 허벅다리에 닿는 얼음 같은 찬기에 잠을 깨었다.

마치 다듬이 방망이가 와 닿는 것만 같았다. 단단하고 까칠까칠하다. 모든 것을 참고 견디려 하여도 이것만은 정말로 어쩔 수 없다. 오래오래 모질게 쌓아 올린 인내의 탑이 한꺼번에 허물어져가는 느낌이었다.

형우에게 이런 심정을 눈치 채지 않게 하기 위하여 도둑고양이처럼 얼마나 숨죽여 참아야 하였던가.

창문조차 분간할 수 없이 캄캄한 것이 다행스러웠다.

이 순간 피차의 얼굴 표정이 맞부딪친다면 서로서로가 얼마나 괴로울 것인가 하고 생각하는 것이었다.

은주는 고무다리의 압력에서 슬그머니 비틀었다. 후 하고 한숨이 나왔다. 그러나 괴롭고 아쉬움이 허전함 속에 함께 휘몰아왔다.

남편은 의족을 떼어 놓고 기어서 이불 속으로 다시 들어왔다.

한쪽 다리만으로서는 몸이 제 마음대로 듣지 않아 기를 박박 쓰면서 우악스런 팔기운으로 등줄기와 가슴팍을 조여온다.

흥분이 아니라 은주는 정신이 더욱 맑아졌다.

사지가 성한 푹신한 체온 속에서 포근히 잠이 들고 싶은 충동이 거세어졌다. 참으로 그것은 목마른 갈증 같은 것이었다. 결혼 이래 이다지도 미적지근하고 구멍 뚫린 것 같은 미흡한 심정을 얼마나 헤아릴 수 없이 억지로 참고 견디어 왔던 것인가.

이렇게 선불을 지르고 난 다음은 아내도 남편도 둘 다 깊은 잠을 못들고 날이 새는 것이었다.

아기는 죽었다.

형우의 힘으로는 어찌할 수 없게 아기는 죽어갔다. 아기가 죽은 것이 아니라 형우 자기 자신이 아주 죽어간 것이라고 생각되었다.

아내도 숨이 떨어진 아기를 부둥켜 안고 몸부림쳤다.

평소에 형우와 은주 사이의 거리 중간에 서서 어떤 유대를 연결시켜 주던 매개체는 사라졌다. 아내로서는 최후의 단안을 내리는데 장애물처럼 여겨졌으리라고 형우는 보아왔지만 지금의 아내에게서는 그런 흔적을 찾아볼 수 없다. 아내는 뉘우치는 듯한 넋두리를 몇 번이고 알아듣지도 못하는 아기의 시체를 향하여 퍼붓는 것이 형우에게도 들려왔다.

아기를 뒷산 공동묘지에 묻고 온 남편과 아내는 별로 대화가 없이 아내는 방 아랫목에 꼬부리고 드러누웠고, 남편은 윗목 벽에 기대어 멍하니 앉아 있었다.

아기가 형우와 아내 사이의 화제까지 완전히 빼앗아간 셈이었다. 제 돌도 못된 핏덩이 하나가 없어진 것이 집안에 큰 공간을 남겨 놓았다.

하루낮 하룻밤을 아무 것도 먹지 않고 아무 대화도 없이 그대로 지냈다.

아마도 아기에 대한 생각 뿐 아니라 아내도 형우처럼 자기들의 앞길에 대하여 더 골똘하게 생각하고 있으리라 싶었다.

사흘 째 되는 날 오후 아내는 몸차림을 하고 밖으로 나갔다. 아내도 말이 없고 형우도 아무 것도 묻지 않았다. 저물녘에 형우도 거리로 나갔다. 물론 일정한 목표 있는 갈 곳은 없었다.

언덕길을 내려가면서 이 기회에 완전히 기분을 전환할 목적으로 아내와 의논을 하고 서울로 올라갈까 하는 생각을 하여보는 것이었다. 그러나 그것도 아무 방향도 정해지지 않은 막연한 생각이었다.

-그 병신 꼴루 아무 직장도 없이-

얼마 전 한번 서울이야기가 나왔을 때 즉석에서 아내가 빈정대던 말이 생각났다. 물론 그 날도 신통한 방법도 없는 타개책을 곱씹다가 둘의 신경이 날카로워진 때였다.

초량 정류소 앞에서 전에 콩나물 움막을 알선하여 주던 친구를 만났다.

말끝에 묻어 아기의 죽은 이야기가 나왔다.

둘은 술집으로 들어갔다. 형우는 앞일을 생각지 않고 폭음을 했다. 술이 취하여옴에 따라 형우는 자꾸만 울음이 터져나왔다. 세상의 모든 사람에게서 버림받은 외로운 존재인 것만 같았다.

통행금지 사이렌이 운 뒤에야 술집에서 나왔다.

"그 몸으로 혼자 갈 수 없을 거야."

친구의 걱정하는 이러한 호의도 오히려 경멸로만 들렸다. 고집을 쓰고 자기집까지 찾아왔다.

아내는 아직도 돌아오지 않았다.

집안이 어수선하다. 흔들리는 머리에 구역질이 나기에 그대로 고꾸라졌다.

한낮이 되어서야 간신히 눈을 떴다. 아내는 지금껏 나타나지 않았다.

벽을 훑어보니 방안이 허황하다. 아내의 옷가지라곤 하나도 보이지 않는다. 도로 자리에 뒹굴었다. 아내에게 배신을 당한 것 같이 분하였다.

다리의 관절과 골반이 쑤셔왔다. 바짓가랑이를 걷고 적갈색의 고무다리를 더듬어 올라갔다. 제 다리가 아닌 남의 것 같은 염증이 났다. 침을 벽에다 탁 뱉으면서 바짓가랑이를 도로 내려훑었다. 가슴에 달려 있는 퇴색된 훈장이 얄미웠다.

속이 답답하여 문을 열어젖혔다. 저녁 하늘이 아름답게 노을을 수놓고 있다.

장속에 갇혔던 새를 공중으로 훨훨 날려 보낸 것같이 아쉬우면서도 거뜬한 기분이 들었다.

권총의 날랜 몸집이 유혹을 당기었다. 구릿빛 탄피에서 빠져나온 흡사 회중시계의 메달과 같은 총알의 매력이 심장의 고동을 재촉하고 있다. 어둠이 구봉산을 넘어 창가로 기어들어온다.

형우는 자리에서 일어섰다. 흩어진 고리짝 옆에 풀어놓은 밧줄이 눈에 들어왔다. 걷어쥐고 집을 나와 뒷산으로 올라갔다.

방파제의 등대불은 전과 다름없이 깜박거리고 외국 배는 여전히 밤을 낮으로 살고 있다.

결혼식 장면이 머리에 떠올랐다. 동부전선에서 숨을 거두어가던 전우들의 눈알들이 아른거렸다.

『自由文學』, 1959. 2.

경구는 양쪽 다리 사이에 머리를 틀어박고 참나무 판에 날도끼질로 뚫어 놓은 타원형 구멍으로 아득한 밑바닥을 내려다보고 있다.

보현암(普賢庵) 산문(山門) 건너 아름드리 은행나무 밑에 있는 낡은 측간(厠間)에서다.

익살꾸러기 뒷집 노인의 징글맞게 털어 놓던 어릴 때 이야기가 불현듯 머리에 떠올랐다. 용문산 깊은 골짜기 다래넝쿨 속에서 찾아낸 낡은 절 뒷간에 들어가니 아침에 떨어뜨린 똥덩어리가 저물녘에야 보이지 않게 까마득한 한 끝 바닥에 닿는 소리가 간신히 들리더라는 이야기이다.

일터의 이권(利權)을 싸고도는 분쟁이 복잡하게 벌어진 이래 그에게는 세상이 온통 똥으로만 보였다.

그 소란한 둘레를 벗어나 모든 것을 잠시 잊으려고 하여도 이쯤 생각이 꼬리를 물고 치켜드니 허사가 되고 말았다.

무슨 영문인지 공교롭게도 경구의 아명(兒名)은 똥돌이였다.

삼대 외독자로 내려오는 집안에서 칠순에 첫 손자를 본 할아버지가 더러운 것에 연분을 걸어 명이 길라는 소원으로 일부러 천하게 불러온 이름이었다.

요즈막 그에게는 별달리 깊은 뜻도 없이 지난날에 불려졌던 젖냄새 풍기는 그 이름마저도 자기가 하는 일에 어떤 숙명적인 인과관계라도 있는 것만 같게 생각되어지는 것이었다.

　경구는 휴전협정이 성립되기 이전에 아직 일선지구나 다름없는 서울로 올라왔다.

　그것은 그가 소속되어 있는 미군부대가 서울 근교로 이동된 탓도 있었지만 그것보다는 멀지 않은 장래에 환도될 가능성이 엿보인다는 풍설에서 경구 자신이 품고 있는 사업욕이 그의 복귀를 더 다급하게 재촉하였던 것이다.

　경구는 미군부대의 트럭 운전수였다. 좀 더 그의 이력을 거슬러 올라가면 그는 사변 나던 날까지 시청 청소차를 몰고 있었다.

　말하자면 청소작업이 그의 생활을 이어주는 일자리였고, 그 청소차의 덕분으로 그는 1·4 후퇴시에도 비교적 무난히 피난을 갈 수 있었던 것이다. 이러한 전후 관계가 그 추하고 하찮은 것 같게 보이는 일자리가 그의 생명과 연결되어 어떤 집착이나 매력 같은 것까지도 그의 마음속에 불러일으키게 하는 것이었다.

　폐허가 된 서울거리는 음산하고 쓸쓸하였다. 사람의 그림자는 드물고 군용차만이 제 속력을 다하여 가로를 질주하고 있었다.

　이 속에서 경구는 고된 줄 모르고 일을 하였다.

　새봄이 되자 사람은 날로 늘어갔고, 깨끗이 씻기었던 거리는 더러워져갔다.

　오백년 이래 오래간만에 맑아보았던 청계천은 다시 거무튀튀하게 흐려 구린내를 내뿜기 시작하였다.

　환도 얼마 후 미군부대에서 나온 경구는 폭격에 파괴된 차대(車臺)를 이끌어다가 트럭 하나를 꾸미었다. 오랜 숙망이었던 자기 차를 처음 마련해 본 것이다.

　이삿짐 나르는 일에 한몫 보다가 그것이 뜸하여지자 다시 돌아 붙은 일이 분뇨차(糞尿車)를 몰고 다니는 청소작업이었다.

자기 차와 소위 모찌꼬미 차를 합쳐서 화물차 세 대가 움직였다.

그것이 올 봄에 신형 지·엠·씨 다섯 대를 새로 대여(貸與) 받아 사업은 한층 흥성하여졌다.

이제야 경구는 운전대를 놓고 사업장에 붙어 있어야만 하였다. 그것뿐만 아니라, 시청이니 경찰서니 하는 관계당국과의 외부적 접촉 관계로 하루 종일 바쁜 시간을 보내야만 하였다.

지·엠·씨(G·M·C), 그것은 하나의 에피소드를 남긴 경구의 별명이었다.

대구 동촌비행장 미군부대에 소속되어 있던 때의 일이다.

경구가 몰고 있던 트럭과 미군 장교가 탄 짚차가 좁은 길을 오고 가며 스칠 때 짚차가 한쪽으로 비키다가 논두렁에 뒷바퀴가 빠져버렸다.

엔진이 얼어붙을 정도로 찬 날씨였다.

트럭의 크레인을 풀어 간신히 짚차를 길 위까지 끌어 올렸으나 짚차의 엔진이 말을 듣지 않았다.

조금만 고장 나도 차를 모타풀에 집어넣지 않으면 현장에 구급차가 와서 고장차를 끌고 가게 마련인 그들은 당황하여 무전기를 가지고 본대에 연락하느라고 어쩔줄을 모르고 있었다.

경구는 장교차의 기관부 뚜껑을 열어제껴 놓고 운전대에 들어가서 스위치를 넣고 엑셀을 밟아보았다.

꿈적 소식이 없다. 거기에다 배터리의 힘이 퍽 약해져 있었다.

금테안경 속의 장교의 눈은 호기심에 가득 차 경구의 동작만을 유심히 바라다보고 있다.

푹 내려쓴 방한모 속에서 흰 이빨과 눈알만이 유달리 표나는 깜둥이 운전수는 진찰실에 들어온 환자의 표정처럼 경구의 움직임에 신뢰와 의아의 뒤섞인 눈길을 던지면서 그의 옆을 지키고 있다.

드라이버, 작기, 하고 경구가 도구의 이름을 부르는 대로 깜둥이는 잽싸게 잡은 것들을 들어다 섬기고 있다.

경구는 손이 곱아서 제대로 움직여지지 않는 것을 억지를 써가면서 엔진 블레이어 하나씩을 뽑아서 전기 접속면을 쇠붙이로 긁어서 구리의 새 금속빛이 나오게 해가지고 입김으로 후 불어 제자리에 꽂았다.

얼마 동안을 승강이를 하다가 차는 겨우 발동이 걸렸다.

경구는 짚차의 커다란 옷뚜껑을 닫아걸고는 차체 앞쪽을 덥석 들었다가 콱 놓으면서 '오케이'하고 통쾌한 웃음을 던졌다.

초조하게 떨고 있던 장교는 '땡큐'를 계속 연발하였다.

"저스트 라이크 지 · 엠 · 씨(꼭 지 · 엠 · 씨 같군)."

장교가 악수를 하면서 남기고 간 이 마지막 말이 경구에게 주어진 G · M · C의 하나의 연유였다.

시청 위생과의 담당 주사로 근무하던 이헌도 이날 경구가 몰고 있는 트럭에 같이 타고 있었다.

이헌의 입을 통하여 이 이야기는 후일 경구의 작업장에까지 퍼져서 운전수, 인부 할 것 없이 모두들 경구를 이름 대신에 지 · 엠 · 씨라고 불렀다.

이헌과의 지금 현재의 미묘한 관계도 어쩌면 경구 자신이 일부러 씨를 뿌려 놓은 것 같기만도 한 일이었다.

경구는 대구 시내를 차를 몰고 가다가 우연히 이헌을 발견하였다. 그 꼴이란 말이 아니어서 경구의 알선으로 이헌은 곧 경구의 일하는 미군부대에 근무하게 되었다.

그 후 이헌은 부산으로 내려갔다가 정부 복귀와 함께 시청의 옛자리로 돌아왔다.

이헌과 자기의 사이는 청소작업을 통한 업무적인 연관 이상에 어떤 면에 있어서는 인간적인 정의가 상통하는 관계라고 함이 더 옳을 것이라고 경구는 지금도 생각하는 것이었다.

환도 직후의 아쉬운 살림에 경구는 이헌을 위하여 물질적인 도움은 물론, 접대의 자리마다 술상에는 거의 같이 앉았던 것이다.

그 이헌이 지금 이 청소작업의 이권을 사이에 두고 경구와 최후의 각출을 겨누고 있는 것이다.

그것도 이제는 직장에 사표까지 내고 본격적으로 사업을 하겠노라고 덤벼들고 있다.

경구는 장덩이를 먹여놓은 뱀에게 발뒤꿈치를 물린 격이라는 생각이 들었다. 기대였던 벽이 무너지는 것만 같은 심정이었다.

"신 형, 좋도록 해봅시다. 잘되겠지요."

그저께 저녁 술자리에 같이 앉아 잔을 주고받으면서도 이헌이 끝내 자기의 진심을 털어놓지 않고 우물쭈물하면서 경구의 속만 떠보려고 이렇게 말하는 것이 얄미워져 경구는 잔을 상 위에 내던진 채 자리를 일어서고 말았다.

작달막하고 다부진 몸뚱이, 그러나 흰 얼굴에 가늘고 오뚝한 코, 탁 트인 목소리, 술 잘 마시고 계집과 농탕 잘 치는 그 이헌이 이러한 간계를 부리리라고는 정말 생각하지 못하였다.

신문에서는 몇 번이나 청소작업이 큰 노다지나 되는 것처럼 떠들어댔기에 기자들은 매일같이 청소차의 차고로 들락거리고 있다.

그것도 이름이 버젓한 일간신문의 기자라면 몰라도, 그런 신문이 있는가 없는가도 모를 것이 아니면 주간이니 월간이니 하는 나부랭이 신문광고원까지도 제법 기자입네 하고 명함을 내대는 데는 이제 견디다 못하여 구역질이 나지 않을 수 없었다.

그렇지 않아도 연말이면 기름이니 부속품이니 하는 거래처의 대차 관계도 일단은 청산해야 하고, 관계관청에 대한 인사치레도 차려야 하는 궁색한 시기에 엎친데 덮쳐서 벌써 국장이니 주임이니 하는 축에 바쁜 구멍만 메우는데도 마누라를 동원하여 곗돈을 끌어다가 겨우 땜질하는 형편이었다.

약간이라도 힘이 될 만한 고위층은 모조리 찾아다녔다. 거충으로는 염려없다는 시원한 대답들을 하면서도 책을 잡히지 않으려고 정확한 언질을 주지 않는다.

하룻밤을 자고 나면 상대편에서는 또 어느 큰 줄을 잡아 움직였다느니 하는 정보가 날아들어오곤 하였다.

경구는 궁여지책으로 고향 출신의 장의원을 찾았다. 평소 안면 정도의 인사는 있었고, 또 그가 여당으로 원내에서도 알심 있는 자리에서 활약한다기에 실정이나 마음 놓고 토로하고 싶어서였다.

아침 이른 시간임에도 불구하고 응접실에서 오래 순번을 기다려야만 했다.

만나서의 첫 이야기가 똥장수의 이권이고 보니 경구도 잘 떨어지지 않는 입을 열어 계면쩍은 태도로 말을 시작했다.

"나는 해방 십 년에 똥차만을 끌어온 사람입니다. 실력으로 싸워왔습니다."

장의원은 똥차이야기에 약간 냉소 어린 웃음을 흘렸으나 표정이 다시 가다듬어져가는 것을 보고 경구는 말을 이었다.

청소계약교체기를 계기로 소위 권력층을 배경으로 하여 실지 일할 수도 없는 오륙 명이 나섰고, 그 중에서도 최고의 빽과 거기에 청소계통 사무절차의 이면을 알고 있는 이헌이, 십여 년의 경험과 제 주먹 실력만을 믿고 현재 충실히 일하고 있는 자기를 밀치려든다는 사건의 대충 경위를, 격하는 흥분을 참아가면서 조리있게 설명하였다.

"어떻게 해봅시다."

하는 장의원의 대답에 약간의 힘을 얻으면서 경구는 한마디를 덧붙였다.

"아무리 세상이 다 썩어간다 할지라도 십 년 적공의 실적은 봐주어야

하지 않겠습니까."

현관을 나선 경구는 이 마지막 말은 공연히 덧붙였다는 후회가 없지 않았으나 다 털어놓고 보니 가슴은 오히려 후련하였다.

새벽녘에 차고에서 인부 한 사람이 헐떡이며 찾아왔다.

분뇨차가 후미끼리에서 기차와 충돌하였다는 것이었다.

경구는 홧김에 폭음한 간밤의 취기가 아직도 남아 있는 몽롱한 머리로 현장에 뛰어갔다.

다 타버린 차체 밑에 까만 고깃덩이 같은 해골이 하나 깔렸고, 좀 떨어진 곳에 반이나 타다 남은 송장이 새우처럼 꼬부린 채 뒹굴어지고 있다.

훤히 동이 터왔다. 그러나 가슴 속은 까마득히 막혀버렸다. 어떻게 손을 댈 엄두가 나지를 않았다.

현장 검증이 끝나기를 기다려야 하겠기에 부근 목노집에 들어가 닥치는 대로 술을 들이켰다.

시체의 매장, 유가족의 처리 문제, 그 밖에 검찰국의 소환, 거의 정신을 잃은 복잡한 며칠을 보냈다.

소실된 대여차의 보상문제가 가장 큰 일거리로 남았고, 현장 증거에 대한 발언할 사람도 남기지 않고 죽어간 인명에 관한 문제는 자동차 문제보다 오히려 간단하였다.

타버린 차는 그 넘버와 함께 완전히 없어진 것이니 문서상의 처리만을 치르면 될 것이 아니냐고 거듭 절충하였으나, 공용물은 기어코 원상복구되어야 하는 것이라고 막무가내였다.

며칠만에 차고에 나타난 경구는 기름냄새 풍기는 작업복을 걸치고 산소 땜질을 하고 있다. 보데(車臺)만은 간신히 꾸몄으나 이젠 여기에 엔진을 얹고, 타이어를 끼고 하는 부속품이 하나씩 장만되어야만 했다.

"춘식이는 죽어서 안돌아오지만 자동차는 살아난데이."

전라도 출신의 인부 용팔이의 말이다. 고향에서 농사를 지었으나 비료값도 되지 않는다고 벌써 가을 제 철에 마을을 떠나 서울이라고 왔던 것이, 친구 하나를 잃어버리고 거의 울상이 되어 가도 오도 못하고 있는 그였다.

"잘 죽었지, 살았어야 밤낮 똥통만 메라는 팔자에 편안하게 잘 갔지."

옆의 인부가 말을 받았다.

"아따, 이 사람아. 젊은 색시가 불쌍하지 않아."

장례 때 올라왔던 아직 신혼초인 고인의 미망인을 보았던 노총각이 슬그머니 곁들었다.

"그라문 늙은 총각이 물려받지."

폭소가 한꺼번에 터졌다. 경구의 얼굴에도 웃음이 번졌다.

아무튼 이번 싸움은 기어코 이겨야만 하겠다는 생각이 다시금 치밀었다. 자기가 손을 떼고 나면 인부, 운전수 할 것 없이 이 작업장의 관계자들은 거의 다 바뀌어 질 것은 틀림없는 일이라 싶었다.

내일이 그믐이라는데 이들에게 지급하여야 할 임금은 전연 마련되어 있지 않았다.

아침에 마누라더러 아무 급전이라도 돌려오라고 다짐을 하고 나왔으나 어떻게 되었는지 그 결과가 궁금하였다.

경구는 산숫대와 차광판(遮光板)을 내려놓고 일어섰다. 얼굴의 땀을 씻으면서 담배를 피워 물고선 갑채로 인부들 쪽으로 돌려주었다. 극도에 달한 이 형편에 그들의 웃음은 짜증보다 오히려 괴로웠다.

저물녘에 그들 한 패를 휘몰아가지고 차고 옆 선술집으로 들어갔다.

"오늘은 한 번 술 먹고픈 대로 먹어보아."

쭉 돌아앉은 얼굴들을 훑어보며 허탈한 웃음으로 소리를 쳤다.

한 잔 들고난 술잔을 차례로 돌렸다.

술이 없으면 이런 때는 속이 그대로 타버리기라도 할 것만 같았다.

마누라는 기어코 XX대 측근의 비서나 다름없는 김 씨 집을 찾아갔었다고 한다.

김 씨의 아내와는 전부터 비교적 가까운 사이라고는 하나, 경구는 거기까지는 비굴하고 싶지 않아서 이번 일이 막고비에 들어섰으면서도 마누라의 의사를 끝까지 꺾어왔던 것이다.

그러나 질식할 정도로 막혀만 가는 일의 사태를 옆에서 보고만 있던 마누라는 최후의 용기를 얻어 남편 몰래 행동했던 것이었다. 김 씨의 말이라면 어지간한 장관의 이야기보다 났다는 것이라고 우겨가며 기어코 찾아간 모양이다.

그러나 아내는 시무룩해 풀이 죽어 돌아왔었다.

연말 인사로 사과 한 궤짝을 들고 갔더니 의외에도 예전에 경구와 함께 집에도 자주 들렀던 이헌이 문간에 앉아서 선물을 기록하여가며 접수를 하고 있더라는 것이다.

몇 마디의 이야기 끝에 김 씨와 이헌이 동서라는 내용을 듣고는 거의 현기증을 일으키고 돌아왔다는 것이었다.

"글쎄, 큰 빽이란 그거지 뭐요."

경구는 그저 콧방귀만 치며 듣고 있었다.

어떤 수단방법도 가리지 않고 이번 일에는 꼭 이겨야만 할 것 같았다.

이것저것 뒷줄을 잡아서 끌어댄다는 것이 오히려 비굴한 시합 같이만 여겨졌다.

이헌과 직접 만나 일 대 일로 최후의 담판을 하리라고 결심하였다.

평생의 사업으로 계획했던 꿈이 송두리째 깨뜨러지는 찰나였다.

엷은 감상 같은 것이 머릿속을 스치면서 아득한 옛추억이 안개마냥 서려갔다.

중학교 졸업반에서의 일이었다. 일본 수학여행 출발을 사흘 앞둔 시월 초순이었다. 졸업할 때에 입을 신사복을 미리 지어준 누님의 성의가 고마워 자랑스레 거리에 처음 입고 나섰다.

지금 같으면 아무 것도 아닌 간단한 일이었다고 생각되었다.

그러나 그것이 결국은 학교를 그만두게 되는 도화선이 되었다. 그 후에 시작된 것이 자동차 학교를 거친 운전수요, 해방과 더불어 잡아쥔 것이 청소차와의 직업적 연분이었다.

이러한 지난날의 자신에 대한 불충실했던 자책은 그 이후의 경구의 생활 전체를 통하여 자신에게 성실을 채찍질 하는 자학(自虐)으로 변하였던 것이다.

다방에서 이헌과 마주 앉은 경구는 지난 일에 대한 배신 같은 것에는 일체 언급하지 않았다.

"이형, 지금 그 일을 내가 하지 않고 딴 사람이 하고 있다손 치더라도, 남이 전력을 다하여 하고 있는 일을 계약의 교체기를 틈타서 제삼자의 세력을 배경으로 하여 탈취하려는 것은 얼마나 부당한 일이요."

경구는 될 수 있는 대로 침착하려 하였으나 흥분은 목소리를 떨리게 하였다.

"이제 이 마당에서야 할 수 있어요. 일이 다 결말이 났는데."

경구의 충혈된 눈초리 앞에 앉아 있는 이헌은 부드러운 어조로 태연한 태도를 차리나 불안한 모습이 얼굴 전면을 스치고 있다.

"다 결말이 나다니?"

"지금 계약서에 도장을 찍고 나오는 길이요."

"응!"

경구는 일이 비틀어지기 쉬우리라고 예측은 하였으나 이렇게 쉽게 거꾸러질 줄은 몰랐다.

담당주임은 정의에 입각하여 일을 처리하겠노라고 장담을 했고, 국장도 실력 있는 경험자가 계속하겠다는데 누가 마다하겠느냐고 자신있게 언명하기에 어느 정도의 신뢰는 가졌던 것이다.

자기로서는 전력을 다 한 일이지만 너무도 시시하게 승패가 결정된 것만 같았다.

"그래, 이렇게까지 친구를 삶아먹고도 그 똥장사를 꼭 해야 되겠어?"

노기를 띤 어조였다.

"살자니 별 수 있어, 나두 심부름이야. 실권은 배후의 사람들이 쥐고 있는 거야."

"예이, 똥 같은 자식아, 이놈아 제 쓸개로 살아야지."

경구는 이헌의 가슴팍을 콱 질러놓고 밖으로 나와 버렸다.

이렇게 될 것이라면 그 소실된 자동차는 보상할 것 없이 그대로 버티었을 것이라는 후회가 거센 분노와 함께 치밀었다.

"에이, 똥 같은 자식들, 똥 채로 다 먹어라."

내뱉듯이 누구에게라고 할 것 없이 외치고는 경찰서로 뛰어갔다.

현물 인계 금전의 대차관계까지 완전히 끝났으나 경구는 이대로 단념할 수는 없었다. 청춘을 송두리째 바친 직장이었다. 미련이 한꺼번에 복받쳐 올랐다.

지금 경구에게 남은 것은 현장 사고 이후 풍파를 겪는 동안의 적지 않은 부채와 자기 소유였던 '지·엠·씨' 한 대만이었다.

이헌이 새로 맡아 첫 일을 시작하는 날 아침 일찍 경구는 자기의 '지·엠·씨'를 몰고 현장에 나섰다.

이헌은 가죽잠바에 방한모를 쓰고 찬 배치를 하고 있었다.

경구는 차를 세우고 내려서 이헌의 앞에 바싹 다가섰다.

"내 차는 어느 쪽으로 배차되는 거야?"

억지로 부드럽게 하려는 노력이 힘들었다.

어안이 벙벙한 이헌은 말을 못하고 당황하게 머뭇거리고 있다.

"나도 똑같은 임금을 받고 일을 할테다. 빨리 배치를 해 줘."

"가만⋯⋯."

이헌은 사무소 쪽으로 슬금슬금 걸어가고 있다. 인부들은 구경거리나 난 듯이 주시하고 있다. 낯선 얼굴들도 있으나 아직은 그들을 다 갈아붙이지는 못한 모양이다.

"이 자식아, 네 심장에 철판을 둘렀니? 총알도 구멍을 뚫지 못한다던? 그러지 말고 같이 살자꾸나."

성낸 짐승 같은 고함소리였다. 이헌은 새파랗게 질렸다. 인부들이 비웃는 것 같은 속닥거림에 얼굴이 간지러웠다.

"아무데루나 가!"

거의 죽어가는 목소리였다.

"데데한 자식. 중앙청 변소로 간다."

침을 탁 뱉고 경구는 차에 올라 엔진을 걸었다.

자식을 굴복시킨 것 같은 승리감이 치밀었다가 가벼운 서러움이 터져 나왔다. 누구를 대상으로 한 원망에 찬 서러움인지는 자신도 분간하지 못하였다.

경험 없는 저것들이 나자빠지면 일 년 후에는 자기가 기어코 다시 맡아 하리라고 마음을 다져먹는 것이었다.

광화문 네거리에 다다르자, 도심지의 분뇨는 밤에라야 푸게 되어 있는 것을 그제야 생각하고 혼자 쓴웃음을 지으면서 중앙청 앞에서 안국동 쪽으로 차를 꺾었다.

『思想界』, 1959. 2.

영 1234

나는 제 1234호 합승차의 조수 민현철이다. 그러나 나의 이름을 제대로 불러주는 사람은 별로 없다. 차에 타고 내리는 손님들은 으레 '야, 조수'가 아니면, '어이, 꼬마'하여 '바둑'이나 '포피'같이 자기집 개나 고양이를 부르듯 쉽게 불러 제낀다. 나와 스물네 시간을 같이 먹고 자고 일하는 운전수까지도 그대로 '조수' 아니면, '야야'로 통하여 마치 낚시줄에 달린 고기 다루듯 한다.

이런 것에 별달리 마음을 쓰지 않는 나이지만, 그러나 새파란 계집들이 '얘, 꼬마'하고 입꺼풀이 나불거리게 호락호락 불러대는 데는 심통이 꼴리지 않을 수 없다. 그러나 이것도 이제는 네거리에 서 있는 교통순경의 활개짓하는 신호를 보듯 무관하게 받아넘기게끔 나도 제 속없이 만성이 되어버린 셈이다.

매일 밤 막차의 단골손님인 룸바아주머니 일파의 이러한 부르짖음은 나에게 있어서 오히려 간격 없는 정다움까지 느끼게 하는 것이다.

늦은 봄부터 여름을 거쳐 크리스마스를 앞둔 지금까지 이 차에 조수로 버티고 있는 나이니 기분만 나쁘면 날마다 다른 차로 일자리를 갈아붙이는 우리 또래에 비하면 나는 용케도 한자리에서 끈기 있게 버티어 온 것이라는 생각이 없지 않다.

어저께는 정말 나의 근무기간 중에 있어서 가장 재수 없는 날이었다. 나도 서울에 처음 올라왔을 때에는 우리 한국사람 손으로 되었다는 자동차를 보고 이제는 우리 힘으로 이런 것까지 만들어 내게 되었다고 한없이 감탄하였던 것이다. 나는 그 때까지 자동차란 온통 미국에서 밖에 만들지 못하는 것으로만 알았다. 그것은 내 고향인 강원도 산골에는 해방 이후 군대 차 밖에 별로 드나드는 것이 없었고, 그것도 모두 양키 운전수가 아니면, 국군이 미군차를 물려받아 몰고 다니는 것만을 보아왔기 때문이다.

지금 내가 타고 다니는 합승 택시도 바로 국산 시발이다. 후에 안 일이지만 궤짝 같은 차실을 망치로 두들겨 만든 것을 제하고는 엔진을 비롯한 그 밖의 모든 부속품이 미제를 주워 모은 것이라고 하는 데는 정말 놀라지 않을 수 없었다.

이 차는 있는 힘을 다하여 문을 닫지 않으면 제대로 꽉 닫히지 않는다. 나도 늘 그것을 조심하거니와 운전수가 나에게 번번이 주의 하는 것도 문이 꼭 닫혔느냐 하는 다짐이다.

지난번에는 여덟 명 정원에 열세 명을 태우고 신이 나서 힘껏 문을 닫느라고 손님의 새로 입은 스푸링 자락을 창문에 끼게 하여 호되게 박살을 맞았다. 간밤에도 또 이 창문이 말썽이었다. 통행금지 직전의 차는 어느 때나 만원이다. 손님을 우격다짐으로 들이밀고 문을 세차게 닫아야 제자리에 들어박히는 것이다. 그것이 약간의 부주의로 앞쪽의 창문이 바로 닫히지 않았던 모양이다.

나는 '오라이'를 부르고 가운데 칸에 낄 것도 없이 쪼그리고 앉아 앞쪽의 홍수처럼 물밀어가는 자동차 행렬을 내다보면서 흐뭇한 기분에 젖어 있었다.

이 마지막번의 정원초과 수입은 운전수와 나의 밤참값 몫을 하는 것으로 정해져 있었으며, 운이 좋은 날이면 얼마간의 배당도 내 앞으로 걸려

오는 것이었다. 물론 이러한 일은 운전수와 나와 서로 다짐한 밀약도 없이, 가끔 막차의 손님이 다 내리고 난 빈차를 몰고 가던 운전수가 슬며시 내 손아귀에 쥐어주는 지폐의 감촉으로 시작된 무언중의 실천이다.

이런 시간 교통 취체도 대개는 무난하지만, 심술궂은 노랑차는 가끔 뜻밖의 경우에 기습을 하여 못살게 구는 때도 있기 때문에 운전수는 오므려, 오므려를 연발하면서 차를 몰고 있었다.

나는 숨을 죽이고 관목(灌木) 속의 까투리처럼 목을 틀어박고 죽지를 사리었다. '高'자 모표를 단 모자가 걸레쪽같이 구겨졌다. 바로 내 왼쪽에 앉은 중년부인의 몸에서는 그 나이에 어울리지 않는 향수와 화장품 냄새가 코를 찔러왔다. 차가 급정거를 하였다. 아마도 신호 대기 중의 교차점에 와 닿은 것이리라 생각되었다. 너무 갑갑해서 머리를 들었다. 앞쪽에 차가 여러 대 늘어섰고, 네거리에는 붉은 불이 켜져 있었다.

"움추리래도, 자식."

운전수의 노기 띤 소리에 또 머리를 사타구니 사이에 틀어박았다. 찌링 하는 전령(電鈴) 소리가 났다. 회전 신호임에 틀림없다. 다음은 얼마 안가서 전진 신호의 푸른 불이 나올 것이라고 생각하면서 나는 숨을 꿀꺽 삼켰다.

전령소리가 멈추자 차가 움직이기 시작하였다. 속이 달랑거리면서도 나는 지그시 참았다.

"괜찮아, 이제 이러나."

짙은 향수냄새를 풍기는 부인이 나를 흔들었다. 나는 좁은 울타리 구멍이라도 기어나온 것처럼 고개를 들고는 큰 숨을 길게 내쉬었다.

차는 위기에서 해방된 것처럼 제멋대로 속력을 내고 있다. 앞에서 다소 어물거리는 버스를 앞질러 전쟁에서 이기고 돌아오는 개선장군이라도 태운 듯이 우쭐대며 달리고 있다. 사실 이런 때면 여간 신이 나는 것이 아니다. 손님들도 오래 정거하는 때는 짜증을 내면서 군소리, 욕지거리가 많지만 이런 때는 시침을 딱 떼고 통쾌한 표정들을 하는 것이다. 나는 이럴 때면 가장 불평이 많던 손님의 얼굴을 눈박아 훑어보는 버릇이 생겼다. 어디 좀 보라는 듯한 으쓱하는 기분을 내면서 혼자 뻐겨보기도 하는 것이다.

다음 로터리에서는 마침 운 좋게 대기하지 않고 신호에 따라 차가 제 속력대로 통과하게 되었다. 이럴 때는 운전수도 싫지 않는 표정으로 잽싸게 핸들을 돌리는 것이다.

그러나 뜻 밖에도, 이 순간 참 불행하게도 심상치 않은 일이 벌어졌다.

마음 놓고 왼쪽 커브를 돌아가는 속력 때문에 앞자리 가에 앉았던 룸바아주머니가 창문에 거세게 부딪는 순간 그대로 창밖으로 튀어나갔다.

정말 눈 깜짝할 찰나의 일이었다. 비명이 들려왔다. 차 속에서도 약속이나 한 듯이 한꺼번에 급한 소리가 터져 나왔다.

"사람 떨어졌어요."

나도 있는 힘을 다하여 소리쳤다. 앞의 창문이 바로 걸리지 않았던 것이다.

차는 급한 브레이크를 밟았으나 몇 미터 더 전진하고야 급정거를 하였다. 앞이마를 찧은 사람, 무릎을 다친 사람, 차 안의 손님들도 말이 아니었다.

나는 제일 먼저 뛰어내렸다. 그러나 뒤에 밀려오던 차들은 차를 피하면서 앞으로 달아났다.

아, 이것을 어찌하랴. 룸바아주머니는 이마를 땅에 박고 꼬꾸라져 있다. 그 몸뚱이 아래쪽으로 뒷차가 넘어간 모양이다. 치맛자락에 흙투성이의 바퀴자리가 났다. 이런 일은 아랑곳없이 지나가는 차들의 헤드라이트 광선으로 룸바아주머니의 몸뚱어리는 밝게 비쳤다 어두워졌다 하는 불빛 속에서 동강이가 난 구렁이 몸집처럼 비비꼬고 있다.

차의 사람은 다 내렸다. 모두들 어쩔 줄을 모르고 서성거리고만 있다. 룸바아주머니의 친구 강마담은 울음 섞인 고함을 떨어뜨리고 있다.

나는 룸바아주머니를 잡아 일으켰다. 그러나 저절로 가누지 못하고 맥 풀린 몸뚱어리는 후질근한 채로 신음소리만 연발하고 있다.

다행히도 아직 목숨은 끊어지지 않았다. 그러나 머리에서 흘러내린 피가 아스팔트를 낭자하게 축이고 있다. 죽을지도 모르는 중상임에 틀림없다고 나는 생각되었다.

정말 죽으면 안된다. 나는 어떻게 하든지 살게 해야 하겠다는 생각에만 사로잡혔다.

룸바아주머니는 우리 차의 단골손님이다. 내가 룸바아주머니를 본 것은 이 차를 타기 시작한 후 얼만 안 된 때였지만 서로 인사를 하고 가깝게 지내게 된 것은 늦가을부터의 일이다.

그 전에는 차가 열흘 교대로 선로를 변경하여 운행되었기에 열흘마다 다른 코스에서 낯선 손님들을 맞아야만 하였다. 그것이 이 가을에 들어서부터는 개인차 상대가 아닌 회사 상대의 선로 지정이 고정적으로 되면서부터 우리 차는 미아리에서 서울역까지의 선로만을 맴돌 듯이 왕복하게 되었다.

아침 출근시간이란 정말 눈이 돌아갈 듯이 손님이 붐비어서 정신을 차릴 수가 없다. 요금은 요금대로 받고도 기세를 땅땅 울리면서 손님을 태우는 것이다. 그렇기에 외면이 그렇게 점잖은 신사들까지도 체면 불구하고 차가 거의 와 닿을라치면 채 멈추기도 전에 창문의 손잡이를 쥐고 앞을 다투어 올라타는 것이다. 이럴 때면 정말 나도 의기양양하여진다.

아침나절은 교통순경도 어느 정도 보아주기에 정원이라는 것은 이름뿐이고 태울 수 있는 대로 양껏 밀어 넣는다. 어떤 때는 늘였다 줄였다 하는 고무차라면 좋겠다는 생각까지 들 지경이다.

실컷 태우고 나서 아직도 열어젖힌 문손잡이를 쥐고 애걸하는 듯한 표정들을 보면서,

"다음 차를 이용하세요."

할 때는 정말 신이 나는 것이다.

문을 힘차게 닫고 우굴우굴하는 손님들을 뒤에 남기고 떠날 때에는 진정코 휘파람이라도 멋드러지게 불고 싶은 심정이다.

그것이 오후에 접어들면 저녁 퇴근시간까지는 손님이 아주 한산하다. 어떤 때는 빈 차에 앉아 맥이 풀려 달리고 있으면 묵었던 잠이 한꺼번에 밀려와 우뚝 졸다가는 유리창에 머리를 찧고 쓰덜한 웃음을 혼자 웃게 되는 것이다.

이럴 때면 '종로·미도파·서울역'하고 어느 사이에 활동사진 변사조로 궁긴 소리가 나는 목청을 돋우어 아무리 외쳐도 목만 아팠지 자리는 통 메워지지 않는다. 이 시간에 출근하는 것이 룸바아주머니 일파들이다.

종점에서 지치도록 기다리다가 순번을 타서 떠났어도 자리가 텅 비기가 일수이다. 마침 삼선교에서 타는 이 패들은 만나면 짙은 화장냄새에 우선 정신이 바짝 차려진다. 거기에 진솔로 갈아입은 듯한 새옷의 풀기가 살냄새와 어울려 더욱 싫지 않게 풍겨 온다. 금방 미장원에서 나온듯한 머리단장은 첫나들이 온 신부를 대하는 양 기분을 흥성스럽게 하여준다.

다른 손님이라고는 도중에서 한둘이 오르내릴 뿐 줄장 이 패들과 함께 미도파 앞까지 오노라면 꼭 시골에서, 개천가의 버들잎이 푸르고 그 옆 보리이삭들이 한창 망울이 지는 밭이랑을 엷은 바람이 스쳐가는 늦은 봄 벌판에 선 것 같은 상냥한 기분을 느끼게 된다.

이들이 미도파 앞에서 다 내리고 나면 차속은 다시 쓸쓸하고 한적하여 진다.

이들은 또 밤이면 거의 예약이나 한 듯이 미도파 앞에서 막차를 탄다. 다만 갈 때는 서쪽 섶에 내리던 것이 돌아올 때면 동쪽에서 타고, 한 번은 낮이던 것이 다음은 밤인 점이 다를 뿐이다.

나도 모르는 사이에 룸바패가 좋아졌다. 사실 처음에는 양갈보 패거리

같은 그들이 구역질이 날 정도로 밉살스럽던 것이 거의 매일같이 만나게 될 수록 싫증이 가셔지고 점점 정이 들게 되었다.

어떤 밤에는 이들이 보이지 않기 때문에 차고까지 들어갈 시간이 절박한 것도 무릅쓰고 미도파 앞에서 좀 질기게 기다린다. 이 시간이면 순찰 교통도 거의 사라지기 때문에 걸릴 염려도 없다.

이런 성의가 통해서인지 이번에는 저쪽에서도 다른 차를 타지 않고 우리 차만을 타려고 넘버까지 외우면서 대기하고 있는 것이다.

그러는 사이에 어느덧 단골손님이 되었다. 그들이 나갈 때는 돈이 없어 이따 저녁에 들어올 때 주마고 하면 그것으로 통했다.

그들은 우리 차에 오르기만 하면 마치 자가용이나 탄 듯이 다른 손님이야 있건 없건 자기들 기분 내키는 대로 수다스럽게 지껄여댄다. 나나 운전수도 그것에 오히려 말참견을 했지 짜증을 내지 않는다. 그러면 다른 손님들도 그 분위기에 저절로 휩싸여 한 덩어리가 되고, 담뱃불을 주고받는 등 제법 차 안의 공기는 소풍 기분처럼 다사로워진다.

룸바아주머니는 그들 사오 명의 그룹 가운데서도 가장 나이가 어려 보였다. 다른 축들을 언니 언니 하고 부르면서도 무슨 일의 결단을 낼 때에는 거의 독재로 끝맺음을 했고, 언니뻘 되는 다른 여인들도 별 불평없이 거기에 따라가는 것이 신기하게 느껴졌다.

교통순경이 왔다.

부상자를 어루만져보고 '죽지는 않았군'하고는 운전수의 면허장을 참견한다. 그리고는 어떻게 된 사고인가 수첩을 꺼내 들고 까근까근히 조사를 시작한다.

나는 조바심이 나서 견딜 수 없었다. 까짓것 문을 잘못 닫은 건 내 죄니까 내가 불려 가면 갔지 하나도 무서울 것은 없다. 그보다도 금방 죽어가는 사람을 찬 길바닥에 내동댕이친 채로 옮기지도 못하게 하고 천천히 조사를 한다는 것은 야속하기 짝이 없는 일이라고 생각되었다.

견디다 못하여 나는 운전수를 앞질러 나섰다.

"우선 다친 사람을 병원에 데려가야 하지 않겠어요."

내 목소리가 너무 퉁명하였음을 나는 알고 있었다.

"자식, 가만히 있어, 사고의 현장조사가 끝나야 옮기지."

확실히 불만하다는 듯한 음성이었다.

"여보세요, 조사도 중요하지만 목숨이 더 중요하지 않아요. 아무튼 아직 죽지 않았으니 우선 병원부터 갑시다."

룸바아주머니의 친구 강마담이 날카롭게 사이에 끼었다.

옆에 모여 섰던 사람들도 그렇게 응급치료부터 하는 것이 좋겠다고 우겨댔다. 그제야 순경도 하는 수 없이 거기에 동의하는 표시를 하였다.

차도 운전수도 순경과 함께 현장에 남게 되었다.

나는 강마담과 그 밖에 같이 탄 그들의 친구들과 함께 다른 차를 불러 룸바아주머니를 싣고 대학병원으로 갔다.

병원에는 숙직 의사 한 사람 밖에 없었다. 그것이 공교롭게도 내과의사였다. 나는 일이 자꾸만 비틀어져가는 것 같은 불안감을 느꼈다.

아마 응급치료실에서 한 시간 이상은 기다렸을 것이다. 둘째 번 사이렌 소리가 난지 도 한참이다.

뇌출혈에다 다리의 골절까지 겸했다는 것을 치료실에서 나온 강마담에게서 겨우 얻어들었다. 수술을 해야 하는데 그것은 전문 담당 의사가 아침에 나와야만 시작할 수 있다는 것이다. 지금 이 시각에 다른 병원으로 갈래도 우선 실어다 줄 자동차가 없다.

내가 한번 응급치료실로 들어갔을 때 룸바아주머니는 실신하여 그대로 침대에 누워 있었다. 비통한 신음소리만이 방 안의 고요한 공기를 타고 내 가슴 속으로 밀려왔다. 나는 간호원실로 뛰어가고 복도를 들락날락 하면서 밤을 새웠다.

밤 이 시간이면 합승차 속에서도 졸기 일쑤이던 나는 이날 밤만은 전연 졸리지 않았다. 아마도 너무 긴장한 탓이라고 생각되었다.

새벽 통행금지 해제 사이렌이 울리자 나는 캄캄한 병원 뜰에 나섰다. 우선 주인마나님에게 이 결과를 알려야만 했다. 수술은 아홉 시나 열 시가 되어서야 시작된다는 간호원의 이야기였기에 나는 그 사이에 다녀오리라고 마음먹었다.

밖은 몹시 쌀쌀했다. 새벽차를 타려고 정거장으로 간다는 사람들이 가끔 지나가는 차를 불러 세우는 정도였다.

주인집에 와 보니 자동차는 대문 안에 들어있다. 그러나 운전수는 보이지 않는다. 간밤에 운전수가 집에 차를 갔다 두고 그 길로 경찰에 간 것이 아직 돌아오지 않았다는 것이다.

"아직 죽지는 않았지?"

재차 다그쳐 묻기에 나는,

"아직 정신은 못 차렸어요. 수술한다나봐요."

하고 되는대로 답변했다.

사실 지난 밤 그 사고가 발생한 순간부터 나는 이제는 자동차 조수는 집어치워야 하겠다는 생각이 마음 깊이 새겨졌던 것이다. 이때의 내 심정으로는 해고되거나 벌을 받거나 그런 것은 문제가 아니었다.

어떻게 룸바아주머니만 죽지 않고 살아주었으면 하는 것이 내 생각의 전부였다.

그 뿐만 아니라 그렇게 어마어마한 사고를 저지른 것은 순전히 내가 문을 잘못 닫은 부주의 때문이라는 자책에서 괴로워 견딜 수가 없었다. 막 울고 몸부림이라도 치고 싶은 심정이었다.

관청이나 회사의 일꾼들이 퇴근하기 직전에서야 겨우 출근하는 룸바아주머니는 한산한 차속에서 서로 얼굴이 익어가는 사이에 피차의 사정을 실토하게까지 되었다.

내가 룸바아주머니라고 하여 '아주머니'를 붙여 부르지만, 사실 그는 내 누이와 비슷비슷한 이십 대의 젊은 여인이다.

얼굴 모습이나 키꼴이나 내 누이 혜순이를 연상시키는 점이 적지 않다. 사변 때 아버지를 잃은 나는 어머니와 누나, 이렇게 세 식구가 살아왔다. 결국 누나는 미군부대에 다니면서 우리 세 식구를 살려왔다. 부대에서 무슨 일을 했는지 나는 잘 알 길이 없었다. 다만 누나의 짙은 화장냄새와 빨간 손톱만이 지금 내 인상에 뚜렷이 남는 추억이다. 그 누나가 이동되는 미군부대를 따라 삼팔선 접경에 갔었고, 후에 서울 쪽으로 옮겨졌다는 시기까지는 소식이 알려졌으나 그 뒤는 전연 행방을 알 길이 없다.

나도 누나의 힘으로 고향의 중학교를 나왔다. 뛰어난 성적이라고 했지만 군청소재지에 있는 고등학교도 진학을 못하는 바에야 그런 것은 아무 소용도 없는 재간 같았다.

더욱이 지금의 조수 노릇으로서는 그런 학교 성적쯤은 아무 도움도 되지 않는다. 차라리 타이어 빵꾸수선에 경험이 있다든가, 밧데리나 그 밖의 전기관계를 잘 안다든가 하는 것이 더 소중한 기능으로 평가된다.

그 때는 서울만 가면 염려 없이 누나를 찾을 수 있을 것이고 남들이 말하듯이 고학도 아주 쉽게 될 것으로 생각하였다. 버젓하게 고등학교 모자를 쓰고 어머니 앞으로 돌아갈 수 있을 것으로만 여겼던 것이다. 말하자면, 나의 순진한 생각에 세상을 너무 낙관적으로 얕잡아보았던 것이다.

그러나 서울이란 상상 이외로 까지고 야박하고 싸늘한 곳이었다. 즐거움보다는 두려움이 더 앞을 가렸다. 나에게는 이 자동차 조수라도 얻어챈 것이 세상모르는 시골뜨기로는 정말 다행스러운 일이었다.

룸바아주머니도 어쩌면 나나 우리 누나와 비슷한 불우한 경우에 있는 사람일지도 모른다고 나는 생각되었다. 그 손톱과 짙은 화장품 냄새에서 꼭 누나를 생각하게만 하였다.

훨씬 후에 안 일이지만, 룸바아주머니는 결혼 후 얼마 아니되어 남편이 전사하고 그 뒤 힘에 벅찬 살림살이를 겪다가 마지막에 다다른 곳이 지금 일자리라는 것이다.

참으로 우리는 난리에 피해를 입은 비슷한 절름발이라고 가슴 아프게 느껴졌다.

나는 서울 와서 지금까지 한번도 학교 생각을 잊어본 적이 없다.

학교만 다닐 수 있다면 아무리 고된 일을 해도 상관이 없다고 마음먹었다. 그러나 이 조수의 일은 새벽 다섯 시부터 밤 열두 시까지 마음 놓고 자유롭게 쉬는 시간이란 한 시간도 없다. 학교는 고사하고 몸이 바쁘고 지쳐서 다른 일을 생각할 겨를이 없게 만든다.

나의 이러한 쓰라림이 가장 진심으로 통해진 것이 룸바아주머니였다.

그저께 저녁이다. 변함없이 마지막 차에 오른 룸바아주머니는 일부러 가운데칸 바깥쪽 자리에 앉아 시간이 절박하여 도중에서 멈추지도 않고 달아나는 차속에서 내 귀에 소근대는 것이었다.

"현철아, 니 이제 조수 노릇 그만두어."

그의 입에서는 술냄새가 풍겼다. 나는 그대로 듣고만 있었다.

"내일부터 말이야, 우리 빠에 나와서 일해, 응."

나는 전에 빠니, 댄스홀이니 하는 것들을 픽 추하게 보아왔다. 그러나 지금의 심경은 훨씬 달라졌다. 이 합승차 조수 노릇보다 더 천하고 고된 일은 없으리라는 생각이 들었기 때문이다. 여기서 벗어나서 제대로 밥먹을 수만 있다면 아무데라도 가리라고 결심한지 이미 오래다.

"너 거기 오면, 밤에만 일하구 낮에는 학교를 갈 수 있어."

나는 귀가 번쩍했다. 이 얼마 동안 잊혀져가는 듯 하던 잿불 같은 생각이 갑자기 기름불처럼 타오르는 것만 같았다.

"가만있어, 이야기는 다 됐지만 일이란 확실해야 되니까, 내가 가자는 때에 그날로 이것을 집어치우고 그쪽으로 옮기렴, 거기서도 침식을 안에서 할 수 있단다."

나는 아무 말도 대꾸가 나가지 않았다. 그대로 고개만 숙인 채로 끄덕였다. 눈물이 핑 도는 것만 같아 코허리가 저리었다.

정말 누나의 타이름을 듣는 것만 같았다.

나는 다시 병원으로 나가겠다고 주인마나님께 말했다. 이렇게 중대한 사고를 저질러 놓았기에 순순히 응할 줄로만 알았는데 사태는 전연 다르게 벌어졌다.

"병원으로는 내가 가마, 어차피 입원료는 물게 마련인데 한 푼이라도 벌어야지, 차를 세워 두겠니?"

나로서는 할 말이 없었다. 지금쯤은 수술이 시작되었는지도 모른다고 생각하니 초조하여 견딜 수가 없다.

그러나 이 사고는 내가 저지른 것이나 다름없는 것이고 보니 변명할 말이 떠오르지 않았다.

면허를 가지고 있으면서 차는 몰지 않고, 이 과부의 뒷배를 보고 있는 친정 동생은 벌써 차속에 앉아 발동을 걸고 있다.

"왜 우물우물하는 거야, 빨랑빨랑 차에 오르지 않고."

아무리 죄인 같은 나라도 한마디 하지 않고는 배겨낼 수가 없다.

"환자 땜에 병원에 들려봐야겠어요."

"일은 제가 저질러 놓고 무슨 잔소리야, 빨리 떠나지 못해."

"……"

"병원에는 내가 간다는 데두."

차는 출발지점인 미아리 종점에 섰다. 나는 잠을 못잔데다 허기증이 나서 몸을 지탱해 낼 수가 없었다. 그렇다고 이 마나님의 동생을 보고 자질구레한 소리를 하고 싶지도 않았다.

"종로 · 미도파 · 서울역……."

나는 뱃가죽에 힘을 주어 안 나오는 목소리로 악을 써가며 외쳤다.

아침 늦은 시간이라 몇 사람 태우지도 못하고 나는 혜화동 로터리를 돌아 창경원 울타리를 끼고 대학병원 앞을 지났다.

룸바아주머니의 신음소리와 실신한 모습이 앞을 가렸다. 갑자기 상기되어 왔다. 모든 피가 머리로만 모여드는 것 같았다.

차는 계속 달리기만 한다. 빈 차안을 메우려는 의욕도 없이 나는 기계적으로 '미도파·서울역'만 되풀이 하고 있다. 자연히 차는 정류장마다 오래 서게 마련이다.

"야, 이 새끼야, 빨리 안가니."

신사의 옷맵시에 어울리지 않게 상스런 목소리가 차속에서 유리창 밖으로 내뿜어졌다.

"이건 정말 버스보다 더 해."

옆에 앉은 아낙네가 이번에는 덧붙임을 한다. 을지로 입구까지에 그럭저럭 자리가 거의 메워졌다.

이건 또 웬일인가, 상공부 앞에서 급정거를 하는 순간 '빵'소리가 터졌다. 뒷바퀴가 펑크가 났다.

"금방 됩니다. 오분만 기다려 주세요."

운전수는 허겁지게 내려서는 나더러는 스페어타이어를 빼라고 하고 자기는 작기를 고이고 차체를 올리고 있다.

손이 시리고 얼음강판이 진 바닥이 미끄러워 견딜 수가 없다.

처음에 가만히 망만 보던 손님들이 하나씩 내려서 다소의 동정조로 차 뒤꿈치를 들여다보다가는 어물어물 뿔뿔이 헤어져버린다. 타이어가 다시 끼워졌을 때는 차속이 텅 비었다.

"서울역, 서울역!"

종점이 가까운 여기에서 손님이 있을 리 없었다.

내 소리는 점점 숨죽어만 갔다.

"자식, 좀 똑똑히 부르란 말이야. 바보같이."

운전수는 공연히 나만 가지고 법석이다.

몇 축을 왕복했다. 퇴근시간에는 사람이 다시 들끓기 시작했다.

놓친 손님을 보충해야 하겠다면서 운전수는 자꾸만 더 태우라고, 손님들 듣는 데는 말을 못해서 차만 오래 세우고 있다. 나는 스페어 의자를 다시 두 개 더 내려 놓았다. 이제 조수인 나도 앉을 자리가 없을 지경이다.

일 안 되는 때에는 엎친데 덮쳐 종로 사가에서 정원초과로 노랑차 순찰경관에게 걸렸다. 이것은 정말 용서 없는 것이다. 현장 해결이라도 하려면 듬뿍 쥐어줘야 한다.

순경과 맞붙잡고 어깨 위에 손을 얹은 대로 속닥거리던 운전수가 나를 부른다. 호주머니의 돈을 모조리 내 놓으라면서 길섶으로 피한다. 얼마로 해결이 났는지 나는 알고 싶지도 않았다.

대학병원 앞에 차가 멈췄을 때 손님이 내리자 나는 내린 대로 타지 않고 문을 닫았다. 운전수 쪽으로 돌아가 병원에 들렀다가 차가 다시 내려갈 때에 여기서 타겠노라고 부탁하는 말투였지만 좀 강경하게 청했다.

그도 하는 수 없는 모양이었다.

수술은 끝났으나 이미 룸바아주머니는 숨이 떨어져 있었다. 응급치료실·수술실 등 병원을 돌아 나는 한 뒷곁의 시체실로 갔다.

내가 아는 사람은 아무도 없었다. 감시 수위에게 물으니 강마담은 장의사(葬儀社)에 연락하러 나갔다는 것이다. 나는 수위에게 누나라고 거짓말을 하고는 들어주지 않는 시체실 좁은 방으로 들어갔다.

침대에 안치된 시신은 아직 수의도 갈아입히지 않았고, 입관도 되어 있지 않았다.

나는 룸바아주머니의 머리 쪽에 덮여 있는 흰 커버를 살금이 쳐들었다. 룸바아주머니는 눈을 감은 채 자는 듯이 누워있다. 그 괴로워하던 신음소리도 없다. 연지가 다 벗겨진 입술이 검푸른 빛으로 변하였다.

나는 나도 모르게 룸바아주머니의 이마에 내 이마를 비볐다. 내 눈물 방울이 그 뺨에 떨어졌다.

　수위가 팔을 이끄는 바람에 나는 밖으로 나왔다. 거리는 어두워왔다. 찬바람이 거세어졌다. 뭇 별들이 싸느랗게 떨고 있다. 누나도 꼭 어디에 가서 이렇게 애처롭게 죽어간 것만 같았다. 밤을 불사르는 화려한 네온사인의 붉고 푸른 불빛이 외롭고 꾀죄죄한 나를 비웃고만 있다. 나는 문득 두 주먹을 불끈 쥐었다.

『新太陽』, 1959. 3.

사수 射手

내가 언제 이런 곳에 왔는지 전연 알 길이 없다.

분명 경희임에 틀림없다. 겨드랑이에서 체온계를 빼려는 손을 꼭 잡았다. 손가락이 차다. 경희의 손은 이렇게 냉랭한 적이 없었다. 따뜻하던 지난날의 감촉이 포근히 되살아온다. 눈을 떴다. 그러나 아직도 머리는 안개가 서린 듯 보얗니 흐리멍덩하다.

"정신이 드나봐……."

경희의 음성이 아니다. 이렇게 싸늘하지는 않았다. 간호원이다. 새하얀 옷이 소복 같은 거리감을 가져온다. 꿈인 것 같다. 그러나 아무리 따져보아도 꿈은 아닌 상 싶다. 내 숨소리가 확실히 거세게 들려온다. 틀림없이 심장이 뛰고 있다.

총소리가-그것도 다섯 방의 총소리가 거의 같은 순간에 울리던 그 총소리가-아직도 고막에 달라붙어 있다. B가 맞은 건지 내가 맞은 건지 분간이 안간대로 그 시간이 지금까지 지속되고 있다. B가 거꾸러진 건지 내가 거꾸러진 건지 그것조차 확인할 길이 없다. 승부는 났다. 그러나 내가 이겼는지 B가 이겼는지 알 길이 없다. 귀를 만져본다. 찢어졌던 귓바퀴를 꿰맨 상흔(傷痕)이 사마귀처럼 두툴하다. 그 때는 내가졌다. 아니 계속해서 내가 지고만 있었다. 지금도 어쩌면 내가 지고 있는지도 모른다.

곰이라는 별명을 가진 뚱뚱보 선생이었다. 좀 심술궂은 성품이다. 그것이 수업시간에도 곧잘 나타났다. 아이들의 귀를 잡아끌거나 뺨을 끄집어당기는 것쯤은 시간마다 있는 일이었다. 추석 다음 날이었나보다. 그날은 나도 B도 숙제를 안해 갔기에 꾸중을 듣고 난 뒤였다. 설명 한 마디에 '엠'소리를 거의 하나씩 섞는 그의 버릇은 종래 떨어지질 않았다. 나는 곰의 설명은 듣는 둥 마는 둥, 공책에다 '엠'소리 날 때마다 연필로 점을 하나씩 찍어갔다. 일흔아홉·여든·여든하나……. 하학종이 거의 울릴 것만 같다. 나는 늘 하는 버릇대로 백이 되기만을 기다리는 조바심으로 표를 하고 있었고, 나와 한 책상에 앉아 있는 B는 거기에만 정신이 쏠려서 한 눈을 팔고 있었다. 아마도 곰의 시선은 우리 둘 책상만을 노리고 있었을 것이다.

아흔아홉……. 하학종이 울렸다. 아쉬움을 삼키면서 머리를 들었다. 그때다. '엠!', '백!'하고 내가 혼자 뇌까리는 순간 B가 웃음을 터뜨렸다.

"왜 웃어?"

고함소리에 정신이 바짝 차려졌다. 우리 앞으로 다가오는 곰을 보면서 닥쳐올 벌을 각오했다. 내 공책에서 눈을 뗀 곰은 둘 다 일으켜 세웠다.

"서로 뺨을 때려!"

몇 번 외쳐야 아무 반응도 없다. 이 험악한 공기 속에서도 나는 흘낏 유리창 밑줄에 앉아 있는 경희 쪽으로 눈길을 훔쳤다. 경희는 제가 당하기나 하는 것처럼 불안한 표정으로 이쪽을 지키고 있다. 다른 애들의 눈초리도 그러했겠지만 그 때의 내 눈에는 경희의 표정 밖에 보이지 않았다.

"이렇게 때리래두!"

곰의 손바닥이 내 뺨에 찰싹 붙었다 떨어졌다. 눈알에서는 불이 튀는 것 같았다. 그것만으로도 끝나는 것이 아니다. 곰의 손은 다시 B의 뺨으로 옮겨갔고, B의 손을 들어서 내 뺨을 때리게 하였다. 나와 B는 하는 수 없이 흉내만을 내는 정도로 서로의 뺨을 쳤다. B의 눈동자는 아무런 악의 없이 나를 건너다보고 있다. 적당히 해치워버리자는 암시의 빛과 같은 것이라고 느꼈다.

"더 세게 때리래두! 자, 이렇게!"

다시 곰의 손이 B의 뺨을 후려갈겼다. 다음에 와 닿은 B의 손바닥은 전보다 훨씬 거세게 내 뺨을 때렸다. 나도 별다른 생각 없이 앞서보다는 좀 세게 B를 때렸다. 이번에는 B의 손바닥에서 오는 탄력이 먼저 번보다 더 거세었다. 내 손도 또 그랬다.

"더, 더!"

하는 곰의 응원 같은 구령에 B의 손바닥과 내 뺨 사이에서 울리는 소리가 더 커지자, 내 손도 거기에 맞대꾸를 했고, 결국에는 슬그머니 밸이 꼴려왔다. 곰에 대한 반감이 어느 사이엔지 B에게로 옮겨져, B에 대한 적의를 느끼면서 B를 후려갈겼다.

"이 자식이 정말이야?"

하며 B는 있는 힘을 다하여 나를 때렸다. B의 눈동자에는 확실히 노기 같은 것이 서리었다. 나도 팔에 온 힘을 주어 B를 후려쳤다.

"너, 다 했니?"

하고 뺨에서 코빼기로 비낀 B의 손바닥이 지나가자마자 잉얼대던 뺨의 아픔을 넘어 코허리가 저리면서 전신이 아찔했다. 시뻘건 코피가 교실 널바닥에 떨어졌다. 내가 다시 B를 치려는 순간 '그만'하는 곰의 명령소리가 B를 한 걸음 물러서게 하였고, 내 손은 허공으로 빗나갔다. 아무 근거도 없는 승부는 이것으로 끝난 것이다. 끝장면만으로 따진다면 B가 이긴 것 임에 틀림없다.

선반 위에 나란히 서 있는 약병들이 눈에 들어온다. 흰병·자주병·파랑·초록……. 머리가 흔들린다. 테이블 위 주사기의 알코올 탈지면에 싸인 바늘이 오히려 가슴에 따끔한 자극을 준다. 그렇다. 그날 그 공기총알의 심장에 짜릿하던 자극 같은 것이다.

B와 나는 중학도 같은 학교였었다. 그것도 한 학급에 편성되었으니 말이다. 우리 둘은 학교 안에서는 물론 집에 돌아와서도 자는 시간 외에는 거의 한군데서 뒹굴었다. 아니 B가 우리집에서, 내가 B의 집에서 자는 일도 번번이 있었다. 성적도 그와 나는 늘 백중이었다. 초저녁까지는 나와 함께 놀기만 하던 B가, 내가 돌아온 후부터 밤 늦게까지 공부를 한다는 이야기를 듣고 나도 그 방법을 취했다. B와 나는 서로 표면에는 공부를 안 하는 체 하면서 몰래 경쟁을 하였던 것이다. 그러기 때문에 우리집에서 늦게까지 놀다가 B가 자고 가게 되거나 내가 B의 집에서 자는 경우에는 둘의 공부가 합동작전이 되지 않으면 둘 다 아무 것도 하지 않고 자는 날이 되는 것이다.

여기에 경희의 존재는 우리 둘에게 퍽이나 미묘한 것이었다. 나도 B도 경희를 좋아했다. 나는 내가 경희를 더 사랑하는 것으로 생각했고, B는 B대로 자기의 사랑이 더 열렬한 것으로 생각해 왔음이 분명하다. 그러나 경희 자신은 B보다는 나와 만나는 것을 더 좋아하는 눈치였다. B는 몇 번씩이나 편지를 해도 답장이 없지만 나에게 대하여는 그때그때 답장이 왔었다.

B와 나는 다른 이야기는 다 털어놓아도 경희에 관한 문제에 한해서는 어느 쪽에서든지 말을 끄집어내는 것을 꺼렸다.

졸업반으로 진급되던 해 봄이다. 그 때의 성적은 B가 나를 넘어뛰었다. 표면에는 나타나지 않았지만 내심으로는 약간의 울화 같은 것이 치밀어서 이번에는 졌구나 하는 생각이 들었다. 다음에는 틀림없이 만회하리라는 결심이 복받쳐 올랐다.

그러던 어느 날 우리집에 놀러 왔던 B는 내 책갈피에 끼어 있는 경희의 편지를 발견하게 되었다. 나는 이쯤하여 경희와의 문제도, 나와 B와의 우정에 여자로 말미암은 금이 가기 전에 내편에서 솔직한 고백을 하는 것이 좋겠다는 생각이 들어서 경희와의 약혼 의사를 B에게 솔직히 토로하였다. 나는 은근히 B의 선선한 양보를 기대했던 것이다. 그러나 사태는 의외의 방향으로 벌어졌다. B편에서 나에게 자기의 그러한 의사를 표시하려고 적절한 기회만을 노렸다는 것이다.

그 먼저 일요일 나와 B는 경희, 경희 친구하여 넷이서 교외로 나갔다. 공기총으로 참새잡이를 시작하여 내가 까치 두 마리와 참새 두 마리를 잡고, B는 참새 세 마리를 잡았다. 돌아오는 길에 개울가 과수원에 달려 있는 사과를 겨누어 정확률을 시합한 결과 내가 이기게 되었다. 그날 저녁 중국집에서 패배한 B가 짜장면을 내면서도 안타까움이 가시지 못하여, 다음 주일에 다시 시합을 하자는 제 이차의 대전을 제기하였다. 나도 쾌히 승낙했다.

이날 나와 B간의 경희를 싸고도는 미묘한 감정에도 약간의 농조는 섞였지만 아무 쪽에서도 시원한 양보는 하지 않았다. 나 자신은 이미 머릿속이 경희로 가득 찼었고, 어느 정도 경희의 마음속도 다짐한 후이기에, 이제 여기서 경희를 빼앗긴다는 것은 내 일생에 대한 중대 문제로 생각되었고, B는 B대로 경희가 보통 다정하게 대하면서도 진심은 토로하여 주지 않는 것에 더 한층 이성으로서의 매력 같은 것을 느껴왔던 것이다.

"할 수 없지, 또 시합이다……."

B는 내 손목을 이끌고 밖으로 나가는 것이다. 우리 둘은 공기총을 들고 거리를 벗어났다.

이 총으로 상대편을 나무 옆에 세워 놓고 귀의 높이 되는 나무통 복판을 정확하게 마치는 쪽이 경희를 양보받기로 하자는, B의 정말 상상 외의 제안이었다. 나는 처음에는 거절하였으나, B의 너무나 의기양양한데 비하여 그 이상의 비굴은 보이고 싶지 않아서 하는 수 없이 응락했다. 이번에는 누가 먼저 쏘느냐는 순번이었다. 그것은 경희의 양보문제를 제기한 것이 나이니까, 나부터 먼저 쏘라는 B의 일방적인 통고 비슷한 제의였다. 당사자 경희가 알면 참 어처구니없는 일이라고 하겠지만, 그 때의 나로서는 어찌하는 수가 없었다.

나는 총을 들어 숨을 크게 들이키고 나무 옆에 서 있는 B의 귀에 평행으로 나무통 복판에 가늠하여 방아쇠를 당겼다. 총을 내리고 서서히 나무 밑으로 걸어갔다. 총알은 조금 위로 올라갔으나 나무 한 복판에 맞았다. 일순 B와 나의 시선은 마주쳤다.

다음은 B의 차례였다. B는 나를 나무 옆에 꽉 붙여 세워 놓고는 정한 위치로 갔다. 총을 들어 개머리판을 오른편 어깨에 대고, 바른 뺨을 그 위에 비스듬히 얹고, 한 눈을 쪼그러지게 감으며 조심스레 조준을 맞추는 것이었다. 나는 B의 너무도 심각하게 정성들이는 표정이 우스워서 그만 웃음을 터뜨렸다. 그 순간 방아쇠는 당겨졌다. 나는 '악'비명을 치면서 뱅뱅 돌다가 푹 주저앉았다. 총알은 내 오른쪽 귀뿌리를 찢고 날아갔던 것이다. 피가 뺨으로 스쳐흘렀다. 만지고 난 손가락 사이가 찐득거렸다.

이런 일 뿐이 아니다. 나와 B의 사고방식이나 행동 속에는 너무나 우연한 일치 같은 것이 많았다. 내가 문득 머리에 떠올라 시작한 일이면, 벌써 B도 나와 때를 거의 같이 하여 서로의 상의나 연락도 없으면서 그런 생각을 토로하거나, 그 일에 손을 대고 있는 것이다. 이러한 일들은 자칫하면 본능적인 경쟁의식이나 또는 자기만으로의 우월감 같은 것을 유발하여 둘의 우정에 거미줄 같은 금을 그어 놓는 것이었다. 그러한 예들은 B와 나 사이의 동심에서부터의 긴 교우관계에 있어 너무나도 많았다.

간호원이 머리의 찬 물수건을 갈아붙이고 있다. 이마의 차가움이 시원하게 느껴진다. 흐릿하던 생각들이 제자리를 찾아 헤매이다가 타래못처럼 호비고 막 다들어온다. 그러나 눈꺼풀은 아직도 무거워서 팽팽하게 떠지지 않는다.

스리코타 속에 실려서 사형집행장으로 가는 다른 네 명의 사수(射手)들은 어저께 공일날 외출했던 이야기에 흥을 돋우고 있다. 그 중의 하나는, 전라도에서 새로 왔다는 열일곱 살 난 풋내기의 육체미에 녹아떨어진 이야기들, 손짓을 섞어 침을 입술에 튀겨가며 자랑하고 있다.

그러나 나에게는 그런 이야기들이 신통한 반응을 주지 않는다. 지금 내 머릿속은 B에 대한 생각으로 가득 차 있다.

만약 경희의 행방을 모르는 대로 B와 다시 만났던들 그렇게 내 머릿속이 뒤엉클어지지는 않았을 것이다. 내가 새로 전속되어 오던 날 부대장에게 신고를 하고 나오던 길에 복도에서 B를 만났다. 서로 생사를 모르다가 기적같이 처음 맞닿은 이 순간, 나는 함성을 올리며 B의 손을 덥석 잡았다. 그러나 B의 표정 속에는 사선을 넘어온 인간의 담박한 반가움보다는 멋쩍고 어쩔 줄 모르는 머뭇거림이 나에게 열적게 감득되었다. 실로 몇 해만인가! 허탈한 감격밖에 없을 이 순간에 B는 무엇인가 복잡한 생각에 휩싸이는 눈초리를 감추려는 당황함이 엿보이게 하고 있다.

나와 경희는 형식적인 절차는 밟지 않았다 할지라도 약혼한 바나 다름없었고, 주위의 사람들도 또한 그렇게 보아왔던 것이다. 그 중에서도 B는 그러한 나와 경희와의 관계를 억지로 부인하려는 자세였지만, 객관적인 조건은 그렇게 시인하지 않을 수 없었던 것이다. 말하자면 나와 경희와의 사이를 가장 정밀하게 측정하고 있는 것이 B의 위치였던 것이다.

사변 전 우리 주변에 있던 사람들의 생사에 관한 안부가, 자연히 나와 B의 대화의 주요한 말거리였고, 내가 가장 알고 싶었던 경희의 이야기도 따라나오게 되었다. 그러나 B가 잘 모른다고 대답하는 그 어감 속에는 그의 표정까지를 보지 않아도 꺼림칙하고 불투명한 구석이 적지 않게 섞여 있음이 느껴져왔다. B를 아까 처음 만났을 때의 나의 이상한 육감은, 지금 더 굳어져가는 어떤 방향의 시사를 받는 것이 분명하다. 그도 바쁜 시간이어서 그날은 그것으로 끝났다.

그러나 더 결정적인 사태가 정작 내 앞에 벌어지게 되었다. 그것은 내가 휴가 중의 외출에서 돌아올 때 공교롭게도 B의 가족 동반의 기회에 마주친 일이다. 여기에서 오래도록 감추어졌던 모든 자물쇠는 열렸다. B의 옆에는 벌써 어머니가 된 경희가 서 있는 것이 아닌가. 경희는 충격적인 고함소리 한마디를 치고는 이상하게도 기계라도 정지하는 것처럼 다시 태연해지는 것이었다. 아마도 B에게서 나의 생존을 알고, 이미 결정지어진 과거에 대하여 어쩔 수 없는 체념으로 마음을 다져먹었지만, 이 불의의 경우에 나와 정면으로 마주치고 보니 격동되지 않을 수 없었던 것 같다. 물론 이것은 과거의 경희를 가장 잘 아는 나 혼자만의 추측에 불과하다. 그리고 그 이상으로 경희의 심정을 내 쪽으로 접근시켜 더욱 높게 추리하고 싶지도 않았으며, 또한 경희를 배신적인 것으로 험하여 탓할 수도 없는, 말하자면 전란이라는 환경이 주어진 어쩔 수 없는 경우로 극히 평범하고도 관대한 단정을 나는 나 자신에게 내리는 것이다. 그만큼 이 짧은 시간의 착잡한 표정 속의 침묵은 나에게 비길 수 없는 중압감을 덮어씌웠던 것이다. 그것은 또한 침묵 뒤의 경희의 표정이 B와 나를 번갈아 곁눈질 하는 속에서도 나의 단정은 어느 정도 정확하다는 것을 시인하게 하는 것이다.

그러나 그 다음 경희의 입으로 터져 나오는 말이 나를 더 놀라게 하였다. 나더러 애기가 몇이냐는 것이다. 결혼은 했느냐는 여부도 없이 선 자리에서 한 단계를 뛰어넘는 것이다. 비범하게 좋았던 경희의 두뇌에서 튀어나올 법한 기지(機智)임에 틀림없다. 그것도 이 무거운 질식 상태의 분위기를 완화하려는 여자의 얇은 재치인지도 몰랐다. 그러나 그 이야기들은 모두 나에 대한 절실했던 애정의 환원이나 회상에서가 아니라, 지금의 자기 남편인 B에 대한 아내로서의 내조적인 협조나, 그렇지 않으면 지난날에 그렇게도 못 잊어 했던 나에 대한 흘러간 추억 속의 동정 같은 값싼 것으로만 나는 여겨지는 것이었다. 나는 어느 말부터 끄집어내야 할지 이야기의 실마리를 잃고 멍추같이 아연할 수밖에 없었다. 둘이서 얼싸안고 실컷 울어도 시원치 않을 이 자리에서…….

이 얼마를 두고 머릿속에 감아붙던 B에 대한 적의(敵意)가 차츰 경희에게로 옮겨져 가는 것 같은 미묘한 감정을 의식했다. 그러면서도 나의 경희에 대한 미련 같은 아쉬움은 완전히 가셔지지 않았다. 그것이 다시 B에 대한 적개심으로 이동되었다가 또 다시 경희에게로 옮겨졌다가 하는 유동이 얼마 동안 지속되었다. 그러다가는 결국에 가서는 어쩔 수 없이 박탈되어 간 것 같이 경희에게 변호가 가게 되고, 나중에는 B에 대한 배신감만이 완전히 고정적인 자리를 차지해가게 되어 버렸다.

흐려가던 머리가 또렷해진다. 그러나 그것이 끝끝내 지속되지는 않는다. 반딧불마냥 깜박거린다. 단속적으로 나타나는 장면만은 선명하다.

흰눈이 쌓인 산록(山麓)의 바람소리가 시리다. 그것은 바로 사형집행장에서의 일임에 틀림없다. 나는 권총사격에 몇 점, 칼빈에 몇 점, 엠완 소총에는 몇 점하는 명사수의 하나로, 나의 소속부대에서도 알려져 있다. 그러나 나 자신이 이 사형집행의 사수로 지명될 줄은 몰랐다. 또 그렇게 달갑지도 않은 일이다. 더욱이 일단 지명된 이상에는 피해낼 도리가 없다. 아무도 이런 일을 선두에 서서 하겠다고 좋아하는 사람은 없다. 그것도 전기장치로 된 집행장에서 단추 하나를 누르면 보이지 않는 곳에서 기계가 스스로 모든 일을 처리하여 주는 경우라면 몰라도, 이런 경우는 따분하기 짝이 없는 일이다. 그렇지 않아도 나는 전에 형무소에서 사형을 집행하는 관리들의 고역을 상상해본 일이 있다. 그럴 때마다 소름이 끼쳐 그런 일을 어떤 불우한 사람들이 직업으로 삼고 맡아할 것인가 하고 동정했던 것이다. 사실 그 경우의 죽는 사람과 죽이는 사람 사이에는, 개인적으로 생명을 여탈(與奪)할 하등의 이해관계가 없는 것이 거의 전부의 경우이기에…….

지금 나의 경우는 약간 다르다. B가 오늘 집행되는 수형(受刑)의 당사자라는 것을 알았을 때 나는 순간 - 그것은 참말 계량할 수 없는 눈 깜짝

할 찰나였지만-복수의 만족감 같은 회심의 미소를 지을 뻔했던 것이다. B의 얼굴에 겹쳐 경희의 모습이 떠올랐다. 그러나 그것들이 다 어릴 때부터의 벗이던 순진하고 아름다운 정에 얽매인 인간의 모습이 아니라, 언젠가 가족 동반에서 만난 당황하는 표정들이 점점 혐오를 느끼게 하던 그런 모습들인 것이다.

나는 눈을 떴다.

십 미터의 거리. 전방에는 B가 서 있다. 목사의 기도는 끝났다. 유언(遺言)이 없느냐고 물었다. B는 고개를 가로저었다. 지금까지 한 번도 내 앞에서 졌다고 항복한 일이 없는 B다. 그렇게 서로 대결이 되는 경우는 늘 내가 양보하는 위치에 서게 되었었다. 오늘도 이 숨가쁜 마지막 고비에서, B의 목숨을 앞에 놓고 B와 나는 여기 우리 둘이 한 번도 같이 와본 적이 없는 눈 덮인 산골짜기에서 이렇게 대결하고 있는 것이다. 나를 알아보는 B의 눈은 조금도 경악의 표정은 없다. 일체의 체념이 나까지도 안중에 없게 하는가 보다. 그러면 나는 벌써 이 마지막 순간에도 이미 B에게 지고 있는 것이다. 만일 내가 이 자리에 사수로 나타나지만 않았다면 B는 무슨 말이던 한 마디 남겼을런지도 모른다. 적어도 경희에게만은 무슨 마지막 당부의 한마디를 전하여 주고파 했을 것이 아닌가.

다섯 명의 사수는 일렬로 같은 간격을 두고 나란히 횡대로 늘어섰다. B의 손은 묶인 대로이다. 그의 눈은 검은 천으로 가리어졌다. 왼쪽 가슴 심장 위에 붙인 빨간 헝겊의 표지가 햇빛에 반사되어 더 또렷하다. 헛기침소리 이외에는 아무의 입에서도 말이 없다. 다만 몸들의 움직임이 있을 뿐이다.

B가 이적적인 모반(謀反) 혐의로 구속되었다는 신문 보도를 본 얼마 후 나는 B의 집으로 경희를 찾아갔다. 이 근래의 B의 의식상태에는 약간의 이상적인 징조가 나타나 발작적인 행동이 집안에서도 거듭되었다는 사실

은 이날 들은 이야기이다. B는 나의 절친한 친구의 한 사람이었다고 나는 지금도 그 생각은 버리지 않는다. 그와의 개인적인 대결이 치열할수록 나는 그를 잊어본 적이 없다. 내 삼십 년의 지나온 세월에 있어서 B는 내 마음 속에 새겨진 가장 오랜 친구였고, 접촉된 시간도 가장 긴 인간이기 때문이다. 나와 그는 이해관계를 초월하여 사귀어왔다. 다만 경희의 경우를 비롯한 몇 구비의 치열한 대결은 B와 나의 의식적인 적대 행위가 아니라, 환경적인 조건이 주어진 불가피한 운명 같은 것이 더 컸다고 나는 생각하고 싶은 것이다. 그러기 때문에 나는 나의 아끼던, 아니 현재도 아끼고 있는 유일한 친구이고, 그와의 어쩔 수 없는 대결이 거세면 거셀수록 그에 대한 관심이 더 강력하게 작용했던 만큼 그의 혐의를 받는 죄상에 대한 내막은 이 이상 더 소상하게 늘어놓고 싶지는 않다.

나를 만난 경희는 시종 울기만 하였다. 그것은 오랫동안 떨어졌다가 만난 육친의 애정 같은 것이어서 그 자리에서는 그와 나 사이에 아무런 장벽도 없는 것만 같았다. 경희는 남편인 B의 구출문제보다도 나에게 대한 자신의 변명 같은 호소로 일관하였다. 사변통에 나의 행방은 알 길이 없었고, 수복 후에 우연히 만난 것이 나와 자기와의 과거를 가장 잘 아는 B였기에, 나의 생사에 대한 수소문을 서두르는 사이에 나의 소식은 묘연했고, B와의 결혼이 정식으로 성립되었다는 것이다. 나로서는 지금이라도 경희가 B를 버리고 나의 품으로 뛰어오겠다면 받아들일 수 있는 애정의 여신(餘燼)이나 아량이 없는 바도 아니었지마는, 몇 번이고 죽음에 직면했던 나로서, 경희의 행방에 대한 관심에 얼마 동안 적극적이 되지 못하였던 나 자신에 대한 자책이 이제야 더욱 거세게 싹터 나로 하여금 아무의 힐난(詰難)도 못하게 만들었고, 오히려 경희에 대한 미안한 생각으로 가슴이 뿌듯해지게 하는 것이었다. 그러나 이미 때는 늦었다. B의 구명운동이 우리 둘의 긴급한 일로 당면될 뿐이었다.

안전장치를 푸는 쇠붙이 소리가 산골짜기의 정적 속에 음산하다.

나는 무심중 귓바퀴의 상처에 손이 갔다. 호두껍질처럼 까칠한 감촉이 손끝에 어린다. 지나간 조각조각의 단상들이 질서 없이 한 덩어리로 뭉겨져 엄습해 온다. B와, 경희와, 곰과, 공기총과, 걷잡을 수 없는 착잡한 감정이다.

"겨누어, 총!"

구령에 맞추어 사수는 일제히 개머리판을 어깨에 대고 B의 심장에 붙인 붉은 딱지에 총을 겨누었다.

순간 나는 내 정신으로 돌아왔다. 최종에는 내가 이긴 것이라는 승리감 같은 것이 가늠쇠 구멍으로 내어다 보이는 B의 심장 위에 어린다. 그러나 나는 곧 나의 차디찬 의식을 부정해 본다. 어떻게 기적 같은 것이라도, 정말 기적 같은 것이 있어 이 종언의 위기에 선 B를 들고 달아날 수는 없는 것 인가고……. 방아쇠의 차디찬 감촉이 인지(人指)의 안 배에 싸늘하게 연결된다. 내가 쏘지 않아도 다른 네 사수의 탄환은 분명 저 B의 가슴의 빨간 딱지 표시를 뚫고 심장을 관통할 것이다.

"쏘아!"

구령이 끝나기가 바쁘게 일제히 '빵'소리가 났다. 나는 아직 방아쇠를 당기지 않고 있는 것을 깨달았다. 지금 여기 B와의 최후 순간의 대결에서 나는 또 지각을 하고 있는 것이다. 나는 이제나마 그와의 대결의 대열에서 제외되어서는 안 될 것 같다. 방아쇠를 힘껏 당겼다. 총신이 위로 퉁겨 올라가는 반동을 느꼈을 뿐이다. 화약냄새가 코를 쿡 찌른다. 그 때는 이미 B는 다른 네 방의 탄환을 맞고 쓰러진 뒤였다. 그는 넘어지면서도 끝가지 나에게 이겼다고 생각했는지도 모른다. 총소리와 함께 나 자신도 그 자리에 비틀비틀 고꾸라졌다. 극도의 빈혈이었다.

"이제 의식이 완전히 회복돼 가는가 봐요."

눈을 떴다.

옆에 경희가 서 있다. 찬 수건으로 내 콧등의 땀을 닦아내고 있다. B와 나란히! 아니, B는 없다. 경희도 아니다. 무표정하게 싸늘한 아까의 간호원이다. 내가 이겼는지, B가 이겼는지 내가 이겼어도 비굴하게 이긴 것만 같은 혼몽함 속에서 나는 다시 깊은 잠에 떨어졌다.

『現代文學』, 1959. 6.

크라운 장

분위기가 바뀌어 지는 첫날이란 아무 경우에도 얼마간의 어색한 기분은 모면하기 어려운 것이다.

문호(文湖)에게는 몇 달을 쉬다가 접어든 일자리였다.

그의 음악에 있어서의 지난날의 이력이라든가, 또는 이 악단에서 가장 연장자라는 조건이 합쳐 단원들에게서 악장(樂長)이라는 칭호로 불리워졌다. 물론 연주는 문호의 첫 리드로 시작되는 것이요, 곡목도 그의 주관으로 선택되는 것이었다.

흡사 그림의 풍차(風車)를 연상시키는 커다란 선풍기가 구석구석에서 그 특유의 음향을 내면서 돌고 있건만 홀 안은 무더워서 배겨낼 수가 없다.

수백 개의 자리에 거의 공백이 없이 들이찬 퇴근시간 직후의 제때를 만난 신장개업의 비어홀은 어시장의 아우성 같은 소음으로 비비꼬여 어지간한 대화는 옆자리에서도 잘 알아들을 수 없다.

맥주병의 부딪는 소리, 마개를 빼는 소리, 사기그릇의 질그렁거림.

식탁과 식탁의 좁은 사이를 보타이의 머릿기름이 반질한 웨이터가 바쁜 걸음을 치고 오가는가 하면, 첫 시합의 정구 선수같이 새하얀 유니폼으로 감싼 웨이트레스가 종종 걸음으로 분주히 싸다니고 있다.

수물 안팎의 여학교를 갓 나온듯한 아직 세속의 더러운 물에 덜 젖은 싱싱한 얼굴들은 이마마다 땀이 구슬졌다. 어쩌면 그 인조 진주목걸이와 흰 산달까지 그렇게 통일된 것인지 인어(人魚)같이, 그 탁한 공기 속을 헤엄치고 있다.

붉고 푸른 네온과 매혹적인 형광등이 아득히 넓은 공간을 보야니 불투명하게 밝히고 있다.

홀 한쪽 구석에서 맥주 몇 병을 비우고 난 악사들은 다시 무대 위로 올라섰다. 술을 마시지 않으면 손이 떨리는 문호다. 인생에 대한 자학적인 폭발 수단으로 폭음해 온 술이 위장을 녹이고, 이제는 마지막의 생명인 손가락마저 마비시켜오고 있다.

이십여 년 전 동경 히비야공회당의 공개적인 첫 연주에서 청중을 도취의 도가니로 몰아넣었을 때는 희대(稀代)의 천재라는 평을 받았었다.

지금 마비되어가는 손가락의 신경은 알코올의 자극으로 겨우 그 기능을 지탱하고 있다.

문호는 얼근한 기분으로 첼로를 잡은 채 의자에 걸터앉았다. 활을 들어 연주 때마다의 거의 습성화된 손짓으로 음정을 맞추었다. 다섯 자 여섯 치의 키 큰 골격은 악기와 어울렸다.

마음의 구석구석이 거미줄로 얽히고, 관절 마디마디에 좀이 들었지만 외관으로는 아직까지 어엿한 오십 고개의 거구(巨軀)의 의젓한 남성이었다. 입후보의 연단에라도 나서면 첫인상에 관중을 위압할 늠름한 위풍이기도 하였다.

문호는 활을 들어 첫 음을 그었다. 심벌이 울리고 트럼펫·색소폰·클라리넷의 경쾌한 리듬이 홀 안의 소음을 삼키고 퍼져 흘렀다.

술기운에 광택 흐린 수많은 눈알들이 무대 쪽으로 쏠렸다.

술이 얼근한 탓도 있었지만, 이 둔탁한 공기에 벌써 익숙해졌음인지 문호는 인제, 아까 첫 파트의 첫 곡목처럼 어색한 기분은 완전히 가시어졌다. 엷은 모래밭에서 깊은 물로 뛰어들은 물고기마냥 생기를 띠었다.

한 곡목이 끝나자 홀이 송두리째 날아갈듯한 박수가 폭풍처럼 진폭을 넓혔다. 간간이 함성이 섞였다.

다음 곡이 또 계속되었다. 레코드에서 이미 이름이 팔린 여가수의 노래에 농탕치던 잡어(雜魚) 같은 술꾼들도 일순 정적 속으로 휩싸여 들어가는 것 같이 악기와 노래의 음향 이외에는 아무 잡음도 들리지 않을 만큼 고요하여졌다.

박수와 앙콜, 술과 노래의 뒤범벅이 된 도가니는 불을 뿜을 듯이 이글거리고 있다.

이럴 때는 문호도 신이 났다. 어떤 멤버, 어떤 자리, 그런 꼬질꼬질한 구별은 안중에 없었다. 시선의 정력이 말끔히 보표에 못 박혔고 손가락은 나는 듯이 움직여졌다.

며칠 전 이 일거리의 교섭으로 드럼을 담당한 P가 찾아왔을 때 차마 앉아서 죽으면 죽었지, 목노짐과 마찬가지인 비어홀의 밴드악사로까지 전락할 수야 있느냐고 망설이던 멋쩍은 심정은 완전히 가시어진 것만 같았다. 보표와 악기, 그리고 음향 이외에는 아무 것도 생각하는 것이 없는 이 순간의 그였다.

미군부대를 따라다니던 때는 그래도 상대가 군대요 외국인이고 보니, 누군지 알 것이 무어냐 하는 식으로 자존심의 최후의 신을 지킬 수 있다는 뱃심과, 두툼한 호주머니의 자위로 느닷없이 세월을 주름잡아갔던 것이다.

삼십 대, 그것은 문호에게 있어서, 예술면에서는 물론 인간으로서도 가장 아낌을 받던 행복한 시절이었다.

그의 연주에 있어서의 뛰어난 재질은 악단에서의 커다란 촉망이었지만 특히 그의 동인 그룹이었던 현악 사중주단에서의 그의 인간적인 아량과

주동적인 추진력은 늘 동료들의 존경과 아낌을 받았다.

해방 전 해 가을, 그는 처음으로 하얼빈에서 교향악단의 처녀지위를 하였다. 그것은 문호에게 있어서 연래의 숙망이 이루어지는 찰나였다. 아니 하나의 예술가로서 거의 불구에 가까운 지금도 그 욕망과 이상은 아직 한가닥의 향수 같은 미련을 가슴 속에 조여들게 하는 것이었다.

북만의 가을은 한기가 빨리 서렸다. 키다이스카야 메인 스트리트의 M극장 무대에는 백여 명의 악사가 검은 옷에 흰 타이를 하고 마치 출발 신호를 기다리는 장거리 선수처럼 큰 호흡 속에 숨을 삼켜가면서 지휘자의 등장을 대기하고 있었다. 이층 객석 통로 계단에까지 초만원을 이룬 청중들은 기침소리마저 삼켜가며 개연을 기다리고 있었다.

박수소리가 장내를 휩쓸었다. 무대 한쪽으로부터 후리후리한 키의 지휘자 문호가 들어오고 있다.

지휘봉을 든 문호가 무대 복판에서 정중한 인사를 하자 객석은 다시 박수의 우뢰로 화하였다. 문호는 지금도, 가끔 이 시간의 감격을 술잔 속에 담아 삼켰다가는 몇 번이고 반추하는 버릇을 가지게끔 되었다.

이날의 곡목은 '차이코브스키'의 〈비창〉이었다. 이와 같은 첫 번이자 마지막이었던 처녀 지휘의 곡목이 자기의 일생을 가시밭으로만 이끌어가는 인과가 아닌가 하는 턱없는 억측이 무심중 떠오르기도 하는 것이었다.

마지막 악장의 연주가 끝날 때까지 객석은 무인의 공간 그것이었다. 청중보다 오히려 자기 자신이 더 도취하였는지도 모른다고 문호는 두고두고 아름다운 추억을 곱씹어보는 것이었다.

고막이 터지는 듯한 박수와 환호성 속에서 문호는 퍼스트 바이올리니스트의 손목을 감격에 차 굳게 잡았던 것이다.

이날 밤 문호는 송화강변을 마차로 달리면서 황홀한 꿈속에 잠겼다. 앞으로의 나아갈 길은 망망한 대해처럼 탁 트여 있는 것만 같았다. 백계 노서아인 레스토랑에서 진한 워커 칵테일을 마시면서 고국으로 돌아갈 꿈, 구라파 만유에 대한 미래의 이상을 더듬으며 하늘로 줄달음질치는 환희 속에서 밤을 새웠다. 정열의 과잉이었을는지 몰라도 사는 보람은 있었다고 두고두고 뒤져보는 아름다운 회상의 한토막이었다.

다음 파트가 끝나 악기를 의자 옆에 세워놓고 무대 뒤로 내려 왔을 때다. 손수건으로 땀을 씻고 있는 문호의 손목을 덥썩 잡는 사람이 있었다.

"아, 여보, 이게 대체 어떻게 된 셈이요."

중학 동창 김건우(金健宇)였다. 너는 죽어도 그 손만은 떼어 놓고 죽으라던 그다.

해방 후 귀국하여 처음 만났을 때에도 첫마디로 한다는 소리가 그 손은 보험에 들었나 하던 익살꾸러기의 털털한 인간이요 그를 아끼는 친구였다.

말문이 막혀버린 문호의 어쩔 줄 모르는 거동에는 개의할 것 없다는 듯이 건우는 다짜고짜로 자기 좌석 쪽으로 이끌고 갔다.

"살아는 있었군."

혼자 뇌까리면서 연방 문호를 쳐다보는 것이었다.

문호는 오래간만에 만나는 친구요, 돌연한 사태에 어리둥절하여 몸가눌 바를 몰랐다.

자리에 앉혀놓자 건우는 맥주잔을 문호 앞으로 내어밀었다.

"자, 우선 한잔 들게."

문호는 잔을 받아 들고, 건우의 동행들에게 멋쩍은 생각이 들어,

"참 오래간만일세……."

어정쩡한 한마디를 뱉고는 맥주를 한 모금에 들이켰다. 갈하던 목이 탁 트이는 것만 같았다. 찬 기운이 꿀대에서 내장까지 훑어 내려가는 시원함을 느꼈다.

자기네 악사끼리면 몰라도 손님 자리에 함께 어울린다는 것은 건우의 동행인들에게 실례되는 것만 같아 반배하고는 자리를 일어서려 하였다.

"난 아직 연주가 있으니까 이따 만나지."

"연주는 무슨 연주야, 딴따라두 연주야?"

건우의 취한 목소리가 가슴에 거세게 부닥쳐왔다.

"자네가 이렇게까지 타락하다니……, 자 술이나 듦세."

문호의 말하려는 자세를 가로막고 건우는 다시 꿀꺽 들이킨 잔을 문호 앞으로 내미는 것이었다.

"하기야, 예술로 살 땐가, 돈이 제일이지."

건우가 관제의 요지에 앉아 있을 때에도, 문호는 건우의 소식을 들으면서도 별로 찾아가지 않았다.

더욱이 미군부대의 전용밴드에 관계하고부터는, 건우는 물론 주위의 가까운 사람들에게 까지 자기의 소재를 일체 밝히지 않았다. 간혹가다 노상에서 만나는 음악인이 있어도 그 자리만의 적당한 대답으로 회피하여 왔다.

해방 직후의 악단 분위기란 그의 처신에 있어서 난처하고도 미묘한 입장을 만들어주었다.

좌우익의 사상적인 대립이 격심할 때에는 이런 문제에 특이한 관심을 가지지 않고, 예술만을 위주로 생각하여 온 그에게 평범한 악사의 한자리를 겨우 유지하게 했을 따름이다. 투쟁의 선봉에 서서 적극적인 행동으로 깃발을 높이 들지 않는 그에게 악단의 주요한 위치는 물론이거니와, 간혹 그의 연주에 있어서의 재능까지도 묵살해 버리려는 결과를 가져오게 하였다.

이러한 사상적인 문제와 그 후에 생긴 교향악단 간의 대립은 자연히 악계에 있어서의 헤게모니의 쟁탈전으로 변하였고, 여기에 따라 구성멤버의 규합도 파벌의 색채를 띠지 않을 수 없었다.

이같이 복잡하고도 미묘한 움직임 속에서 시류적인 파쟁에 초연한 문호는 자연히 방관자의 위치로 몰려나게 되었다. 간혹 이 땅 초연(初演)의 곡목을 택하는 연주회에 있어서, 그의 힘을 빌리려는 경우 같은데 겨우 연관을 가지게 될 정도였다.

그리하여 그는 끝끝내 단 한 번도 무대에서 컨덕터의 기회를 가지지 못하고 사변을 만났던 것이다.

그러던 것이 운명이라고나 할까, 죽을 고비를 겪던 피난 중에 우연히 유엔군 일선 부대에 위문 순회연주로 떠난 것이 기연(奇緣)이 되어서 거기에 완전히 발이 빠지고 말았다.

무엇을 좀 해야 되겠다고 뉘우쳤을 즈음에는 이미 때가 늦었다. 악계는 다시 질서가 잡혀갔고, 자기의 타락상은 전문음악인들 간에 어느덧 야유의 조소로 퍼져 갔다. 다시 대부분의 유엔군이 철수하고, 부대의 수가 줄어들게 되자 종군밴드의 수명도 서로의 격렬한 경쟁 속에서 그 존속조차 힘들게 되었다.

결국 연주 이외의 다른 것을 모르는 주변머리 없는 그는 팔팔 뛰는 젊은 재즈악사들 속에서 도태될 수밖에 없었던 것이다.

건우의 자리에서 무대로 돌아온 문호는 전신에서의 기력을 탕진한 것 같이 풀이 꺾였다.

드럼악사에게 리드해 줄 것을 당부했다. 첼로의 지반(指盤) 위에서 자기 손이 어떻게 움직이는지 거의 감각이 없을 정도였다. 그저 기계적으로 줄을 퉁기었다. 동경 · 하얼빈 · 삼팔선, 해방직후의 서울 · 피난살이 · 일선부대…… 가지가지의 흘러간 영상들이 아무 순서도 없이 헛갈리며 머릿속에 비비어들었다.

아무 것도 자신을 뉘우칠 건덕지는 없었다. 그렇다고 앞으로 지향할 아무 지표도 없었다. 희망도 이상도 포기된 상태, 그것은 삶이 아니라 죽음에 가까운 것이었다. 또 술을 생각하여 보았다. 그것만이 유일의 마비제요, 순간의 위안이라 생각되었다.

문호는 이튿날 건우의 명함에 적힌 사무실 주소로 찾아갔다. 보험회사의 간판이 현관 대리석에 굵직하게 새겨져 있다. 그는 명함에 적힌 회사 이름과 대조하여 보며 안으로 들어섰다.

마감시간 쯤 되어 꼭 들르라고 하였으니 틀림없이 있을 것이라고 생각하면서 사장실 문을 열었다.

여비서인 듯한 앳된 소녀가 나타났다. 칸막이 선반으로 안쪽은 들여다보이지 않았다.

"사장 계신가."

"안계세요."

훑어보던 소녀의 검은 눈동자는 문호의 후질구레한 보타이에 머물렀다.

"이 시간에 분명 있겠다고 했는데……."

"네! 문 선생님이세요?"

"응."

"기다리라고 하셨어요. 사장님은 손님이 오셔서 잠깐 다방에 댕겨오신댔어요. 여기와 앉아 기다리세요."

문호는 소녀에게 인도되는 대로 응접 소파에 깊숙이 파묻혔다.

'南北統一' 액자와 태극기가 한쪽 벽에 걸려 있는 것이 첫눈에 띄었다. 소녀가 가져다주는 찬 타월로 목덜미와 이마의 땀을 닦았다. 부채질을 하면서 한숨 돌리고 나서 파이프에 불을 댕기었다. 가슴이 뻐근하게 길게 첫 모금을 들이키고 나니 속이 후련해왔다.

책상 위에 놓은 세 대의 전화기 중에서 새하얀 사기그릇 같은 전화통이 더 눈에 차 들어온다. 그러나 자기에게는 전 화 걸 대상이 아무데도 없다. 건너편 벽에 붙여 놓은 그래프용지의 통계표에 눈이 갔다. 자리에서 일어섰다. 그때야 주단으로 깔아 있는 바닥의 폭신한 탄력의 감응을 비로소 느꼈다. '도별 가입자 통계표'니 '월별 징수 상황표'니 하는 것들이다. 붉은 잉크의 곡선이 오선지(五線紙)에 흡사하다는 이외에는 아무런 감흥도 없다.

창가로 갔다. 저녁볕을 막으려고 내려놓은 블라인드 커튼을 들고 밖을 내다보았다. 밑이 아찔하다. 그리고 보니 엘리베이터를 타고 자기가 올라온 것은 삼층이었음을 깨닫는다. 페이브먼트 가로 한쪽에 일렬횡대로 늘어선 자동차들의 네모진 윗딱지가 형형색색으로 어린 아이 장난감을 연상시킨다. 그 윗뚜껑을 순서로 두들겨 가면 실로폰 악기의 음향이 나리라는 생각이 든다.

햇살이 이마에 뜨겁다. 들었던 커튼을 놓고 돌아섰다. 벽에 걸려 있는 큰 거울에 상반신이 비친다. 가까이 갔다. 얼굴과 얼굴이 맞섰다. 자연적인 퍼머넌트라고 농을 받던 고수머리에 흰 가락이 많이 섞이었다. 이마도 더 많이 벗어진 것 같다. 그것보다도 깊어진 주름살이 거울 속의 광선에 반사되어 더 뚜렷하게 홈을 긋고 있음에 눈이 따갑다. 이제 정말 다 되었다는 생각이 들었다.

찌링 하고 전화기가 울렸다. 자세를 바꾸었다. 어느 것인지를 모르겠다. 수화기를 놓고 난 소녀가 사장이 곧 돌아오신다고 알려주었다. 다시 소파에 기대어 파이프를 닦아 한 대 피어 불었다.

"아따, 자네가 없으면 크라운 장에서 영업을 못할까봐!"

건우는 문호의 팔을 이끌어 차에 밀어 올렸다.

"이놈의 세상은 신경이 좀 둔해져야 해, 제 쓸개를 가지고 못산다니까."

문호는 하는 수 없이 맥 풀린 웃음만을 헤벌렸다.

"오늘 저녁 같이 한잔 하면서 아까 그거나 좀 잘 생각하잔 말이야."

문호는 혈압이 높으니 술을 조심하라는 의사의 경고를 또 입속에서 묵살하여 본다. 서로들 잡아먹지 못해 혈안으로 이를 박박 갈고 있는 이러한 세태에 친구의 호의가 뼈에 사무쳤다.

건우는 건우대로 어젯밤 이후의 주판을 다시 놓아본다. 문호를 앞장세워 음악연구원의 간판이라도 걸게 되면 학교는 등록금으로 유지될 것이고, 보험회사는 그 학원 재단으로 면세조치가 될 것이라는 미래의 설계도를 꼼꼼히 따져보는 것이다.

따라놓은 첫 잔 컵을 마주치고 들면서 건우는,

"자, 이제부터 재출발이야."

하고 쭉 들이키었다.

문호도 잔을 비웠다.

"더 긴 말 안하겠네. 실무는 안 해도 좋으니 감사역(監査役) 자리만 지키고 있으란 말이야. 나도 사업이 이쯤 팽창해지니까 전부 남의 손에만 맡길 수도 없구, 마음 놓고 의논할 사람이 필요해진단 말일세. 천하가 도둑놈 판인데 안심하고 맡길 수 있어야지, 중역이라구 앉혀 놓으면 제 것으로 이권을 바꿔챌 생각이나 하지. 심각할 건 없어. 자, 한잔. 여보 색시 술 따라!"

문호는 술을 마시면서도 비어홀의 밴드가 궁금하여졌다. 많지도 않은 멤버에 하나 빠진다는 건, 더욱이 리더격인 자기가 빠지면 지장이 많을 것이라는 생각을 하면서 잔을 들었다.

"나도 자네 생각을 모르겠나. 고맙기는 하지만……"

"그러니까 하잔 말이야. 고맙기는 뭐가 고마워, 나도 잘 된 판인데."

문호는 말하는 것보다는 술 마시는 것으로 거의 대답을 메웠다.

둘 다 흠뻑 취했다.

"자, 직업여성들, 귀빈을 모셨으니까 노래나 부르지."

건우는 술잔을 기생에게로 돌렸다.

"오늘은 음악의 대가가 왔으니까 어디 그 명곡을 뽑아보란 말이야……응, 우선 목을 축이고……."

여자들의 노래가 계속되는 사이에도 문호는 쉬지 않고 주는 잔을 모조리 비웠다.

"이번에는 김 사장님 하나 부르세요."

옆에 기생들도 박수로 보조를 맞추었다.

"응, 그렇지 '有朋自遠方來'하니 내가 한곡 부르지 않고 견딜 수 있을쏘냐 말이다. 내 노래는 돈 먹은 비싼 노래야."

건우는 서슴지 않고 일어섰다.

〈오 솔레미오〉, 그것은 중학시대부터 건우의 장기의 애창곡의 하나이다.

그도 음악을 전공하려고 했었다. 그러나 지방관리로 있던 그의 아버지는,

"이 자식아, 사내녀석이 오죽 못났으면 광대처럼 목통을 팔아 밥 먹구 살겠단 말이냐, 그런 소리는 말고 고등문관이나 합격하여 군수 한자리라 도 하려무나."

완고한 아버지의 우격다짐으로 건우는 법과를 택하였고, 이차의 고등 문관 시험에 실패를 하자, 지방 관청에 그대로 취직했던 것이다.

그것이 해방 이후 급진적인 승진을 하여 국장까지 지냈다. 그러나 독직 사건에 연관되어 권고사직을 당하자 실업계에 투신하여 오늘에 이르렀다.

"돈만 있으면 다 돼. 응 돈이라니까, 그러문 장관두 되구, 국회의원두 되구. 문호, 그거 옳소! 국회의원에 대면 내가 자격이 부족되겠나, 나도 한밑천 생기면 입후보하겠네. 제 까짓 거 안 될 것이 뭐냐 말이야."

문호는 자기의 너무도 무기력한 데 비하여 패기 있는 건우의 심정에 동조적인 선망을 느끼기도 하였다.

전축에서 흘러나오는 음악에 맞추어 건우는 그 작달막하게 다부진 몸 뚱이를 재치 있게 돌리면서 춤도 추는 것이었다.

이 자리에서 병신구실밖에 못하는 문호도 권에 못 이겨 노래를 불렀고, 색시들에 이끌려 스텝도 한두 발자국 떼다가 취기를 이기지 못하여 주저 앉고 말았다.

한나절이 지나서야 문호는 겨우 눈을 떴다. 노래를 부르고, 기생을 껴 안고 춤을 춘 것 같은 흐릿한 기억은 희미하게 되살아오나, 어떻게 집으 로 돌아왔는지 알 길이 없다. 다만 T동 파출소 옆집이라고 말했던 그것으 로 지프차가 실어다 준 모양이다.

갈증이 나고 속골이 아직도 흔들린다. 가슴 속도 메스껍게 울렁거린다.

옆방에서 아들 준식의 바이올린 연습 소리가 들려온다. 슬그머니 부아

가 치민다.

"야, 이 자식아, 사내대장부가 할 일이 없어 깽깽이장이를 하겠단 말이냐, 그럴라면 상급학교구 뭐구 다 집어쳐라."

이것은 삼십 년 전 중학 졸업반에서 입학시험 준비를 할 시기에, 아버지의 문호 자기에 대한 호통이었다.

"아버지, 아냐요. 아버지는 너무 완고하셔요. 사람은 자기가 하고 싶은 길을 걸어가는 것이 가장 보람 있고 행복해요."

"예끼, 이놈, 무슨 그따위 대답질을……."

그러나 지금 생각하여도 좀 건방지지만 멋진 대답이었다고 생각하는 것이다.

－인생은 짧고, 예술은 길다－

이것은 문호의 중학시절의 한 풍조를 이룬 인생 표어 같은 것이었다. 문호는 이 자리의 선봉적인 실천자라고 자부하고 있었던 것이다.

그러나 사태는 전연 달라졌다. 의과를 하지 않으면 학비를 대어주지 않는다는 아버지의 강경한 태도였다.

대지주요, 지방유지인 아버지의 고집도 꺾는 사람이 없었다. 입학원서 제출 직전에 담임선생이 아버지를 찾아 간곡히 부탁하였으나 헛수고였다.

일년 예비학교를 거쳐서야 난관의 의과대학 예과에 입학하였다.

그러나 이학년 진급기를 앞두고, 시체 해부실의 실습에서 구역을 느낀 후로는 학교를 팽개치고 아버지 몰래 다시 음악으로 옮겼던 것이다.

문호는 최초의 출발부터 순조롭지 못한 험준한 길을 택하였다고 근래에는 자주 생각하게 되었다.

그러나 자기 자신이 좋아 선택한 길인만큼 후회는 입 밖에 내지 않았다. 현재의 환경적인 조건에 불만은 없지 않으면서도 그것을 하나의 숙명처럼 꿀꺽 삼켜버리는 것이었다.

바이올린 소리가 귀에 거슬리게 들려온다. 이럴 때면 아버지의 이야기가 되살아왔다.

사실 잘되면 예술가요, 전락하면 자기와 같은, 아버지 말대로의 딴따라 패다. 그 뿐이 아니라 자칫하면 패가망신이다.

오래간만에 일자리가 생겨, 첫 출근이라고 할 때 악기를 들고 나선 문호더러 어디를 가느냐고 아들이 물었었다.

아무 말도 없이 문을 나서려니까,

"아버지도 스타일 버리셨어요."

유행어조로 지껄이던 아들놈의 말소리가 지금도 귀에 쟁쟁하다. 드럼 악사가 찾아왔을 때의 대화에서 이미 그 기미를 알아챈 녀석의 소리에 뼈가 있다고 생각되었으나 그대로 대문을 차고 나섰던 것이었다.

아들 준식을 불러 냉수를 떠오라고 시켜 한 사발을 숨도 안쉬고 들이켰다. 갈증이 좀 풀려온다.

내년에는 저놈도 대학 입학이다. 음악대학을 가겠다는 소원이다. 이 구질구질하게 사는 제 애비의 생애에 무슨 매력이 있어 또 음악을 선택하려는 것일까?

"야, 준식아!"

아들을 불렀다.

"너 정말 음악을 전공할테냐?"

"네, 그러문요."

확고한 대답이다.

"너 음악대학은 시험 준비를 안 해도 든다던?"

"실기가 중점이라나 봐요."

그 생각부터가 자기와는 다르다. 위대한 예술가를 목표할수록 굳건한 지성의 토대 위에서 출발해야 된다고 생각했던 자기다. 그러했던 자기 자신이 지금은 요모양 요꼴이다. 시작부터 벌써 틀려먹었다.

"이놈아, 예술에 대한 자기의 줏대가 서고, 이론적인 무장까지 갖추지 않은 단순한 연주가는 놀음장이에 불과한 것이다."

이것은 아들에게 주는 말이 아니라 지금의 자기 자신에게 던지는 자학인지도 몰랐다.

"아버지는요!"

이놈의 속에는 아버지에 대한 냉소가 깃들어 있는지도 모른다고 생각되었다.

"아버지 때는 다르다. 그 때는 예술이 젊은이의 호프였다. 말하자면 하나의 낭만이……, 해방된 지금엔 젊은 너희들에게 너무나 할 일이 많다."

"……"

"그 때는 고문에 붙어 일제 관리로 편안히 먹고 사느냐, 의사로 돈벌이를 하여 잘 사느냐, 그런 소극적인 희망이 말이야……, 그러니까 예술이 더욱 위대했다. 하지만 지금은……."

문호는 더 말이 이어지지 않았다. 자기 혼자의 회한이나 자멸적인 넋두리를 아들에게 퍼붓는 것 같은 억지를 느꼈기 때문이다.

"너희에게는 할 일이 더 많아…… 예술보다도, 더욱이 남자에게는. 하기야 위대한 예술가가 될 수만 있다면야!"

"그래도 저는 해보겠어요."

"이놈아, 해보겠다는 정도가 아니라, 꼭 이루겠다는 신념이 있어야 한다."

"그러면 어떻게 하는 것이 좋아요, 아버지!"

끝까지 제 의지를 버티지 못하는 아들 녀석이 더 못나게 보였다.

"생명과 바꾸려는 신념이 있어도 힘든 가시밭인데……."

혼잣말로 중얼거리면서 문호는 아들 쪽을 외면하고 돌아누웠다.

부자는 한참 말이 없다.

아들은 아버지의 일거일동을 지켜보지만 아버지는 아들의 동작을 알길이 없다.

"그러지 않아도 나도 다른 생각을 하고 있다."

문호는 비장의 발표라도 하려는 듯이 침을 꿀컥 삼켰다.

"수억대 회사의 감사역으로 바꿔앉을까 하고……."

아들의 표정이 보이지 않는다.

"친구의 보험회사에 말이야, 네가 대학으로 들어가면 학자의 부담도 커질 거구……."

뒤에서 왈칵 아들의 울음소리가 터진다.

"아버지! 지금까지 살아오신 것은?"

"그러게 말이다. 나도 신중히 생각 중이다."

아들의 탄력 있는 반응이 차라리 믿음직스러웠다.

"그러면 영영 타락이에요."

문호는 그 다음 할 말이 없었다.

인간 오십 년을 통하여 경리나 통계사무에 대하여는 영영 백지인 자기, 아무리 친구의 우정이라 하기로 의자만 지키고 놀면서 타먹는 월급, 그 호의가 이 난세에 몇 달이나 지속될 것인가. 거기다 자기 호주머니를 털어 투자 한 푼 하지 않은 회사에,

─ 허수아비, 허수아비지 ─

혼자 중얼거렸다.

악기의 포지션을 힘차게 눌러온 왼쪽 손가락 끝이 부르르 떨렸다.

배운 도둑질이란 버리기 어려운 것이라고 새삼스럽게 뼈에 저려왔다.

울타리 그늘이 창가를 가리어왔다. 문호는 첼로 케이스를 들고 집을 나섰다. 어젯밤의 과음이 사지를 떨리게 하였다. 소란한 거리의 아무 것도 눈에 들어오지 않았다.

마음은 과거로만 줄달음 쳤다. 중학교 일학년 때 바이올린을 갓 시작하였던 때의 일이다. 같은 읍에 있는 S여학교의 예술제에 갔었다. 그날 밤에 현혹되던 바이올린 소리에 맞추어 자기 또래의 여학생이 무대 위를 날듯

이 휘돌던 율동, 그것보다는 그 격동적인 음악에 더욱 감동되었었다. 그것이 '드보르자크'의 〈유머레스크〉라는 것도 후에 알았다. 그렇게 대단한 곡은 아니면서 자기 가슴에 감동을 일으킨 충격은 그 후의 어느 곡보다도 컸던 것이다.

일생 음악으로 살겠다는 결의는 이날 밤 이후 더 굳어졌다.

밖에 나왔을 때는 초가을의 선들바람이 축축이 젖은 땀에 선뜻하였다.

그 후 첼로를 전공한 음악선생이, 네 체구와 소질로는 바이올린보다 첼로가 나을 것이라는 권유로 그 길을 꾸준히 걸어왔다.

그 황홀하던 꿈, 그 피가 끓던 정열, 그 지칠 줄 모르는 끈기, 그것은 다 어디로 사라진 것일까?

음악은 마지막 파트다. 손님들도 많이 돌아가 빈자리가 많아졌다. 아무래도 파장이란 싱거워지는 것이다. 역시 고기는 물이 가득 찼을 때 좋다. 맥주홀의 삼류 악단이라 하여도 사람이 가득 차 박수소리가 우렁차면 신도 절로 나는 것이다.

손가락의 탄력이 빗나갔다. 어슴푸레 감았던 눈을 떴다. 첼로를 돌려보았다.

제일 큰 줄이 끊어졌다. 땅바닥에 맥없이 내려뜨리운 줄을 끌어올렸다. 다른 줄들은 여러 번 끊어져 바꾸어 넣었다. 그러나 이 줄만은 피난지에서 새로 장만한 이래 아직 한 번도 끊어진 일이 없었다.

자기의 불우한 타락상을 가장 역력히 아는 줄이요, 자기의 손때가 가장 짙게 묻은 줄이다. 가슴 속에 버티던, 미래에 대한 요행 같은 희미한 전망마저 그 종결을 예고하는 것만 같았다. 남은 석 줄로 곡목이 끝날 때까지의 무료한 시간을 어름어름 맞추어 갔다.

아마도 이 줄은 희망과 이상을 잃은 불구의 악사 자기 운명의 상징이라 싶어 자조(自嘲)를 억제할 수 없었다.

홀이 끝나자 문호는 악원들과 함께 목노집으로 들어갔다. 술을 기껏

들이켰다.

하루살이 벌이. 그날그날 분배하여 가지는 수입. 오늘 일당의 지폐의 감촉이 바지 호주머니에서 꿈틀거렸다.

문호는 드럼악사를 끌고 다시 술집을 옮겼다. 잔이 나자 바쁘게 주고 받았다.

"별 수 없습니다. 문 선생님, 인생은 계산하고는 다르니까요, 그날 그날 벌어먹는 것이 장땡입니다."

문호의 과거를 어렴풋이 알고 있는 이 친구는 막바지에 전락된 문호에게 위안조로 말을 건네며 술잔을 권했다.

"사람 팔자 알 수 없어요."

"글쎄, 그것이 전통이 선 나라에서야 어디 그런가, 어제의 거지가 오늘 거부가 되구, 오늘의 졸개가 내일 재상이 되구…… 응!"

문호는 몸을 가누지 못하게 취하여 의자에서 쓰러지려 하였다.

젊은 친구는 문호를 부축하여 술집을 나왔다.

통행금지를 알리는 사이렌 소리가 울려왔다.

의사의 진단은 뇌일혈이었다. 왼쪽 반신을 쓰지 못했다. 간밤 돌아오는 길에 하수도에 빠지면서 머리에 타박을 가져왔다.

하루가 지났다. 의식은 회복되었으나 자유롭게 기동을 할 수가 없다.

문호는 눈을 멀뚱히 뜨고 있다.

그저께 집을 나간 다음에 보험회사 지프차가 모시러 왔다던 이야기를 들으면서 그는 아무런 반응도 없다. 눈을 스르르 감았다.

"애, 준식아, 네 바이올린을 이리 가지고 오렴."

명료한 발음은 아니다.

아들은 무슨 영문인지 몰라 묵묵히 서 있다.

"글쎄, 가지고 오래두."

손 형용을 섞어 몇 번이고 조르는 아버지의 고집에 버틸 수 없어 아들은 바이올린을 들고 나왔다.

"그 유머레스크를, 그것 좀 켜주렴."

죽을지 살지, 살아도 완전한 몸이 될 것 같지는 않은 아버지의 핏기 없이 지친 모습을 보고 아들은 허수아비처럼 활을 선에 대었다.

지금 문호는 악원(樂員)이 가득 찬 큰 무대 한 복판에서 지휘봉을 흔들고 있는 자기 자신의 꿈속을 헤매고 있는 것이다.

몸이 크게 꿈틀거렸다. 의욕이다. 살아야겠다. 앞으로 무엇이 꼭 크게 이루어질 것만 같았다. 자기의 의지와 예술을 살릴 방향으로 틀림없이. 그것이 설령 기적 같은 것일지라도. 문호는 큰 숨을 내쉬었다.

대문 앞에서 자동차의 멈추는 소리와 함께 클랙슨 소리가 울려왔다.

『思想界』, 1959. 9.

압록강 鴨綠江

가회동 손 선생의 집을 나선 성주(聖柱)는 남대문 정거장을 향하여 걸어가고 있다.

어제 저녁부터 불기 시작한 바람이 좀 체로 자지를 않아 우수(雨水)가 지난 이월 하순의 새벽은 아직도 싸늘하다.

그는 조끼 안쪽에 새로 만든 큼직한 호주머니 속에 볼록히 들어 있는 봉투 뭉치를 두루마기 위로 어루만져본다. 그리고는 옷소매에 손을 집어넣어 팔짱을 낀대로 묵묵히, 그러나 좀 빠른 걸음으로 걸어간다.

신의주 행 첫차는 아침 여섯 시에 서울을 떠나는 것이다.

"성주, 돌다리두 두드리고 건너야해. 거족적인 대사에 한 사람의 티끌만한 실수가 십 년 공부 나미아무타불이 된단 말이야."

그가 인사를 하고 손 선생의 방을 나설 때 선생이 다시 한 번 염려하여 당부하던 소리다. 선생의 음성이 아직도 귀뿌리에서 쟁쟁하며, 두 눈과 입술에 두려울 만치 긴장한 표정을 나타내던 모습이 눈앞에 역연하다.

기미(己未) 삼일 거사를 목전에 두고 중국과 만주 일대에 거주하는 동포들에게 보내는 선언서를 안동(安東)까지 가져갈 중대한 임무를 띠고 서울을 떠나는 길이다.

중학을 마친 후 벌써 삼 년 동안 선생과 침식을 같이 하여 그 지도를 받아오는 그이기에 이러한 중책이 맡겨졌던 것이다.

종로에 접어들어 인경 앞을 지날 무렵이다. 아직 내왕하는 인적이라고는 그리 흔하지 않은 거리를 말발굽소리가 하늘에 닿도록 요란스럽게 들리더니 기마대 한 패가 광화문 쪽으로부터 동대문을 향하여 내달린다.

성주는 약간의 충격을 지그시 누르면서 아무 것도 두려운 것이 없다는 듯이 태연스레 걷고 있다. 이제 이틀 밖에 남지 아니한 고종황제의 인산날을 앞두고 각처에서 모여드는 사람들의 뒤볶음 속에서 무엇인가 일이 일어날 것만 같은 예감을 가졌는지 밤낮을 가리지 않고 쏘다니는 헌병들의 삼엄한 기세가 아무 것도 모르는 사람들에게까지 어떤 암시를 주고 있다. 인산날을 계기로 누구에게나 싹터가는 민족적인 비분과 격정은 차츰 가슴마다 연결된 핏줄기처럼 무언중에 부풀어갔다.

성주는 무거운 유리문을 밀고 정거장 대합실에 들어섰다. 얼굴이 후끈해지고 온 몸뚱이가 축축해왔다. 차표는 벌써 팔고 있어 표를 산 사람들은 한쪽에서 나가고 있다. 그는 출찰구에 가서 신의주 표 한 장을 사 들고 지갑을 조끼 주머니에 넣으면서 개찰구 쪽으로 돌아섰다.

"이게 누구야, 성주 아니야?"

뒤통수를 갈기는 듯한 의외의 음향에 어리둥절하여 성주는 소리 나는 쪽으로 머리를 돌리었다. 기골이 장대한 헌병의 날카로운 눈동자와 마주쳤다. 그는 순간 어쩔 바를 몰랐다. 대답할 말조차 준비할 수 없는 돌연한 장면이었다. 헌병이 성주의 태도와 몸집을 훑어보는 시간이 흘렀다.

"강 선생님, 참 뵈온지 오랩니다. 요새는 손 선생님 댁엘 도무지 안 오십니다."

이제야 대답을 마련한 그는 그래도 말끝에 가벼운 미소로 지금까지의 당황을 풀칠할 수 있는 재간이 터져나왔다.

짙은 눈썹과 째진 입모습이 늘 살기를 띠어 호랑이라는 별명을 가진 헌병이었다. 벌써 수년래 한 달에 몇 차례씩 소위 손 선생의 사상 감시라는 명목 하에 선생 댁을 드나드는 강이기에 성주와도 겉으로는 어지간히 친숙해졌다.

"응, 나말이야, 한 달 전에 신의주 헌병대에 전근됐어, 그래 잠시 다녀가는 길이야, 거기는 제일선이니까."

강은 호기 있는 대답을 하였다.

성주는 소름이 끼쳤다. 원수는 외나무다리에서 만난다더니 하필 오늘, 또 가는 곳이 신의주라니 그는 식은땀이 등골을 적시었다.

강은 성주와 키꼴이 맞먹게 큰데다가 제법 뚱뚱해진 몸집이다. 사십 고개에 접어들어 헌병 오장(伍長)까지 출세한 그는 사상범 체포에 이름 날린 일제의 충복(忠僕)이었다.

"어디를 가?"

"의주까지 갑니다."

저도 모르게 반사적으로 입에 익은 말처럼 한마디가 툭 튀어나왔다.

"응, 참말 고향이 의주랬지."

"네."

"의주는 왜?"

하고 물을 줄만 알고 다음 대답을 마련하던 성주에게 의외의 안식적인 물음이었다. 그는 막 밀려 나오는 긴 숨을 삼켜가면서 쉬었다.

"고향에는 왜?"

이제 정말 추궁이 시작되었다. 손 선생과 성주의 관계를 잘 알고 있는 그다. 요사이의 뒤숭숭한 판국에 간단한 문답으로 그칠 상 싶지 않았다.

"어머니가 위독하다는 소식이 와서요……."

"참 아버지는 안계시다지."

"네."

거짓말도 차차 능숙해 가나 마음속은 더욱 옹색해질 따름이었다.

때릉 하고 발차 예고의 전령이 울렸다.

"신의주 방면행 열차는 곧 떠납니다."

하는 역원의 외치는 소리가 들려왔다. 벌써 손님은 거의 다 나가고 대합실엔 몇 사람 남지 않았다.

강은 피우던 담배를 내던지고는 간다 온다 소리도 없이 개찰구로 내달아나가고 있다.

성주도 당황이 차표를 내밀었다. 그는 홈으로 내려가면서 호주머니의 봉투 뭉치에 다시 한 번 신경이 쏠렸다.

기차가 서울을 떠나 몇 정거장을 지났을 무렵이다. 복잡하고 흥분했던 머리가 진정됨에 따라 차차 침착이 회복되었다. 생각할 여유를 가진 머릿속은 차츰 신의주까지 무사히 가야 할 불안에 사로잡히기 시작하였다.

정복 헌병이 이렇게 이글이글 할 때쯤에야 사복은 또 얼마나 많을지 알 수 없는 노릇이었다.

찻간은 증기가 통하는 소리와 함께 퍽이나 훈훈하였다.

성주는 변소에 가서 조끼를 벗었다. 모자와 함께 옆에 앉은 노인의 두루마기 밑에 걸어놓았다. 모자걸이에 걸려 있는 노인의 흰 두루마기는 어루만지기조차 싫증이 날 정도로 까맣게 때가 묻었다. 그는 주위를 살펴보면서 나직이 안도의 숨을 쉬었다. 이제사 피로가 닥쳐와 몸이 노곤해왔다.

눈을 감았다 떴다 하는 동안에 어느 틈에 잠이 들었는지 모르겠다. 어깨를 쥐어흔드는 바람에 눈이 뜨였다. 차장이 차표를 검사하고 있다. 바로 그 뒤엔 정복 헌병 둘이 따라 서서 의심스런 사람마다 문초가 시작된다. 이제 성주의 차례. 헌병은 그를 유심히 들여다보고는 차장이 구멍 뚫고 난 그의 차표를 받아챈다.

"어디까지 가지?"

"의주까지 갑니다."

"직업은?"

"……"

갑자기 대답이 안 나간다.

"직업은 뭐야?"

"직업이 없습니다."

"없어?"

"……"

"이름은?"

"조성주입니다."

"조성주? 소지품을 다 내놓아."

"아무 것도 가진 게 없습니다. 어머니가 위독해서 고향엘 갑니다."

일인 헌병이 눈짓을 하더니 조선 헌병이 몸수색을 시작한다. 두루마기 고름을 풀리고 저고리 안섶 바지 밑까지 뒤지고 만져본다.

"정말 아무 것도 가진 게 없어?"

"네."

"좋다."

왜놈 헌병이 외치는 바람에 다른 헌병도 다음 자리로 넘어간다.

아슬아슬한 위기는 지났다.

기차가 스르르 멈추기에 내어다보니 정주(定州)였다. 하늘은 새까맣게 흐리고 날씨는 한결 사나워졌다.

차중의 경계망은 그럭저럭 통과될 듯만 싶다. 이제는 신의주에서 안동까지 건너갈 일이 큰 과제이다. 압록강 철교를 어떻게 건널까 하는 초조가 머릿속에서 맴을 돈다. 끝없는 궁리에 신경은 점점 날카로워만 갔다. 아무튼 오늘 밤 안으로 안동 우편국에 집어넣어야만 한다.

황혼이 짙어갈 무렵에야 차는 신의주에 닿았다. 해는 벌써 다 졌는지 밖은 눈이 함박으로 퍼부어 앞이 잘 보이지 않을 지경이다.

성주는 다시 옷을 걸어입고 차에서 내렸다. 다행히 정거장은 무사히 벗어났다. 그는 이제 침착하게 더 자세히 생각할 여유도 갖지 못했다. 덮어놓고 건너가는 사람들 틈에 끼어서 다리를 건너갈 뿐이라고 생각했다.

착잡한 마음은 열기를 띠어, 눈이 쏟아지며 녹으며 흙탕이 되는 길을, 다만 철교를 향하여 자꾸 걸을 뿐이다. 철교 입구에 들어섰다. 사람이 제일 많이 나가는 새에 끼어 활보했다.

이젠 됐다. 걸음이 더 빨라졌다.

"서라!"

어깨를 탁 치며 내쏟는 호령이다.

성주는 앞이 아찔해졌다. 정말 아무 것도 분간할 수 없이 기맥이 탁 풀렸다.

그는 헌병에게 끌리어 감시소 앞으로 갔다. 몇 마디의 간단한 취조가 있는 다음 또 몸수색이 시작되었다.

이때다. 막 퍼붓는 눈을 헤치며 정거장 쪽으로부터 다른 헌병 하나가 점점 가까이 왔다. 그가 그들의 앞에 다가오자 조사하던 헌병은 곧 부동자세가 되어 그에게 거수경례를 붙였다.

그것이 틀림없이 강인 것을 깨달았을 때는 강이 먼저 성주를 알아본 후의 일이었다. 강은 머리를 갸웃거리면서 의아스러운 눈초리로 성주를 노려보고 있다.

－이제 정말 다 됐구나－

성주는 최후의 기적마저 포기해야만 했다.

"내가 잘 아는 사람이니까 나에게 맡겨."

돌연한 강의 말에 일등병 헌병은 한참 망설이다가 경례를 붙이고 사라져버렸다. 성주는 어쩔 줄 모르는 눈물이 핑 돌았다. 차츰 의식이 선명해왔다.

"강 선생님."

그는 강의 손을 꽉 붙잡았다. 강이 듣거나 안 듣거나 말을 시작했다.

"내일 모레 삼월 일일, 서울에서 독립선언을 합니다. 만세를 부릅니다."

흥분된 그의 목소리는 약간 떨리었다. 강은 눈이 둥그레져 듣고만 있다.

"전조선 방방곡곡에 다 연락이 되어 있습니다. 나는 중국과 만주에 있는 동포들에게 보내는 선언문을 가지고 안동까지 갑니다. 나 하나로서 이 일이 사전에 발각된다면 민족 천추의 한이 될 것입니다. 선생님! 조선사람이지요. 자, 마음대로 처분하십시오."

성주는 봉투뭉치를 끄집어내어 강의 손에 맡기었다. 강은 한참 말이 없었다. 다시 성주를 뚫어질 듯 쏘아볼 뿐이었다.

잠시 침묵이 흘렀다.

"알았다. 내가 안동까지 가져가마. 너는 곧 서울로 돌아가라."

참말 호랑이 같은 힘찬 어조였다.

강은 봉투를 손에 쥔 채 안동 쪽을 향하여 절그럭거리는 칼소리와 함께 철교를 걸어가고 있다.

성주는 물끄러미 강의 뒷모습을 보면서 복받쳐 쏟아지는 눈물을 씻으려고도 하지 않았다.

─조선사람! 압록강은 일본으로 옮겨갈 수 없겠지─

성주는 이렇게 중얼거리며 눈 내리는 밤을 철교 난간에 몸을 기대고 얼음 풀리는 강물을 바라보는 채 언제까지나 서 있었다.

『서울大學新聞』, 1949. 3.

충매화 蟲媒花

그 여인이 올 시각이 가까워 왔다.

충은 시험관(試驗管) 속에 담겨 있는 정액(精液)에서 아직 남아 있는 체온의 감촉을 느끼면서 한 방울 슬라이드글라스에 떨구어 현미경 받침판 위에 올려놓았다. 반사경(反射鏡)의 각도를 맞추고 확대장치를 조절하면서 렌즈 속을 지그시 들여다보고 있다.

심장의 고동이 주는 충격에서 가벼운 압박감을 느낀다. 여느 때의 실험이나 건사에서처럼 냉정하여지지 않고 문구멍으로 방 속을 엿보는 것 같은 호기심이 호흡을 촉급하게 함을 의식하지 않을 수 없다.

렌즈 속에 도드라지는 원형(圓形)은 선명한 둘레에 비하여 중심부는 보얗게 흐려져 있을 뿐 아무 움직임도 보이지 않는다.

염색체(染色體) 메틸렌 블루로 첨색(添色)하여 커버글라스를 덮은 다음 다시 렌즈 속을 뚫어질 듯이 응시하고 있다.

초점(焦點) 속에서 유동되는 반응, 충은 왈칵 치밀어 오르는 환희에 가까운 충동에 가벼운 전율마저 느꼈다. 살아 있는 정충(精蟲)의 충동을 스스로 목격한 안도 그것임에 틀림없다. 자기 자신의 육체적인 불안에 감싸여진 미지의 자물쇠를 열어보는 순간의 조바심이었다.

이 순간 충은 자기가 의사라는 직업의식마저 거의 잊고 있었다.

외톨박이로 외롭기만 하던 자기 자신이 외롭지 않게 많은 자기 속에 싸여 있는 것만 같은 환각마저 느꼈다.

그날 밤은 공교롭게도 정전(停電)이 여러 번 거듭되었다. 여인은 전등이 켜지기 전에 진찰실로 들어왔다.

타진(打診)이나 청진기(聽診器)에 의한 건강진단 정도의 의무적인 진찰이 대충 끝난 다음 환자를 진찰대 쪽으로 인도했다.

초저녁의 기온은 좀 싸늘했기에 진찰대에 누워 있는 여인의 몸뚱이는 약간 떨리고 있었다.

복부 전면에 걸쳐 압진(壓診)을 마치고 난 충은 스탠드의 각도를 돌려 고촉의 직사광선을 환자의 노출된 하복부 쪽으로 곧게 비추었다.

이러한 진찰의 경우 언제나 그러는 것이지만 환자의 흉부를 계선으로 하여 내리 드리워진 새하얀 휘장으로 자기와 환자 사이는 차단되어, 피차의 표정이나 몸짓은 서로 알 길이 없는 것이 쌍방에 다 지극히 다행한 일이었다.

천 조각 한 장 사이에서 서로의 외면적인 체면이나 마음속의 겸연쩍음이 엄폐되고 적당히 무마되어진다는 것이 쑥스러워 충 자신도 처음 얼마 동안은 낯간지러운 고소를 금치 못하였던 것이다. 그것이 단순한 세척(洗滌)이나 외부 치료에 그치는 것이 아니라 국부를 확대하여 내진(內診)하는 경우란 더욱 그러한 느낌을 주는 것이었다.

확대기를 집어넣는 순간 가느다랗고 토막 난 신음소리에 겹쳐 여인의 몸뚱이에서 오는 완곡한 비비꼬임을 느꼈을 뿐 충은 기계 같은 동작으로 차례차례 진찰을 진행하고 있을 따름이었다.

이 찰나에 불이 꺼졌다.

다시 불이 오기를 기다리는 사이에 여인은 자기 주변에 얽힌 고충의 일단을 토로했다.

촛불을 사이에 두고 충과 여인은 마주앉았다.

"글쎄요. 지금까지의 진찰 결과로는 별다른 이상은 발견할 수 없는 것 같습니다."

충은 진찰 직전에 기록해 둔 환자 카드를 훑어보며 말을 건넸다.

"그래요?"

여인의 말소리는 실망과 의아에 찬 어조였다. 차라리 불치의 무슨 고질이라도 있다는 선언을 바랐음인지도 몰랐다.

"다 얘기들은 것 같군요."

"무어 말씀이신지요?"

"아니, 진찰 결과요."

"여러 군데서 진찰을 받으셨던가요?"

"네."

여인은 무슨 결심이라도 한 듯이 침을 꿀꺽 삼키고 나서 말을 계속했다.

"허지만 참 이상해요."

"무엇이요?"

"고장이 없다는 게 말이에요."

충은 의아심을 가지지 않을 수 없었다. 여인 자신의 입에서 참고적인 얼마간의 이야기는 들었지만 그 정체를 파악할 수가 없었다.

도심지에서 약간 떨어진 곳에 새로 병원을 차리고 나온 충이지만 종합병원에 있을 때부터 그 역량에 신뢰를 받아온 젊은 의사가 한 사람이요, 특히 새로운 치료법의 시험적인 성공의 경우가 더욱 그러했다.

"그럼 이상이 없으신 게 좋으시지, 고장이 났다는 것이 좋으시겠어요."

"그렇지만……"

여인의 말끝에는 아직도 무엇인가 진찰 결과에 만족이 가지 않는다는 여운이 풍겨져 있었다. 그러나 충은 그 이상 환자에 대해 어찌할 도리가 없었다.

"내일 난자(卵子)의 기능검사를 끝내야 최종적인 확언을 할 수 있겠습니다만 그 밖의 이상은 현재로선 없는 것 같습니다."

충은 환자가 믿을 수 있게 어느 정도 자신 있는 어조로 말에 힘을 주었다.

"그 검사도 해보기는 했어요. 괜찮다나 봐요."

"그러세요?"

"네, 그런데 왜 임신을 못할까요?"

"글쎄요……"

충은 경험에서 얻어지는 암시에 문득 육감에 떠오르는 것이 있어 여인에게서 외면한 대로 말 한 마디를 덧붙였다.

"그러나 임신은 혼자서 되는 것이 아니니까요."

짓궂은 대답이었다고 다소 미안쩍은 바도 없지 않았으나 그는 그대로 속이 개운했다.

순간 여인의 얼굴빛이 변하는 것을 충은 놓치지 않았다.

여인은 이튿날 밤 다시 찾아왔다.

"그 미국에서 요새 유행된다는 인공수태(人工受胎)라는 것이 혹시 가능한가요?"

혈액 검사용의 피를 빼고 소변과 그 밖에 국부의 분비물의 검사 재료를 채취한 다음 소독주에 손을 씻고 돌아서는 충을 보자 대뜸 여인의 입에서 터져 나오는 말이었다.

첫날보다는 구면이 되어서 서로의 대화가 비교적 자유롭게 오고갈 수 있는 간격은 트였지만 여인의 대담한 말씨에 충은 멈칫하지 않을 수 없었다.

충 자신도 늘 느껴온 일이지만, 한번 자기의 알몸뚱이를 진찰대 위에 내던진 여인들은 대부분의 경우, 다음부터는 수줍음은커녕 돌변하여 대담해지는 것을 수없이 보아왔던 것이다.

체면이고 예절이고 하는 이성간의 외형적인 간격의 최후의 신비는 성(性)문제에 그 관건이 있는 것이라고 거의 단정을 내리게끔 된 충이다. 나체 그대로의 인간 교제 속에서는 거의 외부적인 절차나 형식이 필요하지 않을 것이라는 추단까지 내려지기도 했다.

이와 비슷한 견해는 인간 생활의 고초를 모조리 한 몸에 겪은 어머니의 시속적인 이야기 속에서도 찾아볼 수 있었다.

"얘, 아무리 한다하는 계집 치고도 사내 앞에서 요강에 털썩 주저앉게 되면 그때는 벌써 다 되는 때다."

일리가 있는 이야기라고 생각한 적이 있다. 성의 노출에는 인간의 허식적인 가면이 완전히 벗겨지는 것이 분명한 성싶었다.

군의관으로 있을 때에도 충 스스로 겪은 경험이 있다. 유엔군 상대의 매춘부들을 검진했을 때의 일이다.

"체, 체면은 무슨 체면. X팔구 살아가는 넌이 오죽해서…… 죽인대두 두려울 것 없어."

그것이 이십 안짝의 단발머리 소녀의 입에서 튀어나왔으니 말이다. 저희끼리 주고받는 농조의 말이었지만, 그 속에는 확실히 인간의 전습적인 계율이나 허식과 부패의 독소로 만신창이가 된 현실을 저주하는 비수가 품어져 있는 것이라고 느껴졌다. 그 같은 삶의 막다른 고역의 경험을 겪지 못한 인간의 입에서는 도저히 나올 수 없는 주문 같은 것이었다.

환자의 자궁 진찰을 할 때마다 아직 미숙한 그 소녀의 과도한 성교로 기형이 된 국부와 더불어 그 독을 품은 말토막이 섬광처럼 빗겨져 충 자신을 몸서리치게 하는 것이었다.

이러한 일들에 못지않게 이 여인의 대담한 제의는 충의 머릿속을 오랫동안 감싸고돌았다. 너무나 당돌한 제안에 충 쪽에서 오히려 당황하지 않을 수 없었다.

뇌하수체가 장생 불로초 이상이라고 날개 돋쳐 유행되다가 거품처럼 사그라진 것도 바로 작금의 일이요, 안면의 미용 정형 수술이 옷감 빛깔처럼 인기를 끌다가 허다한 애꾸눈의 병신만 만들어놓은 것도 그와 비슷한 경우의 일이었기에 충은 그 말에 별로 흥미나 관심이 가지질 않았다.

"글쎄요, 우리나라에서는 아직 본격적인 실험 단계로 들어가지 않았으니까요. 첫째, 그에 따르는 시설두 완전한 건 아직 없구요."

새로운 약품이고 치료방법이고 할 것 없이 신문에 광고나 기사가 보도된 것만 보아요, 전문적인 의사를 앞질러 환자 측에서 먼저 서둘러 물어대는 경우를 수시로 접하는 근래의 일이기에 충은 의례적인 대답으로 메워버렸다.

더욱이 인공수정이란 기술면에 있어서의 무리 없는 성공 여부도 하나의 난점이려니와 혈연(血緣) 관계에 직결되는 유전문제를 비롯하여, 윤리 및 도의면에 직접적인 파문을 야기시킬 중대 문제라고 생각되어, 그것이 의학 전문 잡지에 발표된 것을 처음 보았을 때부터 충에게는 적지 않은 의아심을 품게 한 난문제의 하나였다.

그것은 마치 자기의 분신(分身), 즉 자기와 같은, 핏줄기가 모호한 사회적 기형아를 더 만들어내는 것밖에 되지 않는다는 생각이 들기도 하였던 것이다.

"하려면 안 될 것두 없지 않아요?"

그러면 심각한 문제가 이같이 여성 자체의 입에서 흰 고무신이 싫으니 옥색 고무신으로 바꿔보았으면 좋겠다는 정도의 심정으로 토로되고 보니 충은 실색하지 않을 수 없었다.

"글쎄요."

충은 맥 빠진 웃음을 터뜨리고야 말았다.

여인은 더 말을 계속하려다가 너무 대담했던 자기 자신이 무색했던지,

"아무튼 검사 결과도 알 겸 다시 한 번 들르겠어요."

하고, 암시적인 숙제를 남겨놓고 돌아갔다.

사흘 후 여인은 또다시 찾아왔다.

밖에서 다른 환자가 없는 기미를 다지고 들어오는 것인지 몰라도, 번 번이 병원 안이 비교적 한산한 시각을 알맞춰 찾아오는 것이었다.

"오늘은 좀 더 자세한 실토를 해야겠어요."

충에게서, 전날 채취한 혈액과 그 밖의 분비물에 대한 반응에 이상이 없다는 검사 결과를 듣고 난 후, 한참 망설이다가 여인은 자못 심각한 표 정으로 이렇게 허두를 떼었다.

의사도 하나의 접객업인 만큼 환자에게는 가능한 대로의 친절 제일이 어야 한다는 것은 충의 개원 첫날부터의 신조였고, 그는 또한 그것을 자 기의 열등의식에 대한 자위책의 하나로서 실천에 옮겨왔던 것이다.

그러나 의사인 자기의 전문적인 부문에 대해서까지 환자가 지나치게 간섭하려 들거나 필요 이상의 봉사를 강요할 때에는 오히려 반발심이 솟 구침을 어찌하는 수 없었다.

이 여인의 경우도 그러한 전문 분야에 대한 지나친 간섭의 한 예에 속 하는 것이라고 생각되기에 충은 거의 마이동풍 격으로 받아넘겼으나, 상 대가 몇 차례씩 거듭하여 내심을 토로하고 그 타개책의 강구를 호소하여 오는 데는 전연 아랑곳없다는 태도만을 취할 수도 없다는 심정이 짙어져 갔다.

"어서 말씀하세요."

충의 고즈넉이 들으려는 표정에 여인은 적이 용기를 얻었음인지 만족 한 표정으로 말을 이었다.

여인은 남편에게 다졌다. 남편이래야 아버지 같은 연배다. 전처가 자 식을 낳지 못해 무진 애를 쓰다가 난소 수술을 한 것이 부대 염증이 생겨 세상을 떠난 후에 후처로 들어왔었다.

남편은 사변을 전후해서 제분업으로 일확천금을 한 거부의 한 사람이었다. 여인은 대학 출신의 이십대의 젊은 나이로 신랑감을 찍어 고르듯이 튀기다가 삼십이 넘어서야 제 쪽에서 신물이 나 알총각을 찾던 자부심은 간데없이 사라지고 늦은 상처꾼인 강 사장에게 낙착이 되었다.

거기에는 강 사장의 거액의 재물이 이 혼인을 성립시키는 데 적지 않은 매개물이 되기도 했다.

결혼 후 벌써 칠년. 여인은 눈앞에 사십을 바라보게 되었다.

남편의 자식에 대한 기다림도 컸지만 오히려 여인 편에서 조바심이 나기 시작했다.

새봄에 접어들어 남편의 외박은 부쩍 잦아졌다. 거리에 나선 계집들과의 접촉은 말할 것도 없거니와 어느 여사무원을 남몰래 하숙시켜 놓고 밤이면 찾아간다는 어렴풋한 소문도 떠왔다.

여인은 불안해졌다. 여러 군데서 진찰을 받았고 한약 신약 할 것 없이 좋다는 약은 닥치는 대로 써보았다.

관상도 보고 점도 쳤다.

그러나 태기는 없었다. 다만 자기의 건강에 대한 의사들의 증언만이 일루의 희망을 간직하게 해줄 뿐이었다.

남편이 지방으로 출장간 지 사흘째 되던 날이다. 집안에 급한 일이 생겨 남편에게 연락하여 달라고 회사에 전화를 걸었다. 그러나 사장은 자리에 안 계시달 뿐 출장간 일은 없다는 사환의 대답을 들은 때부터 치민 부아는 좀처럼 가라앉질 않았다.

남편의 정이 자기에게서 떨어져가는 것이라는 계산이 점점 비중을 더해 갔다. 자기 배를 가르고 나은 자식이 없다는 것이 더욱 허황해졌다.

밤을 꼬박이 새고 아침에 남편이 돌아오기를 기다렸다.

"당신 오늘 병원으로 좀 같이 갑시다."

남편은 객지가 어떻더라고 어리병을 떨면서도 아내의 기색만을 살피고 있는 판에, 그러한 겉수작에는 시치미를 떼고 불쑥 내미는 아내의 말에 좀 무색해졌다.

필경 꼬리를 잡힌 것이라 생각되어 남편은 오히려 태연을 가장하면서도 속으로는 양심이 꼬여옴을 어쩌는 수 없는 눈치였다.

"늘 바쁘게 쏘다니시기만 하니 어디 시간 낼 수가 있어요? 출장갔다 와 이렇게 숨 돌리는 사이에 병원엘 가봅시다."

아직도 아내 마음속의 과녁은 뚫을 수가 없었다.

"병원에는 또 왜? 가끔 가다 그거 이상하군."

남편은 너털웃음으로 어색한 장면을 얼버무렸으나 아내의 기세가 곰곰 치 않음을 깨달았다.

여인은 끝끝내 남편의 외박에 대한 마지막 공격의 방아쇠만은 당기지 않고 버티고 있었다. 다만 이 기회에 남편의 약점을 타서 시원히 진단을 받아보는 것이 좋겠다는 오랫동안의 계획을 기어코 실천하리라는 생각만을 굳게 다지었다.

"그러지 말고 한번 같이 가 보아요."

"멀쩡한 사람이 병원에는 왜?"

"멀쩡하기는 뭐가요?"

"그럼 멀쩡하지 않고."

육십이 가깝다고는 하지만 머리의 반백에 비하면 듬직한 체구에 불그레한 살결이 아직도 삼십대를 연상시키는 정력을 발산하고 있어, 오히려 젊은 아내 편에서 이끌려드는 것이 상례로 되어 있었다.

남편은 앙탈을 하는 아내를 덥석 들어 더블베드 위에 쓰러뜨리고는 한 낮의 태양이 부시게 쏘아드는 유리창에 블라인드 커튼을 내렸다. 어두컴컴한 방안은 색등 불빛에 엷은 등나무꽃 색깔로 채색되어 갔다.

능글맞은 헛웃음이 남편의 기름기 흐르는 얼굴에 감도는 순간 여인의 독기를 품은 듯한 날카로운 눈매는 남편을 도사려보면서도 어느 사이엔 지 입술은 헤벌어져갔다. 남편은 아내의 볼기짝을 한 대 갈기고는 유유히 침대로 올라갔다.

비단 이때뿐 아니라 세상만사에 능숙한 남편은 자기의 외박을 비롯하여 젊은 아내와의 상호관계에서 좀 어색하거나 미안한 자책을 느낄 때에는 상투적으로 이런 수법을 써서 그 장면을 수시로 무마하는 것이었다.

"그럼, 오늘은 내가 하자는 대로 다 할래요?"

"응, 그래, 그래."

남편은 아내의 입술을 숨 새어나오는 엷은 웃음에서 가벼운 승리감을 느꼈고, 아내는 아내대로 간밤의 계획 진행에 저대로 마음속의 주판을 놓고 있는 것이었다.

부부는 병원에 나타났다.

충은 진찰실로 들어서는 그들을 보면서 전날 여인이 남기고 간 부탁을 상기했다.

남편에게 여하한 증세가 있든지 본인에게는 직접 알리지 말고 자기에게만 전하여 달라는 이야기를.

진찰은 끝났다.

혈액, 요도, 배설물, 엑스레이, 그 전반에 관한 사후검사가 끝나는 대로 알리기로 하고 결과를 보고 충은 자기의 추측이 적중되었음을 깨달았다.

"완치는 되었지만 지난날의 악성 성병 관계로 주인의 생식능력은 완전히 소멸되었습니다."

"그래요?"

여인은 약간 놀라는 표정이었으나, 그네도 또한 자기의 예감과 어느 정도 부합되었다는 심정 속에 그렇게 절망적인 충격은 받지 않은 성싶었다.

"전연 가망이 없어요?"

"기적을 바라기 전에는 거의 가망이 없는 것 같습니다."

"그러면 어떻게 하면 좋아요, 선생님?"

여인의 다그쳐 묻는 말끝에는 선생님 한 마디에 힘이 들어 있었다. 무슨 구원의 신에라도 의지하려는 것 같은 애원도 섞여 있었다.

"글쎄요."

충은 담담하게 대답했다.

이러한 부부간의 미묘한 관계에 대한 상의의 대상이 되는 경우마다 느끼는 일이지만, 자기로서는 의사로서의 직책을 다할 뿐 그 밖의 더 깊은 내부 문제에 직접 개입할 수는 없는 일이었다.

또 근래에 허다한 난륜(亂倫) 관계를 풍문으로나 신문보도에서 듣고보는 정도가 아니라, 그 당사자들의 육체에서 직접 목격하는 충으로서는, 그리 대단한 일로 여겨지는 것도 아니었다. 참말 자식이란 그렇게 절실하게 꼭 있어야만 하는 것이라고 느껴본 적도 없는 그이기에 그 이상 확대해서는 관심을 갖고 싶지도 않았다.

"무슨 좋은 방법이 없을까요, 선생님?"

이번의 선생님에는 애원보다 육친의 친밀감 같은 것이 서려 있음을 느끼면서도 충은 면역체처럼 글쎄요를 되풀이 할 뿐이었다.

"원상복구는 전연 가망이 없지요?"

"현재의 상태로서는 우선 그런 것 같습니다."

"무슨 특수한 치료법이라도 없을까요?"

"글쎄요."

"환자의 생애가 좌우되는 중대한 문제인데 어쩌면 그렇게 태연하세요?"

여인의 말은 약간 힐난하는 어조였다. 그러나 그것은 대다수의 불치의 환자에게서 받을 수 있는 거의 공통적인 호소나 반문이기에 충은 아무 대꾸 없이 그대로 앉아 담배만 피우고 있었다.

"무슨 좋은 수가요?"

"글쎄요."

계속 반응이 없는 무의미한 대답만을 되풀이하는 것이었다.

여인이 돌아간 후도 그 문제는 계속적으로 충의 머릿속에 캥겨들었다. 다른 환자를 진찰할 때에도 그 여인의 모습이 환영으로 겹쳐져 떠올라왔다.

(이 기회에 한번 엉뚱한 실험을 해볼까?)

인공수정에 대한 학구적인 호기심이 충의 새로운 의욕을 격렬하게 자극해 왔다.

집에 돌아온 여인은 자기의 전정을 곰곰이 계산하고 있었다.

(자기가 설령 남편에게 그 무능을 알려준다 해도 남편은 그의 꺾이지 않는 자존심에서 수긍하려 들지 않을 것이 분명하다. 만일 수긍한다 쳐도 그 방탕은 더욱 조장되어 자기에게서는 점점 멀어져가고 새로운 여자에게 열중하게 될 것이 아닌가? 그렇게 되면 자기는 벌써 폐물이나 다름없이 될 것이다. 만약 불행하게도 그 여사무원인가 하는 것이 어떻게 아기를 가지게 되면 남편의 정은 완전히 돌아설 것이고, 그 다음 이 집의 재물도 전부 그리고 넘겨질 것이 아닌가?)

그 이상은 생각하고 싶지 않았다. 침대에 낙타 보료를 뒤집어쓰고 누워도 잠은 좀체 오지 않았다. 앞날에 대한 불길한 생각만이 꼬리를 물고 엄습해 왔다.

생각은 점점 비약을 하는 것이었다.

(그들의 어느 하나가, 만일 자기의 경우와 같이 남편의 무능을 알고, 어디에서 받은 씨라도 마음대로 당신의 자식입네 하고 내밀 때 남편은 즐겨서 받을 것이 아닌가?)

"어린애가 날 때까지 우선 고아라도 하나 데려다 기릅시다. 그렇게 선심을 쓰면 그 덕으로 쉬 임신이 되는 경우도 있다는데……"

남편이 취중에 무턱대고 내뱉던 말토막이 거센 힘으로 머리에 휩쓸려 왔다. 어쩌면 남편은 자기의 무능을 이미 알고 있었는지도 모른다는 생각이 들었다.

(위기일발, 그 기생이라는 것은 남편의 재산을 노려 무슨 수단을 쓸지도 모른다. 그 여사무원이라는 것도, 새파란 계집애가 무엇을 보고 저 늙으대기를 순순히 따랐을 것인가? 결국에는 남편도 빼앗기고 재산도 빼앗기고……)

앞이 캄캄해 왔다.

그뿐만 아니라 주위가 허전해서 견딜 수 없었다. 꼭 하나 자기의 피붙이가 곁에 있어야만 할 것 같은 절실한 감정이 곁들였다. 이 외로움에서 벗어나기 위해서라도…… 혼자 중얼거리는 여인의 얼굴에는 결의에 찬 표정이 깃들였다.

여인은 또 병원으로 뛰어나왔다. 마음속에는 이미 결심이 되어 있었다.

"그 인공수태 말이에요, 간단하게 금방 나온 정액을 직접 주입하면 되지 않을까요?"

충은 말문이 박혔다. 식자우환(識字憂患)이라더니, 이거는 정말 몇 푼어치 안 되는 지식이 사람을 곯리는구나 싶었다.

"여하한 희생도 감당하겠어요, 되기만 한다면……"

충은 창밖을 내다보며 묵묵했다. 갈피를 잡을 수 없는 착잡한 생각들이 밀려왔다. 일방적으로 거절만 하기에는 거의 발광하다시피 하는 상대가 가여운 생각이 들었다. 여인이 지불한 치료비도 청구액의 몇 갑절이 된다. 왜 이렇게 내느냐고 거절해도 계속 치료를 받을 것이니 우선 받아두라는 동정과 곁들여서 자기 자신을 거듭 유혹하는 것이었다.

"선생님, 꼭 부탁해요."

여인은 충의 옆으로 다가앉으면서, 애원에 어린 눈길로 그를 쏘아보았다.

"되든 안 되든 한번 시험해 볼 수는 있으시지 않으세요?"

너는 가능한 시험의 방법을 알고 있으면서 왜 시치미를 떼느냐는 기세로 약간 강압적인 어조로써 다그쳐오기도 했다.

대부분의 경우 비밀한 곳까지를 진찰하고 난 후의 여성이란 이성으로서의 매력이나 애착이 거의 가시어지는 것이 충으로서의 직업적인 체험이었다.

그러나, 이번만은 그러한 문제로 한 환자를 계속하여 여러 차례 접촉하게 됨에 따라, 육체적 혐오나 호기심을 떠난 인간적인 정다움이 조금씩 싹터옴을 부인할 수 없었다.

애수를 띤 눈동자 속에 깃들인 애원하는 표정은 여인의 짙은 화장품 냄새에 삼켜져 풍겨오는 체취와 더불어 충을 조금씩 여인 쪽으로 이끌려 가게 함을 어쩌는 수 없었다.

(그 실험을 한번……)

충은 입 속에서 혼자 뇌면서 자리에서 일어나 큰 숨을 내쉬었다.

"두고 생각해 봅시다. 내일 이 시간에 한번 들르시지요."

"고맙습니다. 선생님!"

쇠사슬에서 풀리기라도 한 것처럼 여인은 만면에 웃음을 지으면서 병원 문을 나가는 것이었다.

여인이 다녀간 후 다른 환자가 들어왔다.

"이리 앉으시오."

충은 환자에게 진찰의자에 앉기를 권했다. 그러나 부인은 몹시 수줍어하며 망설이고만 있었다.

"어디가 나쁘신가요?"

"저……"

부인은 난처한 표정으로 입을 열지 못하고 충의 얼굴만 물끄러미 쳐다보았다.

"진찰하시지요?"

"네, 사실은 수술을 할까 해서요……"

부인은 말끝을 흐리면서 머리를 숙였다.

"알겠어요. 몇 개월이신가요?"

"두어 달 됐나 봐요."

"몸이 쇠약하신가요?"

"아니요."

이러한 수술의 대부분의 경우, 불의의 씨를 잘라버리려는 불순한 동기가 많으므로, 충은 가급적 환자의 괴로운 곳을 찌르지 않기 위해 평범한 질문으로 유도하는 것에 익숙해졌다.

"그러시면 혹 다른 이유라도?"

"사실은 주인이 얼마 전에 실직이 됐어요."

부인의 핏기 없는 얼굴에는 피로에 찬 눈알만이 유독 크게 보였다. 그네는 숨이 가빠하며 말을 이었다.

"그런데 애들은 칠남매예요. 위에 다섯이 학교엘 다니구요. 그래서 죄는 되지만……"

"네……"

"다 제 먹을 복은 타고난다지만, 이젠 힘에 겨워서요. 큰애는 학교를 그만두었어요. 제대로 공부도 못 시킬 바에야……"

"네, 알겠습니다. 그런데 참 주인 양반은 집에 계신가요?"

충은 부인의 감정이 격하지 않게, 침착하고도 나직하게 물었다.

"네, 앓고 누워 있어요."

"거기엔 바깥주인의 동의가 필요한데요."

"여기 써가지고 왔어요."

부인은 철이 늦은 옷을 뒤적여 종이쪽지를 꺼내었다.

늘 많은 환자를 대하지만 이같이 정반대 쪽의 두 가지 환자를 전후하여 대하고 보니, 직업적으로 거의 만성이 된 자기지만 머릿속이 복잡해지지 않을 수 없었다.

이러한 경우가 아까의 여인에게 생겼다면 서로가 얼마나 좋았을 것인가 하고 전연 무연한 두 가지를 결부시켜 보기도 했다.

"경비는 얼마나 드는지요?"

부인은 그것이 몹시 걱정인 성싶어 무거운 입을 열었다.

"그것은 경우에 따라서는 아주 싸게 할 수도 있어요. 다만 소파수술을 항간에서는 아주 간단한 것으로 착각하고들 있지만 인공으로 다가서 해산시키는 셈이 되니까 뒤에 조섭을 잘해야 합니다."

부인을 수술실로 들여보내고 충은 소독을 끝냈다.

기구를 갖추어놓고 마취제를 놓으려는 순간 환자는 벌떡 일어났다.

"선생님, 조금만 기다려주세요."

돌발적인 사태에 충은 주사기를 놓고 환자를 붙잡았다.

"왜 이러세요?"

"좀 일어나겠어요."

"왜요?"

"아이, 조금만."

부인은 수술대에 일어나 앉았다.

"집에 가서 좀 더 생각해 보겠어요. 아무래도 죄 되는 것 같아서……"

충은 무엇이라고 대답해야 좋을지 몰랐다.

"미안합니다."

부인은 옷을 주워 입으면서 연방 미안하다는 말을 거듭할 뿐이었다.

"아니, 괜찮아요. 다시 잘 생각해서 오도록 하시오."

충은 멋쩍었다. 짜증을 낼 수는 물론 없었다. 오히려 가여운 생각이 들어 타이르듯이 달래었다. 살아가는 현실의 복잡한 축도가 자기 진찰실 속에 그대로 부조되는 것만 같은 절박감을 느끼며, 진찰료로 내어놓는 지전을 부인의 손에 억지로 쥐여 돌려보냈다.

노크 소리에 충은 현미경에서 떼었다.

"시간이 다급해 미장원에도 들르지 못하고 이렇게……"

여인은 이마에 흘러내린 머리카락을 추슬러 올리며 권하는 대로 진찰대에 걸터앉았다.

"특수 시설도 없이 저것을 오래 방치해 두면 안 되니까, 이리로 오세요."

여인은 충을 따라 수술실로 들어갔다. 자기 집에서 잠자리에라도 들듯이 여인은 술술 속옷을 벗어 제치고, 속치마로 하반신을 가린 채 수술대에 누웠다.

"이거, 원시적인 실험입니다만, 거저 소원이나 풀어드릴까 하구 한번해보는 겁니다."

반듯이 누워 있는 여인은 사이에 막혀 있는 휘장 한쪽에서 아무 대답도 없이 혼자 미소를 지었다.

관장기에 넣은 액체는 여인의 자궁 깊숙이 주입되었다. 이날 여인은 사뭇 만족한 표정에 아무 말도 없이 수줍어하면서 가버렸다.

충은 아버지를 본 일이 없이 자랐다. 어머니의 말대로 한다면 유복자로태어났다는 것이다. 이 밖에 직접 어머니의 입에서 얻어들은 것은 없다. 그 어머니마저 세상을 떠났다. 거슬러 올라갈 족보가 그것으로 끊어졌다.

대학은 해방 후여서 그것이 결정적인 치명상은 주지 않았으나 합격 후에 제출해야만 하는 호적등본 때문에 교무과에서 얼마 동안 말썽거리가되다가, 어머니와 누이 오빠로 지내는 언론기관의 중진인 김 선생의 힘으로 간신히 해결된 형편이었다.

외가(外家)라고 뚜렷한 명색을 붙일 곳도 없는 것을 보면, 어머니도 자기와 같은 사생아의 동기(童妓)로서 인생을 출발한 것이나 아닌가 하고충은 자기 자신이 장성해 감에 따라 추측하는 것이었다.

사생아(私生兒).

이것이 충에게 있어서 이가 갈리도록 저주스러운 이름이었다.

국민학교 입학은 아직 철들기 전이어서 그 자세한 사단은 알 길이 없다. 중학교 입학에서 처음으로 그 쓰라림을 호되게 맛보았다.

아버지가 분명치 않은 아들, 이것은 당시의 소위 일류 중학교에서는 허용되지 않았다. 하는 수 없이 겨우 이류 학교에 입학했다. 이러한 충이 대학에서 의학을 전공으로 택하는 데는 그럴 만한 이유가 있었다.

그것은 장안의 손꼽는 명기(名妓)였던 어머니가 만년에 최후로 몸을 의지한 남편, 즉 충의 계부가 노경에 든 고참 의사로, 어머니의 말대로 한다면 자식에게 남겨줄 이렇다 할 유산도 없을뿐더러 문벌이니 권력이니 하는 세속적인 바탕이 될 만한 것이라곤 하나도 없는 바엔, 그 시설이나마 살리자는 심정이 아들의 마음을 움직이는 데 얼마간의 구실은 되었다.

그러나 충에게는 또 하나의 다른 운명이 휘감고 있었다.

소아마비(小兒麻痺).

뚜렷한 병명을 달아 확실하게 진단이 붙여진 것은, 다리가 거의 고질화되어 걸음이 자유롭지 못하게 된 뒤의 일이었다.

처음에는 자기의 모호한 혈통에 대한 비굴감이 여기에 겹쳐 이중으로 자기 자신을 괴롭게 졸라매어들었다.

중학교에 입학이 된 얼마 후 신입생 환영을 겸한 소풍날이었다. 무척 망설이던 끝에 정복 정모의 대열에 끼어 교외를 벗어나 십리 길을 걸었다. 심하게 절룩거리는 것은 아니었지만 동급생들의 모든 눈총이 멸시의 덩어리로 한데 엉겨 자기에게 쏟아지는 것만 같게 느껴졌다.

신입생으로서 입학 후의 첫 행사에 억지로 참가한 것도 하나의 자기 반발이었지만, 그러한 무모한 반발의 결과가 오히려 제 자신을 더 나무라는 증오로 들끓어 올랐다.

충의 이 같은 행동들은 심각한 고뇌의 결과에서 오는 것이기도 했지만 단순한 감정의 충격적인 반발, 이러한 것도 적잖이 포함되었었다.

그날 밤 충은 다량의 금계랍(金鷄蠟)을 마셨다. 이때부터 그의 자학적인 집착은 점차로 적극적인 행동으로 나타났다. 신음소리에 어머니가 눈을 뜨고 의사를 불러 미수로 끝났다.

그러나 그 후 충은 늘 신변의 위협이 절박해지는 경우, 안온한 도피보다는 도전적인 자세를 취해 왔다. 말하자면 해방 다음 해, S국립대학 창립에 대한 국대안(國大案) 반대 운동이 각 대학에 파급되었을 때 그 선봉에 나섰다든가, 6·25사변이 발발되었을 때 첫 고비에서 군의관으로 나갔다든가 하는 것은 그러한 자기 학대의 연장이기도 했다.

자기를 둘러싸고, 자기에게 야유나 멸시의 눈총을 보내는 모든 사람들을 증오하고, 결국은 자기 이외의 사회적인 인간관계의 모든 것이 적같이 느껴지는 순간, 그는 또한 자기 자신에 대한 증오가 급격히 치밀어 대외적인 적의가 그대로 자기 자신에 대한 학대로 변하고, 그것이 또다시 죽음에 대한 반발로 급변하는 미묘한 심리의 움직임을 어떤 이론적 근거에서보다도 체험의 과정에서 의식하는 것이었다.

자살 미수, 모험에서의 생환(生還), 이러한 거듭되는 생명에의 강인성은 악착하게 살아보겠다는 반대 의욕을 유발하게까지 만들었다.

문학에서만 탐독하던 중학시절, 사지가 자유롭지 못한 불구자에게는 앉아서 일하고 살아가는 방법, 그러한 서글픈 희망이 예술에 대한 취미나 기호를 넘어서 더 강렬하게 작용했었다.

한때는 신분 관계에 대한 사회의 기성관념에 반발하여 법률이나 경제학을 택하려는 반항적인 의지가 얼마 동안 충의 머릿속을 사로잡기도 했었다.

그러나 대학에 진학할 무렵에는 급박한 삶에 대하여 미적지근한 방관자적인 문학보다는, 그리고 관념에 휩싸이기 쉬운 법학이나 경제학보다는, 차라리 직접 인간의 육체적인 생명과 대결하는 의학, 이런 것에, 더 피부에 부딪는 마력(魔力)을 느껴, 결국 그의 전공 선택에 하나의 박자를 가하기도 했던 것이다.

이성의 문제, 이것도 충에게는 애정보다는 적대적인 반발이 하나의 정복욕으로 변화하는 경우가 더 많았다.

그러기에 그는 굳이 매춘부의 소굴로 찾아갔다. 거기에서 성적 욕망을 충족한다기보다 차라리 상대자를 쾌락 속에서 마음대로 학대하고, 그 반응을 자기의 감관 속에 직감하는 것…… 그는 자기의 흥분보다는 상대의 흥분 과정을 감응 측정하는 것으로써 오히려 만족을 느꼈다. 상대자의 숨소리, 심장의 고동, 경련 같은 안면 근육의 수축, 눈동자의 흐려져 가는 과정, 사지의 긴장, 오히려 흐느낌이나 울음에 가까운 기성 같은 데서……

여러 차례의 혼담도 있었다. 이쪽에서 거절한 횟수보다는 저쪽에서 거부해 온 경우가 더 많았다. 육체적인 불구의 사생아라는 혈통의 불순, 이것이 결국 모든 승패의 최후 분기점이 되었었다.

진정으로 어떤 부대조건이 없이 서로가 사랑하는 경우, 그러한 때 이 두 개의 큰 장벽은 무너뜨려질 가능성은 있다고 생각해 왔다. 그러나 현실적인 치열한 생활 여건 속에서는 풋내 나는 그러한 낭만쯤은 거품처럼 묵살하여버리는 것을 충 스스로 너무도 뼈저리게 느껴왔고, 사실 충에게 있어서는 그러한 계산 없는 사랑이란 실지로 있어질 수도 없는 일이었다.

대학 연구실에 있을 때의 일이다. 병동마다 만원이 되어 누워 있는 각종 병환의 입원한자들, 진찰실과 복도에까지 우글거리는 외래환자들, 가슴 속이나 뱃속이나 입 안, 골 속, 심지어 생식기에 이르기까지 보이지 않는 곳의 병신 아닌 놈이 별로 없다고 느껴졌다. 다만 자기처럼 밖에 나타나는 딱지 붙은 병신이 아닐 따름이지…… 이렇게.

네거리로 나왔다.

앞을 스쳐 바쁘게 쏘다니는 사람, 신형 승용차에 점잖게 기대어 달아나는 기름덩이, 다방에서 의젓하게 나오는 신사 숙녀, 그 어느 하나도 벌레 먹은 날도둑놈 같은 소갈머리를 가지지 않은 것이 별로 없는 것만 같게 여겨지는 순간, 다만 밖에 나타나지 않을 뿐이지 모두가 병신투성이인데 하고, 충은 이런 때에 한 가닥의 초라하고도 서글픈 자위를 가져보는 것이었다.

선희와의 혼담은 비교적 순조롭게 진행되어 왔다.

김 선생이 선희의 아버지와 절친한 사이에 있고, 또한 김 선생 자신이 이 혼담의 직접 매개의 위치에 있다는 것이 좋은 조건의 하나였지만, 그보다는 당사자인 선희 편에서 충의 불구에 이해를 가지고 있었다는 것이 그 중요한 관건(關鍵)이기도 했다.

또 다른 각도로 생각하면, 선희의 전공한 약학이 충의 직업과 연관된다는 점이 관계자들 간에 선희는 만나는 횟수가 거듭됨으로써 서로의 의사는 소통되어 갔고, 피차의 이해도 깊어 갔다.

충에게서 인간에 대한 적의나 반감이 다소나마 감축되어 가는 경향이 의식되어진 것은 선희와의 인간관계에서, 얻어진 오랜 상처의 회복이 그 직접 계기였다고 할 수 있을 만큼, 충의 심리에는 선희로 말미암아 대인관계의 변화가 점차적으로 일어나고 있었다.

충의 선희와 만나는 기회로 가능한 한 걷는 시간을 감축하고 차를 이용하는 것도, 모처럼의 호의로 접해 주는 선희의 심정에 불쾌나 비굴감을 가급적으로 연장시키지 않기 위한 세심한 배려에서였다.

그 선희에게서 긴급히 만나야만 되겠다는 속달이 왔다.

충은 여인에게 인공적으로 주입된 정액의 그 후 반응에 대하여 궁금증을 반복하고 있는 때였다. 과연 그러한 실험이 성공적인 결과를 가져올 것인가 하고.

임신이란 쌍방의 생리적 계기가 필수조건으로 되어 있고, 그것이 모체에 있어서는 배란기를 기준한 시간제약이 거의 절대적 키포인트가 되어 있기 때문에 충은 그 가능적인 확률에 큰 기대는 갖지 않고 있었다.

충은 진찰 카드를 뒤적거리며 여인의 월례적인 생리변화에서 수태 가능 기간을 다시 한 번 측정해 보았다.

그 후 벌써 삼개월이 지났다. 수태가 되었다면 지금쯤은 모체에 확실한 변이가 일어나고 있을 시기임에 틀림없다.

그러나 여인은 그 일이 있은 후 아직 한 번도 나타나지 않았다.

자기의 원시적 실험 결과에 대한 엽기적인 호기심이 여인을 만나고 싶은 충동을 자극하고 있음을 부인할 수 없었다.

그러나 만일 임신이 되는 경우, 그 윤리적 책임은 어떻게 할 것인가. 여인은 자기 자신이 수단방법을 가리지 않고 고의로 강요하여 저지른 성과에 대해서 만족한 희열을 느낄 지도 모른다. 그러나, 남편은…… 생각이 여기에까지 미치자 충은 왈칵 치미는 구역질 같은 자책을 그대로 되삼킬 수 없었다. 태어나는 산아의 경우는 어떠할 것인가. 피·핏줄기·혈통, 그런 것이 그렇게 소중할 것인가. 그것이 그렇게 삶의 필수조건이라면 과학에 의한 또 하나의 사생아는 태어나는 시간부터 자기처럼 슬픈 운명의 그늘 속에 잠겨 있을 것임에 틀림없다고 생각되자 머리가 아찔해졌다.

충은 아버지를 모르고 태어났고 아버지를 모르며 성장해 오지 않았던가.

혈통에서의 고아…… 아니 인간으로서의 고아. 충은 혼자 뇌까리며 건가래침을 휴지에 뱉어 아무렇게나 뭉쳐 던졌다.

그러나 순간 충은 실험 결과에 대한 해답의 반응에 겹쳐, 자기 피에서 싹틀 하나의 생명에 대한 본능적인 관심에 엷은 조소를 짓궂게 날려 보내고야 마는 것이었다.

진찰실 소독장 속에 늘어놓은 표본들이 담배 연기를 거쳐 충의 시야로 차례차례 모여 들어왔다. 일개월, 이개월, 삼개월의 유리병에 표시된 딱지들. 사지를 웅크린 틈바구니에 머리를 틀어박고 요동을 못하는 태아들이 알코올 속에 담겨져 절어가고 있다. 그것들이 적출된, 모체의 영상들이 어슴푸레 망막을 스쳐가고 있었다.

큰아들이 대학을 졸업하는데 이제 임신은 무슨 망령이냐면서 말리는 대도 듣지 않고 간신히 수술이 끝난 것은 오개월의 카드가 놓인 병, 대학에서 영문학을 전공했다는 반도호텔 여사무원인가 하는 것이 다량의 수면제를 먹고 사산한 것을 팔개월의 병, 맨 끝의 자궁 균종(菌腫)을 보자 충은 머리를 홱 돌렸다. 무거운 혹을 뱃속에 달고 다녔으니…… 그러나 오십의 비대한 여인은 기적으로 살아났다.

전쟁고아인 혼혈아 삼십명을 실은 비행기가 김포공항을 떠났다는 석간 보도의 사진기사를 보면서 충은 혈연과 애정, 혈통의 순수성, 이런 문제를 다시 곱씹어 보는 것이었다.

"급한 일이라도 생겼나 보군요. 속달까지 뗀 것을 보면……"

충은 선희의 약간 초조어린 눈매를 돌아보면서 말을 건넸다.

"조용히 말씀드릴 일이 있어서요."

다방에서 나와 자동차 쿠션에 기대어 어깨를 맞닿아 앉은 선희에게서 풍겨오는 체취에 충은 자기를 만나려는 용건의 궁금증보다 오히려 전에 없이 이성의 친근감 같은 것을 느낄 수 있는 마음의 여유 속에 놓여 있었다.

조용한 음식점의 외딴 방에 들어와 앉을 때까지 둘은 별로 말이 없었다.

충은 술을 청하여 큰 컵으로 계속 몇 잔 들이켰다. 닥쳐 올 사태의 예감에 대한 고의적인 항변이기도 했다.

"집안에 돌연한 사태가 벌어졌어요."

선희는 침착한 어조로 또렷또렷이 말을 시작하였다.

"무슨 사태가요?"

충은 자기의 예감이 적중되어 가는 첫마디에 대하여 가벼운 반문을 던졌다.

"저, 선생님의 일신상에 관한 문제예요."

"무어 족보를 따지자는 건가요?"

닥쳐 올 이야기의 실마리가 훤한 것이기에 충은 앞질러서 선수를 썼다.

"말하자면 그렇죠."

"그게 대체 어떻단 말이요?"

"아니, 아버지께서 무슨 들은 얘기가 있었기에 김 선생에게 따진 모양이에요. 그러니까 김 선생님께서 내용 이야기를 실토하셨나 봐요."

"그래 선희는 그 문제를 어떻게 생각해요?"

반문하는 충의 목소리는 낮았으나 꽤 거센 어조였다.

선희는 빤히 충을 응시하고만 있었다. 최후의 단안을 내리려는 판관의 날카로운 눈동자와도 같이.

"원래 혼담이 김 선생을 통해서 아버지에게 전달되었으니까요."

"그럼 선희 자신도 아버지 의사에 동조한다는 말이지요?"

"글쎄, 우선은 그러한 각도로 생각해 보았어요. 하지만……"

선희는 머리를 떨구었다. 충은 술을 또 한 컵 들이켰다. 자기 자신이 저지른 행동 이외의 책임, 특히 자기 자신이 세상에 나오기 이전의 선대(先代)의 죄과에까지 소급해 혈통의 책임을 혼자 져야 한다는 것, 이것은 너무나 과혹한 부담이라고 생각되었다.

충은 침통한 모습으로 입을 열었다.

"모든 것은 선희 자신의 결정에 달렸소. 내 자신이 결혼이라는 것을 그렇게 방관하다가, 이 경우에만 이렇게껏 적극적인 이유를 나 스스로 모르겠소."

한동안 침묵이 흘렀다. 충은 긴장 속에 선희의 대답을 기다렸다.

"지금 저의 좁은 소견으로는 갈피를 잡을 수가 없어요. 좀 더 생각할 시간의 여유를 주세요."

다급한 자리를 회피하려는 여자의 잔꾀가 아닌가 하고 의아심이 품어지면서도 충으로서는 어쩌는 도리가 없었다.

그러나 충 자신으로도 이러한 마당에 구걸하다시피 하여 이 혼인을 성립시키고는 싶지 않았다. 다만, 지금껏 꺾여 왔던 자기의 자존심이 이때만은 거세게 머리를 치켜들고 일어나옴을 의식했을 따름이었다.

이러한 반발과 자존심, 그것마저 좌절되려는 분기점에서 충은 선희의 의사대로 다음날 다시 만나겠다는 제의를 호의로 승낙했다.

거리에 나선 충은 선희를 차에 태워 보내고도 얼근한 술기운 속에서 좀처럼 흥분이 가라앉질 않았다. 그저 막 통곡하고 싶었다.

병원에 돌아오니 뜻밖에도 그 여인이 찾아와 기다리고 있었다.

충은 상기되는 술기운을 누르면서 서 있는 여인에게 앉기를 권했다.

"선생님, 태기가 있나 봐요."

자기 주위에 별로 거리낌 없는 여인의 성격 그대로였다.

충이 무슨 말부터 먼저 끄집어내어야 할까 하고 생각을 더듬고 있는 동안, 선손을 쓰는 여인의 태도는 차라리 자연스러웠다.

"네, 그러세요?"

충은 거센 쇼크를 받으면서도 극히 담담한 어조로 여인의 말을 받았다.

"선생님도, 어쩌면 그렇게 무관심하세요?"

"어린애가 생겼다는데두요."

여인의 눈길은 충을 뚫어질 듯이 주시하고만 있었다.

"……"

"임신이 됐어요."

충은 실험 결과에 대한 종합보고에 마음이 끌렸으나 너무도 능동적인 여인에게 오히려 지질려 외면을 하고 진열장 유리병 속에 들어 있는 태아 쪽으로 눈을 돌렸다.

"어쩌면 선생님은 아무 반응도 없으세요."

이것은 분명 남의 속을 꿰뚫어보며 꼬치꼬치 캐는 눈치임에 틀림없었다.

"잘되셨군요."

역시 맥 빠진 대답이었다.

"주인도 퍽 기뻐하세요."

충은 흥 하고 코웃음이 나가려는 것을 참았다.

"오늘은 제가 초대할 테니 저녁식사나 하러 나가십시다."

"저녁은 먹었는걸요."

충은 공격에 대한 수비태세가 될 수밖에 없었다.

"그러면 약주나 좀 하시지요."

"술은 웬만큼 했어요."

거절은 하면서도 이 허탈하고 당돌한 여인에게는 악의가 가지지 않는 것이 이상하다고 느껴졌다. 어쩌면 이 여인은 그 실험으로 벌써 둘 사이에는 육체적인 결합이 이루어진 것이나 마찬가지의 결과로 착각하고 있는지도 모를 일이라고 생각되었다.

"그러지 말고 같이 나가십시다. 환자도 없구 한데……"

충은 팔을 잡아끄는 여인의 동작이 오랜 지기라도 되는 듯한 친숙감을 느끼게 자연스러웠다.

충은 문득 아까 선희와의 장면이 떠오르자, 괴었던 불쾌와 증오가 솟구쳐, 여인에게 팔을 잡힌 채로 자리에서 일어나 밖으로 나오고 말았다.

간밤 일을 더듬어보아야 기억이 몽롱하다. 커다란 두 가지의 일이 한데 얽혀 선희의 환상 위에 그 여인의 모습이 겹쳐서 머릿속을 휩쓸고 지나갈 뿐이다.

그 여인과 함께 술을 진탕 마신 기억까지는 비교적 선명하다. 맥주, 양주 할 것 없이 되는대로 마셔댔다.

얼마나 시간이 흘렀을까? 심한 갈증에서 눈이 뜨였을 때는 자기 옆에 여인이 누워 있었다.

"이제 정신이 좀 나세요?"

여인은 잠이 들지 않고 있었다. 슈미즈 하나만의 여인의 몸뚱이가 푸른 전등 불빛 속에 부드러운 곡선으로 포개져 있었다.

"누우세요."

"대체 여기가 어딘데?"

"글쎄, 누우시래두요."

이제는 거의 명령조다. 여인은 충의 목을 끌어 자리에 도로 눕혔다. 여인의 팔은 충의 목을 점점 거세게 죄어 왔다.

"선생님, 좀 더 확실하게 임신을 하고 싶었을 뿐이에요."

충은 약간 정신이 맑아져 왔다. 유리로 된 시험관과 주사기를 통하여 수태가 되는 경우, 그것은 육체적인 교섭으로 생기는 산아와의 사이에 어떠한 윤리적 차이가 생길 것인가 하고, 충은 전등스위치가 이미 틀어진 베드 위에서 생각하는 것이었다.

결국 쾌락의 유무의 차이밖에 떠오르는 것이 없었다.

생식의 기계화. 인간은 그러한 책임을 현대과학에 떠밀고 자기합리화를 꾀한 것임에 틀림없을 성싶었다.

저만이 살겠다는 것, 제 좋은 각도로 해석하는 것, 저만의 목적을 위하여서는 제멋대로의 수단방법을 가리지 않는 것, 극도의 메커니즘에서는 모든 인간은 사생아임에 틀림없다고 느껴졌다.

"자, 옷이나 벗고 누우세요."

처음에 충은 기계처럼 여인이 시키는 대로 따라 움직였다.

그러나 그는 갑자기 발작을 일으킨 것처럼 창문을 열어젖히고 밖으로 뛰쳐나왔다.

훤히 먼동이 터 왔다.

충은 창 앞의 활짝 핀 꽃덩굴에 엉겨드는 나비와 벌떼를 물끄러미 바라보면서 아침놀에 비낀 하늘을 향하여 큰 숨을 내쉬었다.

다리에 흩날리는 꽃가루가 어느 꽃술에서 어느 꽃으로 옮겨지는지조차 깨닫지 못하는 벌과 나비의 세계는, 잉잉 소리 그대로 환희의 난무와 찬

가에 충일된 그것임에 틀림없는 양 싶었다.

모든 것을 백지로 환원해 달라는 선희의 최후통첩이 전신에 감겨들어 좀처럼 분노가 가라앉질 않았다.

자기 이외의 모든 인간에 대하여 반감과 적의를 가졌던 자기에게서, 세상사에 순종하려는 평범성, 특히 미워하던 모든 대상에 관용이 대치되고, 그러한 일들을 선의의 각도로 해석하려던 마음의 싹이 순간 완전히 모진 구둣발에 짓밟혀지고 만 것 같았다.

(행여 내 울부짖은들, 뉘라 천사들의 계열에서 내 소리를 들으리……)

'두이노의 엘레지' 첫 구절이 떠오르는 대로 충은 읊조려 보았다.

그러나 역시 가슴 속은 개운치 않았다.

중태의 환자가 찾아왔기에 충은 다시 진찰실로 들어갔다.

앳된 여학생 환자를 진찰실에 눕혔다. 괴롭게 신음하면서도 추켜올려진 제복 스커트 자락을 반사적으로 내리려는 것을 보고 충은 고소를 머금었다.

"키니네를 먹었어요."

숨을 헐떡이며 같이 온 남학생은 설명했다.

"왜? 자살하려구?"

"아니요, 사실은……"

"사실은 뭐야?"

말끝을 흐리는 남학생의 교복단추를 쏘아보며 충은 반문했다.

"임신을 했어요."

"임신!"

충의 말 속에는 경악에 겹쳐 증오가 서려 있었다.

그러나 급히 응급치료를 가한 다음 태아의 맥을 짚어 보았다. 태아는 이미 죽어 있었다.

이제는 모체를 구출하는 길밖에 없다. 환자의 기력이 극도로 쇠약하여졌으므로 수술 후의 생사를 보장할 수가 없었다.

"모체를 구하려면 부득이 인공유산을 시켜야겠어."

"네?"

"태아가 죽었으니까 끄집어내야겠단 말이야."

"아무튼 살려만 주세요."

"어린애 아버지는 누군가?"

"……"

충은 짐작은 하면서도 확인하지 않을 수 없었다.

"수술 도중에 환자가 죽을지도 모르겠으니, 부모나 누구 책임 있는 사람이 입회해야겠어."

"제가 책임지지요."

동정은 가면서도 당돌한 것이 얄미웠다.

"이 여학생의 부모를 불러 오란 말이야."

"부모님께 알리면 안돼요."

"왜?"

"저희들끼리만……"

인생으로서 충은 이들에게 졌다는 생각이 들었다. 곧 뒤를 이어 한 대 갈겨주고 싶은 반발적인 분노가 치솟았다.

그러나 위급한 환자를 앞에 놓고, 자기 책임회피에 예비적인 절차로 시간을 지연시킬 수는 없었다. 그는 간호원에게 준비를 시켜놓고 자기도 소독을 하기 시작했다.

수술이 한창 진행되는 도중이었다. 진찰실 쪽에서 그 여인의 목소리가 들려 왔다.

간밤 호텔을 탈출하는 순간은 자기의 용감성에 쾌재를 불렀으나, 지금 여인의 목소리를 듣고 나니 혼자 도주한 사실이 비굴감과 함께 여인을 모독한 죄의식을 불러일으켰다.

지금 빈사의 상태에서 누워 있는 여학생도, 그 상대인 남학생도, 그리고 선희도, 그 여인도 떳떳하게 제 의지로 살아가는데, 자기 혼자만이 세상을 꼬여보고 비뚤어지게 생각하고, 결국에는 열등의식의 테두리 속에서 수음적인 방법으로 혼자 몸부림치고 있는 것만 같게 여겨졌다.

남들이 둘러놓은 울타리 속에 스스로의 장벽 하나를 더 치고 자기 혼자 웅크리고 있는 것만 같았다.

수술이 끝나 환자가 떠나간 후까지도 충은 멍하게 수술대 옆에 서 있었다.

핏줄이나 자기의 불구에 대하여 멸시를 보내는 바깥 세계보다는 먼저 자기 자신이 애써 고수하는 자기의식의 한정된 장벽부터 헐어버려야 되겠다는 생각이 들었다. 의외로 바깥 세계에서 자기에게 둘려진 아성은 자기 자신의 내적 장벽보다 더 여린 것인지도 모를 일이기에……

"어젯밤은 죄송했어요."

깜짝 놀란 충은 비로소 자기의식으로 돌아왔다. 여인이 자기 곁에 와서 있었다.

"아무 불순한 동기도 없었어요. 기실은 좀 더 정확하게 애기를 갖고 싶었을 뿐……"

충의 가슴 속에서는 새로운 감정이 이글거리고 있었다.

(애정도 유혹도 아닌 생산체로서의…… 말하자면 종모우(種牡牛)같은……)

그러나 그는 발에 힘을 주어 버티었다. 계속해 일어나는 일들에 심신이 피로하여서였다.

"선생님, 지난번 인공수정이 사실은 수태가 안됐나 봐요. 어저께는 거짓말을 했었어요."

"뭐요?"

"꼭 어린애를 낳고 싶은 그것뿐이에요."

여인은 충의 가슴에 머리를 박고 흐느껴 울기 시작했다.

충의 머릿속은 헷갈리는 여러 갈래의 생각으로 가득 찼다.

(참 제비도 더럽게 뽑았지, 하필 나 같은 것의 종자(種子)를 받으려구……)

그는 중대한 결의라도 한 것처럼 입술에 경련을 일으키고 눈에도 살기가 등등했다.

(피동이 아니라 능동으로, 이 여인에게 정확한 수태를 시켜야지.)

충은 성난 이리처럼 여인을 끌어안고 절름거리는 다리에 힘을 주어 침실로 통하는 도어를 박차고 방 속으로 들어섰다.

『思想界』, 1960. 8.

초혼곡 招魂哭

　나는 지금 어디로 향하여 걸어가고 있는 것인가. 잡다한 상념이 단속적으로 엄습하여 쇠약한 몸뚱이가 스스로의 체중과 충격적인 신경의 자극을 몸소 감당해 낼 수가 없다. 거의 내던지다시피 하는 나의 발길은 M병원이 있는 쪽으로 향하여 움직여지고 있음은 틀림없다. 머리와 가슴이 육중한 쇳덩이로 눌리고 있는 중압감에 겨워 있는 탓일까. 저녁놀에 비낀 가을 하늘마저 검은 구름에 휘덮인 무더운 여름날 오후처럼 나를 질식하게 억누르고 있다.

　영희 어머니가, 아니 영숙이 어머니가 나를 찾아왔다. 핏기를 잃은 창백한 얼굴이다. 나에게 동양화의 한 폭 그림을 연상시키던 귀골풍의 예전 모습은 거의 찾을 길 없고, 고분에서 발견되는 깨어진 청자기처럼 조촐하면서도 어딘가 초췌한 인상을 금할 길 없다.

　상록수가 우거진 정원은 꽤 높은 돌담으로 둘러싸여 있었다. 나는 적어도 하루 두 번은, 거의 열려 있는 때를 볼 수 없는 이 듬직한 대문 앞을 스쳐 담장이 낀 돌담을 돌아서 학교를 다녀야만 했다. 아무리 발돋움을 하여도 깊숙이 안쪽으로 들어박힌 기와집 용마루 끝과 그 옆 양옥 이층 베란다 밖에 보이지 않는 이 집 앞을 지날 때마다, 나는 서해안 작은 반도의 구가곡(九家谷), 나의 집의 초라한 모습과의 대조적인 인상이 떠오름을 억제하는 수가 없었다.

골짜기 이름이자 마을 이름인 구가곡이라는 명칭이 언제 생겼는지는 확실히 알 길이 없다. 그러나 구곡지수(九曲之水)에 아홉 가구 사는 골짜기라서 구가곡이라고 불렸다는 연유는 어렴풋이 알고 있었다. 이상하게도 내가 철을 차렸을 때 분명 아홉 집이던 이 마을에서 단 하나의 유학생인 내가 서울로 드나들기까지에도 그 수는 불지도 줄지도 않았다는 것이 이상할 따름이다. 나는 중학도 이십오 리의 산길을 걸어 읍내로 통학했다. 단 한 번의 특혜의 은전을 받은 적이 있다면 그것은 졸업을 앞둔 고등학교 마지막 학기에 시골 막바지에서 서울 일류학교에 한 명이라도 합격시켜 보겠다는 어떤 방법적인 호의의 덕분으로 학교 숙직실에 기거할 수 있었던 얼마 동안의 기간일 것이다. 최초의 영예라고 하여 나의 등록금은 모교에서 보내주었다. 이 시기의 나는 끝없는 꿈을 품고 망망한 창공을 나는 것과 같은 심정이었다.

고향에 돌아간 방학 동안의 나의 일과는 서울 생활과는 전연 판이한 것이었다. 은백색 배지를 달고 우쭐거리던 교복을 벗어 팽개치고 베잠방이로 갈아입었다.

주위의 모든 사람들이 땀투성이가 되어 헐레벌떡이고 있는 속에서 나 혼자 안온할 수가 없었다. 서울을 떠날 때는 보따리 속에, 이거 이거는 끝내야 하겠다고 사전류에 겹쳐 책 몇 권이 뭉뚱그려졌지만 손이 모자라 허둥대는 바깥 모습을 목격하면서 그런 것으로 유유한적하기에는 주위가 너무도 고달팠다. 아침이슬이 지기 전에 소먹이 꼴을 베고, 낮에는 기음을 매고, 저녁에는 멍석 짜는 일을 거들었다. 집안 식구들도 나의 존재에 희망을 걸었고, 나 자신도 끝없는 앞길에 대한 이상에 불탔다.

서울을 머릿속에 그리기만 하여도 가슴이 고동쳤다. 그러나 온 식구의 한 달 계량이 될 쌀 한 가마가 겨우 한 달 하숙비…… 이런 것을 생각하면 우울했다.

모기를 몰려던 모닥불도 밤이슬을 받아 제풀에 그늘이 갔다. 별이 총총한 밤, 박꽃을 찾아 넘나드는 바퀴벌레의 그림자에 엇갈려 반딧불이 거름 무더기 쪽으로 싸리 울타리를 넘어가면 개도 짖지 않는 산골짜기의 밤은 숨죽어 깊어갔다. 모닥불 찌꺼기에서 슴새어 나오는 쑥내음새가 굴뚝 허리를 스쳐 감돌아나오는 하늬바람에 실려 코끝을 향긋게 했다. 이런 밤에는 굳이 등잔불 켜기도 열적어 말똥한 눈으로 열어젖힌 창문을 거쳐 멀리 벽을 헤며 잠을 청했다.

나는 지금 M병원을 향하여 걷고 있음에 틀림없다. 붉은 벽돌담 양옥에서 피아노 소리가 들려온다.

단풍이 든 높은 돌담 담쟁이덩굴에 가을 햇볕이 비끼는 저물녘 상록수 깊숙한 정원을 거쳐 들려오던 피아노의 그 음향이다. 영희를 처음 만난 것은 이런 날 저물녘이다. 이 어마어마한 대문-그 시절 나에게는 그렇게 생각되었다-앞에서 서로의 시선이 맞부딪친 제복의 소녀는 그 육중한 대문 속으로 삼켜지는 듯이 빨려들어갔다. 다시 닫쳐진 문은 내 앞을 절벽처럼 가로막았다.

맞부딪치는 순간 불티가 튀는 듯하던 눈동자, 당황어린 모습으로 총총히 각도를 돌리던 반사적인 동작, 문 속으로 길게 뻗은 정원 속의 통로, 대문 빗장의 신경질적인 불협화음, 대문을 거쳐 새로운 향수는 깃들기 시작하였다.

다음부터 이 대문 앞을 스칠 때마다 느끼는 막연한 기대와 초조어린 두근거림, 홀로 붉어지는 얼굴 속에 돌담을 다 지날 때까지 마냥 걸음은 빨라졌다. 엉뚱한 혼자만의 도취인지도 몰랐다.

소녀가 대문을 막 나오는 찰나에 마주치는 일도 있었다. 눈이 맞닿는 순간, 소녀는 평범하게 나를 보아 넘겼는지도 모른다. 그러나 나의 가슴에는 뭉클하는 충격이 와 부딪치고, 뒤에 걸어오고 있을 소녀의 발자국소리를 등줄기에 느끼면서 온 신경을 뒤쪽으로 모으고 걷고 있는 것이었다.

하루 종일 책 위에는 소녀의 윤곽이 맴을 돌고, 노트 뒤쪽은 낙서로 가득 찼다.

뒤에서 보아도 소녀의 모습을 분간할 수 있었다. 그럴 때면 나의 빠른 걸음은 그 속도를 제한하여 소녀와의 거리에 용수철 같은 탄력을 가지고 간격을 조절하면서 흐뭇한 기분 속에서 소녀를 조롱하는 기세로 걷게 되는 것이었다.

소녀도 내 얼굴을 기억할까, 어떻게 느끼고 있을까, 이러한 계산은 지금 생각하면 유치하기 짝 없는 일이지만, 이 시기의 나에게는 소녀와 나의 거리가 좀처럼 그 사이를 연결시킬 수 없는 까마득한 것으로 계산되었고, 그러한 단정의 태반의 근원은 나의 환경적인 조건의 비굴감에 유래되는 것이었다.

학교에서 학우들 간에 있어서도, 서울의 이름난 명문거족이거나 세상에 널리 알려진 거부의 자녀들에 대하여도 나의 이 같은 열등감은 그대로 연장되어 나는 그들과 터놓고 사귀지를 못하였거니와, 그들도 떼거지로 밀려들어온 아무 고등학교 출신의 간판을 내어걸고 텃세를 하는 판국에 나 같은 외톨박이 시골출신으로는 그들과의 친숙한 교류란 엄두도 낼 수 없었다.

그들이 나한테 대하여 외형적이나마 자진하여 호의의 표식을 나타낸 것은 호국단의 운영위원장인가 하는 선출에 있어서 서울의 일류학교 출신끼리 서로 각축전이 벌어졌을 때 그 매수공작으로 지방 출신을 규합하여 자파로 이끌겠다는 그러한 학내의 미묘한 시기의 일이었다.

이러한 때 평소의 나의 그들에 대한 비굴감 내지 위축감은 반발의 형태로 나타나, 나는 외면적으로 반대나 동의의 표정을 나타난 일은 없었지만 지방 출신의 입후보자에게 나의 표를 던지고 말았던 것이다.

M병원 입구의 은행잎 낙엽으로 한 겹 깔린 포도를 걸으면서 나는 자꾸만 그날의 기적 같은 사실을 더듬어보는 것이다.

은행잎처럼 멋진 낙엽은 없다고 나는 생각하여 왔다. 봄에 가장 늦게 움이 트는 대신에 가을에 접어들어 서리가 내릴 때까지 가장 늦게 단풍이 드는 나무, 부채마냥 뚜렷한 윤곽에 벌레자국 하나 없이 탄력을 지닌 잎은 어린이의 뺨을 비비는 듯한 보들보들한 감촉을 주었다. 오렌지색으로 곱게 채색된 잎들은 플라타너스나 백양잎처럼 흐지부지 시시하게 떨어지지 않고, 늦가을까지 힘껏 버티다간 함박눈 오듯이 시원하게 떨어져 마지막 한 잎도 남기지 않고 말끔히 져버리는 것이 깨끗하고 속 시원하게 느껴졌다.

그런 은행잎 낙엽을 깔고 앉아 가을의 낙일에 등을 쬐면서 추수기의 고향 사람들을 생각하고 있을 때 과주임인 T교수의 부름을 받았다.

방학에 시골에서 돌아오자 곧 나는 연구실로 T교수를 찾아가서 나의 과거와 현재의 환경을 상세히 아뢰고 하숙비를 비롯한 학비의 조달책을 논의하였던 것이다.

가정교사는 어떻겠느냐는 T교수의 질문에 나는 가능한 한 비교적 자유롭게 자기 시간을 활용할 수 있는 방책으로 야간 학관 같은 곳에 강사로 나갔으면 좋겠다는 의견을 말하고, 아울러 가정교사일 경우에는 침식을 한데서 하기보다 학생이 하숙으로 직접 배우러 올 수 있는 경우를 택하는 것이 피차에 효과적이겠다는 솔직한 의향도 덧붙였다.

그에 대한 T교수의 중간 연락이었다. 야간 직장은 아직 쉬 발견되는 곳이 없고 사정이 급할 테니 우선 아쉬운 대로 드난살이 가정교사로 들어가 있다가 차차 조건이 좋은 곳으로 옮기면 어떻겠느냐는 의견이었다.

형편이 점점 각박하여 갔던 나는 취사선택의 여유도 없이 즉석에서 응낙하고 말았다.

T교수는, 주인이 전공부문은 다르지만 자기의 대학 동창이라면서, 실업계의 거물로 인품도 좋다는 둥 나에게 안도적인 허두를 떼고 나서, 삼남매에 국민학교 다니는 막둥이 외아들이 그 지도의 중요 대상이고, 위의 딸 둘은 그들의 질문에 응하여 주는 정도면 될 것이라는, 말하자면 나의 새로운 아르바이트의 개요를 설명하여 주는 것이었다.

T교수의 명함에 적은 주소를 더듬어 큰 대문 앞에 이른 나는 당황하지 않을 수 없었다.

이럴 수도 있을까. 나는 얼굴이 화끈 달아오름을 느꼈다. 서울 장안 그 많은 집들 속에서 하필이면 이 집일까. 나는 보석이 감추어진 비밀굴의 암호와 행운의 열쇠를 한꺼번에 발견한 것처럼 격한 충동에 사로잡히기까지 했다.

그러나 그것은 극히 순시였소, 이 어마어마한 저택 속의 보잘것없는 고용인이라는 자기 비굴이 더 거세게 자신의 몸뚱이를 휘어감음을 어찌하는 수 없었다. 이같은 잠재의식은 지금 현재에도 나의 심중에서 완전히 뿌리 베어진 것은 아니다.

나는 거실로 배정된 정원 동쪽의 구석진 방은 말끔히 빼어진 것은 아니다.

나는 나의 소지품 전체에 해당되는, 얇은 트렁크만한 이부자리와 책이 든 보루상자를 옮겨왔다. 나는 이때까지 사과궤짝을 책상으로 썼고 책은 한쪽 구석에 그대로 쌓아놓았기 때문에 외형을 갖춘 책상이나 책장이라는 것도 들고 올 만한 것이 없었다.

이미 준비되어 있는 목욕탕에 들어가 혼자 탕 속에서 땀을 흘리면서도 나는 안도인지 불안인지 모를 큰 숨을 바투 쉬었다.

사면 타일로 된 목욕탕이나 수세식으로 된 양식 변소나 모든 것이 나에게는 어울리지 않는 것 같은 불안감을 자아내었다.

소변을 보는 데도 처음에는 조심이 갔고 세숫물조차도 큰 소리로 청할 수가 없었다.

이러한 소극성은 시간이 갈수록 차츰 가시어는 갔지만 그러나 그러한 자기 협소 증에서 완전히 탈각할 수는 없었다.

번번이 세탁물을 내놓으라고 독촉을 받고서야 겨우 벽장 구석에 꼬깃꼬깃 틀어박아두었던 땀내 풍기는 내의나 양말 쪽을 내어주면서도 나는 속팬티만은 끝끝내 목욕할 때 몰래 빨아서 내 방에 걸어 말려서는 그대로 주워 입는 것이었다. 그러므로 이것만은 태양의 직사광선으로 말려지는 때가 거의 없었다.

내가 맡은 이 집 아들 영식은 영리한 편이었으나 책과 마주앉는 것은 질색이었다. 억지로 붙잡아 앉혀놓으면 얼마 동안 순종하다가는 무슨 구실을 꾸며가지고는 자리를 뜨는 것이었다.

나는 이 아이에 대한 단순한 학과의 가정교사라기보다는 일종의 훈육주임을 겸한 꼴이었다.

조숙한 이 아이는 영화관의 출입이 잦았고, 성적이 우수하지 못한 반면에 발표력은 있어, 학교에서의 학예회 사회 같은 것에는 늘 뽑히는 괴벽한 일면이 있었다.

저녁에 자기 전에 물그릇을 들여놓는다든가 공부하는 도중의 밤참으로 과일이나 과자를 가져온다든가 하는 내 방의 심부름은 주로 이 집 작은딸인 영숙이가 맡아 했다.

영숙이는 내가 이 집으로 옮겨온 첫날부터 명랑한 표정으로 기쁘게 나를 대해 주었고 순진하게 어리광도 피웠다.

여학교 이학년인 영숙이는 말하자면 문학소녀여서 그때 주로 소설만을 밤을 새며 읽고 있었다.

저녁 후 정원 못가에 있는 벤치에 나가 앉으면 영숙이는 으레 내 옆에 와서, 선생님은 어느 학교를 다니시느냐, 무엇을 전공하시느냐, 고향이 어디시냐 하는 등, 제 이야기 끝에 간간이 섞어 나의 주변적인 이야기도 묻는 것이었다.

나도 유쾌하게 그를 응대하여 주었지만 그는 나에게 이 집의 누구보다도 각별히 친절을 베풀어 주었다.

어떤 때는, 선생님 결혼하셨어요, 하고 엉뚱한 질문을 생글생글 웃어가며 슬쩍 던지기도 하고, 그러할 때 내가 고개를 가로 저으면, 거짓말, 시골서는 일찍 결혼한다는데요, 하고 깔깔 웃어대기도 했다.

나는 이렇게 말괄량이지만 우리 언니는 참말 얌전해요, 하고는 나의 표정에서 오는 반응을 노리듯이 훑어보기도 하는 것이었다.

이 집 맏딸, 언젠가의 최초의 부딪침에서 내가 심장에 직격탄을 맞은 듯이 충격이 컸던 영희는 내가 처음 이 집으로 옮겨온 날은 나의 시야에 나타나지 않았다.

이튿날 밤 주인 아주머니가 자녀 셋을 응접실에 불러놓고 나에게 차를 권하면서 차례로 그들을 인사시키는 자리에서 나는 영희와 이 집안에서의 최초의 대면을 하게 되었다. 그는 그 맑은 눈으로 나를 잠깐 쳐다보고는 미소를 머금은 얼굴을 창 쪽으로 돌렸다.

나는 이 집에 들어온 이상 어느 구석에선가 우연히 만나질 것이라고 예측했으면서도 이 자리에서는 약간 당황했음을 고백하지 않을 수 없다. 상대방은 아마도 어제 저녁에 이미 내가 이사오는 것을 보고 처음에는 의외의 일에 놀랐겠지만 지금쯤은 그런 우연한 사실에 대한 호기심이 가라앉았거나, 그렇지 않으면 나에게 대하여, 내가 지금껏 그에게 대한 관심과는 정반대의 심정에서 태연한 것인지도 모른다고, 나는 내깐으로의 자유로운 해석을 해보는 것이었다.

시간이 경과되고 한 집안에서 어떤 의미의 한 식구로 자주 만나게 됨에 따라, 나와 그는 서로 목례를 하는 정도의 인사치레는 하였지만 오랫동안 그 이상 서로 말을 건네거나 행동으로 의사가 표시된 일은 거의 없었다.

그러나 나의 가슴 속에는 두 가지의 평행되는 상념이 뚜렷하게 공존하여 자리잡혀가는 것이었다. 그 하나는 영희라는 이성의 그림자가 자꾸만 내 가슴의 깊은 곳으로 파고들어가는 것이었고, 다른 하나는 둘의 현격한 환경적인 조건의 차이에서 오는 비굴감이 내 머릿속에 더 두껍게 차곡이 포개져가는 일이었다.

영숙이는 영어나 수학의 모르는 것이 있으면 서슴지 않고 들고 와서는 물어보고 저녁에 자러 갈 때에는 곧잘 굿바이 써 하고는 영어 회화의 몇 마디를 굴려보기도 하는 것이었다.

그러나 언니 영희는 고등학교 졸업반이어서, 그것도 음악을 전공하겠다는 그의 의사에 어머니도 동조하는 편으로, 노상 양옥 이층에 있는 피아노에만 매어달려, 나에게는 학과에 대한 단 한 마디의 질문도 가져오는 일이 없었다.

나는 어떤 의미에서는 유쾌하고도 희망에 찬 나날을 보낼 수 있었다. 다만 고향의 내 집과의 대조적인 장면이 떠오를 때만은 문득 찾아들었던 비굴감과 이상야릇한 시기심이 솟구쳐 자기혐오에 빠지게 되는 것이었다.

이런 경우 단 하나의 나의 무기, 요행히도 전통 있는 학교에 적을 두었다는 그 지질찮은 한 가지가 꺼져가는 나의 최후의 자존심의 방파제로 되어지는 것이기도 했다.

나는 지금도 그때의 나를 멸시하는 적이 있다. 너는 네 마음속에 확실히 너 이상의 무엇을 나타내려고 하는 가식이나 공허한 과장이 있었다고…… 왜 너는 떳떳하게 인간 일대 일로서 알몸뚱이를 내대고 자기의 속심대로 떳떳하게 대결하지 못하였는가……

그러나 그것은 죽음의 아슬아슬한 고비를 몇 번이나 겪고 난, 지금의 나로서의 과만한 비판이지, 오죽해야 남의 집에 들어가 밥 얻어먹고 몇 푼 안 되는 교통비를 얻어 쓰는 정도의 품팔이에 지나지 않는 일을 자존심을 꺾어가면서 치루어야 했겠느냐고. 거기에 무슨 떳떳하게 내세울 인간이니 일대 일이니 하는 따위가 감히 성립이나 될 것이냐 하고, 스스로의 자위도 하여 보는 것이다.

운명이 나에게 지워준 행운의 찬스. 방바닥에 드러누워 높은 천장을 쳐다보면서 나는 이러한 실없는 푸념을 되풀이하기도 했다. 어쩌면 나의 비굴한 무기력을 채찍질 하려는 적극적인 행동으로의 밑받침이 되는 반발이었는지도 모른다.

신인 K는, 너 참 호박 굴러 들어왔구나, 너 하나 나 하나 나누자 꾸나, 너는 다 익은 걸 택하고 나는 익혀서 먹을게, 하고 험구를 늘어놓기도 했다.

그러나 나는 친구들이 찾아오는 것이 퍽 난처했다. 여럿이 어울려 떠들고 나면 자연히 공부를 지도할 시간이 지연되게 되고, 외설한 음담들이 방약무인으로 허틀어지면 나의 만류쯤은 아랑곳없다는 듯이 더 기세들을 올리고, 저녁상에 여럿이 둘러앉아 자아류의 음식 감상론이 퍼지다간, 결국에는 짓궂게 나의 곤경에 부채질하듯이 나를 억지로 끌고 밖으로 나가는 것이었다.

이러한 때 나의 심리적인 위축은 말할 나위도 없이 극도에 달하거니와, 늦게 돌아와서 대문의 전령을 누를 때의 망설임, 창문을 소리 나지 않게 밀고 방에 들어서는 때의 조바심, 그러한 것은 그 경우를 겪어보지 못한 사람에게는 이해될 수 없는 절박한 경지에 놓이는 것이었다.

대학에 진학하여 머리 모습이 달라지고, 규격에 얽매인 제복을 벗어버린 영희는 그 육체의 자유로운 선에서 풍기는 감각이 갑자기 더 성숙하여진 것처럼 나에게는 느껴졌다.

졸업이니 입학시험이니 하는 복잡하고도 뒤숭숭한 절차들이 엇갈려 진행되는 동안 나와 영희 사이에는 좀 더 친숙할 수 있는 계기가 마련되었다.

나 자신의 경우에는, 졸업이건 입학이건 그런 것이 하나의 유쾌하고도 축복되는 행사로 맞아지기보다는, 새로운 걱정과 시련이 한 겹씩 더 거세게 내 심신을 들볶는 무거운 짐으로 과해졌지만, 영희의 경우는 그와는 정반대로 하나하나가 즐거움이요 축복이요, 그리고 새로운 행복의 구름다리가 무한히 뻗는 희열로 넘쳐흘렀었다.

나 때에는 공교롭게도 졸업식이 입학시험과 중첩되어 식에 직접 참석도 하지 못하였거니와 합격 발표도 나 혼자만의 즐거움을 속으로 삼켜버리는 수밖에 없는 그러한 얄궂은 형편이었다. 같이 수험한 몇 사람 중에서 간신히 나 혼자만이 합격되었기에 시골서 같이 온 다른 창들을 보고 위로를 한 대야 오히려 주제넘은 일이었고, 그렇다고 나 혼자 함성을 칠 수도 없이 그저 난처한 표정으로 그 감격적인 시간을 어리멍청하게 흘려보내는 수밖에 없었다.

그러나 영희는 졸업을 전후하여 거의 매일같이 동무들과 한데 얼려 쏘다니면서 파티니 축하니 선물이니 하고 극성스러울 정도로 그들 말마따나 젊음을 마음껏 엔조이하는 것이었다.

합격 발표장에는 그의 가족 전원에 섞여 나도 같이 갔지만, 발표되는 순간 영희는 체면이고 뭣이고 없이 껑충껑충 뛰면서 모녀가 얼싸안은 것이었고, 온 식구가 소리를 지르며 즐거워했다. 나도 나의 일에 못지않게, 아니 그 이상으로 즐거워서, 저 자신도 모르는 사이에 명희의 어깨를 치면서 기쁨의 환성을 소리 없이 외쳤던 것이다.

말하자면 영희는 비옥한 토양에서 태양열과 영양분을 양껏 받고 스콜을 맞으면서 자란 싱싱한 파초 같은 것이라면, 나는 척박한 돌각담 속에서 메마르고 짓밟히면서 억지로 비비고 버티어 나온 끈질긴 띠풀 같은 것이라는 생각도 없지 않았다.

이날 저녁 영희의 친구와 함께 어울린 자리에서 나는 그들이 희희낙락하는 모습을 보고, 강물 속에서 유유히 헤엄치는 고기떼를 어항 속의 외로운 붕어가 내다보는 것 같은 환각마저 일으켜 이방인 같은 나의 고독을 뼈저리게 삼켰던 것이다.

영희 어머니의 나를 아껴주는 고마움은, 그것이 값싼 동정이든 또는 자식과 같은 절실한 애정이든 간에 날이 두터워졌고, 물질면에서 혜택도 과분할 정도였다. 나는 내의나 양말도 전처럼 꾀죄죄하지 않고 언제든지 말끔한 것으로 갈아입을 여유를 가졌었고, 학자를 비롯한 용돈에도 그렇게 궁하지 않아도 좋았기에 보고 싶은 책들도 한두 권씩 차츰 사들일 수 있었다.

이것은 나의 과도한 아전인수 격의 해석인지는 몰라도, 나의 영희와의 관계에 있어서 서로 가깝게 접할 수 있는 기회가 자연스럽게 마련되도록 영희 어머니의 의식적인 노력이 배려되는 것같이 느껴지는 때도 있었다.

여름방학에 영식이 지도에는 선생님도 함께 따라가셔야 한다고 하여 그들의 별장이 있는 바닷가로 함께 피서를 가게 하였고, 그러한 자연환경에서 서로의 심리가 평시보다 활달하여지고 야성적이 되기 쉬운 지대에서의 숨김없는 얼마 동안의 공동생활은, 영희와 나와의 인간관계를 훨씬 접근시키는 계기가 되기도 했다.

이제 나는 영희의 이름을 자유롭게 부를 수 있고, 영희도 해수욕복 그대로의 몸가짐으로 내 옆에서 아무 거리낌 없이 서로의 이야기를 주고받게끔 되었다.

이러한 계기가 거듭되고 시간이 흘러갈수록 나의 영희에 대한 정은 종래의 편벽된 결벽성의 아성을 조금씩 무너뜨리고 자꾸만 영희에게로 접근해 가는 것이었고, 한편 영희의 언행에서, 그가 나에게 대하여 지니고 있는 호감을 어느 정도 직감하게도 되어지는 것을 부인할 수 없었다. 점차 내 가슴 속에 용솟음치는 감정을 제어할 수 없어, 그와의 결혼 가능의 최단거리를 모색하여 보기도 하는 것이었다.

이 시기부터 영희에 대한 나의 감정은 단순한 호감이 아니라 분명 강렬한 애정이라는 것을 나는 거의 단정하면서도 그것을 외면으로 솔직하게 표현하지는 못했었다.

나는 차츰 혼자서의 내적 번민을 일으키기 시작했다. 이러한 번민의 도가 거세어지면 질수록 이미 잠재하고 있는 비굴감은 그 몇 갑절로 나의 의욕을 반대방향으로 억압하고, 결국에 가서는 나의 의사표시가 상대자의 거역으로 실패로 돌아갈 때의 자존심의 파멸에 공포의 도가니로 더욱 휘몰아 넣는 것이었다.

앞으로 헤쳐 나갈 인생의 모든 거센 물결에 대한 투지는 나의 결의를 더욱 공고히 하여 주는 것이었지만, 영희와의 애정문제에 관한 한 나의 용기와 의욕은 자꾸만 소극적으로 비꼬아져가는 것이었다.

삼월은 나에게 있어서는 액운의 달이었다.

영식의 입학시험이 목전에 박두했다. 학교 선택에 있어서 나는 나대로의 견해를 가졌지만 그것은 거의 용납되지 않았다. 영식의 실력은 누구보다도 잘 아는 것은 나라고 나는 스스로 자처하여도 좋았다. 나는 일년 반이나 그와 침식을 같이 하고, 하루의 삼분의 일에 가까운 시간은 그와 마주앉아 담판 씨름 같은 대결을 하지 않으면 안 되었으니까……

그러나 부모들은 그들의 생각대로 거의 나의 의견은 도외시하고, 아니 담임선생의 충고까지도 묵살하고, 학교측의 진학계획에 거역하여 원서를 제출했었다. 물론 그러한 경위에 이르기까지에는 최악의 경우에 금력으로 치르는 보결의 뒷구멍까지 계산에 넣었다는 것을 나는 모르는 바 아니었지만 나로서는 괴롭기 짝이 없는 일이었다.

중간경로는 어떻게 되었든, 지금껏 아이의 성적이 그 정도밖에 되지 못하였다는 태반의 책임은 결과적으로는 무조건 내가 혼자서 지지 않으면 안 되게 되었으니만큼 나는 끝끝내 우겨대는 수가 없었다.

다만 나는 그 동안의 나의 노력이 아이에게 반영된 결과가 너무도 미미함에 대하여 자책감에 휩싸여 혼자 안타까워할 따름이었다.

설령 최후에 어떤 비상수단을 써서 보결 구멍을 찾아낸다 하여도 일차에서 합격되지 못하는 경우 그 모든 책임은 나한테 돌아올 수밖에 없는 일이었다.

그러나 나는 하는 수 없이 그들 가족에 휩싸여 요행을 바라는 비겁한 대열에 서지 않을 수 없었다.

시험에서 발표 사이의 얼마 동안 나는 거의 안정된 잠을 이루지 못하였다.

발표날이 왔다. 방이 나붙는 시간 나는 내가 시험을 치고 그 하회를 기다리는 것보다 더 초조했었다.

그러나 기적은 이루어지지 않았다. 나의 예기대로 영식이는 불합격되었다. 이 시각에 있어서의 나의 초라한 꼴이란 단두대를 향하여 걸어가고 있는 사형수 그것이었다.

영식이는 울고 있었고, 어린애를 달래는 그의 어머니의 눈가장자리도 젖어 있었다. 나는 그들을 똑바로 바라볼 수 없었다. 영식이를 위로할 방법도 없었다. 오히려 나 자신이 누구에게라도 부축되어 꺼져가는 듯한 내 심신을 의지하고 싶었다.

아무리 눈을 비비고 명단 속의 번호를 다시 찾아보아야 영식의 번호는 없다. 확실히 꿈이 아니라 현실이다.

나는 몰매를 얻어맞고 발가벗겨져 한길 복판 내던져진 것만 같은 아찔한 심정에서 몸가눌 바를 몰랐다.

그런 시각에도 나는 뒤에서 나의 초라한 모습을 응시하고 있을 영희의 시선을 척수에서 의식하는 것이었다. 영희에 대하여 으쓱하게 과시할 수 있는 개선장군같은 절호의 기회를 나는 박탈당하고 무자비하게 그들에게 짓밟히고 있는 것이다.

그들이 초상집 상주들의 대열처럼 맥이 풀려 교문 쪽으로 돌아섰을 때, 나는 날갯죽지가 떨어져 흙탕물에 젖은 병아리 시늉으로 그들을 따르는 수밖에 없었다.

병동 복도에서 풍겨지는 약냄새가 매캐하게 코를 찌른다.

내 머리에는 내가 어깨에 관통상을 입고, 일 년 가까이 입원하였던 육군병원의 인상이 후각을 거쳐 되살아온다.

나는 영식의 합격 발표되던 날 저녁 그 집 식구들의 만류에도 불구하고 오죽잖은 내 보따리를 꾸려가지고 변변한 인사치레도 하지 못한 채 그 어마어마한 대문을 아주 나와 버렸었다.

며칠 후 나는 징집영장을 받았다. 다른 친구들은 연기신청 수속으로 분주하게 뛰어다니기도 하고, 연기 기간이 만료된 사람은 숨어서 집 밖으로 나오지 못하기도 하였지만, 나는 운동시합이라도 나가듯이 담담한 기분으로 입대했었다.

그때의 나의 심정으로는, 그렇게라도 하여 그 절박한 경지에서 무슨 탈출구를 발견하여야만 견딜 것 같은 그런 자의식에 억압되어 있었던 것이다.

일선에 배치된 이후 전투는 소강상태였으나 시간에 쫓기다시피 하는 나날의 근무에 심신이 피로하여 나는 다른 잡념을 가질 겨를이 없었다.

나는 자기 자신의 속죄의식 같은 강박관념에 사로잡혀 어떠한 힘든 일에도 자진 선두에 서서 내 육신을 아끼지 않았다. 이것은 어떤 면으로 보면 나 자신에 대한 자기 학대의 시초였는지도 모른다.

간혹 자유로운 틈이 생겨 양지바른 관목 사이에 누워 지난 일을 거슬러 올라가다가 그 육중한 대문 안에서의 최후 국면이 떠오르면, 전신의 피가 역류하는 것 같은 섬찍함을 느끼며 가벼운 경련으로 몸을 떠는 것이었다.

비단 이런 경우뿐이 아니라, 나의 이십 수년의 과거를 더듬어 올라갈 때 아름다운 추억이란 거의 찾을 길 없고, 모두가 험악한 가시밭에서 힘에 겨운 억지의 몸부림을 지속하여 온 영상만이 단속(斷續)되어, 그러한 회상들이 쓰디쓰고 불쾌하여 등줄기에 한기가 서리는 것이었다.

추억은 아름다운 것이라고 하나 나에게는 모든 것이 가난의 역정, 고투의 불연속선 그것이어서 징글맞은 구역질이 솟구칠 뿐이다.

무모한 자학, 이런 것으로 쓰디쓴 추억이 메워질 수 없었다. 그 후 나는 격렬한 전투에서 여러 번 사경을 넘었으나 결국 부상을 입고 왼쪽 어깨에 파편이 남아 있는 대로 육군병원에 후송되었다.

지리할 정도의 입원기간을 통하여 나의 비굴감은 좀 더 떳떳한 각도로 풀려져가기 시작했다.

부드러워지고 약하여지는 감정의 틈을 타서 센치한 애수는 조금씩 침식하여 드는 것이었다.

나는 오래도록 나 혼자만의 자물쇠 속에 폐쇄하였던 열등감의 문을 열어젖히고 영희에게 편지를 썼다. 한 분위기에서 일년 이상 지내면서도 단 한 번 나는 너를 좋아한다거나 사랑한다는 의사표시를 하지 못하였던 그 영희에게 말이다.

이때까지도 내 마음 속에 간직되었던 영희에 대한 애착은 미라마냥 변하지 않고, 오히려 더 순결한 애정으로 결정이 되어 엉기고 있는 것이었다.

이제 퇴원하여도 좋다는 의사의 확인을 받은 얼마 후였다.

나는 처음으로 내 가슴에 사무친 사랑이라는 말을 이성에게 토로할 기회를 가졌고, 그것은 모든 계산을 초월한 순정의 발로이기도 했었다.

그러나 얼마 후 나에게 찾아온 답장은 영희의 것이 아니라 동생 영숙의 필적이었다.

어머니도 언니도 자기도 무심히 떠나간 나의 행방을 찾았다는 것, 영식이는 보결로 입학이 되어 학교를 잘 다니고 있으나, 아버지가 뇌일혈로 갑자기 세상을 떠나 말이 아니라는 것, 언니는 지난 가을에 결혼하였다는 것, 그리고 끝으로 자기는 몸이 약하여 휴양중이며 선생님이 몹시 보고 싶어 기회를 보아 면회를 가겠다는 사연이 적혀 있었다.

나는 그 편지를 몇 번이고 돌쳐 읽으면서, 그 육중한 대문 안도 내가 있던 그 시절이 최절정이었나 하는 회고적인 감개에 잠기었다.

그러나 영희에 대한 나의 은폐되었던 미련은 좀처럼 가셔지지 않는 것이었다.

'면회사절 주치의'

병실 도어 앞에서 나는 발을 멈추었다. 환자의 중태가 더욱 거세게 직감되어 왔다. 영숙이 어머니는 담당의사의 양해를 구하러 갔다. 나는 도어 옆 흰 벽에 꽂혀 있는 김영숙이라는 검은 나무쪽의 환자 명패를 바라보면서, 내가 제대 직후 우연히도 노상에서 만났던 때의 영숙이의 모습을 더듬어본다.

나와 영숙이는 거의 같은 찰나에 서로의 얼굴을 알아볼 수 있었다. 영숙이도 머리며 몸매가 많이 변하였지만 나는 아직 제대할 때에 입고 온 낡은 군복을 그대로 걸쳤으므로 그러한 몰골에 눈익지 않은 사람으로는 알아보기 힘든 차림이었지만 영숙이는 쉬 나를 알아차렸다.

아, 박 선생님 어쩌문…… 그는 주위의 사람들이 돌아볼 정도로 큰 소리를 외치며 경이에 찬 눈동자로 나를 보고 반가워했다.

그러나 그때 이미 그의 얼굴에는 씻기 힘든 짙은 병색이 뿌리박혀 있음을, 나는 그 반기는 얼굴 속에서도 첫눈에 놓칠 수 없었다.

둘은 함께 차에서 내렸다. 나는 영숙이 이끄는 대로 사양도 거부도 하지 않고 그를 따라 걸었다.

그러나 그 육중한 대문 앞에 다다랐을 때 나는 순간 가위에 눌린 때처럼 첫날의 그 중압감에 억눌리던 역겨운 악몽을 다시 곱씹는 것이었다.

가꾸지 않은 넓은 정원에는 잡초가 우거졌고, 한쪽 귀퉁이가 무너진 돌담도 임시변통으로 시멘트 땜질을 하여 황폐한 인상을 주었다. 사철 깔끔히 손질을 하던 향나무 전나무 등 상록수도 자라는 대로 내팽개쳐 제멋대로 통로를 가로막아, 기둥이 될 주인을 잃은 저택은 고궁같이 쓸쓸했다.

나는 못가의 페인트가 퇴색한 벤치에 걸터앉아 나대로의 상념에 잠기면서 영숙이의 이야기를 듣는 것이었다.

언니는 미쳤어요. 응? 하고 나는 반문했다. 정신 이상으로 죽었어요. 나는 담담히 앉아서 들을 수가 없었다. 왜? 하고 몸을 돌이키며 영숙이의 눈동자를 쏘아보았다.

그는 비탄에 어린 큰 한숨을 내쉬었다. 왜 하고 나는 다시 되쳐 물었다. 그는 침을 꿀꺽 삼키고 나서, 어쩌면 그 책임은 선생님께도 조금은 있을는지 몰라요. 나를 쏘아보는 영숙의 눈동자는 차갑게 흐려 있었다.

언니는 미국 유학을 하고 돌아온 의사와 결혼했어요. 졸업한 후에 천천히 하겠다고 버티었지만, 아버지가 여자의 혼기란 시기가 있는 것이니까 적당한 혼처가 나섰을 때 기회를 놓치면 안 된다고 우겨댔어요. 가문도 좋고, 자립할 능력도 있고, 당사자도 좋으니까 이럴 때 해야 된다고요……

가문, 자립, 능력, 이러한 어휘들은 가시 끝으로 속속들이 내 머리를 찌르는 것이었다. 이제 모든 문을 다 열어놓았다고 생각되었던 내 열등감은 이러한 때 또 한 번 감추었던 머리를 치켜드는 것이었다.

그러나 형부는 미국에 있을 때 교제한 사람이 있었나 봐요. 그 사람이 혼인 후에 찾아왔어요. 그 중간에 복잡했던 건 다 얘기하고 싶잖아요. 오랫동안 누워서 신음하던 언니는 첫 애기를 낳고 정신이상이 됐어요. 그리하여 뇌병원에 입원했다가 발광하여 세상을 떠났어요……

나는 묵묵히 듣고만 있었다. 이러한 때 뭐라고 대꾸할 말이 없었다. 나와 영희와의 관계란 다만 마음속의 영상이지 아무것도 제시할 물적 증거는 없다. 다만 있다면 그것은 내가 입원 중에 발신하였던 편지 한 장 그것뿐이다. 그것도 결혼한 후였다니까. 다만 아까 영숙의 말대로 나도 영희의 죽음에 대하여 얼마간의 책임을 분담하여야 한다면 그 속에 담은 나의 고백이 영희의 발광을 촉진하는 하나의 소인이 되었다는 말일까?

미치고 나서도 가끔 제정신으로 돌아오는 때가 있었어요. 그런 때는 선생님의 이야기를 했어요. 그렇게 무심하게 떠나버리는 일이 어딨냐고요. 자기에게는 시간의 흐름이 필요했던 것이라고요……

나는 연못에 조약돌을 던지었다. 풍덩 하고 물방울이 튀었다. 예전에 말갛던 물은 검푸르게 흐려서 전연 바닥이 들여다보이지 않았다. 그렇게 많던 금붕어는 다 어디로 사라졌는지, 전면을 덮은 뜬풀과 물때도 찾아볼 길이 없다.

하지만 언니보다 제가 선생님을 더 좋아했는지도 몰라요…… 영숙이는 말끝을 웃음으로 흐렸지만 눈가장자리에는 엷은 애수가 스치고 있었다. 나는 영숙이를 건너다보면서 덤덤하게 멋쩍은 웃음을 웃었다. 사실 나에게는 이러한 말들이 예전처럼 큰 충격을 줄 수는 없었다. 거센 고비를 너무도 겪은 나의 가슴은 녹슨 철판으로 가려져 있는 것이었다.

다만 나에게는 핏기 없는 영숙의 얼굴빛에서 느껴지는 불안감이 자꾸만 불길한 예감만을 자아내게 하는 것이었다.

어른 같은 소리 말고 영숙이는 자기 건강에나 조심을 해야지…… 나로선 제법 어른다운 훈시를 하지만, 나 자신도 지금 현재 스스로의 막연한 불안에서 완전히 헤어나지 못하고 있는 것이다.

언니는 결국 자기 손으로 목숨을 끊었지만, 저는 그런 비굴한 짓은 하잖아요. 끝끝내 살래요…… 선생님, 그렇잖아요? 나는 대답할 말을 잃었다. 지금의 나에게 영숙이의 건강을 회복시킬 무슨 복안이나 능력이 있는 것인가. 그래 굳세게 살아야지. 나는 지극히 막연한 한 마디 인사조의 대꾸를 하고 말았다.

선생님만 계셔주시면 저는 살아요. 나는 병으로 쇠약하여진 환자의 감상으로 받아넘기고 될 수록 그의 신경을 자극할 만한 말을 쓰지 않았다. 다만 아직도 이 꾀죄죄한 나에게 예전 맨 첫날과 다름없이 각별한 호의를 가져주는 영숙이의 때묻지 않은 순정이 고마웠다.

영숙이 어머니가 의사를 모시고 병실 도어 앞으로 돌아왔다.

절대로 흥분되는 대화를 삼가시오. 의사는 내 얼굴을 힐끗 보고는 앞장을 서서 병실로 들어섰고 나는 맨 나중에 따라섰다.

침대에 반듯이 누워 있는 환자는 발자국 소리에 눈을 떴다.

움푹 파인 눈언저리는 맥이 풀려 주름이 갔지만, 그 속에 담겨 있는 눈동자는 나를 보는 순간 확대되어 광채를 띠었다.

나는 이불깃 위에 내던지듯이 올려놓은 가느다란 영숙이의 손을 내 손으로 꼭 쥐고, 다른 한 손으로 그의 눈귀로 굴러 떨어지는 눈물자국을 닦으면서, 아까 그의 어머니가 나를 찾아와서 죽기 전에 꼭 한 번만 선생님을 뵈었으면 좋겠다고 하더라는 말을 생각하여 본다.

환자도 흥분되었고 나도 격하였다. 나는 환자를 흥분시키지 말라던 의사의 주의를 그제야 되새기면서 살며시 쥐었던 손을 놓았다. 얼마 동안 영숙이도 말이 없고 나도 말이 없었다.

의사가 희망이 없다는 최후선고를 내렸다는 것이 믿어지지 않는다. 끝끝내 살겠다고 하던 영숙의 의지가 그 육신을 버티어 지탱하고 있는 한 영숙이는 절대로 죽지 않을 것이라고 나는 확신하여본다.

선생님 고마워요. 입술만을 오물거리는 모기 같은 소리다. 나는 괴어오르는 눈물을 참을 길이 없다. 간질간질한 눈까풀을 꽉 감았다 떴다. 눈물방울이 영숙이 손등에 떨어졌다. 이 긴박한 자리에서 무엇이라 줄 말이 없다.

의사의 말대로 한다면 심장의 고동이 이십사 시간을 지탱해 낼 것 같지 않다는 것이라고 한다. 만약 그대로 믿는다면 마지막 시간이 될지도 모르는 이 숨가쁜 고비에서 나는 그에게 과연 무슨 말이나 행동을 표시할 수 있는 것일까. 다만 그를 살리는 길이 있다면…… 그러나 나에게는 아무 능력도 없다. 아무 걱정 말고 안심하고 누워 있어요. 선생님 말씀이 차츰 좋아진다는데…… 기껏 이런 말을 하다니, 이게 무슨 맥 빠진 허위의 잠꼬대인가, 라고 나는 자신을 나무랐지만 그 이상의 아무것도 찾아낼 길이 없다.

저는 선생님이 정말 좋아요…… 나는 묵묵했다. 나도…… 하는 대답을 못했다.

나는 영숙이의 죽음을 앞에 둔 이 절박한 시간에도 나 자신의 비굴한 자기 테두리에서 벗어나지 못하는 것인가.

아직 눈물자국이 번질거리는 영숙이의 여윈 뺨에 나는 찬 이마를 대었다.

갑자기 참았던 울음이 왈칵 치밀어 올라왔다. 걷잡을 수 없다. 나는 영숙이를 위해 우는 것이 아니라 나를 위해 우는 것임에 틀림없다.

육중한 대문 속에서 생겼던 가지가지의 일, 아니 내 지금까지 살아온 과거의 축도가 한꺼번에 물밀려오는 것이다.

나는 체면도 염치도 없이 목 놓아 통곡하고 있다. 그것은 영희의 혼을 부르는 울음도 아니요, 영숙이를 안타까워 우는 눈물도 아니다. 다만 자기 자신의 줏대 없는 왜소하고도 소극적인 자기 비굴에 대한 나 스스로의 새로운 넋을 부르는 통곡임에 틀림없는 것이다.

나는 아직도 스스로의 무덤에 항거하여 새로운 의지와 행동을 마련할 흘러간 역사에 대한 최후의 호곡(號哭)을 하는 것이다.

『현대문학(現代文學)』, 1960. 12.

바닷가에서 – 반편들

1

제주도 남쪽으로 휩쓸어오던 태풍이 동북으로 방향을 바꾸어 울릉도를 스쳐갔다는 라디오 방송이 있은 지도 벌써 이틀이 지났건만, 하늘은 여전히 그 음침한 회색 장막을 걷어 젖히지 못하고 있다.

한여름의 막고비에 오른 대목 공일마저 끝내 허탕으로 넘겨버리는 것 같은 아쉬움에 울화가 치미는 원산댁은 또 소주 두 컵을 선 자리에서 들이키고 나서 굽지도 않은 오징어다리를 질근질근 씹으면서 주점 봉당을 나와 물가로 내려오고 있다.

"제에기랄, 놈의 하늘이 밑창이 아주 쑥 빠졌나봐……"

가랑비 몇 방울 떨어지다가 흐지부지 되어버린 하늘을 쳐다보며 원산댁은 누구에게랄 것 없이 허공에 대고 중얼거렸다.

바닷가 모래톱에 모여앉아 보행꾼 차림을 한 울진 노인의 이야기에 귀를 기울이고 있던 패들 – 제주에서 왔다는 모녀, 원산옥 색시 명심이, 한쪽에 쭈그리고 앉아 노인의 이야기에 곁들고 있는 젊은이…… 이들 사, 오명의 눈길은 소리 나는 쪽으로 쏠렸다.

"무슨 이야기가 그렇게 구수해서 젖은 땅에 그대로 앉아들 있소?"

이들 앞에 다가온 원산댁의 걸걸한 목소리다.

"글쎄, 언니두 진작 여기 나오지 않구."

원산댁은 명심이가 치마꼬리를 끄는 대로 이들 틈바귀에 끼어 앉았다.

파도가 거세게 밀려들어왔다가 미처 사그라질 사이도 없이 다시 더 큰 더미로 밀려오고 주위는 더욱 어두워져가고 있다.

이따금 산모퉁이를 돌아 언덕 위 신작로를 헤살짓고 달아나는 군용차의 헤드라이트가 바위에 부서지는 흰 포말을 비치고 지나가면 다시 파도 소리만이 사위의 온갖 음향을 삼키고 어둠 속에 포효한다.

"그래 어떻게 됐어요?"

명심이의 조름에 못이겨 울진 노인은 다시 입을 열었다.

"어디 그 이상 더 배겨낼 수 있어야지, 주문진 바닥이 온통 사람 사태가 났었으니까. 하기야 처음 며칠은 잘 잡혔지요, 오징어 떼가 밀려들었다 하니 신바람이 나서들 객주집이고 음식점이고 할 것 없이 죄다 먹어라 써라 하고 외상들을 막 주더군요. 헌데 그만 수 사납게 사흘 만에 태풍이 휩쓸고 보니 뒤죽박죽이 됐지. 수백 척 묶여 있던 배가 어디 하나 까닥합니까?"

"그래서요?"

이번에는 원산댁이 무릎을 바싹 들이밀며 다그쳤다.

"하늘이 하는 조화라 속수무책이었지요. 보름이나 꼬박 들어앉아서들 파먹구 있으니 몇 푼 잡았던 돈줄도 다 까불리고 모다들 알건달이가 됐지 뭐요. 하루 묵으면 묵는 대로 숙박료만 밀려가고, 거기에 도박판까지 벌어졌으니 볼장 다 봤지요. 털터리 호주머니에 방 안에 처박혀 낮잠들만 자구…… 이제는 파도가 잦아도 오징어 떼는 아마도 다 달아나 버렸을걸요."

"그래 아직도 사람들이 들끓구 있소?"

원산댁은 궁금증이 좀체 가시지 않나 보아 다시 그 뒤를 캐묻고 있다.

"어데요, 객주에서 밀린 밥값은 안 내도 좋으니 제발 가달라고 애걸하다시피 해요. 꼴들이 빤하니 내쫓는 거지요. 하나 둘 흩어지기 시작했지요. 헌데 정작 떠날라니 노자가 있어야지요. 가두 오두 못하고 헤매는 축들이 많다니까요."

"저런, 거 안됐굼마."

늙은 해녀가 자기 일이나 되는 것처럼 큰 숨을 내쉬었다.

"그래 나도 하는 수 없이, 죽어도 집에 가서 죽어야 되겠다는 생각을 하고 떠났지요. 오늘까지 사흘길을 걸어서 걸어 예까지 왔지요."

"여비는 한 푼도 없이……"

듣고만 있던 젊은이가 참다못해 입을 열었다.

"인전 피천 한 푼 없쉬다."

노인은 턱주가리 염소수염을 어루만지며 입맛을 다시고 있다.

"그럼 오늘두 쭉 굶으셨겠군요?"

다그쳐 묻는 명심이를 멀거니 쳐다보는 노인의 입가엔 비굴한 웃음이 가볍게 스칠 뿐 가부의 대답이 없다.

"아니 아무것도 못 드셨지요?"

그제서야 마지못해,

"도중에서 고구마 몇 개 얻어먹기는 했수다만……"

말끝을 흐리는 노인의 목소리는 맥없이 시무룩해졌다.

"쯧, 쯧……"

혀를 몇 번 차고 난 원산댁은 명심이 쪽에 눈길을 돌리며 자리에서 일어섰다.

비대한 몸집을 흔들면서 서너 걸음 빗겨진 원산댁은 몇 마디 속닥거려 명심이를 가게 쪽으로 보내고 다시 모래 위에 주저앉는다.

"이렇게 줄곧 걸어가실래요?"

"별수 있소, 그렇게라도 해야지."

젊은이는 담배를 꺼내어 노인에게 권하면서 성냥불을 그어댔다.

"이거 고마워서……"

노인은 담배를 받아쥐면서도 미안쩍은 음성이다.

"객지에 나오면 다 그런 거지요. 여기서 울진까지는 며칠이나 걸리나요?"

"글쎄요 하루 팔십리 걸음으로 쳐도 대엿새 걸리지요."

"노비 한 푼 없다면서 어떻게 가시나요?"

"별수 있나요, 그래도 가야지."

"어떻게 지나가는 트럭이라도 하나 잡았으면……"

젊은이의 안타까워하는 말투다.

"그거야 바랄 수 있나요."

"노인이 어떻게 그런 막벌이 일을 하시려고 집을 떠났어요?"

"낸들 떠나고 싶어 떠났겠소, 정 살아갈 구멍 수가 없으니 마지못해 이렇게 떠났지요."

"자녀는 없으신가요?"

"아들이 하나 있기는 해요."

"그런데 노인을 그렇게 떠나게 하던가요?"

"군대에서 돌아왔지요, 허. 절름발이가 돼가지구……"

노인은 터져 나오는 한숨을 큰기침으로 삼켰다.

"집에서는 한몫 잘 보아가지고 돌아오는 줄 알겠지요?"

"그러니 말이요, 떠나올 때 노비도 이 집 저 집서 몇 푼씩 꾸어가지고 왔으니까 아마도 지금쯤은 내가 돌아오기를 눈이 까맣게 기다릴 거요."

"그런데 홀몸이 돌아오기도 어렵게 되셨으니……"

"지금은 아무 생각도 없소. 그저 집까지 어떻게 돌아갈 수만 있으면 하는 그것뿐이요."

둘러앉은 사람들도 제각기 큰 숨을 들이켰다.

"다 됐어요, 언니 -"

원산옥 흔들리는 남포불 밑에서 그릇소리를 내고 있던 명심이가 이들 쪽을 향하여 소리를 치고 있다.

"응―"

길게 대답하고 난 원산댁은 노인을 끌어일으키고 있다.

"저기 들어가 저녁 요기나 하시오."

"아니, 괜찮습네다."

노인은 굶은 속에서도 손을 저으며 사양을 한다. 잘 보이지는 않지만 미안쩍은 표정이 분명하다.

"괜찮아요, 들어가세요."

젊은이도 노인의 등을 밀며 권했다.

"이거 원 폐스러워서 어디……"

노인은 마지못하는 몸가짐으로 원산댁이 끄는 대로 등불 쪽으로 따라 들어갔다.

2

울진 영감의 이야기를 듣는 동안 둘러앉은 축들은 그것이 남의 일 같지 않았다. 어쩌면 자기 신세의 거울을 마주 들여다보고 있는 것만 같은 착각을 가졌는지도 모른다.

늙은 해녀 복실이 어머니는 고향인 서귀포를 떠난 지 벌써 십년이 가까웠다.

4·3사건 당시 아들은 열여섯의 아직 철부지였다. 외삼촌을 따라 산으로 올라갔다. 물불을 가리지 않는 젊음이 죄라고 해녀는 지금껏 가슴 속 맺힌 것이 풀리지 않고 있다. 남편은 마을에 내려온 아들을 하룻밤 집에서 재워 보내면서 고발을 하지 않았다는 죄과로 시비를 가릴 여유도 없이 즉결처형이 되었다.

마지막 토벌전에서 목숨을 겨우 부지해 온 몇몇이 거의 해골이 되어 귀순해 올 때도 아들의 모습은 보이지 않았다. 인제 산 속에는 백록담까지 훑어도 씨 하나 남지 않았다고 확인이 되었다는데도 아들은 영영 돌아오지 않았다. 그러나 몇 해 동안은 기적에 얽매인 미련을 버리지 못했다.

한라산만 바라보아도 몸서리쳐졌다. 무리죽음이 터지고 피비린내 코를 찌르던 자리마다 세워지는 비석을 보고는, 더욱 가슴 속이 죄여 터질 것만 같았다.

돌각담 밑에 숨어서 밤을 새는 오빠에게 철모르고 심부름을 들던 복실이의 허벅다리 총알상처를 매만지면서 끝내 고향을 떠났다.

목포에서 여수로, 포항에서 주문진으로, 동해안 물속을 올려 훑어서 일년이 가고, 다시 내려훑으면 또 한 해가 갔다. 어느 곳이든 한 곳에 지그시 몸을 붙이고 있을 만큼 마음이 안정되지 않고 늘 허공으로 맴돌고만 있었다.

어느덧 복실이도 열아홉에 접어들었다. 이제는 시집가야 할 나이가 찼다고 생각되었다. 잠질도 곧잘 해서 어미보다 해삼이나 전복을 몇 갑절씩 더 따왔다. 볼 때마다 토실토실 더 피어가는 딸의 몸집을 바라보면서 어머니의 걱정은 더 무거워갔다.

어머니는 퇴색한 검은 물옷을 갈아입을 때마다 뱃가죽의 주름이 나이를 알리는 것 같아졌다. 열다섯 길 스무 길 되는 검푸른 물속에 곤두박질해 들어갔다가도, 발을 툭 차고 다시 솟구쳐 올라와 서너 차례 휘파람을 불어제껴 길게 큰 숨을 뿜으면, 가슴 속이 후련하여 풀풀 뛰는 생선마냥 날래던 몸뚱이다. 그것도 이제는 제대로 말을 듣지 않는다. 한두 길 들어갔다 와도 금방 숨이 가쁘다. 다시 거주하던 고향이 그리워졌다. 동서남북 떠돌아다녀도 죽을 곳은 거기뿐이라 싶었다. 비명에 가버린 남편의 무덤 옆에 고요히 묻히고 싶어졌다. 어차피 그럴 바에야 딸자식도 제고장 섬사람에게 주어, 속아도 알고 속으리라 마음먹었다. 뭍의 제비같이 날씬한 젊은이들은 좀체 믿겨지질 않았다.

딸은 노상 뭍에서 그대로 살자고 버티지만, 네 아비나 오래비의 혼이 울며 헤매고 있는 섬으로 가야 한다고 우격다짐을 해 왔다.

늘 어머니의 눈길은 아득한 수평선을 건너 남쪽 바다 한 끝에 못박혔고, 딸은 딸대로 도회의 화사한 거리에 끈질긴 유혹을 느끼고 있었다.

3

원산옥! 이름은 그럴싸하지만 바닷가의 가설주막이다. 푸른 물 넘실거리는 바다를 찾아 모여드는 해수욕객이 철새라면, 원산옥은 그 철새들 둥우리의 하나라고나 할까.

지붕에는 보루상자를 이었지만 주의의 벽은 광목 한 겹으로 둘러쳐 있다. 그것이 오히려 날마다 얼굴들이 바뀌어 모여지고 흩어지는 계절조들에게는 더 청신함을 자아낼지도 모른다.

습기를 머금은 광목 차일이 채 마를 사이도 없이 짓궂은 날씨에, 방 안에서는 곰팡이 냄새가 퀴퀴하게 코밑까지 번져온다.

낡은 돛으로 지붕을 한 이웃의 빵가게까지도 견디다 못해 철거하고 나니, 바람길을 피하여 낡은 철길 밑에 옴폭하게 자리잡은 원산옥만 외톨로 남게 되었다.

개업 당초의 며칠은 날씨가 좋아 손이 모자랄 정도로 복작대었다. 광목으로 칸막이를 하고 가마니를 깔아놓은 방 두 개는 빌 사이가 없었다. 송판으로 된 상에 기다란 나무걸상 두 개를 맞대어놓은 홀도 좌석이 모자라, 노천에 그대로 음식을 날아가는 형편이었다.

그러나 태풍이 터지자 해수욕꾼이란 자취를 감추었고, 캠프하는 학생들의 텐트 한두 개가 겨우 남아 있을 뿐이다.

한산한 나날, 우울한 날씨, 지나가던 차를 멈추고 잠시 점심요기를 하는 운전수들이나, 그렇잖으면 일요일 저녁의 탄광패들이 기껏 찾아주는 손님이었다.

읍내를 벗어나와 바닷가에 자리를 잡고 첫 일을 시작할 때 원산댁의 포부는 컸었다. 피서객이 서해안에서 동해로 많이들 옮겨졌다는 술꾼들의 느닷없는 이야기의 실마리에서 첫 구미를 돋우었던 것이다. 한여름 잘하여 톡톡히 밑천을 잡으면 이번에는 기어코 숙망의 서울로 떠나려는 것이 원산댁의 속심이었다.

해안선을 타고 삼팔선을 같이 넘어온 남편이 품팔이의 고역에 시달리다 못해 세상 떠난 후는, 어린 것 하나를 믿고 살아왔다. 부대 잡역부, 담배장수, 식모살이, 결국엔 음식점 밥데기로 자리가 굳어져갔다. 못 먹던 술도 울화를 밀어내기에 약이 되는 맛으로 입맛을 붙이기 시작했다.

그러나 어린것도 새해에는 학교에 들어갈 나이가 되었다.

이왕 같은 고생살이를 할 바에는 대처에 가서 공부를 시키고 싶었다.

돈을 놀리고 계를 하여 푼푼이 모은 돈을 밑천삼아 한집에 있던 색시 명심이를 타일러 명색 첫 사업이라고 시작했다.

일만 순조롭게 되면 겨울이 오기 전에 명심이와 함께 이사를 하리라는 한 줄기의 희망이 가슴을 뛰게 했다.

4

밤은 꽤 깊어졌다. 파도소리를 거쳐 어두움을 뚫고 곰바위 쪽에서, 먼 산타루치아가 들려온다. 젊은이의 노랫소리다.

남만주 여순 공과대학 재학 중에 해방이 되었었다. 육로로 줄곧 걸어서 거지꼴이 되어 두 달 만에야 서울에 다다랐다. 남대문 자유시장에서 그때 막 터져나온 일본 군복장사를 시작했다. 얼마 후는 양키 깡통장사로 옮겼다. 다시 양담배장사로 넘어붙었다.

일이 한창 흥성해 갈 때 사변이 터졌다. 후퇴하는 길에 방위군에 끌려 갔다가 군대에 정식으로 편입되었다. 철원 삼각지대 전투에서 겨우 살아남은 덕분에 이등상사로 제대되었다. 아직도 뱃속에는 빼지 못한 파편이 하나 남아 있다.

삼척에서는 공민학교 선생까지 지냈었다. 비굴한 교장이 하는 짓이 비위에 거슬려 싸우고 뛰쳐나왔다.

다시 탄광으로 들어갔다. 서투른 일에 과로가 겹쳐 폐를 앓았다.

지난날 자기 사업이 잘되던 시절에 톡톡히 신세를 입힌 친구의 얼굴들이 머리에 떠올랐다. 첫 밑천을 대어준 친구, 그 후 군수물자 취급에서 단단히 한몫 보았다는 그를 찾아갔다. 얼마 동안 머물러 있었으나 기침만 쿨룩거리는 자기를 짐스럽게 생각하는 친구의 눈치가 미안쩍어 간다온다 소리 없이 떠나버렸다.

오늘 아침 이발소집 장작을 빠개주고 받은 삼백 환에서 파랑새담배 한 갑을 사 피우고 남은 이백오십 환은 낡아빠진 군복 호주머니에 아직 포개져 있다.

세상이 싫어졌고 모든 인간이 미워졌다. 조국이니 민족이니, 그런 것은 염두에도 두기 싫었다.

그러나 스스로 목숨을 끊기에는 아직도 막연한 미련이 남아 있다. 이제라도 자기를 믿고 진심으로 아껴주는 사람이 있다면 육신이 자라는 데까지 있는 힘을 다하고 싶다. 자기도 세상이 믿어지지 않거니와 믿어주는 사람도 없다.

이 넓은 천지에 여섯 자도 못 되는 자기의 몸뚱이 하나 의지할 곳이 없다 생각하니 가슴이 터질 것만 같다.

바다를 향하여 파도소리와 맞겨루기라도 하려는 듯이 노래를 부르고는 목이 터져라고 고함을 치는 것이다. 그 뒤에는 또 가슴을 에는 기침의 고통이 엄습해 온다.

5

밤은 더욱 깊어갔다.

육중한 지 엠 시의 멈추는 소리가 나고 언덕을 내려오는 발자국 소리가 들려왔다.

이곳을 스칠 때 한두 번 들른 일이 있는 운전수다.

오늘 하루, 느지막이 첫 손님이다. 술상이 차려졌다. 명심이가 이 자리에 한데 어울렸다.

광목벽을 슴새어 들어오는 바닷바람에 가루장 나무에서 내려 드리운 남포불이 깜박거리고 있다.

그들은 잔이 차기가 바쁘다. 연거푸 쏟아 넣는다.

"자, 명심이도 한 잔 하지."

운전수는 명심이에게 잔을 건네었다.

"조금만 주세요."

"조금은 왜, 잔은 차야 정이 든다는데."

안주도 신통치 않은 술상에서 삼십도의 소주는 삽시간에 그의 혀를 꼬부라지게 했다.

"자, 명심이 노래나 하나 부르지."

"노래 잘 못 불러요."

"흥, 내가 왜 이 집에 온 줄 알어, 명심이가 좋아서 온 거야……"

"헤, 거짓말……"

"거짓말은 무슨 거짓말야. 어디 증거를 보여줄까."

운전수는 명심이의 목을 쓸어안고 까실까실한 수염을 그 뺨에 비비댄다.

"이거 놓아요, 아이 숨이 막혀."

"그럼 내가 싫어?"

"누가 싫다나, 목을 놓으래두요."

"요게."

"아이구 갑갑해."

명심이가 벌버둥 치는 통에 술잔이 굴러 떨어지는 소리가 덜그렁거렸다. 어느 틈에 원산댁이 들어와 이들 사이에 끼었다.

"이 아저씨 왜 이러세요, 색시는 놓구 이야기를 해요."

"명심이가 좋아서 그러는데 무슨 상관이야."

"좋으믄 이렇게 사람을 잡아야 하나요?"

"잡기는 누가."

"아이, 숨차. 놓아요."

명심이는 겨우 운전수의 손아귀에서 버둥쳐 나왔다. 흐트러진 머리를 쓰다듬어 올리는 명심이의 눈동자에는 눈물이 글썽하다.

운전수는 새로 따라놓은 큰 컵의 술을 단숨에 들이켜고 잔을 원산댁에게 내밀었다. 원산댁도 넘쳐흐르는 잔을 들어 쉬지 않고 비웠다.

"내 말 좀 들어요, 운전수 아저씨, 저 차가 언제 떠나요?"

"왜 그래?"

"글쎄요."

"명령대로야."

"좀 부탁이 있어서 그래요."

"갑자기 무슨 부탁……"

"꼭 들어주셔야 할 부탁이 있어요."

"어서 얘기해 봐요."

"문호 쪽으로 가지요?"

"그래."

"오늘 밤에 떠나나요?"

"봐야 알지."

"내일 새벽에?"

"몰라, 야, 색시 이쪽에 와 앉으래두."

운전수는 원산댁 옆에 바싹 다가앉은 명심이를 끌어다 자기 곁에 앉힌다.

"무슨 부탁이든 명심이만 내 시키는 대로 하면 들어주지."

"그거야 제 재간 나름이지…… 애 명심아, 좀 고분고분하렴."

"요 깍정이, 소리만 치고 말은 영 안 듣는단 말야. 총각 심정을 이해 못해."

"총각, 흥?"

명심이는 혀를 쑥 내민다.

"왜?"

"무슨 총각야, 다 구리닝구 하구두."

"헤, 이게."

"아저씨, 차가 떠날 때 한 사람 태워줘요, 울진 가는 노인이 한 분 계신데……"

원산댁은 운전수의 손목을 잡고 잔을 권하며 말을 건넸다.

"그건 안돼, 군대차에 민간인 편승이 엄금이야."

"늙은이래두."

"늙은인 민간인이 아닌가, 나 원."

"글쎄, 좀 그렇게 해 줘요."

"명심이만 말 잘 들으면 될 수도 있지."

"한디에 파 놓은 우물 갖구, 다 제 재간나름이지……"

"자 어때, 명심이."

운전수는 명심이의 등을 치며 다그친다.

"흥, 이건 누굴 동네 북인 줄 아나봐."

"이게, 왜 이래. 명심이 글지마아, 우리 잘들 해보자니까."

"어디 재간껏 해보래두."

명심이는 운전수가 권하는 술잔을 받으며 이번에는 웃음을 띠고 재잘거리고 있다.

6

밖이 떠들썩하며 탄광패 두 사람이 뛰어들었다. 어디서 들이켰는지 그 중의 하나는 몸도 제대로 가누지 못하고 게걸음을 치고 있다.

"마담 있어?"

파나마모가 혀꼬부라진 소리로 주인을 찾는다.

원산댁은 자리를 떠서 밖으로 나왔다.

"아, 강 주임이 아니요, 어서 오시오."

원산옥에는 가장 큰 단골손님인 탄광의 경리주임이다.

광목 칸막이를 사이에 두고 이들은 옆방에 자리잡았다.

"명심이 없나, 명심이."

모자 쓴 채로 술상에 앉은 파나마는 첫잔을 들기 전부터 명심이를 찾는다.

"옆방에도 손님이 있어서 그래요, 좀 조용히 하세요."

원산댁은 낮은 목소리로 파나마에게 거의 애걸하다시피 했다.

"이건 처음부터 훈계조야."

"글쎄 좀 있다 교대할게, 우선 들어요."

"나도 이쯤 됐으면 술 먹자고 왔나, 명심이 보러 왔지."

"색시 불러, 색시."

거의 죽어가는 것 같던 옆의 친구도 반죽을 맞추어 곁들인다.

"곧 와요, 우선 첫잔을 들어요."

원산댁은 어린애라도 달래듯 타이르는 어조다. 마지못해 잔을 든 파나마는 술이 첫모금도 넘어가기 전에,

"이거 소주 아니야 소주, 집어치우고 맥주 가져와 맥주."

"맥준 다 떨어졌어요."

"그럼 정종 가져와."

명심이를 끼고 앉았던 운전수의 눈길이 옆방을 흘기고 있다. 원산댁은 술주전자를 갈아들고 다시 들어왔다.

첫잔을 들고 난 파나마는 옆방을 턱으로 가리키며 호기 띤 고함을 친다.

"어떤 놈이 명심이를 끼고 앉았어, 가서 내가 왔다고 그래."

"왜 이러세요, 술도 들기 전에 주정부터 하시는군요."

"주정은 무슨 주정, 명심이를 불러달란 말이야."

"그래 꿩 대신에 닭은 못 쓴답데까, 야, 명심아 탄광 서방님 오셨단다."

앙칼진 목소리를 남기고 원산댁은 자리를 떠서 옆방에 들어섰다.

"얘, 너 저쪽 방 좀 가 봐라, 난리났단다."

명심이의 등을 밀치며 원산댁은 자리에 앉았다.

"안돼, 명심이는. 누군 손님이 아냐?"

"글쎄 저 손님들 취했으니까 잠깐만 다녀오게 해요?"

일어서려는 명심이를 운전수는 붙잡고 놓지 않았다.

"못 가……"

"흥, 나만 새에서 곯네. 어떻게 하라는 거야, 언니."

"나도 모르겠다. 네 마음 내키는 대로 하려무나."

"안 건너와, 명심이."

"못 보낸다고 그래, 명심이는."

운전수도 노기가 찼다.

"명심이 그러면 없어."

파나마는 사뭇 협박조다.

"돈이문 제일이라더냐, 제에길. 야, 이것봐."

운전수는 호주머니를 뒤적거려 자전뭉치 꼭지만을 명심이에게 내보인다.

"그거 대체 어떤 새끼야?"

"머이 어째?"

파나마의 고함을 그대로 운전수가 받아챈다.

어느 사이에 오고가는 말은 칸막이를 거쳐 한 방이 되고 말았다.

운전수의 술잔이 광목벽을 치고 떨어졌다. 남포불이 흔들린다.

"이거 어디 딜된 새끼야."

파나마의 던진 접시가 칸막이의 이은 혼솔을 뚫고 튀어나와 운전수의 술상에 떨어졌다.

"이 자식이."

"이 새끼가."

칸막이는 찢어지고, 파나마와 운전수는 먹살을 맞붙었고, 거기에 취한 친구까지 덮쳤다.

이 사이에 끼어 원산댁과 명심이는 뜯어말리느라고 아우성을 치고 있다.

낡은 돛 차일 밑에 자리를 깔고 누워 풋잠이 들었던 울진 영감, 해녀 모녀, 젊은이들이 모여들었다.

"간사한 네년은 썩 나서라."

파나마에게 발길로 채인 명심이가 비명을 지르며 쓰러지는 통에 남포불이 꺼졌다.

가슴팍을 밀고 드는 두 녀석을 뿌리치면서 운전수는 허리의 권총을 빼어 몇 발을 연발하였다.

폭풍을 막느라고 지붕에 올려놓은 통나무가 떨어지면서 원산댁의 가슴팍을 내리쳤다.

캄캄한 방 속에서 노기 띤 아우성과 가냘픈 신음소리가 얼마 동안 계속되었다.

7

새벽달이 어슴푸레 지고 오래간만에 아침 해가 솟기 시작했다.

겹겹으로 싸였던 구름은 흩어지고 바다는 어제의 포효를 말쑥히 잊은 듯 아득한 수평선까지 빙판처럼 고요해졌다.

묵호 쪽으로 가는 군데 트럭 운전대에는 병원으로 가는 원산댁을 부축하여 명심이가 같이 탔고, 뒤쪽 짐짝 위에는 울진 노인이 불안에 찬 표정으로 쪼그리고 앉아 있다.

제주 해녀 모녀는 오래간만에 태박과 갈퀴를 겨드랑이에 끼고 바닷가 바위 위에 나섰다. 이마에 걸은 수경에 유난히 아침 햇살이 반사되었다.

학생들 캠프의 마지막 천막까지 간밤에 사라진 모래사장에 젊은이는 서서, 가없는 하늘 끝을 바라보면서 실신한 것처럼 그 특유의 먼 산타루치아를 가슴이 터지도록 부르고 있다.

갈매기 두셋이 물을 차며 수면에 원을 그리고 있다.

『思想界』, 1962. 1.

면허장

　울타리 밑에 개나리가 한두 송이, 비 온 뒤의 물기를 머금고 노랗게 봉오리를 벌렸다. 마치 새봄의 화사한 교향악의 서곡이라도 장식하려는 것만 같다.

　꽃과 더불어 흘러간 일들이 되살아온다. 현숙(賢淑)은 그 격심한 경쟁률 속에서도 대학의 새로운 배지(徽章)를 달고 의기양양하던 감격이 불현듯 벅차오름을 느꼈다.

　그럴수록 가슴 속의 공허는 더욱 그 구멍이 커지는 것만 같았다.

　목욕탕에서 돌아온 현숙은 경대에 마주앉고 있다.

　머릿속은 여전히 개운하지 않다. 좌우로 머리를 흔들어 본다. 골속이 흔들리지는 않으나, 텁텁한 기분은 도무지 가라앉질 않는다.

　간밤 수면부족의 탓도 있겠지만, 그보다는 어저께의 일이 머릿속에 감아붙어 헝클어진 실뭉치가 꽉 차 있듯 헷갈리는 답답증을 가셔낼 수가 없다.

1

곰곰이 따져보아야 약학과(藥學科)를 전공으로 택했던 것은, 어머니의 권유에 순종했던 결과만은 아닌 것 같다. 확실히 선택의 결과는 너무 공리적(公利的)이었음에 틀림없다. 그 책임은 또한 자신에게로 돌릴 수밖에 없는 것이라는 생각도 곁들었다.

대학 지원을 앞두고 자기는 얼마나 남몰래 고민하여 왔던 것인가…… 어쩌면, 남자들과 한자리에 얼려 똑 같은 조건 속에서 여자라는 핸디캡 없이 서로 겨루어보겠다는 부질없는 경쟁심이 선행(先行)하였는지도 모를 일이다.

과외 공부를 마치고 난 현숙은 영희(英喜)와 함께 교문을 나섰다. 찬바람이 목덜미를 스쳐 지나간다. 며칠 후 겨울방학이 시작된다지만, 그런 것에 관심을 돌릴 겨를도 없이 마음속은 조바심으로 설레었다.

"애, 현숙아……"

나란히 걷고 있던 영희가 현숙을 건너다보며 말문을 열었다.

"응……"

현숙은 대답과 동시에 고개를 영희 쪽으로 돌렸다.

"넌 대체 무슨 과(科)를 할 테냐?"

"뭐 말이냐?"

현숙은 영희의 말을 알아듣지 못한 것은 아니지만 일부러 능청을 부려보았다.

"애두, 어느 과를 지원하겠냐 말이야?"

"응, 그거……"

"그거가 다 뭐야. 뻔히 알면서두……"

"글쎄……"

빤히 쳐다보는 영희의 눈동자를 바라보면서, 사실 현숙이로선 즉석에서 똑 잘라 대답할 답변을 마련하지 못하고 있었다.

"기어코 약학과를 할래?"

"아직은 몰라."

"그럼?"

"좀 더 생각해 봐야겠어."

"응, 아직 심사숙고의 단계에 있단 말씀이군."

"그런 것도 아니지만……"

"그럼 입학시험이 다 끝난 다음에 정할 작정이야?"

"얘두, 넌 늘 빈정대기만 하니."

싱글벙글하는 영희를 건너다보면서 현숙은 일부러 눈을 흘겼다.

"그걸 가지구 큰 비밀이나 되는 것처럼 감추니까 그렇지."

"감추기는 누가 감춰…… 넌 어디로 했니?"

"내가 체육과(體育科)를 간다는 건 온 반 안이 다 알고 있는 건데, 뭐……"

"참, 그랬던가……"

그제야 현숙은 얼마 전 담임선생이 물으실 때 체육과라고 대답하던 일이 생각났다.

"그렇게 힘들이면서 대학 공부를 해선 뭐 허니?"

"그럼……"

"여자에게는 그저 대학이 해방의 마지막 시절이야. 어차피 시집만 가면 고생구멍이 훤한걸."

"하지만, 놀자구만 대학을 갈 수 있니?"

"그야 생각할 나름이지…… 재학 중에 우등을 하구, 무슨 상을 타구, 장안이 법석하던 우리 언니두 시집가구 나니 별 수 없더라. 집안에 틀어박혀 어린애 기저귀 주무르기는 매 한가지구……"

현숙은 아무 대답할 말이 없었다. 영희의 현실적인 논법(論法)이 수긍

되지 않는 바도 아니지만, 그러한 관점 한 가지로 모든 척도(尺度)를 삼을 수만은 없을 것 같았다.

"체육과에 들어가 율동이나 하구 춤이나 실컷 추다가 쓸 만한 놈팽이나 얻어걸려 시집가면 그만이지…… 그 다음부터 다 뻔한 코스야."

영희는 멀뚱히 쳐다보며, 내 주장이 어떠냐는, 마치 동의를 구하는 듯한 표정을 짓고 있다.

"글쎄 그것도 살아가는 한 방법이겠지만……"

"하기야 너같은 수재의 갈 길이야 따로 마련돼 있지 않겠니……"

영희의 말 속에는 얼마간의 비꼬임이 섞였다고 현숙에게는 느껴졌다.

현숙은 낮에 담임선생인 김(金) 선생이 하시던 말을 되새기고 있다.

"어때, 인젠 결정됐어?"

"아니요, 아직도……"

"뭘 그렇게 주저하구만 있어."

"오늘 다시 집에 가 상의해 봐야겠어요."

"글쎄 상의하는 것도 좋지만, 본인의 의사는 어떤가 말이야?"

"저, 자신으로도 아직 명확한 방향을 세우지 못했어요."

"지원 마감도 임박했는데, 아직도 머뭇거리고 있으면 어떻게 해."

"저, 선생님 생각은 어떠세요?"

현숙은 긴장됐던 기분을 늦추면서 선생님의 입술을 지키고 있다.

김 선생은 현숙의 얼굴을 훑듯이 말끄러미 쳐다보다가 입을 열었다.

"현숙의 경우같이 특별히 뛰어난 특질이 없이 모든 과목이 평균적으로 좋은 경우가 전공(專攻)을 가려내기 가장 힘들단 말이야."

현숙은 묵묵히 듣고만 있다. 김 선생은 담배 한 모금을 길게 빨고 나서 다시 말을 이었다.

"어때, 그 속에서도 비교적 소질이 엿보이는 문학을 전공하면?"

김 선생은 현숙의 의향을 기다리며 말끔히 쳐다보고 있다.

"글쎄요……"

맥빠진 이런 대답밖에 나오지 않았다. 그 밖에 단안을 내릴 만한 자기 마음의 준비가 되어 있지 않기도 하였기 때문이었다.

"아무튼 집에 가서 상의도 하고 본인으로도 잘 생각해 봐요. 누가 뭐라 해도 본인의 의사가 가장 중요한 것이니까……"

"네, 알겠어요."

"창창한 앞길이야 쉬 예단할 수 없지만, 우선 소질이 좀 나은 쪽으로 택하는 것이 가장 무난할 거야."

복도로 걸어 나오면서도 현숙은 도무지 마음의 갈피를 잡을 수 없었다.

그러나, 한 평생을 세속적인 명리(名利) 영달(榮達)에 초탈(超脫)하여 자기의 자존(自尊)을 고수하면서 문필생활을 일괄하여 온 아버지의 말년에서 받은바 충격이 너무 컸기에 현숙으로서는 선생님의 권유에 그대로 추종할 수만은 없다는 생각이 들었다.

경제적인 부담 능력에 꿀려서 어머니의 승강이질 앞에 가장(家長)으로서의 체모마저 유지될 수 없는 아버지, 그 아버지의 현실적인 생활상을 뼈저리게 느끼며 목격해 오지 않았던가.

이제는 자기간의 생활을 보는 안목(眼目)이 어느 정도 기준이 서 간다고 스스로 자부하고 있는 현숙으로서, 이제 다시 계속하여 아버지의 전철을 밟고 싶지 않았다.

어머니 또한 그러한 세습적인 상속은 이제 진절머리가 난다는 듯한 태도가 거의 노골화되어가고 있지 않은가. 그보다도 혼자서 자활(自活)할 수 있는 실리적(實利的)인 과를 택하라는 어머니의 생각도 일리가 없는 바는 아니라는 생각이 들기도 했다.

2

집에 돌아온 현숙은 아버지와 어머니 앞에서 최종결정을 내리려고 마음먹었다.

"아버지……"

"응……"

아버지는 보고 있던 석간신문에서 눈을 돌리며 이쪽을 건너다보고 있다.

"저, 학교에서 지망학과를 빨리 결정하라는데……"

"글쎄, 네 생각은 어떠냐?"

"제가 뭘 알아요."

현숙으로서는 우선 이렇게 대답하는 수밖에 없었다.

"너, 엄마는 뭐라든?"

"어머니……"

현숙은 아버지 물음에는 곧장 대답을 하지 않고 옆방에 있는 어머니를 불렀다.

"왜들 갑자기 호출이냐."

어머니는 방으로 들어서며 남편과 딸을 번갈아 둘러보고 있다.

"어머니, 나 대학 어디로 가면 좋아?"

"글쎄, 그런 건 너 아버지더러 의논하렴."

어머니는 아버지의 눈치를 살피면서 자리에 앉았다.

"대체 너 담임선생은 뭐라 하시든?"

어머니가 먼저 물었다.

"문과(文科)를 하면 어떠냐구요."

"글쎄, 그것도 괜찮겠다만, 그건 선천적 재질을 타고나야만 한다. 노력도 노력이지만……"

"애, 그런 궁상 떤 소리 좀 작작해라."

아버지의 말에, 어머니가 거센 목소리로 불쑥 사이에 끼어들었다.

"괜한 소리……"

"괜한 소리긴…… 그래 기집애가 할 일 없이 제 애비같이 허구헌날 그 바둑판같은 원고지만 메워가겠니, 누구 하나 장하다는 사람도 없이……"

"이 사람은 척하면, 왜 그 죄 없는 원고지만 들구나서는 거요."

아버지는 시무룩해서 신문을 뒤적이며 어머니 쪽은 보지도 않고 말한다.

"그저 자식새끼 굶어죽이게 꼭 알맞지."

어머니는 발끈 상기되어 대꾸를 하고 있다.

"사람두…… 그래 이 집에서 누가 길거리에 나앉게 됐어?"

"에구, 그저 깡통 차지 않은 것만도 다행이지……"

어머니와 아버지의 대화를 들으면서 현숙은 그 새에 끼어 어쩔 바를 몰라했다.

"얘, 여자란 별 수 없느니라."

아버지는 현숙이를 바라다보며 또박또박 이어갔다.

"시집만 가면 남편 덕으로 먹고 살아야지. 그래도 아무개의 부인이랄 때가 여자로선 행복할 수 있는거야."

"에이구, 선화당 서겠소."

아버지는 어머니의 옆찌르는 말은 듣는 둥 마는 둥 말을 계속했다.

"그저, 누구의 남편이라고 부인 위주의 가정이 된다면, 남 보기엔 허울 좋아도 집안 살림이란 엉망이 되기 일쑤고…… 그나 그뿐인가, 남편이란 주눅이 들어 제 구실도 바루 못하게 되면 빛 좋은 개살구처럼 겉만 번지르르하고 안 속은 엉망이 되기 일쑤란 말이야. 봐라, 신문에도 가끔 나지 않니……"

"얘, 느 아버지 생각은 이젠 아주 낡아빠진 구식이다. 요샌 부부간이 같이 벌어서 서로들 잘 살기만 하더라. 여자도 이젠 자활할 수 있는 기술 하나씩은 배워둬야지."

"글쎄, 주부는 역시 집 안에 있어야 한 대두……"

"당신, 그런 호랑이 담배 먹던 때 이야기 좀 작작해요. 여자두 밖에 나가 활동을 해야지……"

"그게 바루 집안 망치는 시초라니까……"

"망치긴…… 그래두 집 안에 틀어박혀 골골 창자를 쥐어짜는 것보담야 낫지."

"음……"

아버지는 큰기침을 하며 돌아앉는다. 그러나 어머니는 조금도 양보가 없다.

"얘, 그저 아무 말두 말구, 약학과를 해서 면허장(免許狀) 하나라두 타 놓아라. 바쁜 목에라도 써먹게……"

"글쎄, 너 모녀 생각대로들 해라만, 여자란 남들이 보통 하는 가정과(家政科)나 택하여 대학 맛이나 보다가, 재학 중에라도 좋은 혼처가 있으면 결혼하는 게 그저 상책이니라."

"에구, 그 고생살이를 그렇게 일찍 시키면 뭐하겠수. 시집가는 날부터 그 꼴인데……"

"그럼, 평생 데리구 있구려……"

"그럴 수도 없지만……"

어머니도 그 이상 더 버티어나가지는 못하는 것만 같다.

현숙은, 아버지나 어머니가 다 한국 여성이 처한 현실적 조건을 몸소 체득하고 거기서 우러나는 의견을 얘기하는 것이라고 느껴졌다.

그러나 어찌 보면 아버지는 기성생활의 타성을 이어받은 소극적인 생각이고, 거기 비하면 어머니는 현대적인 직업여성을 가장 이해할 수 있는 적극적이고도 실용적인 의견을 가지고 있다는 생각이 없지 않았다.

아무튼 이러한 집안에서의 상반되는 양친의 견해에다 자기로서의 생에 대한 자세라 할까, 적어도 자기 삶의 미래의 지표를 냉철히 응시하는 게

산이 종합된 현명한 답으로 채택된 것이, 지원 마지막 날에 입학원서에 기록된 약학과의 전공선택이었다.

현숙이도 자기 나이또래의 다른 친구들이 예사로 하는 것처럼, 재학중의 혼담에는 일체 귀를 기울이지 않았다.

아버지의 친구가 어쩌다가 농조로 좋은 신랑감이 있다는 이야기를 집안식구의 분위기에서 예사롭게 끄집어내어도 아랑곳하지 않았다.

오히려 그 혼담이라는 것을 마치 불순하고 추잡한 일 같이만 여기어, 어떤 때는 내심 모욕감과 더불어 혐오증까지 느껴가며 반발하였던 것이다.

그만큼 결혼이라는 것이 당시의 자기로는 직접적인 연관성을 가진 절박한 것으로는 여겨지지 않았었다. 동창생 중 누가 약혼을 하였다 해도 그저 그렇거니 하고 남의 일처럼 한쪽 귀로 흘려보냈던 것이다.

또한 그러한 태도가 고고하고 자랑스럽게만 여겨지기도 했었다.

어머니처럼, 그 시절에는 여자로서는 드물게 다녔다는 전문학교를 졸업하고도, 자기의 전공이나 기능은 살릴 길 없이 남편의 시중을 들고 자식들의 치다꺼리에 얽매이고, 극단으로 말하면 거의 노예처럼 집안 살림을 꾸려가는 데 혹사되어 심신이 지쳐가는 것을 보면, 결혼이라는 데 대한 염증마저 솟구치는 것이었다.

그러나 현숙의 마음속에도 시간의 흐름에 따라 변화가 일어나기 시작했다.

아버지 말대로, 결혼이란 반드시 하여야 할 것인가, 결혼을 하지 않고서는 살 수 없는 것일까, 그러한 문제와 대결하여 적극적으로 생각하게 된 것은 대학 졸업 이후의 일이었다.

3

자기가 좋다고 택하여 들어간 대학이지만, 학창생활의 환희를 마음껏 느낄 수 없었다.

처음에는 일류 고등학교의 우수한 남학생들과의 격심한 경쟁에서 몇 안 되는 여학생 속에 끼어 입학하였다는 것이 자랑스러워, 세상의 모든 것이 자기 마음대로 될 것으로만 느껴졌다. 자기가 하는 일에는 불가능이라는 것이 없을 것같이 푸른 하늘을 훨훨 날고만 싶은 희망에 찬 꿈에 잠겼었다. 부모들도 자기를 더 한층 대견스럽게 여겨주는 것으로 마음에 겨울 정도의 만족을 느끼기도 했다.

그것이 차츰 남학생에게 지지 않겠다는 암암리의 경쟁심리 속에서 고된 강의를 지탱해나가기에는 벅찬 감이 느껴져 왔다. 아무래도 여자로서는 힘에 달리는 경우를 체험하지 않을 수 없게끔 되었다.

약 냄새가 코를 찌르는 실험실에서 신경이 지칠 정도의 실험 과정을 감내해 나가는 사이에, 간혹 이렇게 고된 학창생활이 종국에 가서 자기에게 무엇을 가져다줄까 하는 데 생각이 미칠 때는 한가닥의 회의가 싹트지 않을 수 없었다.

오히려 심한 경쟁도 없이 자기가 가고 싶은 과를 마음대로 택하여 학과에 대한 과중한 부담도 없이 가벼운 기분으로 학교엘 다니는 영희가 부러웠다. 마음 맞는 친구들끼리 얼려서 영화구경이니 음악감상이니 파티니 하고 경쾌한 심정으로, 마치 꽃동산의 나비처럼 기분 내키는 대로 몰려다니는 그들을 볼 때마다 번져오는 선망감을 느끼지 않을 수 없었다.

말하자면, 그들이 말하는 청춘의 엔조이 대열(隊列)에서 자기만 동떨어져 예외자로 따돌림을 받는 것 같은 고독감마저 느껴지는 것이었다.

나는 분명 여자다. 그리고 남들과 같은 평범한 여자임에 틀림없다. 남들보다 다소라도 뛰어난 것처럼 생각되었던 자긍(自矜)도 날이 갈수록 엷어지고, 자기가 아는 것이란 보잘 것 없는 적은 것이라는 심정이 자꾸만 앞을 가려 왔다.

장차 내가 무엇을 하려고 이러는 것일까, 그는 스스로의 마음속에서 버둥대고 있었다.

거기다, 졸업반에서는 약제사 면허시험 때문에 일반 대학생의 졸업시험 준비 이외의 힘든 고비를 하나 더 치러야만 했기에 코피를 쏟으면서까지 남모르는 고생을 하였었다.

무엇 때문에 하필 이런 코스를 인생의 초입에서부터 택하였을까 하고, 제 자신에게 반문하기도 했다.

자신을 더 쓰라리게 채찍질하는 것이 좀 더 진지한 삶을 이룩하려는 인간으로의 성실한 태도라고 자위하기도 했다. 그러나 그것은 곧 남성들에게나 필요하지, 자기 의사보다는 남편의 의사에 추종하여 살기 마련인 현실적인 조건 아래에선 여자에게 그것이 무슨 소용인가 하는 반발이 치솟아 옴을 어쩌는 수 없었다.

그러나 이미 들어선 길을 이제 방향을 바꾸기에는 시간이 너무 늦다. 이제는 이왕 정해진 길이니 좌절하지 말고 골인하여 자격증(資格證)을 탈 때까지는 우선 제일단계의 최선을 다하여야 한다. 그것이 지금의 자기로서의 삶의 보람이다. 그 다음은 또 그때에 맞다달아 할 일이다. 이렇게 자기 자신을 격려하기도 했다.

주위의 쉽게 학교를 다니는 친구들을 볼 때마다, 이러한 자기 독려(自己督勵)는 점차 도를 가하는 자학(自虐)으로 이끌려졌다.

4

졸업증서에 겹쳐 약제사 자격증을 수여받은 순간은, 그 사이의 모든 숨은 쓰라림이 한꺼번에 풍선처럼 가셔져 가는 것을 가슴 시원히 의식했다.

중도에서 굴하지 않고 초지일관하여 자기가 지향하였던 제일 목표에 도달하였다는 것, 그것은 비길 바 없는 삶의 보람 같기만 했다.

현숙은 무거운 짐을 푼 것처럼 거뜬한 기분으로 거리에 나섰다.

졸업식이 지난 후 친구들이 모인 댄스파티에 참석하여도 춤을 출 줄 모른다거나 자기만이 보이프렌드 없이 왔다거나 하는 문제에 대하여는 아무 비굴감도 느끼지 않았다.

오히려 가장 충실하게 학창생활을 지속하여 온 자기의 인생에 대한 성실성의 반영이라고 해석하여 자위 이상의 자긍을 스스로 느끼기도 했다.

그러나 여학교 성적도 신통치 않았고, 대학에서도 쉬운 방향으로만 살아가려는 방법으로 일관한 몇몇 친구들이 재학 중에 사귄 남성들과 사랑이 깊어지고, 그 연분으로 자기들의 안목에 따르는 조건이 구비되어 재빨리 시집가는 것을 볼 때마다, 그렇게 다져먹은 마음속에서도 허전한 감정이 움터 나옴을 막는 수가 없었다.

거울 속에 비친 모습을 물끄러미 들여다본다. 풀어뜨린 머리는 아직 물기를 머금은 채 윤기가 번지르르하다.

얼굴은 양 뺨의 토실한 탄력과 더불어 여학교 때보다 별로 변한 것이 없는 것 같으면서도 눈 가장자리에 가는 주름이 서리기 시작하고 이마가 더 벗어진 것이 유난히 거슬리게 눈에 뜨인다.

루즈나 아이섀도는 물론 짙은 화장이라곤 거의 한 일이 없지만, 한두 줄의 엷은 주름을 메우기 위하여 화장도 짙게 하고 싶고, 이마의 머리카락도 앞쪽으로 슬쩍 내려 빗어야겠다는 생각이 얼핏 머릿속을 스쳐간다.

한참 잊었던 어제 일이 또 뭉클 가슴 속으로 치켜오른다.

5

결혼 문제, 그것은 아무리 무관심하다 해도 인간 일생의 중대한 일임에 틀림없다고 생각하게끔 되어온 자신을 현숙은 거의 부정할 수 없게끔 되었다. 졸업이라는 것이 그러한 사고 방향으로 이끌어오는 가장 큰 분수령이 되었는지도 모른다고 생각하기도 했다.

결혼을 한다면 하는 그것대로 대상의 선택 문제가 벅찬 마음의 부담으로 느껴져 왔다. 왜냐하면 운명입네 하고 자기 앞에 주어지는 조건 그대로 수동태세를 가지거나, 그렇잖으면 제비 뽑듯이 소극적인 관여로써 체념할 수는 없는 지표가 있고 필연적인 이유가 천명되어야 할 것만 같았다. 무턱대고 안 간다는 식의 막연한 삶의 방도는 이제 취하고 싶지 않았다.

그러고 보면, 결국 자기 자신도 아버지의 사고방식대로, 계집이란 나이차면 의례히 시집을 가서 남편을 섬기고 아기를 낳고 그저 그렇게 사느니라는 지극히 평범한 방법 그것을 되풀이하는 무난한 코스에 이미 무의식중에 접어든 것이 아닌가 하는 스스로에 대한 질문을 던지고 싶은 충동도 야릇한 불안과 함께 겹쳐지는 것이었다.

그런데 실지에 있어서는, 그러한 중대문제의 당사자인 자기 자신보다 왜 주위의 사람들이, 아니 자기 자신이 아닌 남들이 더 서둘러대는 것일까.

설령 살을 갈라 난 부모라 할지라도 이 문제에는 궁극에 가서는 남인 것이다. 그것은 죽음을 여하히 가까운 자기 자신 이외의 남도 대신할 수 없듯이, 결혼생활도 아무리 분신(分身)과 같은 육친이라 할지라도 대신하여 치러줄 수 없는 문제이기 때문이라는 생각에서였다.

주위의 모든 것이 거추장스럽게만 느껴진다. 그저 혼자 있고만 싶다. 아무도 자기의 사생활을 간섭하지 말았으면 하는 심정이다.

졸업 후 삼년의 세월이 흐르는 사이에 스물일곱의 고개를 자기도 의식하지 못하는 사이에 넘겨버렸다. 이제는 자기 자신보다 부모들이, 아니 집안이니 근족이니 하는 이웃들이 더 서둘러대고 걱정들을 하고 있다.

그것보다는 만나는 사람마다 농인지 진실인지 몰라도, 지나가는 말결으로 마치 생사에나 관계되는 것 같은 심각한 표정으로 시집 참견을 해주는 데는 참말 고마운 생각이란 눈곱만치도 없고, 성가시고 귀찮기 짝이 없는 일만 같게 여겨졌다.

6

영희의 결혼식에 참석하고 돌아오던 날의 일이다. 고등학교 졸업반 담임선생이었던 김 선생을 그 자리에서 만나뵙게 되었다.

식이 파한 후 오래간만에 만난 은사를 모시고 다방엘 들어갔다. 학교나 동창생에 관한 이야기가 자연히 화제에 오르게 되었다.

누구는 어디에 취직해 있고, 아무개는 이미 결혼해서 아이가 몇이고 하는 주변적인 이야기로 번지었다.

"그래 현숙인 결혼 안 해?"

김 선생의 담담한 말은 현숙의 가슴을 쿡 찔렀다. 또 걸렸구나 하는 생각이 들었다.

하도 같은 질문을 자주 받기에 상대는 평범하게 한 말인지 몰라도 듣는 쪽은 성가시고도 귀찮은 일이었다.

"왜 안 해요……"

대답은 본의 아니게 뽀로통하게 나왔다.

"그럼 언제 할 작정이야?"

숭글숭글한 김 선생은 아무 악의 없이 그대로 말을 이어가지만, 현숙은 그러한 이야깃거리에서 피하고만 싶었다. 그러나 묻는 말에는 싫어도 대답하지 않을 수 없었다.

"상대가 있어야 하죠."

"그래, 대학을 졸업하구 몇 해씩 있어도 상대가 없다면, 원 말이 돼야지."

"사실이 그런걸요."

현숙은 되는 대로 그저 받아넘겼지만, 김 선생은 점점 진담으로 듣는 것만 같았다.

"그래도 나이 있는데 결혼은 제때에 해야지……"

"누가 시집 보내주는 걸 안 가나요?"

현숙의 어조는 태연한 것 같으면서 가시가 돋쳐 있었다.

"그럼 내가 보내줄까?"

김 선생은 또 그대로 받아넘긴다.

"참말, 어디 보내주세요."

"그게, 진심이야?"

"그럼은요."

"그럼 보내주지……"

이쯤 되면 현숙이도 그대로 웃어넘길 수밖에 없다.

"가만 있자……"

김 선생은 머릿속에서 무엇을 찾는 표정을 짓다가 말을 이었다.

"좋은 후보자가 있어, 아주 좋아."

"……"

"병역은 끝내고…… 직장도 있고…… 내가 곧 서로 만나도록 연락해 보지."

이야기는 그것으로 끝났다.

현숙은 예사로 있는 이러한 경우이기에, 그날 이후 그대로 깡그리 잊고 있었다. 그러던 것이 김 선생에게서 좀 만나자는 연락이 왔기에 어저께 나갔던 것이다.

낯선 젊은이와 나란히 앉아 있던 김 선생은 자기를 반기면서 건너편 자리에 앉기를 권했다.

현숙은 육감에 스쳐지는 것을 느끼며, 언젠가 김 선생을 만났을 때의 농담 같은 이야기를 회상하는 것이었다.

김 선생은 두 사람을 소개하며 인사시켰다. 그러나 젊은이의 성명은 듣는 순간으로 잊혀졌고, 김 선생이 연신 이(李)군이라고 부르는 데서 이씨라는 것밖에 기억에 남지 않았다. 서로의 대화는 대체로 김 선생이 사이에서 유도하였다.

현숙은 젊은이의 질문에는 답변하면서도 자기편에서 직접으론 아무것도 묻지 않았다.

다만 김 선생의 소개로, 대학 재학 중에 군에 입대하였다가 제대하여 대학을 마치고는 국영기업체에 직장을 가지고 있다는 정도의 윤곽을 들었을 뿐이다.

아무 준비도 없이 나온 걸음이지만 첫인상이 비교적 괜찮았고 저쪽도 적잖은 호의를 가지는 것이 느껴졌다. 그러나 그 젊은이의 마지막 한 마디가 자꾸만 귀에 거슬려왔다.

한다는 이야기가, 순조로이 진행되어 만약 결혼을 하게 되면 자기는 직장에 있고 이쪽은 약제사 면허장을 가지고 있다니까 약방을 내어, 서로 같이 벌면, 비록 박봉일지라도 우선 경제문제는 타개될 것이 아니냐는 이야기다.

현숙은 순간, 가슴에 뭉클 치밀어 오르는 것을 느꼈다.

지극히 솔직담백한 성격이라고 우선은 어느 정도 선의의 해석이 갔다. 그러나 곱씹어 생각할수록 그 말 속에 담겨 있는 꾀죄죄한 남성의 메스꺼움을 금할 길 없었다.

(이건 나하고 결혼하자는 것이 아니라, 면허장 대상으로 하자는 건가.)

자기의 부질없는 결벽성의 탓이라고 불쾌한 감정을 억누르려고 하였으나 도무지 개운하지 않았다.

현숙은 김 선생에게 인사도 하는 둥 마는 둥 다방문을 나서고야 말았다.

7

졸업 직후, 약제사 면허증은 약방에 명의를 빌려주었었다. 달마다 이만환씩 받는 돈으로 동생들의 등록금에 보태왔었다.

지난 가을에는 집 간사리를 줄여서 마련한 차액으로 약방을 차려놓았다. 어머니와 함께 노상 거기 나앉아 구겨져가는 집안 살림을 메워가는 데 여념이 없었다.

그러나 이러한 자질구레한 집안 사정을 소위 맞선 자리에서 토로할 수는 없는 노릇이어서 오히려 남자 쪽의 너무 섬세한 타산이 뻔뻔스럽게만 여겨졌다.

대학에서 국민학교까지 줄지어 다니는 동생들의 학비나마 이 약국의 덕분으로 비교적 쉽게 타개되어, 어머니는 적잖이 숙원(宿願) 달성의 안도를 보이고 있는 요즈음에, 현숙으로서는 앓는 상처에 손이 닿는 것 같은 괴로움을 느끼지 않을 수 없었다.

현숙은 다시 경대 속의 자기 얼굴을 물끄러미 들여다보고 있다. 볼수록 자기 자신이 가엾게만 여겨졌다.

딸에게 약학을 전공시켜 이제 의젓한 약방까지 내어 소원 성취한 어머니의 만족한 웃음 띤 얼굴이 가증스러워지는가 하면, 그 면허장을 큰 밑천으로 알고 혼인의 미끼처럼 생각하는 신랑 후보자의 타산이 더욱 얄밉게만 여겨졌다.

그보다는, 인생을 공리적인 계산으로 따져서, 그것이 더욱 여자가 만일 불행하게 되어도 자기 혼자 자립할 수 있어야 한다는 미래의 인생 계산서까지 적으나마 염두에 두고 전공을 선택한 데 지나지 않는 자기 자신이 미욱하고 역겹기만 했다.

결국 아버지가, 여자란 제 손으로 벌 생각을 하지 말고 남편의 품속에서 편안하게 살 것을 생각해야지, 아직 닥쳐오지도 않는 미래의 불행을 예측하고 전공을 택한다는 것은 얼마나 인생을 불안하게 보고, 공리적으로만 생각하는 것이냐고, 그 특유의 유머로 이야기하던 것을 새삼스러이 되새기지 않을 수 없었다.

현숙은 풀어진 머리대로 경대 앞에서 불끈 일어섰다. 아직 순결하고도 적나라해야만 하는 삶의 출발 지점에서부터 약삭빠르게 이해타산으로만 자를 대고 인생을 계산한 옹졸한 자기 자신이 얄미워 입술을 꽉 깨물었다. 두 손으로 머리를 움켜쥐고 책상 위에 엎드려 졌다.

복받치는 울음을 참을 길 없다. 아직 꽃도 활짝 피기 전에 봉오리 때부터 너무 세파의 폭풍에 대한 공포증을 스스로 과도히 예기한 자기 자신을 비웃는 조소가 터져 나왔다.

현숙은 밖으로 나왔다.

'홍, 인간거래의 매개장(媒介狀)……'

그는 코웃음을 퉁겼다.

얼마 후, 존귀한 가보(家寶)처럼 아담한 유리 액자에 넣어 현숙의 방 뒷벽에 소중히 걸려 있던, 그의 조그만 사진에 한 귀에 붙은, 약제사 면허장은 유리가 산산조각이 난 채 뜰 구석에 내동댕이쳐 있었다.

『미사일』, 1962. 5.

꺼삐딴 리

　수술실에서 나온 이인국(李仁國) 박사는 응접실 소파에 파묻히듯이 깊숙이 기대어 앉았다.

　그는 백금 무테안경을 벗어들고 이마의 땀을 닦았다. 등골에 축축히 밴 땀이 잦아들어감에 따라 피로가 스며왔다. 두 시간 이십분의 집도(執刀). 위장 속의 균종(菌腫) 적출. 환자는 아직 혼수상태에서 깨지 못하고 있다.

　수술을 끝낸 찰나 스쳐가는 육감 그것은 성공 여부의 적중률을 암시하는 계시 같은 것이다. 그러나 오늘은 웬일인지 뒷맛이 꺼림칙하다.

　그는 항생질(抗生質) 의약품이 그다지 발달되지 않았던 일제시대부터 개복 수술에 최단시간의 기록을 세웠던 것을 회상해 본다.

　맹장염이나 포경(包莖) 수술, 그 정도의 것은 약과다. 젊은 의사들에게 맡겨 버리면 그만이다. 대수술의 경우에는 그렇게 방임할 수만은 없다. 환자측에서도 대개 원장의 직접 집도를 조건부로 입원시킨다. 그는 그것을 자랑으로 삼아왔고 스스로 집도하는 쾌감마저 느꼈었다.

　그의 병원 부근은 거의 한 집 건너 병원이랄 수 있을 정도로 밀집한 지대다. 이름 없는 신설병원 같은 것은 숫제 비 장날 시골 전방처럼 한산한 속에 찾아오는 손님을 기다리고 있는 형편이다.

그러나 이인국 박사는 일류 대학병원에서까지 손을 쓰지 못하여 밀려 오는 급환자들 틈에 끼어 환자의 감별에는 각별한 신경을 쓰고 있다.

그것은 마치 여관 보이가 현관으로 들어서는 손님의 옷차림을 훑어보고 그 등급에 맞는 방을 순간적으로 결정하거나 즉석에서 서슴지 않고 거절하는 경우와 흡사한 것이라고나 할까.

이인국 박사의 병원은 두 가지의 전통적인 특징을 가지고 있다.

병원 안이 먼지 하나도 없이 정결하다는 것과, 치료비가 여느 병원의 갑절이나 비싸다는 점이다.

그는 새로 온 환자의 초진(初診)에서는 병에 앞서 우선 그 부담 능력을 감정하는 데서부터 시작한다. 신통치 않다고 느껴지는 경우에는 무슨 핑계를 대든, 그것도 자기가 직접 나서는 것이 아니라 간호원더러 따돌리게 하는 것이다.

그렇게 중환자가 아닌 한 대부분의 경우 예진(豫診)은 젊은 의사들이 했다. 원장은 다만 기록된 진찰 카드에 따라 환자의 증세에 아울러 경제 정도를 판정하는 최종 진단을 내리면 된다.

상대가 지기나 거물급이 아닌 한 외상이라는 명목은 붙을 수 없었다. 설령 있다 해도 이 양면 진단은 한 푼의 미수(未收)나 결손도 없게 한, 그의 반생을 통한 의술 생활의 신조요 비결이었다.

그러기에 그의 고객은, 왜정시대는 주로 일본인이었고 현재는 권력층이 아니면 재벌의 셈 속에 드는 측들이어야만 했다.

그의 일과는 아침에 진찰실에 나오자 손가락 끝으로 창틀이나 탁자 위를 훑어 무테안경 속 움푹한 눈으로 응시하는 일에서 출발한다.

이때 손가락 끝에 먼지만 묻으면 불호령이 터지고, 간호원은 하루 종일 원장의 신경질에 부대껴야만 한다.

아무튼 단골 고객들은 그의 정결한 결벽성에 감탄과 경의를 표해 마지 않는다.

1·4 후퇴시 청진기가 든 손가방 하나를 들고 월남한 이인국 박사다. 그는 수복되자 재빨리 셋방 하나를 얻어 병원을 차렸다. 그러나 이제는 평당 오십만 환을 호가하는 도심지에 타일을 바른 이층 양옥을 소유하게 되었다. 그는 자기 전문의 외과 외에 내과, 소아과, 산부인과 등 개인병원을 집결시켰다. 운영은 각자의 호주머니 셈속이었지만 종합병원의 원장 자리는 의젓이 자기가 차지하고 있다.

이인국 박사는 양복 조끼 호주머니에서 십팔금 회중시계를 꺼내어 시간을 보았다.

두시 사십분!

미국 대사관 브라운 씨와의 약속 시간은 이십분밖에 남지 않았다. 이 시계에도 몇 가닥의 유서 깊은 이야기가 숨어 있다. 이인국 박사는 시계를 볼 때마다 참말 '기적'임에 틀림없던 사태를 연상하게 된다.

왕진 가방과 함께 삼팔선을 넘어온 피난 유물의 하나인 시계. 가방은 미군 의사에게서 얻은 새것으로 갈아매어 흔적도 없게 된 지금, 시계는 목숨을 걸고 삶의 도피행을 같이한 유일품이요, 어찌 보면 인생의 반려 (伴侶)이기도 한 것이다.

밤에 잘 때에도 그는 시계를 머리맡에 풀어놓거나 호주머니에 넣은 채로 버려두지 않는다. 반드시 풀어서 등기 서류, 저금통장 등이 들어있는 비상용 캐비닛 속에 넣고야 잠자리에 드는 것이었다. 거기에는 또 그럴 만한 연유가 있었다. 이 시계는 제국대학을 졸업할 때 받은 영예로운 수상품이다. 뒤쪽에는 자기 이름이 새겨져있다.

그후 삼십여 년, 자기 주변의 모든 것은 변하여 갔지만 시계만은 옛 모습 그대로다. 주변뿐만 아니라 자기 자신은 얼마나 변한 것인가. 이십대 홍안을 사랑하던 젊음은 어디로 사라진 것인지 머리카락도 반백이 넘었고 이마의 주름은 깊어만 간다. 일제시대, 소련군 점령하의 감옥생활, 6·25사변, 삼팔선, 미군 부대, 그 동안 몇 차례의 아슬아슬한 죽음의 고비를 넘긴 것인가.

'월삼 십칠석'

우여곡절 많은 세월 속에서 아직도 제 시간을 유지하는 것만도 신기하다. 시간을 보고는 습성처럼 째깍째깍 소리에 귀 기울이는 때의 그의 가느다란 눈매에는 흘러간 인생의 축도가 서리는 것이었다. 그 속에서도, 각모(角帽)와 '쓰메에리' 학생복을 벗어버리고 신사복으로 갈아입던 그날의 감회를 더욱 새롭게 해주는 충동을 금할 길 없는 것이었다.

이인국 박사는 수술 직전에 서랍에 집어넣었던 편지에 생각이 미쳤다.

미국에 가 있는 딸 나미. 본래의 이름은 일본식의 나미꼬(奈美子)다. 해방 후 그것이 거슬린다기에 나미로 불렀고 새로 기류계에 올릴 때에는 꼬(子)자를 완전히 떼어버렸다.

나미짱! 딸의 모습은 단란하던 지난날의 추억과 더불어 떠올랐다.

온 집안의 재롱둥이였던 나미, 그도 이젠 성숙했다. 그마저 자기 옆에서 떠난 지금, 새로운 정에서 산다고는 하지만 이인국 박사는 가끔 물밀어오는 허전한 감을 금할 길이 없었다.

아내는 거제도 수용소에 있을 때 죽었고, 아들의 생사는 지금껏 알 길이 없다.

서울에서 다시 만나 후처로 들어온 혜숙(惠淑). 이십년의 연령차에서 오는 세대의 거리감을 그는 억지로 부인해 본다. 그러나 혜숙의 피둥피둥한 탄력에 윤기가 더해 가는 살결에 비해 자기의 주름잡힌 까칠한 피부는 육체적 위축감마저 느끼게 하는 때가 없지 않았다.

그들 사이에서 난 돌 지난 어린 것, 앞날이 아득한 이 핏덩이만이 지금의 이인국 박사의 곁을 지켜주는 유일한 피붙이다.

이인국 박사는 기대와 호기에 찬 심정으로 항공우편의 피봉을 뜯었다.

저번 편지에서 가타부타 단안은 내리지 않고 잘 생각해서 결정하라고 한 그 후의 경과다.

'결국은 그렇게 되고야 마는 건가……'

그는 편지를 탁자 위에 밀어놓았다. 어쩌면 이러한 결말은 딸의 출국 이전에서부터 이미 싹튼 것인지도 모른다는 생각이 들었다.

대학에서 영문과를 택한 딸, 개인지도를 하여준 외인 교수, 스칼러십을 얻어준 것도 그고, 유학 절차의 재정 보증인을 알선해 준 것도 그가 아닌가, 우연한 일은 아니다.

그러한 시류에 따라 미국 유학을 해야만 한다고 주장한 것은 오히려 아버지 자기가 아닌가.

동양학을 연구하고 있는 외인 교수. 이왕이면 한국 여성과 결혼했으면 좋겠다던 솔직한 고백에, 자기의 학문을 위한 탁월한 견해라고 무심코 찬의를 표한 것도 자기가 아니던. 그것도 지금 생각하면 하나의 암시였음이 분명하지 않은가.

이인국 박사는 상아로 된 오존 파이프를 앞니에 힘을 주어 지그시 깨물며 눈을 감았다.

꼭 풀 쑤어 개 좋은 일을 한 것만 같은 분하고도 허황한 심정이다.

'코쟁이 사위'

생각만 해도 전신의 피가 역류하는 것 같은 몸서리가 느껴졌다.

'더러운 년 같으니, 기어코……'

그는 큰 기침을 내뱉었다.

그의 생각은 왜정시대 내선일체(內鮮一體)의 혼인론이 떠돌던 이야기에 까지 꼬리를 물었다. 그때는 그것을 비방하거나 굴욕처럼 느끼지는 않았다. 오히려 당연한 것으로 해석했고 어찌보면 우월한 것으로 생각하지 않았던가. 그런데 이 경우는…….

그는 딸의 편지 구절을 곱씹었다.

'애정에 국경이 있어요?'

이것은 벌써 진부하다. 아비도 학창시절에 그런 풍조는 다 미스디했다. 건방지게, 이제 새삼스레 아비에게 설교조로…… 좀 더 솔직하지 못하고…….

그러니 외딸인 제가 그런 국제결혼의 시금석이 되겠단 말인가.

'아무튼 아버지께서 쉬 한번 오신다니 최종 결정은 아버지의 의향에 따라 결정할 예정입니다만…….'

그래 아버지가 안 가면 그대로 정하겠단 말인가.

이인국 박사는 일대잡종(一代雜種)의 유전법칙이 떠오르자 머리를 내저었다. '흰둥이 외손자', 생각만 해도 징그럽다.

그는 내던졌던 사진을 다시 집어 들었다.

대학 캠퍼스 같은 석조전의 거대한 건물, 그 앞의 정원, 뒤쪽에 짝을 지어 걸어가는 남녀 학생, 이 배경 속에 딸과 그 외인 교수가 나란히 어깨를 짚고 서서 웃음을 짓고 있다.

'흥, 놀기는 잘들 논다…….'

응, 신음 소리를 치며 그는 자리에서 일어섰다. 아무튼 미스터 브라운을 만나 이왕 가는 길이면 좀 더 서둘러야겠다. 그 가장 대우가 좋다는 국무성 초청 케이스의 확정 여부를 빨리 확인해야겠다는 생각이 조바심을 쳤다.

그는 아내 혜숙이 있는 살림방 쪽으로 건너갔다.

"여보, 나미가 기어코 결혼하겠다는구려."

"그래요……."

아내의 어조에는 별다른 감동이나 의아도 없음을 이인국 박사는 직감했다.

그는 가능한 한 혜숙이 앞에서 전실 소생의 애들 이야기를 하는 것을 삼가왔다.

어떻게 보면 나미의 미국유학을 간접적으로 자극한 것은 가정 분위기의 소치라는 자격지심이 없지 않기도 했다.

나미는 물론 혜숙이를 단 한 번도 어머니라고 불러준 일이 없었다.

혜숙이 또한 나미 앞에서 어머니라고 버젓이 행세한 일도 없었다.

지난날의 간호원과 오늘의 어머니, 그 사이에는 따져서 표현할 수 없는 미묘한 감정들이 복재되어 있었다.

"선생님의 일이라면 무엇이든 돕겠어요."

서울에서 이인국 박사를 다시 만났을 때 마음 속 그대로 털어놓은 혜숙의 첫마디였다.

처음에는 혜숙이도 부인의 별세를 몰랐고, 이인국 박사도 혜숙이의 혼인 여부를 참견하지 않았다.

혜숙은 곧 대학병원을 그만두고 이리로 옮겨왔다.

나미는 옛정이 다시 살아 혜숙을 언니처럼 따랐다.

이들의 혼인이 익어갈 때 이인국 박사는 목에 걸리는 딸의 의향을 우선 듣기로 했다.

딸도 아버지의 외로움을 동정하고 있었다. 자기 자신 아버지의 시중이 힘에 겨웠고 또 그 사이 실지의 아버지 뒤치다꺼리를 혜숙이 해왔으므로 딸은 즉석에서 진심으로 찬의를 표했다.

그러나 시간이 흐를수록 혜숙과 나미의 간격은 벌어졌고, 혜숙은 남편과의 정상적인 가정생활에 나미가 장애물이 되는 것 같은 느낌을 차츰 가지게 되었다.

혜숙 자신도 처음에는 마음 놓고 이인국 박사를 남편이랍시고 일 대 일로 부르진 못했다.

나미의 출발, 그 후 어린애의 해산, 이러한 몇 고개를 넘는 사이에 이제 겨우 아내답게 늠름히 남편을 대할 수 있고 이인국 박사 또한 제대로의 남편의 체모로 아내에게 농을 걸 수도 있게끔 되었다.

"기어코 그 외인 교수하군가 가까워지는 모양인데."

이인국 박사는 아내의 얼굴을 직시하지는 못하고 마치 독백히듯이 뇌까렸다.

"할 수 있어요. 게 좋다는 대로 해야지요."

마치 남의 이야기를 하는 것처럼 이인국 박사에게는 들려왔다.

"글쎄, 하기는 그렇지만……."

그는 입맛만 다시며 더 이상 계속하지 못했다.

잠을 깨어 울고 있는 어린것에게 젖을 물리고 있는 아내의 젊은 육체에서 자극을 느끼면서 이인국 박사는 자기 자신이 죄를 지은 것만 같은 나미에 대한 강박관념을 금할 길이 없었다.

저 어린것이 자라서 아들 원식(元植)이나 또 나미 정도의 말 상대가 될래도 아직 이십여 년의 세월이 흘러야 한다.

그때 자기는 칠십이 넘는 할아버지다.

현대의학이 인간의 평균수명을 연장하고, 암(癌)같은 고질이 아닌 한 불의의 죽음은 없다 하지만, 자기 자신이 의사이면서 스스로의 생명 하나를 보장할 수 없다.

'마누라는 눈앞에서 나는 새 놓치듯이 죽이지 않았던가.'

아무리 해도 저놈이 대학을 나올 때까지는 살아야 한다. 아무렴, 때가 때인만큼 미국 유학까지는 내 생전에 시켜주어야지.

하기야 그런 의미에서도 일찌감치 미국 혼반을 맺어두는 것도 그리 해로울 건 없지 않나. 아무렴 우리보다는 낫게 사는 사람들인데. 좀 남보기 체면이 안서서 그렇지.

그는 자위인지 체념인지 모를 푸념을 곱씹었다.

"여보, 저걸 좀 꾸려요."

이인국 박사의 말씨는 점잖게 가라앉았다.

"뭐 말이에요?"

아내는 젖꼭지를 물린 채 고개만을 돌려 되묻는다.

"저, 병 말이오."

그는 화장대 위에 놓은 골동품을 가리켰다.

"어디 가져가셔요?"

"저 미 대사관 브라운 씨말이야. 늘 신세만 졌는데……."

아내가 꼼꼼히 싸놓은 포장물을 들고 이인국 박사는 천천히 현관을 나섰다.

벌써 석간신문이 배달되었다.

아무리 생각해도 그것은 분명 기적임에 틀림없는 일이었다.

간헐적으로 반복되어 공포와 감격을 함께 휘몰아치는 착잡한 추억. 늘 어제 일 마냥 생생하기만 하다.

천구백사십오년 팔월 하순.

아직 해방의 감격이 온 누리를 뒤덮어 소용돌이칠 때였다.

말복(末伏)도 지난 날씨건만 여전히 무더웠다. 이인국 박사는 이 며칠 동안 불안과 초조에 휘몰려 잠도 제대로 자지 못했다. 무엇인가 닥쳐올 사태를 오들오들 떨면서 대기하는 상태였다.

그렇게 붐비던 환자도 얼씬하지 않고 쉴 사이 없던 전화도 뜸하여졌다. 입원실은 최후의 복막염 환자였던 도청의 일본인 과장이 끌려간 후 텅 비었다.

조수와 약제사는 궁금증이 나서 고향에 다녀오겠다고 떠나갔고 서울 태생인 간호원 혜숙이만이 남아 빈집 같은 병원을 지키고 있었다.

이층 십조 다다미방에 '훈도시'와 '유까다' 바람에 뒹굴고 있던 이인국 박사는 견디다 못해 부채를 내던지고 일어났다.

그는 목욕탕으로 갔다. 찬물을 퍼서 대야째로 머리에서부터 몇 번이고 내리부었다. 등줄기가 시리고 몸이 가벼워졌다.

그러나 수건으로 몸을 닦으면서도 무엇인가 짓눌려 있는 것같은 가슴 속의 갑갑증을 가셔낼 수는 없었다.

그는 창문으로 기웃이 한길 가를 내려다보았다. 우글거리는 군중들은 아직도 소음 속으로 밀려가고 있다.

굳게 닫혀 있는 은행 철문에 붙은 벽보가 한길을 건너 하얀 윤곽만이 두드러져 보인다.

아니 그곳에 씌어 있는 구절.

'親日派, 民族反逆者를 打倒하자.'

옆에 붉은 동그라미를 두 겹으로 친 글자가 그대로 눈앞에 선명하게 보이는 것만 같다.

어제 저물녘에 그것을 처음 보았을 때의 전율이 되살아왔다.

순간 이인국 박사는 방 쪽으로 머리를 홱 돌렸다.

'나야 원 괜찮겠지…….'

혼자 뇌까리면서 그는 다시 부채를 들었다. 그러나 벽보를 들여다보고 있을 때 자기와 눈이 마주치는 순간, 일그러지는 얼굴에 경멸인지 통쾌인지 모를 웃음을 비죽거리면서 아래위로 훑어보던 그 춘석이 녀석의 모습이 자꾸만 머릿속으로 엄습하여 어두운 밤에 거미줄을 뒤집어쓴 것처럼 께름텁텁하기만 했다.

그 간놈 하고 머리에서 씻어버리려도 거머리처럼 자꾸만 감아 붙는 것만 같았다.

벌써 육개월 전의 일이다.

형무소에서 병보석으로 가출옥되었다는 중환자가 업혀서 왔다.

휑뎅그런 눈에 앙상하게 뼈만 남은 몸을 제대로 가누지도 못하는 환자, 그는 간호원의 부축으로 겨우 진찰을 받았다.

청진기의 상아꼭지를 환자의 가슴에서 등으로 옮겨 두 줄기의 고무줄에서 감득되는 숨소리를 감별하면서도, 이인국 박사의 머릿속은 최후 판정의 분기점을 방황하고 있었다.

입원시킬 것인가, 거절할 것인가…….

환자의 몰골이나 업고 온 사람의 옷매무새로 보아 경제 정도는 뻔한 일이라 생각되었다.

그러나 그것보다도 더 마음에 켕기는 것이 있었다. 일본인 간부급들이 자기 집처럼 들락날락하는 이 병원에 이런 사상범을 입원시킨다는 것은 관선 시의원이라는 체면에서도 떳떳치 못할뿐더러, 자타가 공인하는 모범적인 황국신민(皇國臣民)의 공든 탑이 하루아침에 무너지는 결과를 가져오는 것이라는 생각이 들었다.

순간 응급치료만 하여 주고 입원실이 없다는 가장 떳떳하고도 정당한 구실로 애걸하는 환자를 돌려보냈다.

환자의 집이 병원에서 멀지 않은 건너편 골목 안에 있다는 것은 후에 간호원에게서 들었다. 그러나 그쯤은 예사로운 일이었기에 그는 그대로 아무렇지도 않게 흘려버렸다.

그런데 며칠 전 시민대회 끝에 있은 해방 경축 시가행진을 자기도 흥분에 차 구경하느라고 혜숙이와 함께 대문 앞에 나갔다가, 자위대 완장(腕章)을 두르고 대열에 끼인 젊은이와 눈이 마주쳤다.

이쪽을 노려보는 청년의 눈에서 불똥이 튀는 것 같은 살기를 느꼈다.

무슨 영문인지 모르고 어리벙벙하던 이인국 박사는, 그것이 언젠가 입원을 거절당한 사상범 환자 춘석(春錫)이라는 것을 혜숙에게서 듣고야 슬금슬금 주위의 눈치를 살피며 집으로 기어들어왔다.

그 후 그는 될 수 있는 대로, 거리로 나가는 것을 피하였지마는 공교롭게도 어제 저녁에 그 벽보 앞에서 마주쳤었다.

갑자기 밖이 와자지껄 떠들어대었다. 머리에 깍지를 끼고 비스듬히 누위서 갈피를 잡을 수 없는 생각에 골똘하던 이인국 박사는 일어나 앉아 한길 쪽에 귀를 기울였다. 들끓는 소리는 더 커갔다. 궁금증에 견디다 못해 그는 엉거주춤 꾸부린 자세로 밖을 내다보았다. 포도에 뒤끓는 사람들은 손에 태극기와 적기(赤旗)를 들고 환성을 울리고 있었다.

'무엇일까?'

그는 고개를 갸웃하며 다시 자리에 주저앉았다.

계단을 구르며 급히 올라오는 발자국 소리가 들려왔다. 혜숙이다.

"아마 소련군이 들어오나 봐요, 모두들 야단법석이에요⋯⋯."

숨을 헐떡이며 이야기하는 혜숙이의 말에 이인국 박사는 아무 대꾸도 없이 눈만 껌벅이며 도로 앉았다. 여러 날 째 라디오에서 오늘 입성 예정이라고 했으니 인제 정말 오는 가보다 싶었다.

혜숙이 내려간 뒤에도 이인국 박사는 한참 동안 아무 거동도 못하고 바깥쪽을 내다보고만 있었다.

무엇을 생각했던지 그는 움찔 자리에서 일어났다. 그리고는 벽장문을 열었다. 안쪽에 손을 뻗쳐 액자를 끄집어내었다.

'國語日語常用의 家'

해방되던 날 떼어서 집어넣어 둔 것을 그 동안 깜박 잊고 있었다.

그는 액자의 뒤를 열어 음식점 면허장 같은 두터운 모조지를 빼내어 글자 한 자도 제대로 남지 않게 손끝에 힘을 주어 꼼꼼히 찢었다.

이 종잇장 하나만 해도 일본인과의 교제에 있어서 얼마나 떳떳한 구실을 할 수 있었던 것인가. 야릇한 미련 같은 것이 섬광처럼 머릿속을 스쳐갔다.

환자도 일본말 모르는 축은 거의 오는 일이 없었지만 대외관계는 물론 집 안에서도 일체 일본말만을 써왔다. 해방 뒤 부득이 써오는 제 나라 말이 오히려 의사표현에 어색함을 느낄 만큼 그에게는 거리가 먼 것이었다.

마누라의 솔선수범하는 내조지공도 컸지만 애들까지도 곧잘 지켜주었기에 이 종잇장을 탄 것이 아니던가. 그것을 탄 날은 온 집안이 무슨 경사나 난 것처럼 기뻐들 했었다.

'잠꼬대까지 국어로 할 정도가 아니면 이 영예로운 기회야 얻을 수 있겠소'하던 국민총력연맹 지부장의 웃음 띤 치하소리가 떠올랐다.

그 순간, 자기 자신은 아이들을 소학교로부터 일본 학교에 보낸 것을 얼마나 다행으로 여겼던 것인가.

그는 후 한숨을 내뿜었다. 그리고는 저금통장의 잔액을 깡그리 내주던 은행 지점장의 호의에 새삼 고마움을 느끼는 것이었다.

그것마저 없었더라면…… 등골에 오싹하는 한기가 느껴왔다.

무슨 정치가 오든 그것만 있으면 시내 사람의 절반 이상이 굶어죽기 전에야 우리집 차례는 아니겠지. 그는 손금고가 들어있는 안방 '단스'를 생각하면서 혼자 중얼거렸다.

이인국 박사는 무슨 일이 일어나도 꼭 자기만은 살아남을 것 같은 막연한 기대를 곱씹고 있다.

주위가 어두워갔다.

지축이 흔들리는 것 같은 동요와 소음이 가까워졌다. 군중들의 환호성이 터져 나왔다. 만세소리가 연방 계속되었다.

세상 형편을 알아보려고 거리에 나갔던 아내가 돌아왔다.

"여보, 당꾸 부대가 들어왔어요. 거리는 온통 사람들 사태가 났는데 집안에 처박혀 뭘 하구 있어요……."

"뭘 하기는?"

"나가 보아요, '마우재'가 들어왔어요……."

어둠 속에서 아내의 음성은 격했으나 감격인지 당황인지 알 길이 없었다.

'계집이란 저렇게 우둔하구두 대담한 것일까…….'

이인국 박사는 엷은 어둠 속에서 마누라 쪽을 주시하면서 입맛을 다셨다.

"불두 여태 안 켜구."

마누라가 전등 스위치를 틀었다. 이인국 박사는 백 촉 전등의 너무 환한 것이 못마땅했다.

"불은 왜 켜는 거요?"

"그럼 켜지 않구 캄캄한데…… 자, 어서 나가 봅시다."

마누라의 이끄는 데 따라 이인국 박사는 마지못하면서 시침을 떼고 따라나섰다.

헤드라이트의 눈부신 광선. 탱크 부대의 진주는 끝을 알 수 없이 계속되고 있다.

이인국 박사는 부신 불빛을 피하면서 가로수에 기대어 섰다. 박수와 환호성, 만세소리가 그칠 줄 모르는 양안(兩岸)을 끼고 탱크는 물밀 듯 서서히 흘러간다. 위 뚜껑을 열고 반신을 내민 중대가리의 병정은 간간이 '우라이'하면서 손을 내흔들고 있다.

이인국 박사는 자기와는 아무 관련도 없는 이방 부대라는 환각을 느끼면서 박수도 환성도 안 나가는 멋쩍은 속에서 멍하니 쳐다보고만 있다. 그는 자기의 거동을 주시하지나 않나 해서 주위를 두리번거렸다.

그러나 아무도 그에게는 관심을 두는 일 없이 탱크를 향하여 목청이 터지도록 거듭 만세만 부르고 있지 않는가.

'어떻게 되겠지…….'

그는 밑도 끝도 없는 한 마디를 뇌이면서 유유히 집으로 들어왔다.

민요 뒤에 계속되던 행진곡이 그치고 주둔군 사령관의 포고문이 방송되고 있다.

이인국 박사는 라디오 앞에 다가앉아 귀를 기울였다.

시민의 생명 재산은 절대 보장한다. 각자는 안심하고 자기의 직장을 수호하라, 총기(銃器), 일본도(日本刀) 등 일체의 무기 소지는 금하니 즉시 반납하라는 등의 요지였다.

그는 문득 단스 속에 넣어둔 엽총(獵銃)에 생각이 미치었다. 그러면 저것도 바쳐야 하는 것일까. 영국제 쌍발, 손때 묻은 애완물같이 느껴져 누구에게 단 한 번 빌려주지 않았던 최신형 특제품이다.

이인국 박사는 다이얼을 돌렸다. 대체 서울에서는 어떻게들 하고 있는 것일까.

거기도 마찬가지다. 민요가 아니면 행진곡이 나오고 그러다가는 건국준비위원회 누구인가의 연설이 계속된다.

대체 앞으로 어떻게 될 것인가 궁금증을 해결할 방법이 없다.

해방 직후 이삼일 동안은 자기도 태연하였지만 뻔질나게 드나들던 몇몇 친구들도 소련군 입성이 보도된 이후부터는 거의 나타나질 않는다. 그렇다고 자기 자신이 뛰어다니며 물을 경황은 더욱 없다.

밤이 이슥해서야 중학교와 국민학교를 다니는 아들딸이 굉장한 구경이나 한 것처럼 탱크와 '로스케'의 이야기를 늘어놓으며 돌아왔다.

그들은 아버지의 심중은 아랑곳없다는 듯이 어머니, 혜숙이와 함께 저희들 이야기에만 꽃을 피우고 있었다.

이인국 박사는 슬그머니 일어나 이층으로 올라와 다다미방에서 혼자 뒹굴었다.

앞일은 대체 어떻게 전개될 것인지 뛰어넘을 수가 없는 큰 바다가 가로 놓인 것만 같았다. 풀어낼 수 있는 실마리가 전연 더듬어지지 않는 뒤헝클어진 상념 속에서 그래도 이인국 박사는 꺼지려는 짚불을 불어 일으키는 심정으로 막연한 한 가닥의 기대만을 끝내 포기하지 않은 채 천장을 멍청히 쳐다보고만 있었다.

지난 일에 대한 뉘우침이나 가책 같은 건 아예 있을 수 없었다.

자동차 속에서 이인국 박사는 들고 나온 석간을 펼쳤다.

일면의 제목을 대강 훑고 난 그는 신문을 뒤집어 꺾어 삼면으로 눈을 옮겼다.

'北韓 蘇聯留學生 西獨으로 脫出'

바둑돌같은 굵은 활자의 제목. 왼편 전단을 차지한 외신 기사. 손바닥만한 사진까지 곁들여있다.

그는 코허리에 내려온 안경을 올리면서 눈을 부릅떴다.

그의 시각은 활자 속을 헤치고 머릿속에는 아들의 환상이 뒤엉켜 들이차 왔다. 아들을 모스크바로 유학시킨 것은 자기의 억지에서였던 것만 같았다.

출신 계급, 성분, 어디 하나나 부합될 조건이 있었단 말인가. 고급중학을 졸업하고 의과대학에 입학된 바로 그해다.

이인국 박사는 그때나 지금이나 자기의 처세 방법에 대하여 절대적인 자신을 가지고 있다.

"얘, 너 그 노어 공부를 열심히 해라."

"왜요?"

아들은 갑자기 튀어나오는 아버지의 말에 의아를 느끼면서 반문했다.

"야 원식아, 별수 없다. 왜정 때는 그래도 일본말이 출세를 하게 했고 이제는 노어가 또 판을 치지 않니. 고기가 물을 떠나서 살 수 없는 바에야 그 물 속에서 살 방도를 궁리해야지. 아무튼 그 노서아말 꾸준히 해라."

아들은 아버지 말에 새삼스러이 자극을 받는 것 같진 않았다.

"내 나이로도 인제 이만큼 뜨내기 회화쯤은 할 수 있는데, 새파란 너희 낫세로야 그걸 못하겠니."

"염려 마세요, 아버지……."

아들의 대답이 그에게는 믿음직스럽게 여겨졌다.

이인국 박사는 심각한 표정으로 말을 이었다.

"어디 코 큰 놈이라구 별 것이겠니, 말 잘해서 진정이 통하기만 하면 그것들두 다 그렇지……."

이인국 박사는 끝내 스텐코프 소좌의 배경으로 요직에 있는 당 간부의 추천을 받아 아들의 소련 유학을 결정짓고야 말았다.

"여보, 보통으로 삽시다. 거저 표나지 않게 사는 것이 이런 세상에선 가장 편안할 것 같아요. 이제 겨우 죽을 고비를 면했는데 또 재까지 그 '높이 드는' 복판에 휘몰아 넣으면 어쩔라구……."

"가만있어요, 호랑이두 굴에 가야 잡는 법이요. 무슨 세상이 되던 할 대로 해봅시다."

"그래도 저 어린 것을 어떻게 노서아까지 보낸단 말이요."

"아니, 중학교 애들도 가지 못해 골들을 싸매는데, 대학생이 못 가 견 딜라구."

"그래도 어디 앞일을 알겠소……."

"괜한 소리, 재가 소련 바람을 쏘이구 와야 내게 허튼소리 하는 놈들도 찍 소리를 못할거요. 어디 보란 듯이 다시 한 번 살아봅시다."

아들의 출발을 앞두고, 걱정하는 마누라를 우격다짐으로 무마시키고 그는 아들의 유학을 관철하였다.

'흥, 혁명 유가족두 가기 힘든 구멍을 친일파 이인국의 아들이 뚫었으 니 어디 두구 보자…….'

그는 만장의 기염을 토하며 혼자 중얼거리고는 희망에 찬 미소를 풍겼다.

그 다음 해에 사변이 터졌다.

잘 있노라는 시선이 계속하여 왔지만 동란 후 후퇴할 때까지 소식은 두절된 대로였다.

마누라의 죽음은 외아들을 사지로 보낸 것 같은 수심에도 그 원인이 있었다고 그는 생각하고 있다.

이인국 박사는 신문 '다찌끼리' 속에 채워진 글자를 하나도 빼지 않고 다 훑어 내려갔다.

그러나 아들의 이름에 연관되는 사연은 한 마디도 없었다.

'이 자식은 무얼 꾸물꾸물하느라고 이런 축에도 끼지 못한담…… 사태 를 판별하고 임기응변의 선수를 쓸 줄 알아야지 맹같이…….'

그는 신문을 포개어 되는 대로 말아 쥐었다.

'개천에서 용마가 난다는데 이건 제 애비만도 못한 자식이야'

그는 혀를 찍찍 갈겼다.

'어쩌면 가족이 월남한 것조차 모르고 주저하고 있는 것이나 아닐까. 아니 이제는 그쪽에도 소식이 가서 제게도 무언중의 압력이 퍼져갈 터인데…… 역시 고지식한 놈이 아무래도 모자라…….'

그는 자동차에서 내리자 건가래침을 내뱉었다.

'독또오루 리, 내가 책임지고 보장하겠소. 아들을 우리 조국 소련에 유학시키시오.'

스텐코프의 목소리가 고막에 와 부딪는 것만 같았다.

자위대가 치안대로 바뀐 다음 날이다. 이인국 박사는 치안대에 연행되었다.

시멘트 바닥에 무릎을 꿇고 앉은 그는 입술이 파랗게 질려 있었다. 하반신이 저려오고 옆구리가 쑤신다. 이것만으로 자기의 생애를 통한 가장 큰 고역이라고 그는 생각하고 있다. 그러나 그것보다는 앞으로 닥쳐올 예기할 수 없는 사태가 공포 속에 그를 휘몰았다.

지나가고 지나오는 구둣발 소리와 목덜미에 퍼부어지는 욕설을 들으면서 꺾이듯이 축 늘어진 그의 머리는 들릴 줄을 몰랐다.

시간만이 흘러가고 있었다.

그의 머릿속에는 짓눌렸던 생각들이 하나씩 꼬리를 치켜들기 시작했다.

'이럴 줄 알았더면 어디든지 가 숨거나, 진작 남으로라도 도피했을걸…… 그러나 이 판국에 나를 감싸줄 사람이 어디 있담. 의지할 곳은 다 나와 같은 코스를 밟았거나 조만간에 밟을 사람들이 아닌가. 일본인! 가장 믿었던 성벽이 다 무너지고 난 지금 누구를…….'

'그래도 어떻게 되겠지…….'

이 막연한 기대는 절박한 이 순간에도 그에게서 완전히 떠나버리지는 않았다.

'다행이다. 인민재판의 첫 코에 걸리지 않은 것만 해도. 끌려간 사람들의 행방은 전연 알 길이 없다. 즉결 처형을 당하였다는 소문도 떠돈다. 사흘의 여유만 더 있었더라면 나는 이미 이곳을 떴을지도 모른다. 다 운명이다. 아니 그래도 무슨 수가 있겠지……'

"쪽발이 끄나풀, 야 이 새끼야."

고함 소리에 놀라 이인국 박사는 흠칫 머리를 들었다.

때도 묻지 않은 일본 병사 군복에 완장을 찬 젊은이가 쏘아보고 있다. 춘석이다.

이인국 박사는 다시 쳐다볼 힘도 없었다. 모든 사태는 짐작되었다.

이제는 죽는구나, 그는 입 속으로 뇌까렸다.

"왜놈의 밑바시, 이 개새끼야."

일본 군용화가 그의 옆구리를 들이찬다.

"이 새끼, 어디 죽어봐라."

구둣발은 앞뒤를 가리지 않고 전신을 내지른다.

등골 척수에 다급한 충격을 받자 이인국 박사는 비명을 지르고 고꾸라졌다.

그는 현기증을 일으켰다. 어깻죽지를 끌어 바로 앉혀도 몸을 가누지 못하고 한쪽으로 쓰러졌다.

"민족과 조국을 팔아먹은 이 개돼지같은 놈아, 너는 총살이야, 총살……."

어렴풋이 꿈속에서처럼 들려왔다. 그러나 그에게는 그 말도 아무런 반향을 일으키지 못했다.

시간이 얼마나 흘렀을까, 자기 앞자락에서 부스럭거리는 감촉과 금속성의 부닥거리는 소리를 듣고 어렴풋이 정신을 차렸다.

노란 털이 엉성한 손목이 시곗줄을 끄르고 있다. 그는 반사적으로 앞자락의 시계주머니를 부둥켜쥐면서 손의 임자를 힐끔 쳐다보았다. 눈동자가 파란 중대가리 소련 병사가 시계 줄을 거머쥔 채 이빨을 드러내고 히죽이 웃고 있다.

그는 두 손으로 있는 힘을 다해 양복 안주머니를 감싸 쥐었다.

"흥…… 야뽄스끼……."

병사의 눈동자는 점점 노기를 띠어갔다.

"아니, 이것만은!"

그들의 대화는 서로 통하지 않는 대로 손아귀와 눈동자의 대결은 그대로 지속되고 있다.

병사는 됫박만한 손으로 이인국 박사의 손을 뿌리치면서 시계를 채어 냈다. 시곗줄은 끊어져 고리가 달린 끝머리가 이인국 박사의 손가락 끝에서 달랑거렸다.

병사는 밖으로 나가버렸다.

'죽음과 시계…….'

이인국 박사는 토막난 푸념을 되풀이하고 있다.

양쪽 팔목에 팔뚝시계를 둘씩이나 차고도 만족이 안가 자기의 회중시계까지 앗아가는 그 병정의 모습을 머릿속에 똑똑히 되새겨갈 뿐이다.

감방 속은 빼곡히 찼다.

그러나 고참자와 신입자의 서열은 분명했다. 달포가 지나는 사이에 맨 안쪽 똥통 위에 자리 잡았던 이인국 박사는 삼분지 이의 지점으로 점차 승격되었다.

그는 하루 종일 말이 없었다. 범인 속에 섞여 있던 감방 밀정이 출감된 다음 날부터 불평만을 늘어놓던 축들이 불려나가 반송장이 되어 들어왔지만, 또 하루 이틀이 지나자 감방 속의 분위기는 여전히 불평과 음식 이야기로 소일되었다.

이인국 박사는 자기의 죄상이라는 것을 폭로하기도 싫었지만 예전에 고등계 형사들에게서 실컷 얻어들은 지식이 약이 되어 함구령이 지상명령이라는 신념을 일관하고 있었다.

그는 간밤에 출감한 학생이 내던지고 간 노어회화(露語會話) 책을 첫 장부터 꼼꼼히 뒤지고 있을 뿐이다.

등골이 쏘고 옆구리가 결려온다. 이것으로 고질이 되는가 하는 생각이 없지 않다. 아침저녁으로 기온이 사뭇 내려가고 있다. 아무리 체념한다면서도 초조감을 막을 길 없다.

노어 책을 읽으면서도 그의 청각은 늘 감방 속의 이야기를 놓치지 않고 있다. 그들이 예측하는 식대로의 중형으로 치른다면 자기의 죄상은 너무도 어마어마하다. 양곡 조합의 쌀을 몰래 팔아먹은 것이 칠년, 양민을 강제로 보국대에 동원했다는 것이 십년, 감정적인 즉결이 아니라 법에 의한 처단이라고 내대지만 이 난리 판국에 법이고 뭣이고 있을까, 마음에만 거슬리면 총살일 판인데……

'친일파, 민족반역자, 반일투사 치료 거부, 일제의 간첩행위……'

이건 너무도 어마어마한 죄상이다. 취조할 때 나열하던 그대로 한다면 고작해야 무기징역, 사형감일지도 모른다.

그는 방 안을 둘러보며 후 큰 숨을 내쉬었다.

처마 밑에 바싹 달라붙은 환기창에서 들이비치던 손수건만한 햇살이 참대자처럼 길어졌다가 실오리만큼 가늘게 떨리며 사라졌다. 그 창살을 거쳐 아득히 보이는 가을 하늘이 잊었던 지난 일을 한덩어리로 엮어 휘몰아오곤 했다. 가슴이 찌릿했다.

밖의 세계와는 영원한 단절이다.

그는 눈을 감았다. 마누라, 아들, 딸, 혜숙이, 누구누구…… 그러다가 외과계의 원로 이인국 박사에 이르자, 목구멍이 타는 것같이 꽉 막혔다.

그는 헛기침을 하고 침을 삼켰다.

'그럼, 어쩐단 말이야, 식민지 백성이 별 수 있었어. 날구뛴들 소용이 있었느냐 말이야. 어느 놈은 일본 놈한테 아첨을 안했어. 주는 덕을 안 먹은 놈이 바보지. 흥, 다 그놈이 그놈이었지.'

이인국 박사는 자기변명을 합리화시키고 나면 가슴이 좀 후련해 왔다.

거기다 어저께의 최종 취조 장면에서 얻은 소련 고문관의 표정은 그에게 일루의 희망을 던져주는 것이 있었다. 물론 그것이 억지의 자위(自慰)일지도 모른다고 생각되었지만.

아마 스텐코프 소좌라고 했지. 그 혹부리 장교. 직업이 의사라고 했을 때, 독또오루 독또오루 하고 고개를 기웃거리던 순간의 표정, 그것이 무슨 기적의 예시 같기만 했다.

이인국 박사는 신음소리에 놀라 눈을 떴다.

복도에 켜 있는 엷은 전등불 빛이 쇠창살을 거쳐 방 안에 줄무늬를 놓으며 비쳐 들어왔다. 그는 환기창 쪽을 돌려다보았다. 아직도 동도 트지 않은 깜깜한 밤이다.

생똥 냄새가 코를 찌른다. 바짓가랑이 한쪽이 축축하다. 만져본 손을 코에 갖다댔다. 구역질이 난다. 역시 똥 냄새다.

옆에 누운 청년의 앓는 소리는 계속되고 있다. 찬찬히 눈여겨보았다. 청년 궁둥이도 젖어 있다.

'설산 가부다.'

그는 살창문을 흔들며 교화소원을 고함쳐 불렀다.

"뭐야!"

자다가 깬듯한 흐린소리가 들려왔다.

"환자가…… 이거, 이거 봐요."

창살 사이로 들여다보는 소원의 얼굴은 역광 속에서 챙 붙은 모자 밑의 둥그스름한 윤곽밖에 알려지지 않는다.

이인국 박사는 청년의 궁둥이께를 손가락으로 가리키며 들여다보고 있다.

"이거, 피로군, 피야."

그는 그제서야 붉은빛을 발견하곤 놀란 소리를 쳤다.

"적리야, 이질……."

그는 직업의식에서 떠오르는 대로 큰 소리를 질렀다.

"뭐, 적리?"

바깥 소리는 확실히 납득이 안 간 음성이다.

"피똥 쌌소, 피똥을…… 이것 봐요."

그는 언성을 높였다.

"응, 피똥……."

아우성소리에 감방 안의 사람들은 하나 둘 눈을 뜨며 저마다 놀란 소리를 쳤다.

"적리, 이거 전염병이요, 전염병."

"뭐, 전염병……."

그제서야 교화소원이 문을 열고 들어왔다.

얼마 후 환자는 격리되었고 남은 사람들은 똥을 닦느라고 한참 법석을 치고 다시 잠을 불러일으키질 못했다.

이튿날 미결감 다른 감방에서 또 같은 증세의 환자가 두셋 발생했다. 날이 갈수록 환자는 늘기만 했다.

이 판국에 병만 나면 열의 아홉은 죽는 길밖에 없다고 생각한 이인국 박사는 새로운 위협에 사로잡히기 시작했다.

저녁 후 이인국 박사는 고문관실로 불려나갔다.

"동무는 당분간 환자의 응급치료실에서 일하시오"

이게 무슨 청천벽력 같은 기적일까, 그는 통역의 말을 의심했다.

소련 장교와 통역관을 번갈아 쳐다보는 그의 눈동자는 생기를 띠어갔다.

"알겠소……."

"네."

다짐에 따라 이인국 박사는 기쁨을 억지로 감추며 평범한 어조로 대답했다.

'글쎄 하늘이 무너져도 솟아날 구멍은 있다니까.'

그는 아무 표정도 나타내지 않으려고 이를 악물었다.

죽어 넘어진 송장이 개 치우듯 꾸려져 나가는 것을 보고 이인국 박사는 꼭 자기 일 같이만 느껴졌다.

'의사, 이것은 나의 천직이다.'

그는 몇 번이고 감격에 차 중얼거렸다. 그는 있는 힘을 다해 자기 담당의 환자를 치료했다. 이러한 일은 그의 실력이 혹부리 고문관의 유다른 관심을 끌게 한 계기를 만들어 주었다.

사상범을 옥사시키는 경우는 책임자에게 큰 문책이 온다는 것은 훨씬 후에야 그가 안 일이다.

소련 군의관에게 기술이 인정된 이인국 박사는 계속 병원에 근무하게 되었다. 그러나 죄상 처벌의 결말에 대하여는 알 길이 없었다.

그는 이 절호의 기회를 최대한으로 활용하고 싶었다. 이제는 죽어도 한이 없을 것만 같았다.

어떻게 하여 이 보이지 않는 구속에서까지 완전히 벗어날 수는 없을까.

그는 환자의 치료를 하면서도 늘 스텐코프의 왼쪽 뺨에 붙은 오리알만한 혹을 생각하고 있었다.

불구라면 불구로 볼 수 있는 그 혹을 가지고 고급 장교에까지 승진했다는 것은, 소위 말하는 당성(黨性)이 강하거나 그렇지 않으면 전공(戰功)이 특별했음에 틀림없다는 생각이 들었다.

그것 하나만 물고 늘어지면 무엇인가 완전히 살아날 틈새기가 생길 것만 같았다.

이인국 박사의 뜨내기 노어도 가끔 순시하는 스텐코프와 인사말을 주고받을 수 있을 정도로 진전되었다.

이 안에서의 모든 독서는 금지되었지만 노어 교본과 당사(黨史)만은 허용되었다.

이인국 박사는 마치 생명의 열쇠나 되는 듯이 초보 노어책을 거의 암송하다시피 했다.

크리스마스를 전후하여 장교들의 주연이 베풀어지는 기회가 거듭되었다.

얼근히 주기를 띤 스텐코프가 순시를 돌았다.

이인국 박사는 오늘의 이 기회를 놓치지 않겠다고 마음먹었다.

수일 전 소군 장교 한 사람이 급성 맹장염이 터져 복막염으로 번졌다.

그 환자의 실을 뽑는 옆에 온 스텐코프에게 이인국 박사는 말 절반 손짓 절반으로 혹을 수술하겠다는 의사를 표명했다.

스텐코프는 '하라쇼'를 연발했다.

그 후 몇 번 통역을 사이에 두고 수술계획에 대한 자세한 의사를 진술할 기회가 생겼다.

이인국 박사는 일본인 시장의 혹을 수술하던 일을 회상하면서 자신있는 설복을 했다.

'동경 경응대학 병원에서도 못하겠다는 것을 내가 거뜬히 해치우지 않았던가.'

그는 혼자 머릿속에서 자문자답하면서 이번 일에 도박 같은 심정으로 생명을 걸었다.

소련 군의관을 입회시키고 몇 차례의 예비 진단이 치러졌다.

수술일은 왔다.

이인국 박사는 손에 익은 자기 병원의 의료기재를 전부 운반하여 오게 했다.

군의관 세 사람이 보조하기로 했지만 집도는 이인국 박사 자신이 했다.

야전병원의 젊은 군의관들이란 그에게 있어서 한갓 풋내기로밖에 보이지 않았다.

그는 수술을 진행하는 동안 그들 군의관들을 자기집 조수 부리듯 했다. 집도 이후의 수술대는 완전히 자기 전단하의 왕국이라고 생각되었다.

그러나 아까 수술 직전에 사인한, 실패되는 경우에는 총살에 처한다는 서약서가 통일된 정신을 순간순간 흐려놓곤 한다.

수술대에 누운 스텐코프의 침착하면서도 긴장에 찼던 얼굴, 그것도 전신마취가 끝난 후 삼분이 못 갔다.

간호부는 가제로 이인국 박사의 이마에 내맺힌 땀방울을 연방 찍어내고 있다.

기구가 부딪는 금속성과 서로의 숨소리만이 고촉의 반사등이 내리비치는 방 안의 질식할 것 같은 침묵을 헤살 짓고 있다.

수술은 예상 이상의 단시간으로 끝났다.

위생복을 벗은 이인국 박사의 전신은 땀으로 흠뻑 젖었다.

완치되어 퇴원하는 날 스텐코프는 이인국 박사의 손을 부서져라 쥐면서 외쳤다.

"까삐딴 리, 스바씨보."

이인국 박사는 입을 헤벌리고 웃기만 했다. 마음의 감옥에서 해방된 것만 같았다.

"아진, 아진…… 오첸 하라쑈."

스텐코프는 엄지손가락을 높이 들면서 네가 첫째라는 듯이 이인국 박사의 어깨를 치며 찬양했다.

다음 날 스텐코프는 이인국 박사를 자기 방으로 불렀다.

그가 이인국 박사에게 스스로 손을 내밀어 예절적인 악수를 청한 것은 이것이 처음이었다.

'적과 적이 맞부딪치면서 이렇게 백 팔십 도로 전환될 수가 있을까, 노랑 대가리로 역시 본심에서는 하나의 인간임에는 틀림없는 것이 아닌가.'

"내일부터는 집에서 통근해도 좋소."

이인국 박사는 막혔던 둑이 터지는 것같은 큰 숨을 삼켜가면서 내쉬었다.

이번에는 이인국 박사가 스텐코프의 손을 잡았다.

"스바씨보, 스바씨보."

"혹 나한테 무슨 부탁이 없소?"

이인국 박사는 문득 시계가 머리에 떠올랐다.

그러면서도 곧 이어 이 마당에 그런 이야기를 꺼낸다는 것은 오히려 꾀죄죄하게 보이지 않을까 하는 생각이 뒤따랐다. 그러나 아무래도 그 미련이 가셔지지 않았다.

이인국 박사는 비록 찾지 못하는 경우가 있더라도 솔직히 심중을 털어놓으리라고 마음먹었다.

그는 통역의 보조를 받아가며 시간과 장소를 정확히 회상하면서 시계를 약탈당한 경위를 상세히 설명했다.

스텐코프는 혹이 붙었던 뺨을 쓰다듬으면서 긴장된 모습으로 듣고 있었다.

"염려 없소, 독또오루 리. 위대한 붉은 군대가 그럴 리가 없소. 만약 있었다 하더라도 그것은 무슨 착각이었을 것이요. 내가 책임지고 찾도록 하겠소."

스텐코프의 얼굴에 결의를 띤 심각한 표정이 스쳐가는 것을 이인국 박사는 똑바로 쳐다보았다.

'공연한 말을 끄집어내어 일껏 잘 되어가는 일에 부스럼을 만드는 것은 아닐까.'

그는 솟구치는 불안과 후회를 짓눌렀다.

"안심하시오, 독또오루 리, 하하하."

스텐코프는 큰 웃음으로 넌지시 말끝을 막았다.

이인국 박사는 죽음의 직전에서 풀려나 집으로 향했다.

어느 사이에 저렇게 노어로 의사표시를 할 수 있게 되었느냐고 스텐코프가 감탄하더라는 통역의 말을 되뇌이면서……

차가 브라운 씨의 관사 앞에 닿았다.

성조기(星條旗)를 보면서 이인국 박사는 그날의 적기(赤旗)와 돌려온 시계를 생각하고 있었다.

응접실에 안내된 이인국 박사는 주인이 나오기를 기다리면서 방 안을 둘러보았다. 대사관으로는 여러 번 찾아갔지만 집으로 찾아온 것은 이번이 처음이다.

삼년 전 딸이 미국으로 갈 때부터 신세진 사람이다.

벽 쪽 책꽂이에는 『이조조선왕실록(李朝朝鮮王實錄)』 등 한적(漢籍)이 빼곡히 차 있고 한쪽에는 고서(古書)의 질책(帙冊)이 가지런히 쌓여져 있다.

맞은편 책장 위에는 작은 금동불상(金銅佛像) 곁에 몇 개의 골동품이 진열되어 있다. 십 이 폭 예서(隸書) 병풍 앞 탁자 위에 놓인 재떨이도 세월의 때묻은 백자기다.

저것들도 다 누군가가 가져다준 것이 아닐까 하는 데 생각이 미치자 이인국 박사는 얼굴이 화끈해졌다.

그는 자기가 들고 온 상감진사(象嵌辰砂) 고려청자 화병에 눈길을 돌렸다. 사실 그것을 내놓는 데는 얼마간의 아쉬움이 없지 않았다. 국외로 내어 보낸다는 자책감 같은 것은 아예 생각해 본 일이 없는 그였다.

차라리 이인국 박사에게는 저렇게 많으니 무엇이 그리 소중하고 달갑게 여겨지겠느냐는 망설임이 더 앞섰다.

브라운 씨가 나오자 이인국 박사는 웃으며 선물을 내어 놓았다. 포장을 풀고 난 브라운 씨는 만면에 미소를 띠며 기쁨을 참지 못하는 듯 댕큐를 거듭 부르짖었다.

"참 이거 귀중한 것입니다."

"뭐 대단한 것이 아닙니다만 그저 제 성의입니다."

이인국 박사는 안도감에 잇닿는 만족을 느끼면서 브라운 씨의 기쁨에 맞장구를 쳤다.

브라운 씨의 영어 반 한국말로 반으로 섞어 하는 이야기를 들으면서 이인국 박사는 흐뭇한 기분이 젖었다.

"닥터 리는 영어를 어디서 배웠습니까?"

"일제시대에 일본말식으로 배웠지요, 예를 들면 '잣도 이즈 아 갓도'식 으루요."

"그런데 지금 발음은 좋은데요, 문법이 아주 정확한 스탠다드 잉글리쉬 입니다."

그는 이 말을 들을 때 문득 스텐코프의 말이 연상됐다. 그러고 보면 영국에 조상을 가진다는 브라운 씨는 알(R) 발음을 그렇게 나타내지 않는 것 같게 여겨졌다.

"얼마 전부터 개인 교수를 받고 있습니다."

"아, 그렇습니까."

이인국 박사는 자기의 어학적 재질에 은근히 자긍을 느꼈다.

브라운 씨가 부엌 쪽으로 갔다 오더니 양주 몇 병이 놓인 쟁반이 따라 나왔다.

"아무 거라도 마음에 드는 것으로 하십시오."

이인국 박사는 워드가 잔을 신통한 안주도 없이 억지로라도 단숨에 들이켜야 속 시원해 하던 스텐코프를 브라운 씨 얼굴에 겹쳐보고 있다.

그는 혈압 때문에 술을 조절해야 하는 자기 체질에 알맞게 스카치 잔을 핥듯이 조금씩 목을 축이면서 브라운 씨의 이야기를 기다렸다.

"그거, 국무성에서 통지 왔습니다."

이인국 박사는 뛸 듯이 기뻤으나 솟구치는 흥분을 억제하면서 천천히 손을 내밀어 악수를 청했다.

"땡큐, 땡큐."

어쩌면 이것은 수술 후의 스텐코프가 자기에게 하던 방식 그대로인지도 모른다는 생각이 들었다.

이인국 박사는 지성이면 감천이라고, 나의 처세법은 유에스에이에도 통하는구나 하는 기고만장한 기분이었다.

청자병을 몇 번이고 쓰다듬으면서 술잔을 거듭하는 브라운씨도 몹시 즐거운 표정이었다.

"미국에 가서의 모든 일도 잘 부탁합니다."

"네, 염려 마십시오, 떠나실 때 소개장을 써드리지요."

"감사합니다."

"역사는 짧지만, 미국은 지상의 낙토입니다. 양국의 우호와 친선에 도움이 되기를 바랍니다……."

"땡큐……."

다음 날 휴전선 지대로 같이 수렵하러 가기로 약속하고 이인국 박사는 브라운 씨 대문을 나섰다.

이번 새로 장만한 영국제 쌍발 엽총의 짙푸른 총신을 머리에 그리면서 그의 몸은 날기라도 할 듯이 두둥실 가벼웠다. 이인국 박사는 아까 수술한 환자의 경과가 궁금했으나 그것은 곧 씻겨져 갔다.

그의 마음속에는 새로운 포부와 희망이 부풀어 올랐다.

신체검사는 이미 끝난 것이고 외무부 출국 수속도 국무성 통지만 오면 즉일 될 수 있게 담당 책임자에게 교섭이 되어 있지 않은가? 빠르면 일주일 내에 떠나게 될지도 모른다는 브라운 씨의 말이 떠올랐다.

대학을 갓 나와 임상 경험도 신통치 않은 것들이 미국에만 갔다 오면 별이라도 딴 듯이 날치는 꼴이 눈꼴 사나웠다.

'어디 나두 댕겨오구 나면 보자!'

문득 딸 나미와 아들 원식의 얼굴이 한꺼번에 망막으로 휘몰아왔다.

그는 두 주먹을 불끈 쥐며 얼굴에 경련을 일으키듯 긴장을 띠다가 어색한 미소를 흘려보냈다.

'흥 그 사마귀 같은 일본놈들 틈에서도 살았고, 닥싸귀같은 로스케 속에서도 살아났는데, 양키라고 다를까…… 혁명이 일겠으면 일구, 나라가 바뀌었으면 바뀌구, 아직 이 이인국의 살구멍은 막히지 않았다. 나보다 얼마든지 날뛰던 놈들도 있는 데, 나쯤이야…….'

그는 허공을 향하여 마음껏 소리치고 싶었다.

'그러면 우선 비행기 회사에 들러 형편이나 알아볼까…….'

이인국 박사는 캘리포니아 특산 시가를 비스듬히 문 채 지나가는 택시를 불러 세웠다.

그는 스프링이 튈 듯이 복스에 털썩 주저앉았다.

"반도 호텔로……."

차창을 거쳐 보이는 맑은 가을 하늘이 이인국 박사에게는 더욱 푸르고 드높게만 느껴졌다.

註 '까삐딴'은 영어의 Captain에 해당되는 노어다. 8·15 직후 소련군이 북한에 진주하자 '까삐딴'이 '우두머리'니 '최고'라는 뜻으로 많이 씌었는데, 그 발음이 와전되어 '꺼삐딴'으로 통용되었다.

『思想界』, 1962. 7.

곽서방

다도해(多島海)!

그 음향 속에는 미지의 신비와 꿈이 서리는 낭만이 깃들어 있다.

그것은 이름 그대로 몇 백 몇 천의 섬들이 이마를 맞조이듯 비비고 복닥거리면서도 옹기종기 의좋게 제자리를 지키며 거센 태풍과 해일에도 끊임없이 버티어온 남쪽 바다.

백만분지 일의 지도를 펴면 땅콩·팥·보리·수수·벼·조…… 온갖 낱알을 되는 대로 뿌려놓은 것만 같은 크고 작은 섬들이 마치 밤하늘의 별처럼 가물거리는 해역(海域).

그러나 아직 그 누구도 이 섬들의 수효를 정확한 낱셈으로 헤아려내지 못하듯이, 이 섬들은 또한 고을[郡]을 이루는 큰 섬에서부터 이름 없는 무인도(無人島)에 이르기까지, 스스로가 간직하고 있는 숨은 이야기를 흘러가는 역사 속에 파묻어가면서 새로운 아침의 사연들을 기다리고 있다.

그 속에서도 파씨만큼한 점으로밖엔 나타날까 말까, 짐짓 그 지도상에서 묵살되어버린 섬 경도(鏡島).

밖은 아직 완전히 동이 트지 않았다. 짙은 안개가 자욱했다. 베잠방이에 습기가 기어들고 덜미가 선뜻했다.

'이젠 좀 비가 오려나……'

곽서방은 혼자 중얼거리면서 농구(農具)가 담긴 지게를 지고 개펄 쪽으로 내려가고 있었다.

머리를 들어 하늘을 쳐다보아야 보얀 안개의 장막, 몇 발자국 앞쪽이 내다보이지 않았다. 풀잎의 이슬이 정강이에 감아붙었다.

그는 시들어 말라가는 보리밭께로 돌아서서 자고난 오줌을 줄기차게 내갈겼다. 등골이 오싹했다. 붙은 김에 두 손가락으로 바꿔 눌러가며 코를 풀어제쳤다. 온몸이 거뜬해짐을 느꼈다. 그제서야 큰기침에 가래침을 실어 내뱉으면서 바지 허리춤을 추스렸다.

곽서방은 간척지(干拓地) 갯둑에 지게를 내려놓았다. 햇부리가 올려미는지 주위가 환해 왔다. 그러나 사방을 둘러보아야 아무것도 눈에 들어오는 것은 없었다. 다만 자기 자신이 깊은 안개의 숲속에 파묻혀 헤어나지 못하고 지질려 있는 것 같은 답답증을 느낄 뿐이었다.

물때가 되어 밀려들어오는 밀물 소리가 회색 장막의 숨죽은 개펄을 스쳐 발 아래 쪽에서 들려오는 것만 같게 느껴졌다.

둑에서 내려진 곽서방은 논두렁을 으스러지게 밟으며 벼 묘판(苗板) 머리에 다다랐다.

안개 속을 거쳐 눈이 닿는 끝까지 누벼보아야 이젠 발자국에 고인 한 움큼의 물조차 찾아볼 수 없었다. 이대로 팽개치면 며칠이 안 가서 갈라질 것이 뻔한 노릇이었다.

권노인(權老人)의 선산(先山) 골짜기에서 실오라기만큼 흐르던 도랑물은 이미 말라붙었고, 저 건너 당산(堂山) 밑 습지에서 솟아나오던 샘물도 아주 밑창이 났다.

주위를 한 바퀴 돌래야 한나절 남짓 걸리는 작은 섬, 물줄기를 대어줄 만한 깊은 골짜기 하나 있을 리 없었다. 그나마 나무라고 이름이 붙는 것은 모조리 비로 쓸다시피 할퀴어 갔으니, 내린 빗물이 고이기는커녕 지하수가 솟을 바닥까지 훑어버린 셈이었다.

그러나 간밤의 이슬을 맞은 볏모는 잎에 구슬을 담고 아침 한때만이라도 싱싱한 것이 적이 마음에 윤기를 부어주었다.

곽서방은 여기저기 내솟은 돌피에 눈이 갔다. 그러나 벼잎에 해갈도 안 될 이슬방울 그것마저 떨어질까 아쉬워 논바닥에 들어서지 않고 두렁을 돌면서 허리를 길게 빼고 손닿는 것만 골라 뽑아갔다.

물 없는 바닥, 끈질기게 내린 뿌리가 굳어가는 땅에 감아붙어 빠지지 않고 대궁이가 끊어질 뿐이었다.

"젠장……."

곽서방은 상을 찡그리며 혀를 찼다.

신문에서는 양수기(揚水機)라도 써서 빨리 모를 심으라고 야단들이지만 이런 콩알만한 섬에 그런 기계가 차례에 올 리도 없었지만, 설령 온다손 치더라도 밀물이 없는데 무엇으로 떠올리느냐는 생각이 앞섰다.

우물을 파서라도…… 곽서방은 생각에 잠겼다.

그러나 그것도 어림 반푼어치 없는 일이었다. 이 섬에 벼 심는 논이라고는 고작 권노인의 재 너머 한 섬지기 그리고 여기 곽서방의 아직 소금기가 다 빠지지도 않은 간척지 닷말지기가 있을 뿐이다.

곽서방은 허리를 펴며 다시 하늘을 쳐다보았다.

아까보다 안개가 훨씬 엷어져서 동녘 수평선에 동그란 윤곽이 붉게 물들어 아른거리는 것이 보였다.

"에익, 또 틀려먹었군."

그는 맥빠진 소리를 홀로 내었다.

곽서방은 언젠가의 권노인의 말을 되씹어보았다. 이것은 권노인 뿐만 아니라 천수(天水)만을 태산같이 믿고 땅을 파온 이 섬사람들의 한결같은 심정이었다.

그러나 그때 김운산(金雲山)은 그것을 끝내 반대하지 않았던가. 권노인의 발의로 마을 사람들이 정성들여 당산에게 부친 기우제(祈雨祭)에 고축(告祝)만이라도 해달라고 그렇게 간구하는데도 끝까지 거절한 그가 아닌가. 이제는 권노인의 눈에 거슬리던 운산마저 가고 없다.

며칠 전 집집마다 독 밑을 긁어모은 추렴쌀로 돼지를 바꾸어 치성을 올렸건만 아직도 비올 기색은커녕 하늘은 심술궂게 더 말똥하기만 했다.

"땅 위에는 저수지가 생기고 하늘에서는 인공강우(人工降雨)를 퍼붓게 하는 과학시대에 그깟 기우제 같은 미신이 될 말이오."

분명 운산은 그때 이렇게 서슬을 돋쳐 외쳤었다.

곽서방은 그때에도 우리네 살림에야 언제 인공강우며, 이런 손바닥만한 섬에 어디 저수지 막을 데나 있느냐고 속심 찬동은 안 갔었다. 다만 운산이 이 섬살이 몇 해 동안에 남겨놓은 채소(菜蔬)의 새로운 재배법에 영향된바 컸기에 그의 주장에 그럴 듯한 점이 없는 바도 아니라는 생각이 들었을 뿐이었다.

곽서방은 당장 목이 타게 말라가는 못자리에서 시선을 돌려 원망스러운 눈초리로 하늘을 쳐다보았다.

곽서방은 갯둑으로 돌아왔다.

초갈이한 논바닥은 습기를 잃어 소금기가 보얗게 내돋고 있었다.

이 둑에만 나오면 그는 '사라'호 태풍을 연상하게 된다. 반농반어(半農半漁)의 이 조그만 마을에도 예상 외로 피해가 컸었다. 논밭이 흘러나가고 배가 깨뜨러지고……. 그뿐인가, 순돌네 부자는 배와 더불어 영영 돌아오지 못하고 말았다. 그러나 곽서방에게는 생각지도 않았던 떡이 굴러들어온 경우였다.

순돌네는 몇 해를 온 식구가 씨름하여 제방을 쌓아 갯논 다섯 마지기를 만들었다. 그것이 겨우 소금기가 빠져 이제부터는 얼마간 수확을 내겠다고 웃음짓던 바로 그 해에 태풍으로 둑이 터졌다. 푸른 논벌을 하룻밤 사이에 송두리째 물에 잠겨 옛 개펄로 돌아가고 말았다. 그것을 몇 푼 안 주고 넘겨받은 것이 곽서방이었다. 그는 품을 사가면서 끊어진 제방을 다 쌓아올렸다. 집안 식구들은 한겨울을 그 일로 몽땅 바쳤다.

논을 처음으로 소유한다는 심정, 그것은 곽서방 자신밖에 모르는 숨은 기쁨이었다.

둑이 다 된 날 밤, 그는 아무도 모르게 마누라와 둘이서 돼지 두족을 사다가 고사를 올렸다. 그들 부부는 몇 번이고 바다와 둑과 당산을 향하여 절을 했다. 당산에 모신 용왕(龍王)을 섭리하는 절대적인 대상으로 믿어졌다. 농사가 잘되는 것도, 바다의 노여움도, 부정(不淨)을 꺼려 마누라의 옆에 가까이 하지 않았다.

잠자리에 들기 전 그는 꼭 갯둑을 한 바퀴 돌고야 마음 놓고 잠을 청할 수 있었다. 바람이 거세거나 비오는 밤에는 몇 시간이고 바다 쪽에 눈을 박고 둑을 지키는 것이었다.

지성(至誠)이면 감천(感天)이라, 이것은 평생 일하는 것밖에 자기 직분은 없다고 생각해 온 그에게 삶의 철칙이요 신조였다.

그는 새해의 논갈이 철을, 첫아들 기다릴 때보다 더 초조하고 희망에 차 고대했었다.

뱃사공인 아버지가 환갑이 넘을 때까지 배를 타다가 이 섬에 정착하여 자기에게 남겨준 것은 조그마한 전마선 한 척, 그것도 언젠가의 폭풍에 파선을 당하고, 겨우 생명만 부지하여 맨손으로 나앉게 되었다.

배꾼, 머슴살이, 몸을 아끼지 않고 손톱이 닳게 일해 온 보람으로 장가를 들고 얼마 안 되어 산비탈의 박토 나절갈이를 얻게 되었다.

처음으로 밭을 내 것으로 소유하던 때의 기쁨, 그것은 지금 생각해도 자다가 이불을 차던지며 뛰어 일어나고 싶은 격한 환희를 불러일으키는 것이었다.

그러나 이번엔 새로 논을 장만하게 된 것, 그것도 이 섬에서 두 뙈기밖에 안 되는 것 중의 하나, 마을의 으뜸인 권노인 다음에 논을 가져보는 자기, 그는 밭을 얻을 때에 못지 않게, 아니 그보다 더한 기쁨과 자랑을 느꼈다.

그 후 삼년, 이제는 논의 염분도 거의 다 빠졌다. 잘 하면 금년부터는 논에서 제 소출을 다 낼 수도 있을 것만 같았다.

큰딸은 무식한 대로 출가를 시켰고 다음 딸은 간신히 국민학교만 졸업을 시켰다. 내년 봄이면 아들놈은 국민학교 졸업이다. 이놈만은 무슨 일이 있어도 중학교에 입학을 시켜야 하겠다. 애비는 학교는 고사하고 서당 문 앞에도 가본 일이 없다. 다행히 자기 이름 석 자를 쓸 줄 알 정도로 면무식이나 된 것도 자기 스스로의 이를 간 억지와, 끈덕진 노력의 덕분이었다고 생각되었다.

안개가 완전히 걷혔다. 하늘은 맑아지고 바람기 없이 후덥지근했다. 바다는 만조(滿潮)가 되어 둑 중턱까지 물결이 밀려오고 있었다. 섬 너머 섬, 산 끝에 산모롱이 겹쳐, 굴곡진 병풍으로 둘러친 듯한 내해(內海), 그러나 뱃길로 떠나면 그 틈 사이를 용케도 누비어 아득히 수평선이 보이는 큰 바다로 잇따랐다. 고요한 바다, 그것은 섬사람들에게는 평화로운 삶의 보금자리였다. 그러나 폭풍을 머금은 성낸 바다는 죽음의 무덤이기도 했다. 가슴이 탁 트이게 늠름하고 시원하면서도 언제나 불안과 두려움을 숨가쁘게 안겨다주는 바다……

찰랑거리는 잔물결에 새로 쌓은 둑의 모래알 하나라도 흘러내리는 것이 곽서방에게는 몹시 아쉬웠다.

곽서방은 다시 논바닥의 진흙을 파 갯둑에 퍼올리기 시작했다. 둑의 아래 절반은 큰 돌을 쌓아올렸기 때문에 씻길 염려가 덜했지만, 위쪽은 아직 완진히 다져지지 않은 흙이어서 늘 조심히 갔다. 제방 경사면에 풀

뿌리가 엉킨 곳은 모진 비에도 씻기지 않았지만, 거센 바람목이어서 알맹이 흙바탕은 가랑비에도 모래가 드티었다.

그는 빗물이 홈져 흐른 자국에 흙을 얹고는 산 등으로 두들겨 다져갔다.

'아무렴, 그해 비가 그해 안에 오지 않구서야……'

가뭄이 목질기게 버티는 꼴이 이제 진짜 장마철에 들기만 하면 기어코 홍수 사태를 내고야 말 것이라는 예측이 가끔 그를 불안감에 싸이게 했다.

그러면서도 그의 가슴은 희망에 벅차기도 했다. 누런 논벌, 알알이 야무지게 익은 벼이삭이 고개를 숙이고 갈바람에 황금 물결을 이룰 가을. 한 마지기에 한 섬씩 쳐도 닷섬. 그는 이마에 줄지어 흐르는 땀을 흙 묻은 손등으로 훑어내리면서 흰 이빨을 드러내놓고 히죽이 웃었다.

곽서방은 둑 위에 올라와 궁둥방아를 찧듯이 털썩 주저앉았다. 큰 숨을 돌리고 난 그는 시멘트 종이 담배 쌈지를 끄집어내었다. 짓눌려 잠이 잔 풍년초 오리. 그는 신문지조각에 담배를 말아 침으로 붙여 불을 당기었다. 양 볼이 오므라지게 빨아 길게 내뿜었다.

코끝에 콕 찌르는 매큼한 연기, 가슴이 후련해 왔다.

땀이 배어 등에 찰싹 달라붙은 베적삼이 부드러운 바닷바람에 흔들릴 때마다 등줄기가 간지러우며 선뜻했다. 그는 등 뒤에 손을 넣어 적삼을 들었다 놓았다. 한결 시원했다.

해풍 길목을 막아 골짜기 옴폭한 곳에 자리잡은 마을. 곽서방은 불현듯 마을 쪽으로 시선을 옮겼다.

다닥다닥 붙어앉은 초가집들. 그 속에서도 두 개의 색다른 것이 두드러지게 눈에 띄었다. 맨 뒤쪽 나무가 우거진 높은 곳에 자리 잡고 마을을 굽어보듯이 으젓한 기와집이 권노인네. 아래쪽에 조금 떨어져 널찍한 뜰 한복판에 함석지붕을 한 새집, 파랑 대문이 유별히 표나는 것이 구장네 집.

마을 사람들의 살림은 이 둑에서 올려다보는 한눈 속에서 이미 분간이 서진 것이나 다름없다는 생각이 곽서방에게 새삼 떠올랐다.

자기 집은? 뒤뜰에 서 있는 큰 느티나무 덕택으로 고만고만한 집들 속에서나마 쉽게 찾아낼 수 있는 것만으로도 곽서방은 기뻤다.

'아무렴 겉치레보다 실속이 있어야지.'

흐뭇한 기쁨에 그는 담배 한 대를 다시 말아 붙였다.

운산이 와 있을 때 자주 이 둑에 앉아 마을과 바다 쪽을 번갈아보면서 이야기를 나누었었다.

아니 좀 더 정확히 말하면, 운산은 이야기하고 자기는 들었다는 편이 옳을지도 몰랐다.

"곽형……."

나이 하나 아래인 운산은 자기를 늘 이렇게 불렀다.

"결국 농사꾼은 제 힘으로 살아야 합니다. 남의 원조나 후원을 받는 다는 것은 의뢰심만 늘게 되는 것이지 실지의 보탬은 안됩니다."

어떻게 하면 농민도 잘 살 수 있겠느냐는 기다란 이야기 끝막음에 덧붙인 말이었다. 곽서방은 이때도 역시 토론하거나 의견교환하는 대상이 아니라 듣기만 하는 대상이었다.

"해방 십오년에 정부가 농민에게 해준 것이 무엇이 있습니까. 그저 그 꼴입니다. 보태어주지 못해도 뜯어가지나 말았으면……."

그 말에는 곽서방의 귀도 솔깃했다. 누구한테 평생 손내밀어본 일이 없는 그였다. 그저 혼자 두더지처럼 일만 해왔다.

그는 광대뼈가 앙상하게 말랐으면서도 불꽃이 튈 듯이 광채가 나던 운산의 눈동자를 그리면서, 끝까지 타는 종이 냄새가 매캐하게 나는 담배꽁초를 입김으로 확 뱉어 버리면서 일어섰다.

곽서방은 지게에 담겨진 흙을 갯둑 바다 쪽 경사면에 쏟아붓곤 발로 다지어갔다. 가파른 둑 섶으로 굴러 내려가는 흙덩어리는 갯물 속에 잠기자 장떵이처럼 풀어져 수면을 흙물로 적시며 번져갔다.

여느 때도 일손을 붙잡으면 지치는 줄 모르는 그였지만, 이 신답(新畓)

벌에만 나오면 더욱 시간 가는 줄을 몰랐다.

둑에서 얼마 떨어지지 않은 바다 쪽에서 전마선 한 척이 이쪽으로 오고 있었다. 노젓고 있는 사람의 '헬멧'. 이 마을에 단 하나밖에 없이 동네 아이들이 '바가지'라고 부르는 그 표나는 모자로 보아 아마 구장이 어디 갔다 오나보다 하고 그는 생각했다.

논바닥에 내려온 곽서방은 내리박은 삽을 발목이 시도록 밟아서는 흙덩이를 억센 손아귀에 움켜쥐고 뿌드득 소리가 나도록 비볐다. 반죽한 콩고물이 부서지듯이 매끄럽게 비벼지는 검붉은 흙은 모래 한 알 없이 보드라왔다. 그는 마치 첫날밤의 신방 자리에서 마누라의 젖가슴을 더듬던 때의 부드러움을 되살려 느끼는 것만 같은 헷갈림에 사로잡혔다.

곽서방은 또 비시시 습새어나오는 엷은 웃음을 참지 못하다가 주위에서 누가 보지나 않는가 하고 두리번거렸다.

"곽서방!"

그는 흠칫하며 소리나는 쪽으로 몸을 돌렸다.

둑 위에는 벌써 구장이 와 서 있지 않는가. 눈이 마주치는 순간 곽서방 얼굴에는 겸연쩍은 웃음이 번져갔다.

"곽서방은 쉼도 없구만."

"……"

대답 대신 곽서방은 그대로 웃고만 있었다.

"몸 좀 돌보며 해야지, 그렇게 밤낮을 가리지 않구서야……."

"어디 구장님 같이 팔자가 펴야지요."

그는 구장이 메고 있는 낚싯대와 투망에 눈길을 보내면서 대꾸했다.

"이제 새 부자가 됐으니 쉬엄쉬엄 해가야지."

"어데요."

사실 구장의 말 속에는 농담 아닌 진담이 섞여 있다고 생각이 갔다.

범선(帆船) 한 척에 부속선인 전마선을 곁들여 소유하고 있는 구장이다. 거기에 농토도 권노인 다음 가는 많은 면적을 경작하고 있다. 그러나 아직 논만은 가져보지 못한 그다.

수원(水源)이 짧은 섬엔 밭을 엎어 신답을 일굴 자리라곤 거의 없다. 기껏 간석지(干潟地)를 막아 염분을 빼고 논을 만들어야 하지만, 개인의 사소한 자금으론 어림도 없는 일이다. 그것은 구장뿐만 아니라 곽서방 자신도 잘 알고 있다.

곽서방은 흐뭇이 밀려 오르는 만족감을 금할 길 없었다.

이 논뙈기만 하더라도 그때 조금만 손을 늦게 썼으면 구장네 차례로 돌아갈 뻔했었다. 일이 다 결말 난 것을 알고 구장이 갑절의 대가를 치를 터이니 자기에게로 넘겨달라고 당부하는 것을 코웃음치고 뿌리쳤다. 처음 얼마동안은 피차의 감정이 미묘했지만 이젠 소유권도 옮기고 둑까지 다시 수축했으니, 마을사람들의 이목이 두려워서도 구장은 그 이상 벋대지 않고 체념해 버린 눈치였다.

곽서방은 흙짐을 져다 둑에 붓고는 지게를 벗으며 허리를 폈다. 그는 구장이 권하는 궐련을 받아 불을 붙이곤 둑 위에 마주앉았다.

"이 논두 올부터는 제 소출이 나겠는걸."

구장의 눈길은 논벌에 쏠리고 있었다. 곽서방은 구장을 건너다보던 시선을 논 쪽으로 옮겨 외면하면서 입을 열었다.

"웬걸요, 아직 소금기도 다 빠지지 않은 데다 이렇게 못자리까지 바닥이 갈라질 판에 어림도 없겠는걸요."

"염분이야 인제 다 빠졌지. 비도 아직 한 열흘은 더 기다릴 수 있으니 전연 가망이 없는 것두 아닐 테지."

"하지만 담배를 길게 빨고 나서 콧수염 사이로 연기를 내뿜으며 곽서방을 건너다보았다."

"참 그렇잖아두 한번 만나려는 참이었는데……."

구장은 말끝에 침을 삼키며 숨을 돌리고 있었다.

곽서방은 무슨 소리가 나오느냐 하고 구장의 동이 난 말끝을 기다렸다.

"실은 이번 배를 수리하는 데 의외로 비용이 많이 들어서 어망(漁網)을 준비할 자금이 좀 부족하단 말이야. 많지도 않은 돈인데……, 곽서방 어디 한 삼천 원만 돌려줄 수 없겠어? 이번 며루치 철만 지나면 곧 돌릴 터이니, 어디 구멍 좀 메워주구려."

곽서방은 예상외의 청탁을 받고 우선 당황하지 않을 수 없었다.

"지난 번 고리채 정리 후, 권노인의 주머니는 홀딱 잠겼으니 잔돈 한 푼 어쩌는 수 있어야지."

곽서방은 어떻게 대답했으면 좋을지 몰라 망설였다.

사실 자기에게는, 전번 박람회 구경을 단체로 가면 경비가 적게 든다고 권유를 받았을 때 아들놈이 라디오를 사내라고 조르기에 눈을 딱 감고 단념한 덕분에 남겨진 돈이 없지 않았기 때문이었다.

"가뭄에 씨가 남아도 수해에는 씨도 못 찾는다는데."

처음 듣는 말은 아니었지만, 곽서방은 구장이 남기고 간 여운을 혼자 입속에서 되뇌면서 기대와 갈망에 찬 눈매로 하늘을 쳐다보았다.

맑게 갠 하늘, 그러나 비를 머금을 전조인지 새파랗게 트이지 못하고 젖빛처럼 뿌얀 하늘이었다. 뭍의 동북쪽 먼 산봉우리 위에 뭉게구름이 꿈틀거리고 올리미는 것이 눈에 떠나, 그것으로 비를 바라기엔 너무도 아득한 것만 같았다.

흙을 몇 짐 더 지고 난 곽서방은 지게를 팽개치고 잠방이를 활활 벗어던졌다.

숨 막히는 무더움을 간드러진 실바람 정도로 그 이상 견디어낼 수는 없었다.

그는 둑 위에서 바닷물 속으로 첨벙 뛰어들었다. 물은 차지 않았지만 땀 밴 몸이라 사타구니께가 약간 저려올랐다. 둑 갓으로 슬슬 돌던 그는 바다 쪽으로 한참 나갔다가 다시 돌아 천천히 헤엄쳐 들어오고 있었다.

바다에서 나서 바다에서 자란 그였지만 아무리 물결이 잔 날이라도 그에게는 조심히 갔다. 이렇게 혼자 바다 속에 들어갔을 때는 더욱 그러했다.

'배도 한 척 가졌으면……'

평소에 품었던 소원이 다시 그의 머리를 비비고 되살아났다.

"토지개혁을 열 번 하면 무엇해, 원래 농토가 좁은데. 아무리 경작자에게 준다 손치더라도 영세농은 면할 수 없거든."

운산의 말이 떠올랐다.

"적어도 지금 농사짓는 사람의 삼분의 일만 남기고 삼분의 이는 공장으로 가든가, 어디 다른 직업을 택하기 전에는 아무리 농사를 개량해도 농민이 다 잘살 수 있다는 것은 거짓말이야."

운산은 이런 말도 가끔 터뜨렸다.

사실 곽서방 자신도 그렇게 생각되었다. 다만 자기는 운산같이 그런 이론이 밝은 이야기는 할 수 없어도, 지금까지의 경험으로 보아 그 이야기에 머리가 끄덕여지지 않을 수 없었다.

자기 마을에 칠십호나 되는 농가가 있다 해도 그것으로 일년 계량이 지탱되는 집이라곤 몇 집 안된다. 적어도 그 속의 이, 삼십 호 가량만이 남아서 그 토지를 경작해야 겨우 자급자족이 될까말까한 정도가 아닌가. 이 작은 섬에서 기껏 토지를 팔고 사고해 보았댔자, 그저 다람쥐 쳇바퀴 돌리듯이 뻔한 면적이 아닌가 하는 생각이 없지 않았다.

"거기에 자식을 학교에 보내고 중병이 나면 병원에 가서 치료를 받을 수 있는 정도까지 되려면, 죽도록 일해도 이 좁은 농토론 안된다니까요."

운산의 이러한 이야기는 곽서방에게는 한 귀로 듣고 한 귀로 흘려지기 일쑤였다.

그러나 아들을 당장 내년 봄에 진학시켜야 할 경우에 다다르고 보니 시덥잖던 그런 이야기가 자기를 두고 한 말이었는지도 모른다는 생각이 들기도 했다.

'여기에다 이제 배 한 척만 갖추었으면……'

그는 서서히 헤엄을 치면서 저쪽 갯가 언덕 밑 고목에 매어놓은 구장네 전마선에 눈이 갔다.

'전마선쯤이야 있으나 마나 한 거구, 그 범선을 하나 장만해야지……'

그는 입속에 들어온 감물을 내뿜으면서 생각은 여전히 배에서 떠나지 않았다.

박토 한 평 유산으로 물려받은 것이라곤 없었다. 처음부터 끝까지 자기 손으로 이루어 놓은 그야말로 자수성가(自手成家)였다. 그러나 아버지가 남겨놓은 유일한 재산이었던 쪽배, 그것만은 여지껏 복구하지 못했다.

"여보!"

어느 틈에 왔는지 마누라가 점심 바구니를 이고 둑에 와 서 있었다.

곽서방은 얼굴의 감물을 훔쳐 내리면서 둑께로 나왔다. 그는 몸의 물기를 대강 닦아내고 잠방이를 주워 입었다.

몸이 시원하고 기분은 훨씬 거뜬했다.

산밑 도랑 옆 버드나무 아래에 그들은 자리를 잡았다.

숟갈 목이 부러질 듯이 소담하게 퍼놓는 남편을 바라보면서 아내는 입 가장자리에 엷은 웃음을 여물리고 있었다.

내려쬐는 뙤약볕을 맞으며 쉼없이 일을 하고 있는 남편에게 신통한 대접을 못하는 것이 아내에게는 미안한 생각이 들었다.

"비가 오지 않으니까 고추도 호되게 독이 들었군."

곽서방은 풋고추에 된장을 찍어 문덩 잘라 씹다가 매움에 못 이겨 물을 마시었다.

"생선이라군 별로 잡히지도 않지만, 제값이 가는 건 다 대처로 실어가니, 그것도 얻어먹기 힘들군요."

"괜한 소리, 이만하면 어떻다구……"

보리밥에 호박 된장찌개. 마을사람의 대부분은 끼니를 거의 고구마로 때는데, 그것만으로도 대견하다고 곽서방은 생각했다.

담배에 불을 댕기어 빨면서 트림에 입맛을 다시는 남편의 만족한 듯한 모습을 바라보면서 아내는 어지간히 마음이 피어갔다.

한낮이 기울어도 오후의 태양은 서슬을 꺾이지 않고 더욱 거세게 내려쬐었다.

한 쉬움 돌리고 난 곽서방은 밭일로 달라붙었다. 밭이래야 두렁을 둔대로 논바닥을 갈아엎은 이모작(二毛作) 채원(菜園)이다.

언덕을 끼고 바람길을 막아 앉은 완만한 계단식 경사지. 양파[玉忽]밭 너머는 당근, 배추를 심었다.

이런 것은 예전에는 심어볼 엄두도 내보지 못했던 종류들이다. 특히 '장강 교배(交配) 이호백채(二號白菜)'란 길다란 수입종(輸入種)의 명칭은, 각서방으로서는 들어보지도 못한 이름이지만, 운산의 권에 못이겨 심었고, 온상(溫床)이라는 것도 그의 덕으로 처음 시험해 본 재배법이었다.

사실 첫 해 여름 이 극조생 배추 수확기에는 즐거움보다 놀라움이 더 컸었다. 봄배추야 어디 굳어지는 걸로 알고 심어왔던가. 깊지는 않지만 연한 고갱이 맛으로였다. 겨울 김장이 끝나면 그 뒤를 이어대는 향긋한 풋김치, 그것이 아니면 기껏 토장국 건더기로 쓸정도로 생각해 왔었다. 이것이 보릿고개로 메마른 철의 돈값이 되리라고는 꿈에도 생각해 보지 못한 일이었다.

그러던 것이 가을배추에 못지않게 단단한 배추, 어떤 것은 고갱이만으로 차곡이 박혀 돌처럼 단단한 것이 굴려도 찌그러지지 않고 새하얀 속살이 입맛을 건드리는 신선미를 풍겨주었다.

서당 개 삼년에 풍월을 읊는다는 속담은 자기를 두고 한 말이라고 곽서방은 그때 이래 생각해 온 것이었다. 그것도 자기와 운산의 경우를……

운산이 가솔을 거느리고 이 마을에 온 것은 칠년 전의 일이다. 좁쌀알 같이 뿌려진 섬들 속에서 하필이면 이 섬에 왔을까 하는 것은 곽서방이 운산에게 품은 오랜 수수께끼였지만, 그것은 운산의 깡마른 얼굴을 스치는 간간의 너털웃음에 섞여 나오는 푸념 속의 '그도 다 곽형과의 연분이지……' 하는 알쏭달쏭한 한 마디로 덮여져 가버렸다. 그러나 그것이 참말 개운하게 풀려진 것은, 운산이 이 섬살이를 끝내고 떠나는 때였었다.

돌산(突山)섬에서의, 그것도 얼마동안의, 살림살이가 여의치 않아 다시 육지로 돌아가려던 운산이, 새벽 나룻배를 기다리기 위해 이 마을에 머물렀을 뿐이라는 극히 예사로운 노순(路順)의 뱃길 때문이었음을 알고 난 후에도, 운산 말마따나 연분임에 틀림없다는 생각을 곽서방은 버리지 못했다.

저녁 어스름, 운산 일가는 곽서방네 툇마루 앞에 보따리를 내렸다.

육지에 가야 조상(祖上) 전래전(傳來田)의 농토가 기다리고 있는 것도 아닌 운산…….

짧은 봄밤은 그들의 이야기 속에 더욱 빠르게 새어갔다.

곽서방의 묵직하고 누그러진 성질과 대곤은 인품은 운산의 강직한 성격에 어울렸다.

"인간도처(人間到處)에 유청산(有靑山)이라니 어디 또 짐을 풀어봅시다."

체념인지 포기인지 모를 운산의 이 한 마디는 곽서방의 호의에 합류되었다.

곽서방은 운산이 가시밭길을 걸어오면서 농사 개량의 새로운 방법에 반생을 바쳤다는 체험담에 귀가 솔깃하면서도, 이게 정말 농사꾼인가 하는 반신반의를 완전히 씻을 수는 없었다.

그러나 그는 운산의, 대상을 꿰뚫는 듯이 쏘아보는 눈동자 속에 사람됨됨이의 진실을 느낄 수 있었고, 실제 농가의 경험담 속에서 그것을 뒷받침하는 실천력을 넘겨다볼 수 있었다. 하지만 운산의 그러한 노력이 참말 보람찬 열매를 맺기 시작한 광양(光陽) 두메산골의 운산농장(雲山農場) 개척 실기가 이 봄에 대대적으로 신문에 보도된 후에야, 곽서방도 자기의 사람 보는 안목에 틀림이 없다는 자신을 더욱 굳게 하고, 무릎을 치면서 제 일처럼 기뻐했던 것이다.

곽서방이 내놓은 오백 평 정도의 밭과 권노인에게서 빈 서 마지기 논으로 운산의 새로운 농사는 시작되었다.

수십 년래, 아니 수백 년래 조상들이 가꾸어 오던 재래식 그대로, 그것도 보리니 감자니 하는 판에 박은 농사로만 일관해 오던 마을사람들은 농사꾼 같지 않은 운산의 출현을 비웃음에 겹친 가느다란 호기심으로 바라보았다.

그러나 곽서방은 운산이 시키는 대로 설사 마음에 내키지 않는 일이 있어도 그 성의와 열성을 저버릴 수 없어 그대로 따랐었다.

"지금 식으로 밤낮을 가리지 않고 피땀을 흘려야 잘살 구멍은 없어요."

온상에 퇴비(堆肥)를 밟아 넣고 땀방울이 번진 얼굴에 미소를 띠면서 넌지시 건네는 운산의 말을 들으면서도, 곽서방은 그가 시키는 대로 자꾸만 밟아 다질 뿐 대꾸할 말을 찾아낼 수 없어 같이 웃음으로 대할 뿐이었다.

"자급자족이란 원시적인 방법밖에 안돼요. 그저 제 털을 뽑아 제 구멍에 박는 격이거든요."

곽서방은 계속 퇴비를 퍼넣고는 밟아 다질 뿐 대답이 없이 듣고만 있었다.

"비철에 손쉽게 현금으로 바꿀 수 있는……, 그것도 비싼 값으로 바꿀 수 있는 물건을 생산해야 한단 말입니다."

물을 뿌려가며 두 자 가웃이나 깊이 밟아 다진 퇴비 위에서는 김이 무럭무럭 나고 있었다. 그 위에다 흙을 덮어 다지고 온상 속이 얼마간 잠이 잔 후에야 극조생(極早生) 배추씨를 뿌렸다.

흙 속에 손을 넣으면 후끈하게 더운 기가 번져왔다.

곽서방은 운산이 하라는 대로 일을 거들면서도 신기한 생각만 들었다. 이른 봄이라고는 하지만 바깥 날씨는 차가운 이월 하순, 다른 밭농사는 아직 씨를 뿌릴 엄두도 내지 못하는 계절에 그것도 추위에 가장 약한 배추를 심다니……. 이것이 자라 쓸 만한 물건이 될까 하는 의혹과 기대가 한데 겹쳐왔다.

"남의 것보다 내 것, 구경하는 것보다 직접 자기가 해보는 것, 그것이 중요한 일이거든요."

자기 온상 일이 끝난 다음 억지로 권유하여 그 옆에 나란히 만들어놓은 곽서방의 온상 안에서 씨를 뿌리며 운산이 넌지시 던진 말이었다.

"나야 뭘 알아요. 보구 들은 것이 있어야지!"

곽서방은 이마의 방울진 땀을 씻을 염도 않고 웃음을 흘리며 대꾸했다.

운산이 뿌려진 씨앗 위에 흙을 덮고 물을 바가지에 떠서는 손가락으로 흩어 뿌리는 것을 유심히 바라보는 곽서방의 눈동자는 호기와 희망에 차 있었다.

"인제 물뿌리개도 하나 장만 해야겠는걸……, 모종을 하구 난 뒤까지 이런 원시적 방법을 쓸 수는 없으니까?"

군색스럽게 바가지 물을 흩어 뿌리는 것을 바라보면서 곽서방도 같은 심정이었다.

"시작이 반이라지만 아직 초입인걸. 이제부터 매일 신경을 쓰고 게을리 하지 말아야 해요."

곽서방과 함께 담배에 불을 붙이고 난 운산은 첫 모금을 길게 빨아 삼키면서 머리를 폈다. 그러나 그의 시선은 온상 속에서 떨어지질 않았다.

"싹이 돋아 잎이 일고여덟이 될 때까지, 십이삼 도의 온도를 유지해 가야만 해요."

"……."

곽서방은 말이 없었다. 도대체 농사짓는 데 온도 몇 도라니 처음 듣는 이야기였다. 우순풍조(雨順風調)라는 문자는 일찍이 들은 풍월도 귀익은 말이었다. 봄이 오면 씨를 뿌리고, 풀이나면 김을 매고, 모종이 자라면 옮겨 심고, 똥오줌 거름을 주고, 그것도 암모니아니 과린산석회니 하는 금비(金肥)가 나온 후 훨씬 쉬워졌다. 그리하여 가을이 되어 거두어들이면 그만이었다.

홍수가 나면 무너진 둑을 쌓고, 가뭄이 길면 있는 물이나 대어주고, 그 것만으로 족했다. 기껏해야 김 몇 번을 더 매어, 아무개네 밭이 풀이 없다는 마을 공론이 돌면, 그것이 부지런한 농군과 게으른 농군의 구분으로 되었었다.

언제 종자 개량을 해보았던가. 새로운 농작물을 시험 재배해 보았던가. 꽤 까다롭게 한다는 축이, 겨우 이른 봄이면 옆의 섬까지 배를 타고 가서 종자를 바꾸어오는 일 정도였다. 그나 그뿐인가, 상처가 나면 장딩이를 붙이고, 배가 아프면 풀뿌리를 달여 먹고, 고뿔 정도는 억지로 참아가며 날짜를 보내면 되었다. 맹장염이든 복막염이든 위궤양이든 몸을 땅에 붙이지 못하게 앓다가 죽어도 다 속탈이나 속병 한 마디로 단정했었고, 결핵이든 늑막염이든 고질이 되게 몇 해고 누워 신음해도 가슴앓이로 통했다. 병세가 위독하여, 다 글러질 무렵에야 억지로 빚을 얻어 큰 섬 한방의를 찾아가거나 육지에 있는 도립병원으로 끌고 간댔자 이미 승패가 날 무렵, 기적이 없는 한 송장으로 돌아오게 마련이었다. 그저 하늘을 믿고 땅을 의지하고만 살아왔었다. 어쩌면 그것이 아쉬운 대로 무식이 태평이라는 식의 안이한 평화였는지도 몰랐다.

"배춧잎이 예닐곱 났을 때 온도가 내리면 쫑이 나게 마련이거든요. 그러면 배추가 굳어지지 않고 그대로 쫑에 씨가 앉게 되니까 하룻밤 사이에 십년공부 나무아미타불이 된단 말이요."

온도가 내리면 하룻밤 사이에 쫑이 나다니……, 곽서방으로서는 알쏭달쏭한 일 같으면서도 아무튼 신기하기만 했다.

"짐작으로도 어느 정도 맞추어갈 수 있지만, 정확하게 하자면 한란계를 달아두어야 해요."

한란계(寒暖計), 그것도 곽서방으로시는 지금까시의 자기 농사법에서는 한 번도 써본 일이 없는 기물이었다.

곽서방은 매일 아침 눈을 뜨면 곧 온상으로 달려갔다. 이것은 꼭 첫 태아의 커가는 짐작을 마누라의 배를 훑어 어루만지면서 느끼던 첫 기쁨의 시절과도 같은 심경이라는 생각이 없지 않았다.

그는 해가 어지간히 높이 솟아 기온이 더워지면, 온상 위에 덮은 짚멍석을 말아 거둔 다음, 네모진 기름종이를 슬며시 들고 온상 속 송이송이 솟은 새싹들을 들여다보는 것이었다.

"비, 비다!"

잠꼬대 모양 외치며 곽서방은 잠자리에서 소스라쳐 일어났다.

뚝, 뚝, 뚝뚝.

한두 방울 떨어질 때 이미 그의 잠은 깨었었다. 이것이 꿈이 아닌가, 그는 빗방울 소리를 들으면서 자기의 귀를 의심했다.

창살을 울리며 쫙 퍼붓는 소리를 듣고야 그는 함성을 쳤다.

일어나는 대로 곽서방은 창문을 발길로 냅다 차고 어둠 속으로 고개를 쑥 내밀었다. 이마에 스쳐오는 시원한 찬기가. 오랫동안 깡말랐던 땅에서 풍겨오는 흙내음새, 새벽의 숨죽은 세상을 헤살짓고 통쾌하게 퍼붓는 빗소리……

"여보, 비가 와, 비가……."

그는 깊은 잠에 곯아떨어진 마누라를 흔들어 깨워놓고 잽싸게 밖으로 뛰어나왔다. 참말 춤이라도 추고 싶도록 기뻤다.

갑작스런 충격 탓에 그는 엉겁결에 마당 쪽으로 뛰어내렸다. 머리를 치켜들어 하늘을 쳐다보았다. 그러나 아무것도 보이지 않았다. 얼굴에 떨어지는 빗방울이 선뜻 시원할 뿐이었다.

그는 옷이 젖는 줄도 모르고 낯을 가리는 빗물을 훔칠 염도 않고 서 있었다.

'고마우신 하늘'

살았다는 안도와 무엇엔가 모르게 고마와지는 심정으로 뻐근한 가슴……

그는 맨발 그대로 축축이 젖어가는 땅의 부드러움을 밟으며 서서히 헛간 쪽으로 걸어갔다.

헛간 속은 더욱 캄캄했다. 무엇인가 해야 되겠다는 조바심 속에 서성거리면서 금세 해야 할 일이 선뜻 떠오르지 않았다.

그는 헛간 앞에 우두커니 빗소리에만 스스로 취해 가고 있었다.

'참말 무엇부터 해야 할 것인가?'

비는 계속 줄기차게 쏟아지고 있었다. 그대로 빗속에 서서 흠뻑 젖어가며 동이 트기를 기다려도 흡족할 것만 같은 심정이었다.

방에 불이 켜지며 마누라의 움직이는 그림자가 창문에 어른거렸다.

그는 다시 토방 마루 쪽으로 철벙철벙 걸어갔다.

또 멍청히 서서 어둠 속, 비의 장막을 꿰뚫어지게 쏘아볼 뿐이었다. 흙범벅이 된 발 때문이 아니라 정말 그대로 방 안에 들어가 앉고는 못 배길 심정이었다.

'무엇이든 해야겠는데…….'

그러나 쉬 머리에 떠오르는 것이 여전히 없었다.

다시 뜰 한가운데 장승 모양 서서 비를 실컷 맞아보았다.

얼마동안의 시간이 내려 갈기는 빗소리 속에서 흘러갔다. 그제서야 굴뚝 옆에 그대로 팽개쳐 둔 멍석이니 가마니니 하는 것들이 생각났다. 지금껏 자기는 묘판 모내기와 꿈만 같은 비만을 줄잡아 생각했지, 정작 뜰 안의 손 가까운 것들은 잊고 있었음에 틀림없다고 다그쳐 느껴졌다.

멍석을 비 안 맞는 처마 밑으로 다가놓는데 마누라가 등불을 들고 나왔다. 마누라의 얼굴을 돌아보려는 순간 등불은 비바람에 까물거리다가 찍찍대며 꺼져버렸다.

마누라가 다시 불붙이려 안으로 들어간 사이, 곽서방은 손짐작으로 비 맞을 만한 것들을 생각나는 대로 대충 옮겨놓았다. 그러나 그것만으로 도무지 들뜬 가슴을 가라앉힐 수는 없었다.

곽서방은 헛간 속을 더듬어 삽을 찾아 들고 사립문을 나섰다. 그제서야 마을 개들이 서로 맞받아 짖어대고 여기저기 깜박이는 등불 속에 사람들의 중얼거리는 소리가 빗속을 뚫고 들려왔다.

'인제 됐어, 됐어……'

어둠 속을 비에 흠뻑 젖어 걸으며 그는 몇 번이고 기쁨에 찬 외마디 감격을 되풀이했다.

곽서방은 삽을 집고 갯둑에 섰다. 밀물 때여서 바다 쪽도 캄캄했다. 그는 논두렁에 내려섰다. 비는 더욱 세차게 퍼부어댔다. 옷은 몸에 찰싹 달라붙었다. 하지만 그까짓 건 마음에 둘 여유도 없었다.

콸콸 흐르는 도랑물 소리, 빗소리. 그 속에 간간이 섞이는 개구리 울음 소리. 곽서방은 어리짐작으로 물이 흘러 들어갈 논꼬를 삽에 힘을 주어 깊숙이 따갔다.

초갈이 논바닥도 질척질척해 왔다. 그러나 모를 내려면 아직 몇 시간 더 퍼부어야만 할 것 같았다.

물이 괴기 시작한 묘판에 들어선 그는 흘러들어온 물이 빠지지 않게 논두렁 갓을 돌면서 손질하기 시작했다.

멈출 줄 모르는 거센 빗속에 어슴푸레 먼동이 터오는 것이 느껴졌다. 흥건히 물이 괴어가는 논벌이 훤한 빛으로 눈어림되어 왔다.

물에 빠졌다 나온 것처럼 홀랑 젖은 줄도 모르고 삽으로 높은 쪽의 흙을 낮은 물탕 쪽으로 퍼던지기 시작했다.

날은 훤히 밝아왔다.

낮부터 모내기를 시작해야겠다고 벼르는 곽서방의 가슴은 새 아침과 더불어 더욱 희망에 찬 기쁨으로 벅차갔다.

모내기는 비를 맞아가면서도 즐거움 속에 계속되었다.

마누라, 아들, 딸 할 것 없이 온 식구가 동원되었을 뿐더러, 이웃의 품앗이꾼까지 한데 어울렸지만 처음 솜씨라 여간 서투른 게 아니었다. 권노인네 농터에서 손이 다져진 경험자라고는 곽서방 자기와 앞집 삼돌이뿐이었다.

곽서방은 또 멀리 떨어져 있는 운산을 생각하는 것이었다.

"무엇 하나 남보다 새롭게 해보겠다는 생각들이 있어야지……."

다음에 무슨 말이 계속될지 곽서방은 운산의 입을 지키고 있었다.

"글쎄 일본놈들의 그 사나운 등쌀에도 모내기 정조식을 보급시키는 데 십여 년이 걸렸다고들 하니까……."

모 심고난 푸른 논벌이 아무 쪽으로 보아도 벼포기가 족족 곧게 줄이 간 그것이 정조식(正條植)이라는 것도 그때에 얻어들은 이야기다.

육지에 들를 때마다 눈에 띄어지는 그 시원스럽게 줄이 곧은 벼포기의 싱싱한 논벌을 바라보면서도 그저 논 몇 마지기 가졌으면 하는 욕심뿐이었지, 그렇게 모내기하는 방법에까지 마음이 가지는 않았었다. 사실 몇 해를 두고 권노인네 모내기를 거들었지만 기껏 한쪽만 줄을 치고 그 줄에 박힌 붉은 점에다 그대로 심는 식의 한 줄 맞춤으로 했으니 그런 것에 생각이 미칠 까닭이 없었다.

정조식을 하면 기음매를 비롯한 모든 손품이 덜 들고 거기다 수확도 많이 난다고 운산이 얘기했지만, 그때 곽서방은 남의 일같이 그대로 귀밖으로 흘려넘기고 말았다. 그러나 막상 지금 자기 논에 모내기를 하게 되니 지나갈 바람으로 여겼던 운산의 말이 새삼 떠올랐다.

곽서방은 노끈을 장만하여 붉은 천으로 같은 간격의 표지를 해 들고 나왔지만, 이 서투른 패들을 거느리고는 한쪽 줄만 맞추며 심는 것도 여간 품이 가는 일이 아니었다.

그는 한 줄 한 줄 넘기며 비뚤게 심는 사람에게 잔소리를 해가면서도, 제 발등에 불이 떨어진 이제야 겨우 운산의 덤덤한 이야기를 되새기는 자기를 생각하며 솟구쳐오는 미안함을 금할 길 없었다.

그런 것이야 어찌 되었건 아무튼 곽서방은 기뻤다. 깡말랐던 논에 질편히 물이 괴고 엉성하던 흙탕 바닥이 한 배미 한 배미 푸른 벌로 변해가는 것이 다른 어느 일보다도 즐거웠다. 선진의 제삿날이나 명절 이외에는 쌀밥이라곤 구경해 본 일이 없었다. 그것도 젯상에 놓는 뫼 한 그릇이 고작이고 음복할 때는 고구마나 보리를 섞기 마련이었다. 올해 농사만 제대로 되면 어린것들에게 그렇게 먹고 싶어하는 쌀밥을 생일날만이라도 푸짐하게 한번 먹이고 싶은 생각으로 가득 찼다.

그러나 곽서방은 곧, 그런 먹는 문제보다 남의 논이 아닌 제 논에 자기 스스로 모를 심는다는 그것만으로 가슴이 벅차도록 감격에 열띠어갔다.

새봄에는 기어코 아들놈을 중학교에 입학시켜야 한다. 다달이 생돈으로는 학자금을 대낼 도리가 없다. 위선 한 달에 쌀 한 가마니씩 보내면 되지 않을까. 방학을 빼면 열 가마, 거기에 등록금, 어떻게 열 다섯 가마의 소출만 났으면 일은 저절로 티어질 것만 같았다.

집에서 먹는 거야 이 논이 없을 때에도 그대로 살아오지 않았던가.

그는 꼬리에 꼬리를 무는 생각을 이어가면서 한 포기 한 포기에 정성을 부어 심어갔다.

거기에 극조생 배추의 수입조가 있지 않은가.

훤한 천지가 바로 앞에 펼쳐진 것만 같은 환희 속에서 곽서방은 남몰래 웃음을 지어갔다.

"하, 수고들 하는군. 곽서방더러 살라구 오는 비야……."

돌아다보지 않아도 털털한 구장의 말투임을 곽서방은 알아차렸다.

"웬걸요, 어디 이 논에만 오는 비라구요······."

모내기 줄을 넘겨 몇 번 추어 고루잡아 꼬챙이를 논두렁 섶에 박은 다음 곽서방은 얼굴을 돌이켰다.

"어디, 신답 가진 사람이야 곽서방밖에 또 누구 있는가."

악의 없는 농조의 말이었지만, 곽서방은 논을 사들일 때의 일이 생각나 가슴이 뭉클함을 느꼈다.

"아니, 밭곡식도 다 말라죽게 됐는데······."

"하기야 그렇기두 하지만, 그간 밭농사야 어디 논에 댈라구."

곽서방은 입을 헤벌린 채 웃음으로 대꾸를 버무려갔다.

"참, 그렇지 않아두 저녁에 마을에다 알릴려구 했는데, 내일 서울서 손님이 오기루 돼 있어."

"······"

곽서방은 머리도 끝도 없는 이야기에 멍하니 구장을 쳐다보고만 있었다.

"그 자매부락(姉妹部落)이라구, 신문에 자주 나지 않아? 그것이 이번엔 우리 차례로 온 모양이야······."

신문이라고는 가끔 구장댁에 들렀을 때 아는 글자나 대충 주워보는 정도의 곽서방으로는 그 이상의 상세한 사연은 알 길이 없었다.

모내기를 끝낸 곽서방은 분무기(噴霧器)와 소독약 통을 들고 극조생 배추밭으로 나갔다.

무엇인가 두고두고 벼르던 대사를 치르고 난 것 같은 거뜬한 기분이었다.

가뭄이 오래 계속되는 사이에 배춧잎이 오그라들게 벌레가 끼었지만 그대로 말라버릴까 봐 약을 치지 못하고 미루어왔었다.

곽서방은 마누라가 길어온 물을 물통에 퍼붓고 소독약 유제(乳劑)를, 병 갓에 그어 있는 분량 금을 보아가면서 따르어 풀었다. 엷은 갈색 빛깔을 머금은 약물통에 분무기를 집어놓고 마누라를 채근했다.

"여보, 이거 빨리……."

마누라가 펌프질을 하고 곽서방은 고무호스를 이끌면서 안개발같이 뿌옇게 뿜어나오는 약물을 배춧잎에 차례로 쳐갔다.

이 분무기도 운산이 떠날 때 남겨놓고 간 기물이다. 곽서방은 얼마 전 백운산 중턱에 자리잡은 개척농장에 틈을 보아 꼭 한 번 찾아오라는 운산의 편지를 받고도 여태 답장도 내지 못한 데 대한 미안한 생각을 곱씹었다.

'배추 추수나 끝나면 이번에는 어김없이 운산을 찾아야지. 이대로 순조롭게 가면 이주일 안에 뽑게 될 테지…….'

그는 속으로 다짐하면서 약을 쳤다. 약물이 바닥이 났는지 분무기 꼭지에게서 찍 소리가 나며 흰 김만 뿜어져 나왔다. 그는 다시 약물을 풀었다.

문득 하늘을 쳐다보니 비온 뒤라 시원하게 저녁놀이 섰다. 벌써 해가 졌느냐 싶게 그제서야 주위가 어두워옴을 느꼈다.

저녁 후 곽서방은 구장네 집으로 내려갔다.

벌써 뜰 안에는 마을사람들이 가득히 모여 웅성대고 있었다. 등불이 여러 개 켜 있지만 먼 데 사람의 얼굴은 확실히 알아볼 수가 없었다.

멍석이 넓게 깔린 안쪽에는 양쪽 가에 구장과 권노인이 앉아 있고 그 사이에 낯모를 세 사람이 자리잡고 있었다.

그 앞에는 라디오와, 종이로 웃판을 싼 재봉틀이 놓여 있는 것이 곽서방의 눈에 들어왔다. 다른 사람들도 그 재봉틀과 다리오에 신기한 눈길을 보내고 있는 것이라고 곽서방에게는 느껴졌다.

좌석을 정돈시킨 다음 구장이 자리에서 일어났다.

"에……, 이번 우리 마을과 자매부락을 맺기 위하여 서울XX대학에서 두 분 선생님이 내려오시고 이 분들을 안내하기 위하여 면에서 또 계장님이 일부러 나오셨습니다."

앉았던 손님들은 구장의 소개가 끝나자 일어서서 부락민에게 인사를 했다. 장내에서는 일제히 박수소리가 터졌고 곽서방도 덩달아 손바닥이 아프게 박수를 쳤다.

면에서 온 계장의 길다란 인사가 있은 다음, 서울서 왔다는 학생과장 인가 하는 분의 이야기가 계속되었다. 이번 변변치 못한 물건을 가져왔지 만 오늘 이 자리에서 이 마을과 자매관계를 맺었으니 앞으로는 차츰 공 회당도 짓고 그 밖에 있는 힘을 다하여 마을 일을 돕겠다는 진정어린 이 야기를 들으면서 곽서방은 코허리가 시큰해 옴을 느꼈다.

눈만 없으면 산 사람의 코라도 베어가려고 하는 험한 세상에 남을 돕 겠다는 이러한 정성어린 일이 또 어디 있을까 싶어, 곽서방은 가슴이 벅 차올라 헛기침을 삼켜갔다.

"저건 뉘 집에 둘까……."

옆에 발돋움을 하고 서 있는 삼돌이 처의 혼자 중얼거리는 말을 들으 면서, 사실 곽서방 자신도 그것이 궁금했던 자기 속을 들여다보는 것 같 아 얼굴이 화끈해 왔다.

이튿날 손님이 돌아간 후, 공회당을 지을 때까지는 우선 재봉틀은 방 안이 넓찍한 구장네 집에 두고, 라디오는 노인이 잘 간수한다고 공론이 되어 권노인의 집으로 옮기었다는 이야기를 듣고 곽서방은 으레껏 그럴 법하다고 생각했다.

그러나 삼돌이 처의 중얼거리던 말이 마치 마을사람 전체의 염려처럼 목에 걸려, 곽서방 자신도 그 처사가 개운하질 않게 느껴졌다.

극조생의 돌같이 굳은 배추 포기를 골라 뽑아 다듬어 가지고 전마선에 실은 곽서방은, 첫닭이 울자 나루를 떠났다. 여수(麗水)의 아침장에 맞추 어 가야 하기 때문이다.

뱃전에 와 닿는 물결과 노젓는 소리밖에 들리지 않는 고요한 바다.

그는 새벽바람에 담배 연기를 뿜어 날리며 호주머니 깊숙이 헝겊에 싸넣은 돈뭉치를 만지면서 혼자 뇌까렸다.

'하기야 고맙지, 이러한 세상에 남을 도와주겠다는 심정이야…… 그렇지만 가난 구제는 나라도 못한다는데, 남을 의지하고 사느니보다 제 힘으로 기껏 살아나가야지…….'

그는 여수 시내 큰거리 점방에 들러, 아들놈이 그렇게도 원하는 라디오를 사고, 마누라에게는 장터에서 치마 한 감 떠와야겠다는 생각을 하면서 다시 한 번 갯둑 밑 퍼런 논밭을 눈앞에 그리는 것이었다.

동녘 하늘은 곽서방의 희망에 찬 가슴처럼 훤하게 동이 터왔다.

『새나라』, 1962. 10.

남궁박사 南宮博士 – 의고당실기

분명 착각이나 환각은 아닌 것 같다. 내가 읽은 문학 작품 속에서 간혹 나 자신의 분신, 또는 나의 주변을 재현해 주는 것만 같은 심경에 사로잡히는 그런 충격적인 순간의 경우……

나는 가끔 햄릿도 되어 보고 돈키호테도 자처해 보는 것이다.

굳이 투르게네프의 예증을 들 것도 없이, 그 두 개의 타입은 서구의 전형적인 인간형의 양극이라니까, 나같은 범부에게 고스란히 적용될 리도 만무하겠지만, 그 어느 하나도 아닌 양쪽에 아직 인생의 초년병인 나를 적용시켜 본다는 것은 자기도취의 만용으로도 이만저만한 오산이 아닌 환각임에 틀림없는 것 같다.

그나 그뿐인가? 나는 스탕달의 『적(赤)과 흑(黑)』을 읽었을 때에는 마치 나 자신이 쥘리엥 소렐이라도 된 것처럼 신이 나서 공명하고, 격한 흥분마저 느끼며 기고만장하는 내깐의 기염을 토했었다.

이것은 아마도 설익은 나의 인간성이나 의식이 하룻강아지 범 무서운 줄 모른다는 격으로, 그 성숙해 가는 과정에서 무엇이고 자기에의 적용될 가능성을 함부로 계산해 보는 미숙이나 치졸에서 오는 결과인지도 모른다.

대학에 처음 입학했을 때에는 온 천하가 내 것인 것만 같았고, 학년이 높아질수록 그것은 점차 어떤 확정된 좌표의 방향으로 집중되어 갔었고, 졸업을 앞둔 시기에는 그 지정석 같은 좌석이 보얗게 안개에 덮여 초조해졌고, 막상 졸업을 치르고 나니 아무데도 나앉을 자리는 없는 허황된 공백으로 화해지던 심리적인 변천도, 어쩌면 이 성숙 과정의 한 단면이었는지도 또한 모를 일이다.

아무튼 문학작품의 전형적인 어떤 인물에 자기 자신의 투영을 발견한다는 것은 그만큼 나 자신의 개성이 아직 기틀을 잡지 못하고 포부니 희망이니 이상이니 하는 걷잡을 수 없는 막연한 기대가 무한대로 확대된 시기였음을 방증하여 주는 일면도 될 것이다.

다른 한편 아직 개성이 뚜렷이 자리 잡히지 않은 젊은이들에게는 적용 관용도를 넓게 가진 인간을 창조한 작품들이 또한 후세에 남는 걸작의 계산속에 들어갈 수 있는 조건의 하나로 되는지도 모른다.

이것은 어디까지나 작품상의 허구적인 인간상에 나 자신을 아전인수격으로 적용시켜 보려는 환영 같은 것이지만, 그와는 전연 다른 별개의 경우가 또 나의 가슴 속에 파생되어 왔다.

그것은 나와 남궁(南宮)선생과의 상관관계에서 추려진 아주 다른 각도, 작품이 아닌 현실면에서의 나의 투영을 발견하는 일이다.

그리고 이러한 상관관계는 시간의 경과에 따라 그 농도가 더욱 짙게 내 가슴에 엄습해 오는 압력을 의식하지 않을 수 없으니 말이다.

나는 대학원에 입학시험만 치르고 군대에 들어갔었다.

훈련소에서의 소위 학도병에 대한 기간사병들의 적대, 그에 따르는 기합, 그리고 전방 초소 수색대에서의 위기에 휩쓸린 고된 근무, 그런 것은 누구나 겪는 일이기에 정상의 건강 수준을 유지하고 있는 갑종 합격자 나에게라고 굳이 더 격무랄 수는 없었다.

그러나 나를 가장 아끼는 남궁선생이나, 나만 믿는 보람으로 세상을 죽지 못해 살아오는 홀어머니에게 편지 쓸 여가조차 얻기 어려울 정도로 분망한 신병의 군대복무에서 간간이 섬광처럼 스쳐가는 나의 의구와 고민은 연구실 동창들에 얽힌 착잡한 문제였다.

멀쩡한 몸뚱이든 아니든 간에 수훌게 병종이나 무종으로 낙착된 친구들은 말할 것도 없거니와, 버젓한 갑종으로도 요리조리 묘하게 새어 빠져 끝내 입대를 미루고 제 자리를 착착 고정시켜 가는 축들을 생각할 때, 나는 몇 번이고 거센 충격과 고지식한 순종에 대한 회한에 몸을 떨었던 것이다.

좀 더 융통성 있게 유들유들하지 못하고 외줄박이 고집으로 단도직입하려는 내 결벽성이, 주위의 친구들이 어디 좀 두고 보자는 관망의 태세에 동조하지 않고 저돌적으로 미래에 대한 아무런 타산도 없이 발작 같은 순간적 욱기로 입대하게 되었지만, 그것도 어머니의, 늘 자식은 남편만 못하다는 거의 습관화된 푸념에 반발하여, 한시라도 그 질식할 것 같은 분위기에서 해탈해 보겠다는 충동이 자극된 바도 없지 않았다.

그간의 복잡한 곡절이야 어찌되었든, 아무튼 나는 일년 반의 병역복무를 무사히 마치고, 육체적인 기능에 아무 장애도 없을뿐더러 정신면에서도 재기일신하여 학교로 돌아왔고, 대학원이 끝나는 대로 연구실 조교로 근무하게 되었었다.

무급 조교, 그건 사실 아무것도 아닌 존재다.

그러나 연구실에 파묻힌다는 일 그것은 나 스스로의 삶의 자세에 있어서의 제 일차적인 지표였다. 거기다 아버지의 유업에 대한 계승을 갈구하는 어머니의 소망, 그리고 아버지의 절친한 친구이며 나의 은사인 남궁선생의 학문적인 정열에 찬 권유, 이러한 배경적 조건이 나의 결의와 실천에 박차를 가해 준 것은 부인할 수 없는 사실이다.

이리하여 곰팡이 냄새 풍기는 책더미에 둘러싸인 정적과 고독의 분위기 속에서, 지극히 평범하고도 단조로운 반복의 세월이 흘렀다.

그러는 사이 나는 모교의 시간강사로 강의 하나를 담당하게 되었다.

아니 물려받았다는 표현이 더 정확할지도 모른다. 입학 당초만 해도 이러한 일은 하늘의 별따기보다 더 어려운 일로 생각되었다.

이처럼 삶의 보람찬 숭고하고도 진실한 일은 없다고 우러러 동경하던 그 영애가 바로 나 자신 앞에 의외의 시기에 펼쳐졌으니 말이다.

"죽었는지 살았는지 모르지만, 이젠 제 아버지를 만나도 정말 떳떳할 것 같구나. 내 혼자의 적공이 얼마나 대견하냐구……."

어머니는 울고 있었다. 그러나 그 눈물은 내가 십 수년래 보아온 그런 슬픔이나 악에 받친 궁상맞은 울음이 아니라, 진정 감격과 희열에 찬 막을 길 없는 격정에서였다.

어머니는 처음으로 아버지가 살아서 돌아온 것만 같이, 구겨진 손수건처럼 주름진 얼굴에 행복한 듯한 화색을 띠고 기뻐하였다.

그날 밤 우리 모자는 시간가는 줄 모르고 아버지의 이야기로 꽃을 피웠다.

그때까지는 어머니가 좀처럼 입 밖에 내지 않았던 아버지의 이야기, 간혹 내쏟는 경우가 있어도 그것은 정해질 뻔한 때였다.

나의 학자금을 위시하여 집안살림이 옹색하여졌을 때나, 남들이 주인이 없는 과부댁이라고 얕잡아보고 어머니에게 하대할 때, 어머니는, 흥 네 아버지만 있었으면 이럴 수야 있겠니, 하고 혼자 자탄하는 것이었다.

그렇지 않으면 나의 하는 일이 못마땅하게 느껴질 때, 툭하면 아버지를 빗대놓고 나를 나무라는 일들이다.

가장 가슴 아팠던 일은, 내가 군대에 입대할 때 어머니는 좀더 기다려 형편을 보라고 한사코 말리다 못해, 오히려 그에 대한 반발로 올림픽 선수라도 나가는 양 열기떠 날뛰는 나를 쏘아보며, 흥 남편 덕 못입은 년이 언제 자식 덕 보겠니 하고 통곡을 하던 일이다.

그러나 강사 발령장을 받아가지고 온 그날 밤은 우리 집안은 십여 년 전으로 복귀라도 한 것처럼 화기에 찬 분위기였다.

"얘, 참 아버지 책이 그대로 남았더라면 네 하는 일에 얼마나 도움이 되겠니……."

이렇게 말하는 어머니는, 참말 그 오래때 앉았던 수심을 걷고 순간이나마 기쁨과 희망에 찬 웃음을 띠며 아쉬워하는 것이었다. 전연 없어져버린 아버지의 책 이야기를 끄집어내기만 하면, 그깟 책 아무리 하면 사람 목숨보다 더하겠니 하던 모습과는 전혀 판이한 오래간만의 피붙이의 정이 얽힌 장면이었다.

그러나 내가 남궁선생에 대하여 나 자신의 초상화 같은 영상을 더 절실히 느끼게 된 것은 바로 이때부터였다.

남궁선생이 담당했던 강의의 하나가 내 차례로 돌아왔다는 운명적인 사실이, 나를 자기 회의에 빠지게 한 직접적인 도화선이 되기도 했다.

그 후 풀 브라이트 장학금에 의한 나의 도미 수속절차가 진행됨에 따라 나는 자신에게 강인하게 덤벼드는 이러한 강박관념을 더 이상 지탱할 수가 없을 정도로 착잡한 심정에 사로잡혔다.

나는 연구실에 들락날락하는 군상 속에서 나에게 깊은 영향을 주거나 적잖은 관심거리가 되는 몇몇 모습을 더듬어보지 않을 수 없었다.

고질의 해수병으로 한 학기 강의의 절반 정도밖에 치르지 못하는 K교수는 허리가 약간 구부러지고 수척한 얼굴이 연령에 비해 훨씬 늙어보인다. 그래도 옛과 시절에는 스포츠맨이었다는 관록의 덕분인지, 한번 강의를 시작하면 노 손수건을 입에 대고 기침을 막아가면서도 시간을 꼬박 채운다. 아직 난로를 놓지 않은 초겨울 끝시간 같은 때는 듣고 있는 쪽이 오히려 민망할 정도로 버티는 모습은, 존경이 가면서도 처량한 동정 같은 것을 금할 길 없는 때가 적지 않았다.

그래도 그가 호탕하고 분방하던 대학시절을 회상하는 추억의 비화를 쏟을 때는, 그러한 정열이 어디서 솟았느냐 싶게 눈동자에 빛나는 광채가 서리는 것이었다.

큰 키에 체중이 이십삼관의 늠름한 체구를 과시하는 Y부교수는 늘 건강색이 과잉한 홍조를 띠고, 기름기가 번지르르하다. 그에게는 혈압이 높아진다는 새로운 걱정거리가 생겨 늘 거기에 신경을 쓰고 있다.

주변사람들은 그를 무역회사 사장이나 여당의 당수격에 알맞은 풍채라고 하며 그 누그러진 인품을 건드린다. 그는 몸집 그대로 정력적이어서 가장 많은 논문을 발표하여 중견학자로 학계에서 가장 촉망을 받고 있다. 그의 문장이 가끔 전후의 가락이 잘 맞지 않게 논리적인 비약이 있는 것도, 모두들 옥에 티 정도로 그의 생긴 성품의 탓에 돌리고 그를 아끼고들 있다.

이에 비하면 전임강사 M선생은 날씬한 몸매에 너무 깔끔하다. 언제나 머리는 갓 이발한 듯 반질하게 빗자국이 나 있고 바지의 주름하나 별로 구겨진 것을 발견할 수 없다.

신혼 초기인 부인의 세심한 덕이기도 했지만, 미국유학에서 돌아온 지 얼마 안되는 이국적인 체취의 여운이라고 해석할 수도 있는 양키이즘의 일면도 없지 않다. 그는 별로 논문 발표를 하는 것은 없지만 말끝마다 외국어 실력을 앞장세워 허세를 재지 않으면, 새로운 연구 방법론을 입버릇처럼 내세우고 있다.

이 밖에 내 후임으로 들어온 박 조교는 몇 해 선배 아닌 나에게까지 고분고분하며, 과 안에 행사가 있을 때마다 족보 흐른 큰집 맏며느리처럼 뒤치다꺼리에 자기 몸을 아낄 줄 모르는 헌신적인 인간으로, 과내의 지보적인 존재로 공인되고 있다.

그런가 하면 새로 선출된 졸업반의 과회장 안 군은, 학생회장에 입후보했다가 낙선된 전력도 있어, 하급생의 통솔력은 그만이지만, 큰 벼슬자리라도 차지한 것처럼 으쓱대며 매사를 입으로 지휘하기만 하고 자기가 손수 하려고는 들지 않는 특성이 있다.

그 밖의 학생들이야 그 새파란 나이에 어울리지 않게 너무 점잔을 빼는 영감투의 능청맞은 군이 있는가 하면, 선머슴 같이 건들거리는 패, 여학생 옆이라면 없는 기세를 더욱 부채질하여 자기존재를 시위하려는 축, 그렇지 않으면 남들이 책을 보고 있는 속에서 마치 신문사의 노련한 기자처럼 담배를 꼬나문 채, 책상 위에 구둣발을 올려놓고 제 마음대로 지껄여대며 강사선생들이 어쩌다가 들러도 거들떠보지도 않는 안하무인격인 족속, 벌레처럼 하루종일 책에 붙어 있는 독실가, 아무튼 각인각색이다.

이러한 만화경 속에서 대부분의 교수 강사들의 은사가 되는 남궁선생은 대웅전의 본존(本尊)불상처럼 주변의 군소보살에 둘러싸인, 학문으로나 인격으로나 존귀하고도 거룩한 존재였다.

나뿐만 아니라 졸업생의 누구든지 남궁선생의 제자라는 것을 스스로의 자랑으로 여길뿐더러, 어느 좌석에 나서든지 한몫 덤을 보고 들어서는 자긍이기도 했다.

하도 값싼 말로 전락되었기에 국보라는 어휘는 외람되어 남경선생에게 쓸 수 없는 말이지만, 사학계의 선구자로 그는 자기의 시간을 놓치지 않고 치밀한 관심을 기울이고 있는 것이다.

좀 깡마르기는 했으나, 강철같이 단단한 그의 체질은 그대로 그 자신의 의지와 신념을 상징하는 것같이 강인하고 다져진 인상을 주고 있다.

의학을 공부하여 돈벌이를 하든가, 법학을 전공하여 고등문관에 패스하여 군수 자리하나 얻는다든가, 그렇지 않으면 정치 경제를 적당히 택하여 손쉬운 월급 자리를 마련해 그대로 평범하게 살아가려는 어쩔 수 없는 왜정시대에, 남궁선생은 역사학을 택했고, 굳이 조선사를 전공했다는 그 시발점에서부터, 그의 삶의 자세나 학문에 대한 태도에는 확고한 지표가 있었던 것이다.

물론 남궁선생 자신은, 자기의 학문을 남들이 애국심이니 항일투쟁이니 하는 데 연결시켜 찬양하는 것을, 그리 달갑지 않게 여기고 극히 불순한 것처럼 생각하고 있다.

다만 내가 하고 싶은 것을 했을 뿐이지 그 밖의 무엇이 있겠소. 이것은 예나 이제나 거의 일관된 대답이요 또한 태도였다.

일제시대 그의 연구에 의한 새로운 학설은, 일본인의 왜곡된 선입감에서 이루어진 기성학설을 근본적으로 전복시킨 것도 한두 가지가 아니지만, 그는 이것을 순수한 학문면에서 그들을 전복시킨 쾌재를 불렀지, 겨레니 나라니 하는 시류에 결부시키는 것을 꺼렸고, 자기 스스로도 그것으로 만족했었다.

그 남궁선생이 참말 예상도 하지 않던 시기에 일선에서 물러나게 되고, 학문에서 노후자(老朽者)의 취급을 받게 되었으니 말이다.

나는 거울을 마주 앉아 나 스스로의 모습을 뚫어지게 쏘아본다. 거기에는 거듭 남궁선생의 모습이 겹쳐옴을 어찌하는 수 없다.

인생 장송곡(葬送曲)!

내가 느낀 그날의 솔직한 소감이란 흡사 이런 테두리에 속하는 한 마디로 표현될 수밖에 없었다.

구월 초순의 강당 실내는 아직 후덥지근하게 땀내가 풍겼다. 홀 안을 빼곡히 메운 뭇 시선은 무대 쪽으로 쏠려지고 있었다.

단 위에 가로 나란히 앉아 있는 정년(停年)퇴직 교수들. 그 속에 끼여 있는 남궁선생의 무표정한 모습.

신문 보도반의 플래시가 연속 섬광을 비낄 때마다 그 얼굴들은 천고의 풍상을 겪은 석불마냥 더욱 두드러지게 음영을 나타내었다.

뉴스 사진반의 거센 조명등 촉광은 그들의 눈을 부시게 광선을 퍼붓건만 폐허 속의 촉루(髑髏)를 연상시키는 그들의 표정에는 아무 반응도 발견할 수 없었다.

남궁선생은 손을 마주 포개어 무릎 위에 얹고, 눈을 살며시 내리감은 채 묵묵히 앉아 있었다.

숱이 엷어진 반백의 대머리. 앞이마에 비치는 전광이 이날따라 유난히 반사되어 흘러간 인생과 학문에 대한 얼키고 설킨 사연들을 그대로 말해 주는 것만 같게 여겨졌다.

새로 다려 입은 통 넓은 구식 바지의 앞주름은 사모님의 정성어린 자국을 남기건만 개조한 양복 오른쪽 가슴에 옮겨붙은 윗포켓과 퇴색된 넥타이는, 그의 삶의 자세라고만 보기에는 너무도 초라하다 못해, 청빈한 삶의 이면을 연상시키지 않을 수 없게 했다.

지금 이 자리에서 생래의 그 강건한 성격과 체질에도 불구하고 남들이 굳이 늙었다고 하기에 스스로 늙음을 자처하지 않을 수 없는 스승은 대체 무엇을 생각하고 있는 것일까?

나라!

조국!

겨레!

아니 절박한 이 순간엔 그런 건 너무나 사치스러운 이야긴지도 모른다.

그러면 자기 자신의 흘러온 세월을 회고하고 있는 것일까.

조선 사람들끼리는 십 몇 대 일의 격심한 경쟁률을 뚫고 들어가야만 했던 고등학교 입학, 그땐 확실히 남들 입에 수재라고 오르내렸다.

대학에서의 전공 선택. 얼마나 진실하고 값있는 일이라고 생각했었던가.

일인들이 가장 적대시하던 역사학, 그 중에서도 조선사 연구, 사위는 온통 적에 둘러싸인 것 같은 상아탑의 분위기……

그러나 새로 발표하는 논문 하나하나에 얼마나 삶의 보람을 느꼈던가.

지질려 살던 연륜 속에서 예상은 했지만, 너무나 일찍 다가온 해방. 이제 참말 네 활개를 치고 큰 숨을 쉬면서 일할 수 있는 때가 왔다고 감격과 흥분에 젖었던 시기. 있는 것, 가졌던 것이라곤 아낌없이 다 털어주고 싶던 순수하고도 적나라하던 심정.

사상적인 대립, 남북협상 문제로 들끓던 연구실이 겨우 자리잡혀가던 무렵, 태풍처럼 휩쓴 사변, 가장 아끼던 동료와 지기가 납치되고 계속되는 피난살이, 수복된 폐허에서의 재기…….

육십 평생을 고집과 신조로 지켜온 상아탑이라고 하지만, 가족에게는 단 한 번도 이것이 사람이 살아가는 모습이라고 떳떳이 보여줄 사이 없이 지나온 생애…….

자기가 스스로 선택한 길을 자기 깐의 방법으로 성실하게 살아오노라고 했지만, 지금 이 자리는 나에게 또 무슨 색다른 레텔을 붙이려는 절차의 순간인가.

아니, 어쩌면 이것은 스승에 대한 나의 자아류의 착각이거나 감상(感傷)일지도 모른다.

정작 장본인인 남궁선생은 태연자약히 현실을 체념하고 허탈한 공백상태에서 무념무상의 경지에 있는지도 모를 일이다.

'참 잘 살아왔다고…….'

장내를 울려대는 박수소리에 비로소 나는 제 정신을 가다듬었다.

남궁선생이 표창장과 함께 기념품을 받고 있었다.

그제서야 뒤늦게 박수를 치고 있는 나의 눈언저리는 저려왔다. 이것은 내 자신의 먼훗날을 견주는 자화상에서가 아니라, 분명 남궁선생 자신의 흘러온 역정(歷程)이, 철 이른 돌개바람을 맞는 것 같은 낙화유수첩(落花流水帖)의 낙질(落帙)같은 것이었기 때문인지도 몰랐다.

'…… 별로 한 일도 없이 세월만 보낸 이 사람에게 이런 기념품까지 주셔서…….'

교정에 나온 나는 남궁선생의 답사에서 그 이상의 구절을 계속 더듬을 수 없을 정도로 격하고도 허황했다.

나는 학생들과 비슷한 나이의 젊은 교수가, 실존주의니 현대철학이니 하며 벤치에 앉아 있는 모습에 겹쳐, 아덴의 수풀을 백발이 성성한 노교수가 지팡이에 의지해 젊은 제자들의 부축을 받아가며, 인생의 심오한 진리를 더듬더듬 이야기하며 걸어가는 전설 같은 장면을 엇갈아 생각하면서, 자신의 허전한 마음속에 때묻지 않은 백지를 덮어갔다.

  불광동 종점 합승 정류장에서 내린 나는 신작로를 비껴나간 교외의 들길을 걸어가고 있었다.

  맑게 갠 가을 하늘, 나의 부푼 젊음을 그대로 튕겨 올려보내고만 싶은 그런 날씨건만 나는 한쪽 구석이 텅 빈 것 같은 허전한 감을 금할 길 없었다.

  어저께 이임식장에서 본 남궁선생의 그 위엄있는 기품으로도, 도저히 감싸지 못하고 터뜨려버린 초라한 모습, 그것만으로도 아닌 것 같았다.

  오히려 그것은 나의 주관적인 해석이 더 그렇게 보게 했는지도 모른다고 생각되기도 했다.

  그보다는 차라리 그러한 영상이 나 자신의 골수를 비비고 들어차, 스스로의 자화상을 그리는 선입감의 탓인지도 몰랐다.

  나는 자신이 가고 있는 목적지가 명확하면서도 정처 없이 방황하는 양 맥없는 걸음을 옮기고 있었다. 이슬이 갓 내린 아침나절, 벌써 잠자리의 날개는 삼복 뙤약볕 속의 그 팔팔하던 솜씨는 옛일인 양 축 처져, 격전장에 다시 돌아온 패전병사처럼 기력이 풀려 보였다.

  현재의 남궁선생의 위치란 저런 것이나 아닐까……

  그러나 밖에서 보는 뭇 시선이 그렇게 일방적인 판정을 하고 있는 것이지, 정작 본인 남궁선생은 정력으로나 사고면으로나 훨씬 젊은 세대를 자부하고 있음에 틀림없었다. 오히려 모든 객관적인 판단이라는 것이, 이 경우는 지극히 피상적이고 타성이나 얽매인 왜곡된 판정일지도 몰랐다.

  나는 그날의 남궁선생 옆에 자리잡았던 정신병리학의 권위 P교수의 답사를 곱씹어 보았다.

  "…… 여러분이 지금 이 자리에서 나를 늙었다고 하지만 나는 아직도 젊습니다. 의약이 발달하여 생리적으로 늙지 않고, 정신연령이 엄청나게 젊어지는데 내가 늙었다니……. 아직 얼마든지 일을 할 수 있습니다. 만일 앞으로 내 주변에 변화가 온다면 연구나 수업이나 그런 것에는 아무 변동도 없고, 다만 수입이 줄어진다는 것입니다……."

오랫동안 체취에 밴 과묵과 겸양의 품격 그대로, 공손히 물러가는 남궁선생과는 너무나도 대조적인 의사표시였지만, 이러한 심경은 남궁선생뿐만 아니라 그날의 모든 사람들에게 공통되는 심정이기도 했다.

나지막한 산언덕 경사지에 계단식으로 터를 닦고 정연하게 자리잡은 후생주택 담 너머로 한 길가를 내려다보던 남궁선생은 나를 발견하자 만면에 웃음을 띠고 손짓하는 것이었다.

대부분 일년생의 화초지만 꽃 속에 파묻힌 뜰에서 남궁선생은 국화분을 어루만지며 잎사귀 하나하나를 가제로 닦아내고 있는 참이었다.

나를 반기는 사모님, 목소리를 듣고 뛰어나오는 난이, 옥, 척, 경, 이들은 거의 내 몸에 매어달리듯 응석을 부리며 기뻐했다.

나는 왠지 모르게 눈시울이 뜨거워졌다. 대학에서부터 국민학교까지에 이르는 이들은 아직 남궁선생에게는 무거운 짐이 되지 않을 수 없었다.

조롱조롱 그만하게 따라 자라는 이들 사남매, 의무장교로 출전했던 장남 훈만 있어도 남궁선생의 어깨는 좀 가벼워졌으리라는 생각이 반사적으로 떠올랐다.

중년(中年) 상처(喪妻), 그것은 단 밤에 재라는 어른들의 이야기를 다 체득할 수 있는 세월을 겪은 나도 아니지만, 나는 지난봄 학교 등록금을 계기로 문안의 자리잡힌 구옥을 처분하고 이곳으로 나오던 때의 남궁선생의 낙향 기분이라는 말을 회상해 보았다.

'그래도 빚이 없으니 마음은 한결 편해.'

남궁선생의 이 말 속에는 참말 거뜬한 심정의 소치에서가 아니라 어쩔 수 없는 체념이 서린 독백이었다고 나는 그때도 생각했었다.

연구에 지치면 서예(書藝)나 화초(花草)로 시간을 보내는 남궁선생, 그

밖에 그에게 피로를 푸는 약이 있다면 그것은 이미 세상에 알려진 애주(愛酒)다.

나는 들고 간 술병을 사모님에게 드리면서도 무어라 인사를 올려야 할지, 이 경우의 적합한 말을 찾지 못해 그대로 엄벙덤벙으로 때웠다.

"이 무거운 것을 일부러 들고 오시느라고……."

"뭐 아무것도……."

나는 말끝을 맺지 못했다. 사모님의 눈에 방울이 맺혀 있었기 때문이었다.

겉으로는 나에게 웃음으로 대해 주지만, 초상집 분위기나 다름없는 한적한 변두리의 이 집에, 아직 나밖에 찾아온 사람이라곤 없는 탓만도 아닐 것이다.

"저것들 데리고 어떻게 살아갈지 앞이 캄캄해요……."

나를 서재로 인도하며 나직이 중얼거리는 사모님의 목소리는 흐려 있었다.

"어떻게 되겠지요."

나는 이러한 지극히 무책임한 대꾸를 할 수밖에 없이 궁하고도 옹졸할 처신밖에 하지 못했다.

쌍룡사(雙龍寺)를 지나 맑은 계곡 널바위 위에서 한숨 돌리고 난 우리 일행은, 가파른 산길을 향해 다시 걷기 시작했다.

선봉은 여전히 남궁선생, 그 뒤가 딸 난이, 다음이 나, 비대한 Y교수는 뜸뜸이 이어가는 일렬종대의 대열에서 거리가 벌어지기 일쑤였다.

간밤에 내린 서리 탓인지, 돈암동 종점을 출발할 때는 좀 쌀쌀한 기분이었지만 한낮으로 접어들자 기온이 훨씬 풀렸다.

Y교수는 골짜기 초입에 들어설 때 이미 잠바는 벗었지만, 이젠 스웨터까지 벗어 제치고 러닝샤쓰 바람으로도 연신 이마의 땀을 훔치며 헐떡거렸다.

나는 Y교수가 따라오기를 기다려 그의 옷을 받아 내 짐짝에 걸머매었다.

선두에 선 남궁선생은 같은 속도로 걸어가고 있었고, 난이는 개울 섶의 들꽃을 꺾어가며 가끔 우리 쪽에 시선을 돌리곤 활짝 핀 얼굴에 웃음을 머금었다.

단풍이 한창이어서 난이의 경이에 찬 탄성은 연발되었고, Y교수는 여전히 고역의 표정 속에 하마 모양 허우적거리기만 했다.

미끄러지는 언덕길을 일착으로 올라선 남궁선생이 뒤를 한번 돌아보더니, 뒤처진 Y교수에게 손짓을 하면서 자작나무 밑에 쉼터를 마련했다.

급경사진 돌길에서 엉기적대는 Y교수의 궁둥이를 난이가 밀고 올라가는 뒤를 따라, 나도 숨을 바투 쉬면서 언덕 위에 올라 등 쪽이 찍찍해 오는 륙색을 내려놓았다.

온 산이 붉고 노란 단풍에 묻혀, 채색으로 단장한 병풍에 둘러싸인 듯한 황홀한 속에서 우리는 서로의 홍조 띤 얼굴을 바라보면서 흐뭇한 미소를 주고받았다.

"오늘은 김 군이 제일 수골하는군……."

마도로스 파이프의 연기를 사뭇 맛있는 듯 들이삼켰다가 길게 내뿜으면서 남궁선생은 건너편 능선에 눈길을 박은 채 나를 걱정했다.

"아녜요……."

말소리는 들릴락 말락 웃음으로 대답하면서도, 기실 나는 무거운 짐에 짓눌렸던 어깨를 좌우로 뒤틀어보는 것이었다.

하기야 일행의 식사와 음료가 끈이 겨우 매어질 정도로 내 륙색에 들어 있으니 근량도 적잖은 편이었다.

그러나 나는 무언지 모르게 기뻤다. 내가 남궁선생 댁을 방문한 후 얼마 안되어, 선생을 찾고 돌아온 Y교수의 느껴진 심정이 똑 같았기에, 이날의 등산도 누가 먼저 제안한 것도 없이 거의 동시에 의견의 일치를 보았다.

갑자기 주위가 적적해진 것만 같은 남궁선생의 심경에 하루의 소풍의 기회라도 마련하여 조그마한 위로라도 되게 하고픈 심정⋯⋯.

남궁선생은 즉석에서 쾌락했고 아버지 옆에 기대고 있던 난이가 더 좋아서 어쩔 줄을 몰라했다.

Y교수는 축축이 젖은 내의 속에 타월을 넣어 땀을 닦아내면서도, 마치 어린애 같이 싱글벙글하면서 남궁선생과 난이를 보고는, 나에게 수고했다는 듯한 의미있는 시선을 보냈다.

나는 륙색에서 사과와 배를 끄집어내어 둘러앉은 가운데에 내놓았다. 난이가 재빨리 사과를 들어 껍질을 벗기기 시작했다.

"괜찮아. 나는 그대로 주어⋯⋯."

남궁선생은 한 알을 덥석 쥐어 손바닥으로 껍질을 쓱쓱 문대고는 그대로 한 입짝 뚝 떼어넣는 것이었다.

나는 젊은 나이에 벌써 충치 하나를 금니로 쌌지만, 남궁선생의 치아는 총총히 그대로 있는 것이 이날은 유달리 눈에 띄었다.

"이렇게 좋은 줄 알았더라면 억지루라도 강 선생을 끌고 올걸⋯⋯."

바야흐로 제철인 단풍 속에 하루를 혼자 즐기는 것을 애석해하는 것만 같은 남궁선생의 어조에 나는 기뻤다. 더욱이 아버지가 노 서재에만 들어앉고 바깥출입이 덜한 요즈음의 난이의 얼굴에는 그 맑은 눈동자에 무엇인가 티가 비낀 것 같게만 여겨지던 나에게, 이날의 하늘처럼 맑은 산 속의 난이를 보는 것이 더욱 즐거웠다.

K교수도 좀 더 억지로 강권했더라면 이 아름다운 분위기에 한데 어울릴 수 있었을걸 하는 아쉬움도 없지 않았다.

난이는 언덕 바위틈에서 솟는 샘으로 물 뜨러 내려갔다.

"윤 선생은 역시 몸집 값이 있어 땀을 갑절 흘리는군."

Y교수는 너털웃음으로 대꾸하면서도 어색한 때의 습성 그대로 머리카락을 쓰다듬고 있었다.

"선생님은 비탈길을 올라오시는 게 우리 젊은이보다 더 기력이 좋으세요."

"흥, 이 사람아, 이 나이에도 아직 잠자리에는 이상이 없다네……."

세 사람은 함께 건너 산에 메아리치도록 웃어 제꼈다. 가슴이 후련했다.

난이가 떠온 이 시린 산수를 마시고 우리 일행은 다시 망월사(望月寺)를 향해 오르막을 걸었다.

등반 차림의 완전 장비를 한 학생 사오 명의 부대가 우리 일행을 앞질러 나가고 있었다.

"무어무어 해도 인생에는 젊음이 첫 자본이야……."

남궁선생은 그들 젊고도 씩씩한 부대에 선망의 눈길을 보내면서 뒤에서 Y교수를 돌아보았다.

"윤 선생, 사십고개를 넘어서면 벌써 달라요……."

사십줄에 갓들어선 Y교수는 그 뒤에 무슨 말이 계속될지 귀 기울이는 자세로 천천히 남궁선생의 뒤를 따르고 있었다.

나는 한쪽이 비탈진 바위 섶을 난이의 손목을 쥐고 부축하면서 뒤를 따랐다.

"공자는 사십을 불혹(不惑)이라고 했지만, 그것은 비로소 인생을 바루볼 수 있다는 지능면에서겠고, 역시 사십고개는 육체에 금이 가고 내리막길이 시작되는 때야……."

"저야 몸이 좀 부해서 그렇지, 선생님은 아직도 젊음이 못지않게 정정하신데요……."

Y교수는 남궁선생의 말을 받아넘기면서도 여전히 헐떡거렸다.

"아니, 눈에서부터 먼저 온다니까……."

중학교 때부터 안경을 썼다는 Y교수는 그 말에 반응이라도 주는 듯이 안경테를 들고는 콧등의 땀을 훔쳐내고 있었다.

아까 우리가 쉬고 있을 때 옆을 스쳐 올라온 젊은 쌍쌍이, 개울에 발을 담그고 히히덕거리면서 물방울을 튀겨댔다.

그들 옆에 놓여 있는 트랜지스터는 숨 가쁜 게임의 야구 중계방송을 이 산속까지 옮겨 오고 있었다.

"아니, 이 외진 산 속에까지 저 도시의 소음을 싣고 올 건 무어람……산도 속도 아니란 말야……."

중얼거리듯이 나직이 말하는 남궁선생의 표정 속에는 자연 속의 유수한 흥마저 깨뜨린다는 아쉬움이 서렸는지도 모른다고 생각하며, 나는 그 분위기 훼방의 쌍쌍 주인공들을 쏘아보았다.

그들은 주위의 시선에는 아랑곳없이, 이번에는 광분하는 재즈곡에 맞추어 서로 마주서 몸뚱이를 비비꼬는 흉내를 내는 것이 아닌가.

"세상도 많이 변했군…… 이제 나 같은 건 정말 쓸모가 없는 폐물이야."

질책인지 자탄인지 모를 남궁선생의 이 한 마디는, 상아탑에서까지 추방당한 이방인의 체념같이 나에게는 확대해석이 되어지는 것이었다.

망월사에 다다른 일행은 절간 약수에 목을 다시 축이고 땀을 들인 후 서쪽 언덕 양지쪽에 점심참을 폈다.

남궁선생을 위하여 마련한 양주병 뚜껑을 빼고 Y교수는 선생에게 첫잔을 권했다.

"이거 요새 세상에는, 진품이군."

남궁선생은 단모금에 쭉 들이키고는 입맛을 다셨다.

"고, 송진 냄새가 감칠맛이 있단 말이야……."

남궁선생의 만면에 넘치는 만족한 듯한 웃음을 보면서 우리 일행은 모두 다 즐거웠다.

"벌써 십년이 넘었군, 이 사람 아버지 석계(石溪)와 그리고 피난 중에 작고한 박 교수와 셋이서 여기로 온 것이…… 그때도 아마 가을 이맘때였지……."

나는 아버지의 아호(雅號)를 부르는 남궁선생의 눈언저리에서 덧없는 인생의 추억을 느끼면서, 나 스스로도 사변 전의 세월로 돌아가는 것이었다.

평소에는 나의 신경을 건드리지 않기 위해 아버지에 대한 이야기는 별로 하지 않는 남궁선생이 이날은 흐뭇한 기분 속에 약간의 감상도 섞인 듯이 흘러간 일들을 더듬더듬 이야기하는 것이었다.

"십년이면 강산도 변한다는데, 그들이 가고 난 후 나만 살았으니, 지금까지의 십여 년을 덤으로 산 셈이야…… 부정목(不正木)이 산(山)을 지킨다고, 나 같은 것이…… 이젠 연구실에서도 쫓겨났지만……."

퇴직 이후 좀처럼 이런 이야기는 하지 않던 남궁선생이, 이날은 유달리 자탄에 찬 침울에 잠기는 데에, 나는 더욱 마음의 동요를 누를 수 없었다.

그럼 대체 나는 무엇인가. 사변으로 많은 유능한 인재들이 없어지고, 폐허에서 다시 일을 시작하게 됐으니 나 같은 것이 대학의 시간을 맡지…….

나는 지난 주일 처음으로 강단에 섰던 첫 시간의 수업을 생각하며 자책감에 얼굴이 화끈 달아올랐다.

해가 거의 질 무렵에야 우리 일행은 망월사를 떠났다. 지난날 셋이서 왔던 자운봉(紫雲峰) 아래 마루턱을 넘어 천축사(天竺寺) 계곡으로 빠지자는 남궁선생의 고집 센 우격다짐으로 우리는 그 노정(路程)을 택하는 데 이의나 불만이 없었다.

"저 달을 보아. 그날 밤도 이러했어……."

감탄에 찬 남궁선생의 말소리에 나는 동녘 하늘을 쳐다보았다.

멀리 불암산(不岩山) 등성이로 열나흘 달이 떠올라오고 있는 것이 아닌가. 인적이 그 늘어져 차츰 정적에 잠겨가는 산길을 우리는 남궁선생의 뒤를 따라 걸었다.

"그때처럼…… 저 아래 신작로 어귀에서 막걸리 추렴이나 하세."

이 밤의 남궁선생은 확실히 십여 년 전으로 돌아가고 있었다.

남궁선생이 일선 교직의 전임(傳任) 자리에서 물러난 지 일년.

나는 지난 봄까지 자주 찾아 뵈었지만, 나의 복잡한 여권(旅券) 수속의 절차에 얽매여 이 몇 달 동안 천천히 자리를 같이할 기회를 가지지 못했다. 간혹 방문했대야 잠깐 인사만 여쭈고 돌아오는 형편이었다.

그간 남궁선생은 줄곧 서재에만 틀어박혀 있었다고 한다.

교과서나 고시(考試) 관계 참고서적 하나 출간하지 않고, 외곬으로 학술논문만 집필해 온 그에게, 여러 권의 귀중한 논문집이 있지만 그 가치와는 별개로 전문 분야의 수요자에 한계가 있는 그들 저서에서 윤택한 인세(印稅)의 혜택을 입으리라고는 생각되지 않는 일이었기에 그 생활은 점점 쪼들려만 들어갔을 것은 뻔한 일이었다.

나는 도미 수속을 진행하는 사이에 몇 번인가 그만 중단해 버릴까 하는 충격적인 사태에 접했었다.

신체검사는 그것대로 지정된 병원 이외에서는 절대로 받을 수 없는 제약이 되어 있어, 외국인 원장이 직접 진단하는 때를 맞추느라고 몇 번 헛걸음을 했는지 몰랐다.

그것도 마지막에는 뢴트겐에 나타난 호흡기 사진에 반점(斑點)이 나타난다는 것으로 육개월 후에 다시 사진을 찍어 그 동안 하등 변화가 없이 원상일 때에는 용인할 수 있다는 난관에 봉착하게 되었다.

그러나 내 마음대로 출발 일자가 결정되는 것이 아니라, 저쪽에서 정한 기일까지에는 내가 도착해야 될 날짜의 제약에 나는 몹시 초조했다. 결국은 홍콩에 있는 병원에 그 사진을 보내어 그 쪽의 확인을 얻어 최종 단안이 내려졌다. 그나 그뿐인가. 문교부는 문교부대로, 외무부는 외무부대로, 그 밖에 신원조회의 복잡성, 마지막에는 한국은행의 달러 교환, 지정된 비행기 회사의 출항 일자, 이런 것까지에 신경을 써야만 했다.

만나는 사람마다 언제 떠나느냐고 능청을 부리는 데는 참말 민망할 정도였다.

막판에 가서는 나 스스로도 이게 정말 가지는 건가, 이러다가 흐지부지되는 거나 아닌가 하고 어리벙벙하게까지 되었다.

서류 절차의 진행 정도는 아랑곳없이 자기들끼리 날짜를 정해 환송회를 해준 동창들을 얼마 후 길거리에서 만났을 때는 쥐구멍에라도 들어가고 싶은 민망한 심정이었다.

그럭저럭 출국증을 받고 비행기 예약까지 되어 출발을 이틀 앞둔 날 저녁, 나는 떠나는 인사를 여쭈려 남궁선생 댁을 찾아갔다.

남궁선생은 서재 한가운데 서가(書架)의 책을 내려 산더미처럼 무져놓고, 무엇인가 골라내고 있는 것 같았다.

창만을 남기고 좁은 방 사면을 꽉 메운 서가. 부문별로 다 분류되어 책꽂이에 정돈되어 있는 책들을 새삼스럽게 왜 이러시는가 하는 의아심이 없을 수 없었다.

"아! 김 군인가, 이거 오래간만일세."

나는 그 동안 찾아뵙지 못한 미안한 생각이 앞질러 그대로 공손히 인사만 했다.

"여기는 먼지투성이가 돼서…… 저 방으로 들어가세."

남궁선생은 손의 먼지를 털고 내 손을 덥석 쥐면서 건넌방으로 인도하는 것이었다.

"선생님, 갑자기 왜 책을 정리하세요?"

내 질문에는 확실히 의아스러운 어조가 어렸다고 스스로도 느껴졌다.

"글쎄…… 좀 그럴 일이 생겼어……."

그는 말을 더듬더듬 이어가면서 억지스러운 웃음으로 말끝을 흐려버렸다.

"어서 앉게……."

어딘가 서먹한 심정을 누를 길 없으면서도 나는 자리에 앉았다.

잠깐 이웃에 나갔다던 사모님도 난이의 뒤를 따라 들어왔다.

"참 오래간만이군요……."

자주 찾아오지 못한 이유가 분명하면서도 사모님이 다시 이렇게 첫인사로 물을 때에 나는 아침저녁으로 제집처럼 드나들던 예전 일을 생각하여 양심의 가책을 금할 길 없었다.

"벼슬이 떨어지면 친구도 떨어진다구…… 어디 어엿한 벼슬자리나 한 번 하시구…… 저렇게 사람이 그리워 적적해 하신다우."

나는 얼굴이 화끈 달아올랐다. 이것이 다 지금까지의 나에 대한 애정의 소리라고 여겨지면서도 나는 괴로워 견딜 수 없었다.

"그래 미국 가는 수속은 어떻게 되었는가?"

남궁선생이 이 미묘한 분위기를 전환이라도 시키려는 듯이 사모님의 말문을 가로채어 건너다보며 말했다.

"인제 수속이 다 돼서 내일 모레 떠나게 됐습니다."

그래서 떠나는 인사로 왔습니다, 하는 말이 차마 입에서 떨어지지 않아 나는 말이 계속되려는 입술을 묵묵히 다물었다.

"그래요?"

"응, 그래……."

두 분 다 사뭇 놀라는 표정이었지만, 내 말 끝에 곧 묻어오는 사모님의 반문보다 남궁선생의 그저 긍정하는 조의 대답은 퍽 뒤에 이어졌다.

"꽤 복잡하다던 절차가 그래도 쉬 됐구만……."

"……"

"아무튼 잘됐네."

나는 말없이 앉아 있었다. 선생님 덕분입니다 하는 말이 혀끝에서 뱅뱅 돌았으나, 그도 어쩐지 입에 발린 형식적 인사로만 여겨질까봐 그대로 머리를 약간 숙인 대로 있었다.

"그럼 이게 작별 인사가 되겠네…… 여보 그 술상 좀 보오…… 바쁠 테니 빨리……."

사모님의 치마 스치는 소리와 문이 여닫치는 음향을 들으면서 나는 다음 말을 찾고 있었다.

꼭 가장 아껴주던 사람에게 무엇인가 배신하고 돌아선 것만 같은 심경이었다.

"잘됐네. 하나 젊어서 남들이 학문하는 방법도 배우고 살아가는 모습도 보아 두어야지……."

침묵의 공간을 메우려느니보다, 진심에서 우러나온 말이었지만, 나 스스로에게도 어색한 감이 없지 안은 말곁이었다.

김치 깍두기에 마늘장아찌를 곁놓은 술상에, 남궁선생과 나는 마주앉았다.

"장도를 축하하네!"

사모님이 손수 따라주는 첫잔을 들자, 남궁선생이 평소에 없이 내 잔을 쩔어 소리를 내면서 들었다.

나도 잔을 비웠다. 나에게 다시 한 잔을 권하고 난 남궁선생은 이번에는 사모님에게 손수 잔을 건네는 것이었다.

이것도 전에는 없던 일이었다.

"자, 당신도 한 잔 드오. 김 군도 먼 길을 떠나고…… 나도 새 길을 떠나게 됐으니……."

나는 남궁선생과 사모님께 번갈아가며 의아의 눈동자를 돌렸다. 선생님이 새 길을 떠나시다니 그것은 대체 무엇일까? 그러나 나는 전에 없이 심각한 이 분위기에서 그것을 물을 용기가 없었다.

사모님이 자리를 뜬 후 몇 잔 먹은 술이 몸에 퍼짐에 따라 내 기분도 적이 누그러져옴을 느꼈다.

나는 남궁선생이 묻는 대로 수속 절차에 대한 상세한 이야기를 말씀드리고 비행기시간까지 결정된 경위를 아뢰었다.

"아무튼 잘됐네……."

같은 소리를 남궁선생은 몇 번 되풀이했는지 몰랐다.

"살아가는 데는 젊음이 첫쩰세. 학문이구 사업이구 간에……."

"……"

"늙어서 아둥바둥한다는 것은 다 억질세."

남궁선생은 술잔을 비우면 내게로 넘겼고 나도 마시는 대로 선생에게 반배했다.

"나도 새로 살기로 했네……."

그는 다시 빈 잔을 들어 내게로 넘기면서 말을 이었다.

"그렇다고 변절한 건 아니고……."

남궁선생의 어조는 점점 침통해 갔다. 간간이 웃음을 섞지만 그것은 오히려 나에게는 그 침통을 누르려는 억지로 밖에 보이지 않았다.

"학문도 젊어서 정력이 좋을 때 해야지, 이렇게 눈언저리가 흐릿해 가지구야 무엇이 되겠는가……."

선생은 수건으로 눈가장자리를 닦고는 술잔을 거듭하며 말을 계속했다.

"그래 장살 시작하기로 했네……."

"네?"

내 목소리는 의외로 컸다.

"아니, 그리 놀랄 건 없고…… 저 책장사 말이야……."

"책장사라니요?"

"왜 나는 장사를 못할 것 같은가……."

게슴츠레하던 남궁선생의 눈동자가 이번에는 십년 전의 그것처럼 광채 나는 것을 나는 놓치지 않았다.

"글쎄, 고본상(古本商)을 불러다 금을 하자고 했더니, 수지값도 치지 않는 게 아닌가…… 이제 내가 여생에 무얼 하겠는가, 안다는 건 책과 연구실과 교단뿐인데…… 다른 건 다 가버리고 책만 남았으니……."

나는 코허리가 시큰해 왔다.

"자본은 내 장서가 있겠다. 그래도 옛 동창이 좋아서, 그 덕에 동대문 시장에 조그만 셈방도 하나 마련했네. 그 친구도 처음에야 말문이나 붙이

게 했겠나…… 말하자면 책장사에 대한 내 신념에 굴복된 셈일세…… 복
덕방 하는 셈치고…… 귀중본이 많으니 심심치 않게 팔릴 걸세……."

나는 자정이 가까워서 남궁선생 댁을 떠났다.

오늘은 내가 고국을 떠나는 날이다. 그저께 저녁 일이 이틀 동안 내 머
릿속을 맴돌았고 지금도 그것이 가셔지기는커녕 오히려 남궁선생의 모습
이 더 확대되어 내 머리를 휘덮어옴을 어쩌는 수 없다.

나는 지금 반도호텔로 나가고 있다. 그러나 아직도 왜 나 자신이 미국
으로 가야하고 무엇을 어떻게 해가지고 돌아와야 한다는 확고한 신념을
지니지 못하고 있다.

솔직히 말하면 그저 가고 있는 것이다. 처음 추천을 받아 풀 브라이트
장학금을 신청했을 때는 어떻게든 그 많은 경쟁자를 물리치고 뽑혀야겠
다는 일념이었고, 그것이 요행히 결정된 후는 무조건 흥분에 싸였었고,
수속 도중에는 귀찮아졌고, 이제는 정말 가지는가보다 하고 생각하니, 막
상 떠나는 이 순간에는 그 지표가 더욱 흐릿해짐을 어쩌하는 수 없다. 그
것은 남궁선생에게서 받은 충격의 탓도 있겠지만, 나 자신이 도미에 대한
좀더 확고한 신념이 없이 들뜬 허영에 얼마간 휩싸였던 데 더 큰 원인이
잠복해 있었는지도 모를 일이다.

'선생님 같으신 분이 그래도 아직 학계에서 일하셔야 후진들이 더 의욕
을 가질 것이 아니겠습니까?'

이러한 말을 비롯한 그저께 밤의 취중의 많은 이야기는 남궁선생에 대
한 나의 진정이요, 호소였다.

그러나 이미 때는 늦었다.

내가 당도하기 전 서가에서 그 손때 묻은 책을 내릴 때 선생의 삶의 자
세는 그 방향을 새로운 각도로 확정했던 것이었다.

들었던 술잔을 상 위에 놓고 서재로 들어가던 남궁선생은 두툼하고 긴

널판때기 하나를 들고 나왔다.

"이게 간판일세…… 하하하하."

나는 어이없이 웃을 수밖에 없었다.

"이쯤하면…… 시작이 반이라는데 새 출발이 미덥지 않은가……."

그는 나에게 자기의 확고한 새 방향을 실지로 보여주려는 듯이 벼룻장을 내놓고 먹을 갈았다.

"그렇지 않아도 한 가지 확정을 짓지 못한 것이 있네……."

"무어 말씀입니까?"

이제 나도 평상 기분으로 자유로이 대꾸를 할 수 있었다.

"그 상호(商號) 말일세, 역시 상호란 점방의 간판이어서 자식의 명명(命名)처럼 신경이 쓰여진다니……."

"그럼 참말 책방을 내세요?"

"참말이래두 이 사람…… 나라나 민족을 위하겠다고 학문을 한 것도 아니구…… 내 좋아서 한 것이지만…… 나라도 민족도 늙은이는 필요없다구, 하구…… 나두 또 이젠 서리를 한번 맞으니까 자신이 없어…… 하하하하."

이번의 웃음은 확실히 사회에 대한 냉소가 아니면 자신에 대한 자조(自嘲)라고 밖에 느껴지지 않았다.

"가만 있자…… 청춘당(靑春堂)…… 이건 너무 반발의 허세같군."

나는 가만히 듣고 있을 수밖에 없었다.

"아무래도 그것밖에 알맞은 것이 없어……."

남궁선생은 붓끝을 입술에 다듬어 벼루의 먹을 묻히더니 그 나무판대기를 내놓고 단숨에 쭉 내려썼다.

의고당(擬古堂)!

붓이 떨어지는 것을 보고 나는 긴 한숨을 내리쉬었다. 농담으로만 여겼던 지금까지의 생각이 온통 뒤집어졌다.

"어때, 의고당! 음향도 좋고 시각(視覺)으로도 늙은이 점방으론 괜찮지……."

남궁선생은 다시 서재로 들어가서 부피 나는 질책을 들고 나오면서 위의 먼지를 털었다.

"이것은 『여유당전서(與猶堂全書)』일세…… 실은 사변 때 피차 장서를 잃었지만…… 이건 자네 엄친 걸세. 대학 연구실 장서 속에 석계(石溪)의 장서인이 찍힌 이 한 질이 어쩌다 남았기에 내가 보관하고 있었네. 이젠 이것까지 내 상품(商品) 속에 넣을 수는 없으니까……."

아버지의 유일한 장서를 받아드는 나의 손은 떨렸다. 나는 아버지를 우는 것이 아니라 분명 남궁선생을 울고 있는 것이었다.

반도호텔 앞에 닿으니 남궁선생은 벌써 나와 있었다.

"자, 먼 길 조심하게…… 제 나라 안에서 늘 쓰는 말로 몇 해 공부해도 별 수확이 없기 일쑤인데, 낯선 땅 익숙지 않은 말로 일이 년 했댔자 무슨 큰 소득이 있겠는가만, 너무 욕심 부리지 말고 몸조심해서 잘 다녀오게……."

"네, 감사합니다."

"나도 오늘 개업이니까, 첫날부터 근실해야지……."

나는 돌아서는 남궁선생의 뒷모습을 묵연히 바라보며 이십년 후 삼십년 후의 나의 초상화를 그리고 있었다.

한강을 건너 북한산을 등지고 공항(空港)으로 질주하는 차 속에서, 나는 내가 하고 돌아올 일이 과연 무엇인가 점점 더 막연해짐을 느낄 뿐이었다.

『大學新聞』, 1962. 11.

모르모트의 반응

참말 예기치 않은 불운한 봉변이었다. 자빠져도 코 깨지는 신수라고 허진(許璡)에게는 느껴지기도 했다.

갑자기 대문 앞에서 와자지껄 고아대는 아우성 소리가 들려왔다. 허진의 눈길은 그쪽으로 쏠렸다.

아들 윤(潤)이 숨이 끊어진 양 다리를 늘어뜨리고 옆집 아주머니에게 안겨 들어오고 있었다.

"에구, 어떻게 하면 좋아요…… 윤이 개한테 물렸어요."

허진은 심한 충격을 받는 순간 공수병(恐水病)이 즉각으로 연결되어 왔다. 아이를 들고 있는 아주머니는 얼굴이 사색이 되어 어쩔 바를 몰라했다. 그런데 윤이 녀석은 울지도 않고 정신이 나간 것처럼 멍하니 눈알만을 크게 뜬 채 초점 잃은 시선을 던지고 있었다.

"아니, 어디를 물렸어요?"

부엌에서 뛰어나오며 외치는 아내의 질린 목소리였다.

"어쩌면…… 그놈의 개가 글쎄 거기를 물겠어요……."

허진은 다시 한 번 가슴이 철렁하는 격동을 느꼈다.

옆집 아주머니는 윤을 마루에 내려놓으며 울상이 되어 있었다.

"아이구, 저걸 어떻게 해……."

아내의 울멍한 비명이다.

"하필이면 자지를……."

허진은 혼잣소리같이 뇌까리며 아이에게로 다가갔다. 궁둥이께까지 내려온 아랫도리를 홀렁 잡아 벗겼다.

뭉정 끊어져 나간 고추 끝에는 시뻘건 피가 흐르고 있었다. 징그럽고 몸서리쳐져 다시 바라다볼 염도 못했다. 눈앞이 아찔해 왔다. 무엇을 어떻게 했으면 좋을지 갈피를 잡을 수 없었다.

"어느 개가 물었어요?"

핏기가 가셔 파랗게 질린 아내는 말소리마저 떨려 있었다.

"저의 개가요……."

옆집 아주머니는 거의 죽어가는 듯한 목소리로 간신히 대답했다. 마치 자신이 직접 죄라도 저지르고 벌을 기다리는 것만 같은 초췌한 표정이었다.

"여보세요, 빨리 병원으로 가봅시다……."

그제서야, 허진은 겨우 자신을 가다듬을 수 있었다. 아내는 아이 옆에서 어쩔 바를 몰라하며 어린애처럼 찔끔찔끔 눈물을 짜고 있었다.

"자식이…… 차라리 다리 하나라도 떨어져 나가지……."

허진은 누구에게랄 것 없이 뱉으면서 주저앉았던 자리에서 일어섰다.

'육신이 멀쩡한 놈도 살아가기 힘든 세상에, 저런 불구를 가지고…….'

어린 것의 창창한 앞길이 가여웠다. 곧 이어 차털리 부인이 연상되어 왔다. 참말 다리 하나나 팔 하나가 없어졌으면 하는 안타까움을 이겨낼 수가 없었다. 차라리 그랬으면 이다지도 암담하지 않을 것만 같았다.

쓰리지 않게 상처에 솜을 대고 바지를 추켜올리는 순간 생각하는 것이 있었다.

"여기서 잘라진 것이 어딨어요……."

말이 자기 입에서 떨어지자마자, 아차 이성을 잃었구나 하는 후회가 뒤따랐다.

주위에 둘러 있는 이웃 아낙네들을 직시하기 민망할 정도였다.

그러나 아무도 그 말에 웃는 사람은 없었다.

"글쎄요……"

옆집 아주머니는 대답 한 마디를 남기고는 벌써 대문 쪽으로 뛰어나가고 있지 않은가……

'그놈의 개가 하필이면 왜 거기를 물었을까……'

그는 똑같은 반문을 몇 번이나 되풀이했는지 몰랐다.

"그 자리에 가 봐도 아무것도 떨어진 것이 없던데요……"

다시 돌아오는 옆집 아주머니의 군어진 표정은 아직도 풀리지 못하고 있었다. 그네는 윤이 옆으로 다가오자마자 바짓가랑이를 뒤져 그 속을 샅샅이 뒤졌다.

"이거……"

그 사이 벌써 피가 죽어 변색한 살가풀을 그네는 손끝에 집어들었다.

허진은 아무 말도 없이 그것을 백지에 싸 호주머니에 집어넣고 신발을 신었다.

윤을 안고 앞에 서서 찻길 쪽으로 걸어가고 있는 아내의 뒤를 따르며 그는 장사지내려 가는 것만 같은 환각을 느끼는 것이었다.

짙어가는 황혼 속에 가로수의 낙엽이 우수수 윤의 머리 위에 떨어지는 것을 바라보며 그는 불길한 예감을 막을 길 없었다.

'사람 집이 흥할 때면 식구가 늘고, 망조가 들라면 가솔이 주는 법이니라.'

생존시 입버릇처럼 뇌까리시던 조부의 말도 노상 터무니없는 넋두리만으로 돌릴 수는 없는 것 같게 느껴지기도 했다. 당대의 귀재라고 칭송이 자자하던 아들 둘을, 그것도 거의 한꺼번에 손쓸 사이도 없이 앞세우고 나자 조부의 굽힐 줄 모르는 기개도 고목처럼 꺾어져 갔다. 그 바람으로 사람도 잃고 재물도 흩어지고, 말하자면 조부의 지론은 그대로 적중한 결과로 되고 말았다.

현대인은 경제를 위주로 인간을 생각하기 일쑤지만, 조부는 확실히 재물에 우선하여 인간을 생각했던 것만 같았다.

허진의 가족계획에 대한 무관심은 이러한 전습적인 가정 분위기에서 무의식적으로 배태되어진 것인지도 몰랐다.

그러나 또 하나의 다른 사태가 현실적으로 그의 자녀관을 지배하고 있었음에 틀림없는 일이기도 했다.

첫아이는 딸이었다. 가슴에 담이 박혀 끊일 사이 없이 해수병으로 누워 있던 조부도 이날 새벽만은 기침을 참아가며 증손자의 첫울음을 기다리고 있었음이 분명했다. 그의 귀는 아마도 벽을 뚫고 옆방 손자 며느리의 산실에 직결되어 있었을 것이었다.

조부 옆에 앉아 있었던 허진은 산모의 진통 소리에 귀를 기울이면서도, 조부의 안절부절하는 몸가짐을 훔쳐보지 않을 수 없었다. 숨죽이고 몸을 도사리는 조부의 긴장된 모습은 허진으로 하여금 손에 땀을 쥐지 않을 수 없게 할 만큼 절박한 반응으로 보이고 있었다.

산아의 찢는 듯한 울음소리…… 참말 이십여 년 만에 처음으로 집 안에서 갓난아기의 울음소리가 터져나온 것이었다. 가슴을 후벼가는 것 같던 산모의 진통소리는 정지명령이라도 받은 듯이 뚝 그쳤다. 그러나 산파의 입에서는 아무 소리도 흘러나오지 않았다. 시간은 초조히 흐르고 있었다. 다만 놋대야에서 출렁이는 물소리가 문틈으로 새어나올 뿐이었다. 허진은 청각을 문 쪽으로 모은 채 조부의 동작을 지키고 있었다. 조부는 한 쪽 팔꿈치를 세우고 상반신을 반쯤 일으켰다. 수척한 옆 얼굴 위의 흰 머리카락이 유난히 엉성해 보였다.

"뭣이 났냐?"

참다못해 튀어나온 조부의 흥분된 음성이었다. 목줄기의 핏대가 불쑥 솟아오르며 부르르 떨었다. 허진은 조부를 부축하려다 그 노기에 질려 잠깐 멈칫했다.

"딸이에요……."

산파의 맥 빠진 목소리가 느릿하게 스며왔다.

"음……."

조부는 신음소리같은 김빠진 콧소리를 치며 풀썩 주저 누워버렸다. 참았던 기침이 그칠 줄 모르게 계속되었다. 허진은 긴 숨길을 돌려 조부가 눈치채지 않게 조용히 내쉬었다.

그 후 조부는 증손녀를 단 한 번도 자기 옆으로 가까이한 적이 없었다. 결국 조부는 대를 이을 장손을 목마르게 기다리다 그의 가장 큰 소원을 풀지 못한 채 세상을 떠났다.

첫아이는 아들 딸을 가리기는 고사하고 자식에 대한 이렇다 할 분별도 없이 얻었다. 오히려 이상 어른을 대하는 것이 쑥스럽고 부끄러웠었다. 돌아보지도 않는 조부 앞에서 아이를 안고 주접을 떨 수도 없었다. 그러나 둘째아이부터는 허진 자신도 기다려졌다. 자기 주관의 집안으로 바뀌어진 탓도 있었지만, 아들을 바라는 심정이 새삼스럽게 절실해졌다. 만삭이 되어가는 아내의 아랫배를 어루만지며 마치 뱃속의 태동을 듣기라도 하려는 듯이 흥분되어 해산날을 기다렸었다. 아들이 나면 이름은 어떻게 지을까 하고, 옥편을 끄집어내어 글자 획을 찾아보기도 했다. 만약에 딸이 나면…… 그런 것은 생각조차 하기 싫었다. 마치 불길한 방정이라도 떠는 것 같아 딸의 이름은 애당초 지어볼 염도 내지 않았다.

그러나 둘째아이도 딸이었다. 기대와 희망은 순시에 물거품으로 사라졌다. 손맥이 탁 풀리는 것만 같은 허전함을 느꼈다. 지금 생각해도 여섯 아이 중에서 가장 실망했던 것은 그때인 것만 같았다. 그는 마치 아내의 탓이기나 한 것처럼 제 편에서 오히려 아내를 나무라기까지 했다. 산후증으로 누워 있는 아내는 아무 말도 없이 눈물이 글썽했다.

"이 사람, 못나게…… 또 딸을 맨들었어……."

친구인 왕진 의사가 환자 방에서 나오며 농조로 슬며시 건드렸다. 허진은 대답할 말이 없어 멋쩍게 비굴한 웃음을 띨 뿐이었다.

셋째도 딸이었다. 넷째부터는 아예 기대도 가지지 않았다. 자기 힘으로 어떻게 할 수 없는 운명으로 돌려졌는지도 몰랐다. 그러나 해산될 때까지는 호기심과 궁금증이 얽힌 초조한 심정이 완전히 가셔지지는 않았었다.

그러한 것이 거의 포기하다시피 했던 다섯째 번에 가서 의외로 아들을 얻었다. 집안에서보다 주위 사람들이 더 수선을 떨어댔다. 인사받기에 오히려 민망스러웠다. 자기나 아내의 친구들은 무 뽑아내듯 몇씩 계속 아들을 술술 낳는데 자기의 경우는 왜 이다지도 뜻대로 되지 않는가 하고 스스로를 나무라기도 했다. 아무튼 첫아들이란 신기하고도 기쁜 일이었다.

이제 하나만 더 하는 욕심을 짓밟고 여섯째도 딸이었다.

산아제한. 이미 귀에 익어온 어휘였다. 조금도 신기하게 느껴지는 말은 아니었다. 그러기에 허진의 경우는 이런 것에 아무 관심도 없는 사이에 어찌어찌 하다가 육남매의 아버지가 되어진 셈이었다.

가족계획. 이같은 새로운 용어가 약광고처럼 빗발쳐도 역시 그는 남의 일인 양 거의 외면해 왔었다. 소파수술이니 정관수술이니 하는, 예전엔 별로 들어보지도 못했던 전문 술어들이 예사로운 화젯거리나 될 만큼 자기 주변에서 부쩍대어도 그는 굳이 참견하려들지 않았다.

그러나, 아들 둘에 딸 하나…… 어떤 근거에서 산출된 숫자인지는 몰라도 이런 것을 이상형의 생산계획처럼 내세워 떠들썩하는 것을 들을 때마다, 아차 이미 늦었구나 하는 생각을 마음속으로 곱씹는 일이 없지 않기도 했다.

삼대 독자인 자신, 웃어른이란 한 분도 모시고 있지 않았다. 손위의 누님도 출가 후 얼마 안되어 세상을 떠났다. 자기에게 가까운 피붙이라고는 아무것도 없었다. 아내와 육남매를 거느리는 가장으로 가문을 이어야 할 위치에 놓여 있을 뿐이었다. 자기 자신 그러한 것을 따질 만큼 케케묵은 세대에 속한다고 자처하고 싶지는 않았지만 어느 결에 그런 흐름에 젖을 만큼 세월도 흘러간 것만 같았다.

웃놈들의 터울로 보아 또 아이가 들 만한 시기에 이르렀다. 아내는 아들 하나만 더…… 하고 욕심을 부리지만 허진으로서는 커가는 아이들에 대한 부담이 부쩍 늘어감에 따라 아들이고 딸이고 간에 이젠 정말 구미가 돋지 않는다는 심정이었다. 거기에 아내는 여섯째 아이를 난 후부터 줄곧 건강이 좋지 않아 무척 쇠약해졌다. 그러나 아들에 대한 아내의 욕망은 그것으로 완전히 포기되어진 것은 아닌 것 같았다.

허진이 정관수술에 대해 다소나마 관심을 가지게 된 것은 이때부터였다. 만일 아내가 다시 잉태를 하는 경우, 소파수술은 극도로 쇠약해진 아내의 건강을 다치게 할 우려가 없지 않다는 데 기인하기도 했다. 그러나 미연 방지책으로 자신이 솔선하여 즉각 수술대에 올라앉을 정도로 결심이 되어진 것도 아니었다.

허진은 지나갈 바람에 오고가던 주위 사람들의 화제를 되새겨보았다.

"애 만들 수 없는 남자란 정말 흥미가 없어요. 어딘가 허전하고 기대가 없어서요. 성에 대한 스릴이 없지 않아요……."

남성에 못지않게 성격이 괄괄한 M여사의, 정관수술에 동조하지 않는 주장이었다.

"이 사람 별수 없네, 민주주의란 개수로 따지는 건데, 자식새끼 하나라도 숫자가 많은 놈이 종국엔 이기는 걸세……."

이건 국회의원에 입후보했다 차점으로 낙선의 고배를 마신 친구의 솔직한 고백이었다. 그는 산아제한 자체에 근본적인 반대를 가지고 있었다.

"여보게, 부모가 자식 덕 볼 세월은 인제 다 지났어. 그저 개나 돼지새끼처럼 수두룩이 낳아놓고 평생 고생 주머니에서 헤어나지 못할 바에야…… 공부라도 제대로 시킬 수 있다면 몰라도…….”

현실적인 실리면에 중점을 둔 산부인과 의사의 의견이었다.

“딸이면 어떻고 아들이면 어떤가. 요샌 오히려 딸들이 나은가보이…… 사내새끼 잘못 낳놓고, 부모에게 권총이라도 들고 대드는 패륜의 봉변을 당하기보다는…….”

입심 좋은 어쭙잖은 말들 같지만, 그 속에도 제각기 일면의 진리가 없는 것은 아니라고 허진에게는 느껴지기도 했다.

허진은 결국 정관수술을 하고 말았다.

그것은 경제적인 생활 문제가 가장 큰 이유의 하나였지만, 일곱째를 임신한 아내가 도저히 산모의 건강을 지탱할 수 없어 둘 다 죽일 바에야 모체라도 구해야 한다는 의사의 강권에 못이겨 본인의 반대를 무릅쓰고 소파수술을 한 결과가 직접적인 동기가 되었다.

아내는 그 후 오랫동안 몸을 추스르지 못하고 누워 있다가 겨우 희생하였다. 그러나 그 이후로 조금만 고역에 시달리면 금방 도져지기 일쑤였다. 거기에 정관수술은 포경수술보다도 더 간단하다는 의사의 권유에 귀가 솔깃해지기 시작했다. 이미 겪은 자신으로서 그것보다 간단하다면야 겁낼 것도 없지 않느냐는 생각이 박차를 가하게 했다. 그것만이 아니었다. 다시 자식이 필요할 경우는 복원수술(復元手術)이 가능할뿐더러 성생활에도 지장이 없다는 자신만만한 의사의 설득력이 적지 않게 그의 심리를 회전시키는 구실을 했었다. 필요하면 막고 필요하지 않으면 떼어놓고 아주 편리할 것만 같았다.

불의의 경우를 당하여 아내가 죽거나 온 식구의 생계가 파탄에 빠지기보다는 자기혼자가 약간의 불편을 참아가면 모든 것이 해결될 것이라는 생각에까지 이르게 된 것은, 역시 가장으로서의 생활에 대한 책임감에 겨웠던 탓이기도 했다.

아내는 자기 자신이 거의 죽었다 살아난 뒤부터는 남편의 이런 결의를 정면에서 거부하려 들지는 않았다.

수술 직후는 인간으로서 그리고 하나의 남성으로서의 미련이나 비굴감 같은 것이 전연 없는 것은 아니었다. 그러나 그 후의 생리작용이나 정신면에 미치는 아무런 이상도 직감되지 않았기에 그는 체념같은 자위를 달래어 왔었다.

그는 순간순간 자신이 완전히 성의 불구자가 되지 않았는가 하는 아쉬운 환각에 사로잡히기도 했으나 그러한 미묘한 감정은 시시의 흐름에 따라 점차 무마되어 가는 과정이었다.

그러던 시기에 천만뜻밖에도 이같은 윤의 봉변에 접하게 된 것이었다.

타고 있던 차가 그렇게 더디게 느껴진 일은 일찍이 없었다. 허진에게는 로터리에서의 신호대기조차 안타까울 정도였다.

그는 운전대 옆에 앉아 담배를 계속 빨며 뒷칸의 윤을 안고 있는 아내를 돌아다보았다. 창백하게 지쳐 있는 아내의 몰골은 빈사상태의 병자처럼 기력이 없어 보인다.

"여보……."

그는 다시 담배 한 모금을 빨고 말을 이었다.

"만일 성불구가 된다면 치료하지 말고 그대로 죽여버립시다……."

"글쎄…… 빨리 가요……."

아내의 대답은 빗나가고 있었다.

아내도 네거리마다 멈추는 차가 안타까운 모양으로 짜증어린 말투였다.

허진은 시선을 윤에게로 옮겼다. 녀석은 무엇을 알아들었는지 눈동자가 말똥하여 아버지를 쳐다보고 있었다.

"아빠, 윤아……."

허진은 죄스러운 생각이 들어 아이에게로 말머리를 돌렸다. 묻지 않아도 개가 생살을 물어뜯었으니 아플 것은 뻔한 일이었다. 윤은 말없이 고개만 끄덕였다.

불구가 될 바에야 차라리 죽는 편이 낫지, 하고 허진은 다시 한 번 스스로의 단정을 내려보는 것이었다. 옛날 같으면 수절하는 생과부라도 있겠지만 요새 세상엔 그럴 열녀도 기대할 수 없겠거니와, 그것을 강요해 낼 뱃심 좋은 인간도 있을 것 같지 않았다. 성인이 되어 혼자 몸부림치며 번민할 바에야 차라리 철들기 전에 일찌감치 사라지는 것이 편안하리라는 생각을 지워버릴 수가 없었다.

현대의학이 아무리 고도로 발달했다 해도 예민한 성기의 감각까지를 수술로 좌우할 수는 없을 것만 같았다. 설령 근육 이식을 한다 하더라도 육체의 다른 부분과 달라, 그것은 도저히 가능할 것 같지 않았다.

유리창을 거쳐 포도에 우글거리는 군상들을 바라보며 허진은 자기 자신에게로 생각을 돌리고 있었다.

윤이 만약 불행하게도 성불구가 되는 날이면 자기들에게는 아들 하나도 없게 되는 것이 아닌가…… 아내는 이미 해산 능력을 상실한 육체다. 자기 자신은 또 멀쩡한 성의 불구가 아닌가…… 단순한 심정으로 정관수술을 응한 것이 얼마나 무모했던가 하는 뉘우침이 거세게 치밀었다.

역시 인생은 그때그때 하나하나 깨끗하게 청산하며 살아갈 것이 아니라 모든 것을 미결로 밀어가며 죽는 시간에 저절로 결말이 나게 하는 것이 옳지 않았던가…… 자기의 성급히 서두른 행동이 경솔했던 것만 같게 느껴질 뿐이었다. 자연의 섭리에 대한 거역…… 꼭 그 죄과로 나타난 결과 같게만 여겨지는 이중의 괴로움을 막을 길 없었다.

허진은 윤을 안고 병원문으로 들어섰다. 꼭 눈앞에 죽음이 대기하고 있는 것만 같은 불안감이 앞섰다.

그는 아이를 수술대에 눕혀놓고, 선고를 기다리는 죄수처럼 의사들의 입을 지키고 있었다.

"어떻게 다쳤어요?"

"개가 물었습니다."

허진은 문득 생각이 나 호주머니를 뒤졌다. 아까 종이에 싸넣은 것을 내밀었다.

"이것이 거기서 잘라진 겁니다……."

의사는 핀셋으로 살까풀을 집어 유심히 들여다보며, 입을 열었다.

"이걸 보세요, 이렇게 벌써 살이 죽어 있지 않아요, 이건 소용없어요……."

그것을 도로 붙여 원상복구가 될 수 없을까 하던 일루의 희망은 완전히 끊겨지고 말았다.

"어떻게 성불구만 되지 않게 해주세요……."

허진의 말소리는 애원에 가까웠다.

"가만히 있어요, 세밀히 조사를 해봐야 할 테니까요……."

의사는 핀세트의 솜에 빨간 약을 묻혀 상처를 닦으며 유심히 들여다보고 있었다.

고촉의 반사등 광선이 위에서 수직으로 윤의 하반신을 비처댔다.

의사 세 사람이나 둘러서서 윤의 국부를 만지며 주고받는 말들을 놓치지 않으려고 허진은 청각을 집중시키고 있었다.

"개들이 어린애들 자지를 잘 문단 말이야. 며칠 전에도 이런 일이 있었어요……."

주치의는 상처에 눈을 준 대로 계속 손을 놀리며 예사롭게 한 마디 뱉었다.

"그래, 그 환자는 완전히 나았어요?"

허진은 다급하게 되물었다.

"네, 이것과 거의 비슷한 케이슨데 완쾌되어 퇴원했어요……."

허진에게는 숨죽어가는 듯한 가느다란 희망의 빛이 번득였다.

"가만 있자, 까풀만이 떨어져나갔군. 김 선생, 이거 귀두는 그대로 살아 있지요?"

"네, 괜찮은가 봐요……."

주치와 젊은 의사의 대화에서 허진은 다시 활기를 얻었다.

진찰은 끝났다.

"까풀이 좀 모자라지만 아직 나이 어리니까 괜찮을 것 같아요. 다행히 귀두가 다치지 않았으니까……."

"그렇습니까……."

허진은 저도 모르게 안도의 한숨을 내쉬었다.

"그러나 이쪽, 까맣게 변색한 근육이 살아나야 할 텐데…… 수술하고 이삼일이 지나봐야 확실한 거 알겠어요."

허진은 의사가 핀셋으로 가리키는 곳에 눈을 박았다. 그러나 그로서는 무엇이 어떻게 되었는지 알 길이 없었다. 다만 귀두가 다치지 않았다니, 우선 그것만이라도 요행이라고 느껴질 뿐이었다.

수술은 시작되었다.

마취 주사의 바늘이 국부에 깊숙이 박히자, 지금껏 가만히 누워 있던 윤은 불을 뒤집어쓴 듯한 비명을 내질렀다.

꼼짝 못하게 사지는 수술대에 얽어매어졌다.

허진은 견디다 못해 수술실 밖으로 나오고 말았다. 아이의 죽어가는 듯한 울음소리는 복도에까지 파동쳐왔다.

아내는 소파에 걸터앉아 머리를 숙인 채 울고 있었다. 허진은 아내의 손목을 끌며 아이의 울음소리가 들리지 않는 바깥쪽으로 나갔다.

"괜찮대…… 병신은 되지 않을 모양이야……."

그러나, 아내는 그 말에는 아무런 반응도 보이지 않고 어깨를 들먹이며 흐느끼고 있었다.

수술은 끝났다. 윤은 수술대에 누인 채로 운반되어 병실 침대로 옮겨졌다.

아직 남아 있는 국부 마취의 여독으로 신경의 작용을 잃은 아이는 통증은 느끼지 않고 흐린 눈동자로 멍하니 천장을 바라보고 있었다. 눈물 자국이 번들번들한 얼굴은 솜같이 희었다.

아내는 입원기간 중 필요한 물건들을 준비하러 밖으로 나갔다.

허진은 침대 옆에 걸터앉아 아이의 동정만을 유심히 살피었다.

성기에 대한 수술의 결과가 문제지, 생명에는 아무런 지장도 없다는, 집도(執刀) 의사의 말이었지만 허진에게는 그것마저도 믿겨지지 않았다.

꼭 윤이 발광하여 미친개처럼 왕왕 짖으며 한길에서 버둥거리다가 거품을 물고 쓰러지는 것만 같은 환영이 눈앞을 가려, 간헐적으로 밀려오는 전율을 금할 길이 없었다.

개에게 물린 공수병은 척수에 놓는 어려운 주사를, 그것도 일정한 기간을 두고 열여덟 대나 맞아야 된다는 이야기를 들은 일이 있었다. 그것이 암만해도 미심쩍어 윤을 수술실에서 끌고 나올 때 다시 한 번 의사에게 다짐을 했다. 그러나, 의사는 태연하게 모든 것이 다 치료되었으니 안심하라는 것이었다. 전문적인 지식도 없는 문외한으로서 그 이상 반문하여 의사의 신경을 거슬릴 수는 없는 일이었다. 일단 병원에 온 이상, 모든 것은 시키는 대로 순종하는 수밖에 없었다. 그러나 한 가닥의 불안은 완전히 가셔지지 않았다.

사실, 상처의 수술을 받기 전까지는 아이를 죽일 것인가, 살릴 것인가 하는 갈림길에서 허진 자신이 방황하고 있었다. 그러나 수술이 끝난 지금의 심경은 사뭇 달라졌다. 윤의 성기능에 대한 실오리만한 기대라도 가질 수 있는 이 시각의 관심의 초점은 그 생명에 대한 집착으로 번져갔다.

그러나 아무것도 자신을 가질 수 있는 결말은 얻어지지 않았다. 공수병은 잠재 기간이 길면 십 년 후에라도 발광하는 경우가 없지 않다는 의사의 말이었다. 생각만 해도 소름끼치는 일이었다. 또한 수술의 결과도 기형이나마 어떤 형태는 갖추어질 수 있을는지 몰라도 그 완전한 기능의 보장은 먼 훗날 며느리를 들여 첫손자라도 보아야 그 실험의 반응은 비로소 확증을 얻을 것만 같기에 아득한 일로 느껴질 뿐이었다.

자신의 경우도 거의 비슷한 결론을 안겨다주는 것만 같았다. 확실히 생식기능이 정지되었는지 자기 자신으로도 알 길이 없었다. 인공유산으로 쇠약해진 아내의 육체가 수태 가능한 조건이 구비되고 다시 얼마간의 기간이 흘러야 자신의 기능은 판정되어질 것이 아닌가…… 생각할수록 심각하고도 우울해질 뿐이었다.

아들 윤의 경우가 수동적이고도 동물에 의한 원시적인 피해라면, 자기의 경우는 능동적이면서도 고도로 발달한 메커니즘에 의한 인공적인 피해인 것만 같게 느껴졌다.

동물에 의한 타율적인 불구와 인간 자체에 의한 자율적인 불구…… 꼭 제 재주에 제가 넘어진 것만 같은 허전한 감이 가슴 속을 후비고 지나갔다.

허진은 끝없는 생각의 소용돌이 속에서 헤어나지 못해 맴돌고 있는 자신을 향해 쓰디쓴 자조(自嘲)의 고소(苦笑)를 퍼붓고 싶었다.

"오줌……, 오줌 마려워……."

윤의 다급한 부르짖음에 허진은 제 정신으로 돌아왔다.

그는 이불을 들고 아이의 헐렁한 속바지를 정강이께로 밀어내렸다. 순간 허진의 눈동자가 휘둥그래졌다.

아까 수술실에서는 있는지 없는지 분간할 수조차 없던 아이의 고추가 끝만 남겨놓고 붕대에 감긴 채 평소의 갑절이나 되게 퉁퉁 부어 있지 않은가…….

그는 그렇게 부은 것이 겁이 나면서도, 한쪽으로는 뛰고 싶을 만큼 흥분에 젖은 환희를 느꼈다.

"빨리, 오줌 눌래………."

그는 거기만을 뚫어지게 들여다보던 시선을 아이의 얼굴로 돌렸다.

윤은 소변을 참다못해 거의 울상이 되어 있었다. 그러나 허진으로선 수술한 환자의 오줌을 어떻게 뉘었으면 좋을지 전연 방안이 떠오르지 않았다.

그는 당황하여 윤에게 감겨 있는 붕대 끝을 조심스럽게 어루만지며 변기에 오줌을 누이는 것을 보면서 그는 가쁜 숨길을 몰아쉬었다. 오줌을 누고 난 아이의 얼굴에서는 화색이 돌며 긴장이 풀려갔다.

다시 돌아온 간호원은 윤의 체온을 잰 후 주사 한 대를 더 놓고 나갔다.

진통제인지 얼마 있지 않아 윤은 눈을 감고 잠들기 시작했다.

'흥, 성이나 생식이 어디 인생의 전부던가…….'

허진은 저도 모를 역설적인 한 마디를 뇌까리며 가로등이 내다보이는 유리창 가로 뚜벅뚜벅 걸어갔다.

낙엽을 우수수 모는 가을밤은 모든 것을 덮고 감싸듯이 서서히 어둠 속으로 잠겨가고 있었다.

윤의 고추에 감긴 붕대는 풀렸고, 끊겨진 국부를 꿰멘 실은 뽑혔다.

의사들에게서도 수술할 때와 같은 심각한 표정은 찾아볼 길이 없었다. 마치, 피크닉에라도 가서 과일 껍질이나 벗기듯이 명랑하고도 경쾌하게 환자를 다루고 있었다.

"아들 하나 새로 얻었어요…… 자칫했더면 큰일 날 뻔했어요……."

주치의는 만면에 웃음을 띠며 허진을 바라보고 있었다.

"참 감사합니다."

허진은 감격에 차 콧날이 시큰해 옴을 느꼈다. 그러나 그에게는 아직도 모른 것이 현실 그대로 의식되어 오지 않았다. 개에 물린 그 사실 자체도 꿈만 같았고, 완치되었다는 의사의 말도 도무지 실감이 나지 않았다. 계속 꿈속에서 허우적거리고만 있는 것 같은 흐리멍덩한 기분이었다.

"너, 이놈 운수 좋았다……."

의사는 윤의 궁둥이를 툭 치고는 다시 한 번 꿰멘 실 자리에 까만 점이 박힌 그 고추 자지를 유심히 들여다보고 있었다.

"아주 완전합니다. 아마 장성해서도 큰 지장은 없을 겁니다. 조금 두툼하게 기형이 돼서 그렇지……."

"그것이 오히려 더 좋을지도 모르죠……."

주치의의 말을 즉석에서 의사가 받아넘기며 모두들 한바탕 웃음을 터뜨렸다. 간호원도 손으로 입을 가리며 따라 웃고 있었다. 허진도 이번에는 터져나오는 웃음을 막을 길 없었다.

윤은 옷을 주워 입으면서 주위에서 그렇게 떠들어대도 아무 반응도 보이지 않고 있었다.

아이를 데리고 병실로 돌아온 허진은 아내와 함께 퇴원 준비를 서둘렀다.

입원 중엔 벗겨질 사이 없이 계속 감돌고 있던 아내의 얼굴에 비긴 불안한 구름도 어느 정도 가셔진 것만 같게 허진에게는 느껴졌다.

"여보, 현대의학이 아니었더면 윤이는 꼼짝없이 불구가 됐을 거요……."

"참 다행이었어요."

아내의 대답을 들으면서도 허진은 자신이 진실에서 솟아오르는 말을 했는지, 아내를 안심시키려는 예사로운 대화였는지 확실한 분간이 가지 않았다.

셋이 나란히 앉아 차를 달리면서 허진은 송장같은 아이를 싣고 허둥지둥 병원으로 가던 때의 일을 더듬고 있었다.

그는 담배를 빨아 큰 숨과 함께 길게 내뿜었다.

가로수의 단풍이 이 며칠 사이에 유난히 짙어진 것만 같게 느껴졌다.

'어디, 사람이 세상 살아가는 데 성이나 생식이 전부랄 수는 없지 않는가……."

그는 느닷없이 수술하던 날 밤, 병실에서 뇌까리던 주문같은 토막을 또 한 번 되풀이 하는 것이었다.

그의 망막에는 이십 년 후의 며느리와 손자의 모습이 신기루처럼 아른거리고 있었다. 그러나 그것은 꼭 붙잡아지지 않는 그림자 같은 것이었다.

그것은 모르모트 앞의 과학자처럼, 실험의 경과를 응시하며 그 반응을 기다리는 호기와 기대에 찬 눈동자의 주인공 바로 그것이었는지도 모를 일이었다.

『思想界』, 1964. 5.

제삼자 第三者

석구는 아내가 넘겨주는 수화기를 받아들었다. 그 눈언저리를 번득 스쳐가는 찰나의 인상에서, 어떤 의미를 암시받는 것만 같은 직감을 느꼈다.

"김 선생님이세요?"

"네······."

분명 난희의 목소리임에 틀림없다. 그러나 시침을 떼고 예사로운 어조로 첫 대답을 했다.

"저 난희에요."

그 어감이 심상치 않다. 또 무슨 일이 벌어졌구나 하는 생각이 뒤를 금방 물고 들었다.

"김 선생님, 오늘 시간 내실 수 없으세요?"

"왜, 또 일이 생겼어?"

"아니요. 그저 좀 말씀드릴 게 있어서요."

"낮엔 여가가 없겠는데······."

"그럼 저녁에라두요."

평소에도 발음이 도드라지고 쨍 울리는 듯한 투명한 말소리의 난희이지만, 그것이 더 날카롭게 들려옴을 느끼지 않을 수 없었다.

"다섯시부턴 또 모임이 있으니까, 일곱시 이후면 괜찮겠는데……."

석구는 하루의 스케줄을 생각하며 한참만에야 대답을 했다.

"그럼, 일곱시에 좀 만나주세요."

말 자체는 부탁이지만, 그 어조에는 적잖게 명령적인 강요가 서려 있음을 놓칠 수 없었다.

"그럼 어디서 만날까……."

이쯤되면 석구 쪽에서 되려 끌려가는 꼴이 되고 마는 것만 같은 느낌이 없지 않았다.

"글쎄요, 어디가 좋으세요? 선생님 편리한 대로 하세요."

갑자기 누그러지는 듯한 난희의 말결에서 석구의 생각은 급회전을 하는 것이었다.

"그런데, 그 이야기란 대체 뭔데……."

"만나서 자세히 말씀드리겠어요."

"아니, 전화로 간단히 얘기할 순 없어?"

"꼭 만나야만 하겠어요."

역시 난희의 어조는 완전히 꺾인 것은 아니다.

석구는 슬쩍 아내의 표정을 훔쳐보았다. 꼭 무엇인가 탐색하려는 듯한 호기에 찬 모습 위에, 못마땅하게 생각하는 듯한 가벼운 힐난의 눈길이 번득이고 있다.

"가만 있자…… 모임이 있는 곳이 H그릴이니까, 그 부근 어디 가까운 곳이면 좋겠는데……."

"그럼, 그 아래층 다방으로 하죠."

석구의 말끝이 떨어지기 바쁘게 난희의 목소리가 뒤따라왔다.

"그렇게 하지……."

자신의 맥빠진 어감이 스스로에게도 느껴져왔다.

"일곱시에요."

"응."

"꼭 시간을 지키세요."

"응."

다짐을 받다시피 하는 마지막 말에 더욱 신경을 거슬리며 수화기를 놓았다.

"난희지요?"

아내는 기다리고나 있었던 듯이 다급하게 물어댔다.

"응."

석구는 스스로도 멋쩍어 아내 쪽은 건너다보지 않고 건성 대답을 했다.

"뭐라 해요?"

"좀 만나자는군……."

"당신두……."

"아마 부부간에 또 싸웠나 보지……."

"당신은 남의 집 일에 왜 그렇게 관심이 큰 거예요, 집안일에나 좀 더 마음을 써요."

석구는 말없이 바깥쪽에 시선을 돌리고 담배만 연속 빨고 있었다.

"계집들한테 만만해보이니까, 제 남편 부리듯이 오라가라 하는 것 아니에요."

"별소릴 다……."

"밤낮 바쁘시다면서, 그런 복덕방 노릇이나 해요."

"못하는 소리가 없군……."

석구는 갑자기 노기가 치밀어 올랐다. 그것은 되는 대로 휘갈겨대는 아내의 말씨에서 오는 찰나적인 불쾌감에서였지만, 어쩌면 난희에 대한 반발에서 오는 부작용인지도 몰랐다.

"원우, 그 녀석도 돌았지, 새파란 제 아내를 밀쳐놓고 남의 계집에 환장을 했으니……."

"그만해요……."

"인젠 좀 위신을 차려요, 계집들이 호락호락 불러내지 않게……."

"……."

"정아란 년도 미쳤지…… 그래, 네 죽는 날 내 죽겠다던 남편의 송장이 식기도 전에 남의 남자와 홍얼거리며 붙어다니구 있으니……."

"그만두래두."

석구는 내뱉듯이 한 마디 외치고는 자리를 떴다. 무엇인가 메스꺼운 기분을 막을 길 없었다.

원우와 난희의 신접살림에 석구가 처음 초청받은 것은, 그들 사이에서 난 첫아이의 돌날이었다.

그때는 이미 원우와 다른 여대생과의 애정 문제가 남의 말 좋아하는 사람들의 입에 올라, 그것이 난희의 귀에까지 파급된 뒤의 일이었다. 그 때도 석구는 난희의 전화 연락을 받고 그와 만난 일이 있었다.

원우와 난희가 약혼하기 이전부터 석구는 그들을 제가끔 잘 알고 있는 처지였다. 그들의 자유로운 사랑이 무르익어갈 무렵, 석구는 이 두 사람의 결혼 상대자로서의 비중이 잘 어울리는 것으로 생각되어 재빨리 정식 결합할 것을 권유하기도 했었다.

원우의 온건하면서도 소극적인 호남형은, 난희의 명석하고도 적극적인 성격의 뒷받침으로 서로가 피차의 단점을 보충하고 장점을 살려 좋은 반려자가 될 것이라는 자기 깐의 전망도 예견할 수 있었던 것이었다.

사실 그대로 그들의 신혼생활은 남이 부러워할 정도로 다정스럽고도 행복에 차 있었다. 어쩌다가 부부 동행의 그들을 길거리에서라도 만나면 그는 자기 일처럼 기뻐하며 그들을 반겼고, 그들도 그에게 스스로의 복된 분위기를 나누기라도 하려는 듯이 즐겁게 대해 주었다.

그러던 시기에 뜻하지 않게 난희의 호출에 접하여 원우의 새로운 애정

관계를 들었을 때는 정말 놀라지 않을 수 없었다.

"설마 원우의 심정이 그렇게 갑자기 변할라구…… 허벅다리만 봐두, 그것이 과장되어지는 세상이니까 험담꾼들의 풍문이겠지……"

"아니에요, 둘이 같이 다니는 걸 제 눈으로 똑똑히 보았어요."

"그래, 젊은 남자가 직장에 있구보면 간혹 여성과 같이 행동해야 할 경우가 없을라구……"

석구는 일방적인 이야기만 들어서는 사태를 곡해하기 쉬울까 염려되어 말머리를 완곡하게 외곽으로만 돌렸다.

"김 선생님, 제가 그래 그만한 정도의 것을 가지고 이해 못할 속 좁은 사람이라고 생각하세요?"

"글쎄, 그렇기는 하지만……"

석구는 모호한 대답을 던질 수밖에 없었다.

"배신당한 게 분해 죽겠어요. 글쎄 엊그제까지 죽자살자 하던 것이, 그럴 법이 어딨어요……"

"원우는 원래 얌전하구 마음씨가 고우니까, 무슨 일을 결단내리지 못하기 때문에, 별일 아닌 것으로 오해받기도 쉬운 성격이라니까……"

"얌전해요? 얌전한 개가 부뚜막에 먼저 올라선다지 않아요."

"피차에 무슨 오해가 있는가 보군……"

"아니, 오해가 아니에요, 이건 증거가 있는 엄연한 사실이에요."

난희는 눈물까지 글썽이며 흥분을 참지 못하고 있다.

석구로서도 어떻게 했으면 좋을지 방안이 서지 않는 난처한 장면이었다.

"마음씨가 그렇게 고운 사람이 그럴 리가 있을까……"

석구는 혼잣말처럼 중얼거렸다.

"마음씨가 고운 게 다 뭐요, 그저 명주 보자기에 개똥 싼 거나 진배없는 위선자예요."

"위선자라니, 그렇게까지 극단으로 나올 거는 없구……"

"인제 보니, 김 선생님두 제 편이 아니세요, 역시 남성 쪽이군요."

"하…… 이것 참……."

말끝을 웃음으로 흐려버렸지만, 석구로선 꼭 자신이 잘못을 저지르고 직접 면박을 받는 것만 같은 심정이어서 그 이상 더할 말이 없었다.

그 며칠 후 석구는 어떤 회합에서 원우를 만났다. 그렇지 않아도 난희에게서 들은 일에 대한 전부를 알고 싶어 한번 만났으면 하던 참이었다. 예사로운 주변 이야기를 주고받다가 대수롭지 않은 이야기처럼 석구는 말끝에 덧붙였다.

"그런데 참, 이러쿵저러쿵 하는 풍문이 나돌아 그것이 내 귀에까지 들려오는데 그것이 사실이요?"

"뭐 말씀인데요?"

"거, 흔히 중상을 받기 쉬운 그 애정문제 말이야……."

"원 천만에요, 전연 무근지설이에요."

원우는 조금도 망설이는 기색이 없이 첫마디로 똑 잘라 말하는 것이 아닌가. 석구 쪽이 오히려 무색해질 정도였다. 공연한 말을 끄집어냈구나 하는 한 가닥의 후회까지 곁들어 옴을 느꼈다.

"글쎄, 하두 허황한 이야기가 마구 떠돌아다니는 세상이니까……."

석구는 자기변명이라도 하려는 듯이 뒤를 아물거렸다.

"젊은 놈이 어쩌다 여자와 거리를 같이 다니는 일이 없겠어요, 그걸 가지구 집안사람은 또 큰 꼬리라도 잡은 듯이 아웅다웅 하지 않아요……."

흥, 도둑이 발이 저리다고, 전연 터무니없는 풍설은 아니었구나 하고, 석구는 조금 전의 미안하던 감정이 다소 가셔지는 것만 같은, 부담감에서 헤어날 수 있었다. 그러면서도 상대가 아내의 말을 끄집어내는 것을 듣고 벌써 난희가 이야기했다는 것을 지레 짐작하고 있지나 않은가 하는 의구심도 겹쳐 옴을 느꼈다.

"하기야, 그렇겠지…… 남의 좋은 일엔 외면하구, 궂은일이라면 점심 그릇을 싸들고라도 떠들썩하는 세상인심이니까……."

"요샌 그것 때문에 근거 없는 구설을 많이 사구 있어요."

그러면서도 원우의 얼굴에선 겸연쩍어하는 표정을 놓칠 수는 없었다.

"자기만 청백하다면 그깐 구설쯤에 신경을 쓸 필요야 없지 않아……."

억지로 이야기의 결말을 지으면서도 석구는 원우의 변명 속에서 얼마 만큼의 진상은 암시받은 기분이었다.

"설마 아니 땐 굴뚝에 연기 날라구."

그는 혼잣말처럼 중얼거리며 원우와 갈라졌다.

이젠 일체 남의 집안일에는 턱없이 개입하지 않으리라는 결의가 거듭 자신을 촉구함을 막을 길 없었다.

그러던 것이 아기의 첫돌 축하에 참석하여 부부의 단란하고 훈훈한 가정 분위기에 함께 휩싸이고 보니, 자기의 부질없는 노파심이 오히려 미안쩍게만 여겨지기까지 했었다.

그 후 이렇다 할 뜬소문 없이 얼마간의 세월이 흘러갔다.

그런데 갑자기 난희가 찾아왔다. 핼쑥하게 여윈 폼이, 신병이 아니면 무척 시달려 지친 양 초췌한 모습이었다.

"김 선생님, 또 저질렀어요."

마주 앉아 터져 나온 난희의 첫마디였다. 그 말이 지닌 뜻을 해득하지 못한 석구는 아니었지만, 그는 사태의 상세한 내용을 알고파 일부러 반문했다.

"또 저지르다니?"

"원우가 말이에요."

어린애 이름을 다루듯 남편의 이름을 알맹이채로 불러제끼는 데는 석구도 당황하지 않을 수 없었다. 그들의 연애가 절정에 다다랐을 시절에,

그렇게 씨 자도 붙이지 않은 알맹이 이름으로 주워섬기는 것을 들은 일이 있지만, 그때는 열띠게 사랑하는 젊은이들끼리의 적나라한 표현으로 차라리 자연스럽게 보아넘길 수도 있는 일이었다.

그러나 지금 어린애의 아버지 구실을 하는 남편 이름을 남 앞에서 함부로 불러제끼는 데는 백보 양보하고 이해할래도 도무지 납득이 가지질 않았다.

석구는 극도로 험악해진 듯한 그들의 가정환경을 연상하면서 다음 말에 귀를 기울였다.

"그 상대가 다른 사람 아닌 정아란 말이에요."

정아라는 말에 석구는 불쑥 치미는 충격을 느꼈다.

"아니, 정아라니?"

"정아, 모르세요? 김정아 말이에요."

"응, 정아……."

"그 정아하고 동서 생활을 하나 봐요."

석구는 그 이상 듣고 있기가 거북스러웠다.

정아는 석구에게 일가가 될뿐더러 학교 다닐 때부터 늘 찾아와서 한집 식구처럼 일신상의 문제를 상의하던 사이다. 그 결혼도, 약혼 성립의 최종 단계에서는 자기의 힘이 주효하여, 반대하는 정아의 양친을 납득시켰던 것이었다. 그러나 어린애 하나를 낳자마자 남편을 여읜 정아를 볼 때마다 그는 혼인문제에 개재했던 자신을 후회하면서 당사자에게 미안한 생각을 금치 못하고 있었다.

"원우는 집을 나갔어요."

"그래……."

석구는 맥 빠진 대꾸밖에 나오지 않았다.

"그래, 제가 정알 찾아갔어요."

정아와 난희가 동창 친구라는 것까지도 잘 알고 있는 석구로선 그 미묘하게 얽혀진 인생관계에 대하여, 더욱 착잡한 심경으로 휘몰려 들어갈 수밖에 없었다.

"너, 우리 남편과의 관계를 당장 끊겠느냐 그렇잖으면 더 지속하겠느냐구, 단도직입으로 따졌지요."

석구는 다 탄 꽁초의 담뱃불을 끄지 않고 다른 한 대에 계속 붙였다.

"그랬더니 말이에요, 이 뻔뻔스런 계집애가 이렇게 말하지 않아요. 난 너의 남편 손끝하나 까딱한 일이 없다구…… 내 참 기가 막혀서…… 그것뿐이라면 약과에요. 얘, 너의 남편같은 줏대가 없는 사내는 숫제 가까이도 하지 않아, 내가 과부래서 어디 사내에 걸신이라도 든 줄 아니…… 이러지 않아요."

석구는 길게 빨아들였던 담배 연기를 허공으로 내뿜으며 큰 숨을 내쉬었다. 정아건 난희건, 원우건, 그 모두의 말투나 행동이 자기로선 이해할 수 없는 딴 사회의 이야기들만 같게 느껴졌다.

"그래 저두 최후 각오를 했어요."

난희는 꿀꺽 치미는 울분을 참지 못하는 듯이 목이 막혀 몇 번이고 침을 다져 넘기며 말을 이었다.

"이젠 살림을 갈라야만 하겠어요. 저두 창창한 앞길에 돈판같은 놈팽이를 믿고 이대로 속 썩이며, 살 수도 없구요."

그 거친 말씨가 귀에 거슬렸지만 석구는 한쪽으로 흘러넘겼다.

"글쎄, 어디까지 그 진부를 믿어야 할지 모르겠지만……."

"김 선생님두 정아와 원우 편이시군요."

석구가 말의 허두를 떼자마자 난희는 가로채고 나서는 것이 아닌가. 그러나 석구는 자신을 억제해 가며 말을 이었다.

"설령 그것이 사실이라도, 자식도 있구 한데…… 그 바람이 자는 때가 있겠지……."

"김 선생님 같으면 늙지 않으시겠어요."

석구는 기가 차서 할 말이 없었다. 그러나 모든 것은 자기를 상의의 대상으로 믿고 의지할 수 있기에 하는 것이 아니냐고 스스로를 누그려갔다.

"부부간의 싸움이란 칼로 물 베기라구두 하지 않아. 꾹 참고 견디어가는 쪽이 결국 이기는 거야……."

난희가 자리에서 일어나 돌아가려고 할 때 석구는 다시 한 번 다져주었다. 그러나 이번에는 난희도 아무 대꾸 없이 그대로 인사를 하곤 어두워오는 대문 밖으로 사라졌다.

대문을 잠그고 돌아선 석구는 난희에 대한 측은한 마음을 걷잡을 수 없었다. 그러면서 정아와 원우의 관계가 궁금해졌다. 그것이 설령 사실이라 쳐도, 처녀시절부터 원우에 대하여 얼마간의 호감을 가지고 있던 정아의 심경을 아는 자신으로선, 외롭게 지내고 있는 정아는 그것대로 동정이 전혀 가지 않는 바도 아니었다. 그러고 보면 아무리 폭넓게 해석해도 원우의 소행이 가증하기 짝없게 느껴졌다.

'계집애같이 얌전하게 생긴 녀석이 속은 딴판이란 말야.'

그는 혼잣소리로 중얼거렸다. 꼭 굳게 믿었던 대상에게서 배신을 당한 것만 같은 허전한 감정이 물밀려왔다.

"이제, 당신두 그만 남의 일에 참견하시구려. 당신이 어디 친정오빠요, 시형이요. 동전 한푼어치 상관도 없는 일에 맨발 벗구 나서서 면박(面駁)을 받고도 주눅이 좋아 저 모양이니……."

아내의 핀잔에 석구는 허허하고 속심없는 너털웃음을 웃을 수밖에 없었다.

이제는 그 당사자 중의 어느 누구를 만나도 그 추잡한 화젯거리에 절대로 개입하지 않으리라고 자신에게 굳게 다짐한 석구였다.

그런데 우연히 정아를 만나고 보니, 난희의 분노에 찬 모습이 한꺼번에 겹쳐져와 도저히 그대로 넘겨버릴 수 없는 심정이 되었다.

"너, 근거 없는 오해를 받지 않게 몸가짐을 조심해라……."

집안 형편 이야기를 나눈 후에 헤어질 때쯤 해서 예사롭게 덧붙였다. 정아의 얼굴빛은 즉각 반응을 일으켜 긴장되어 갔다.

"그렇지 않아도 말씀드릴까 하구 망설였어요. 난희가 아저씰 찾아갔다면서요?"

"응……."

대답하면서도 석구는 한쪽에 의아심을 품지 않을 수 없었다. 난희가 직접 정아에게 이야기한 것일까…… 그렇잖으면 원우가 아내에게서 들은 이야기를 다시 정아에게 옮긴 것일까 하고. 자기 쪽에서 오히려 오싹하는 한기를 느낄 지경이었다.

"제 일은 걱정 마세요. 저도 인제 자기 일은 스스로 판단하여 처리할 수 있을 만큼 자랐으니까요. 주위의 모든 사람들이 저에겐 거추장스럽기만 해요. 제 편이 되는 사람은 하나도 없는 것만 같아요. 아저씨도 내용을 잘 모르시면서 저를 나무라셨다면서요……."

"저런……."

그 이상 말이 나가지 않았다. 지금 정아가 한 말은 사실 터무니없는 이야기다. 그러나 거기에 대한 아무 변명도 하고 싶지 않았다. 쓸데없이 한 발 들여놓은 자신이 쑥스러울 뿐이었다.

꼭 자기 아닌 세 사람이 꾸민 각본 속에서 자신은 허수아비처럼 움직여져 가고 있는 것만 같은 허망한 심정이었다.

그런데 오늘은 또 아침 전화에서 꼭 잘라 말하지 못하고, 난희의 요구에 이끌려 저녁에 만나주마고 대답하지 않았던가…….

석구는 우유부단한 것만 같은 자신을 나무라면서도 기어코 만나겠다는 것을 끝내 거절할 수야 있느냐고 자신을 변호하여 보기도 했다. 어쩌면 아내의 꼼꼼한 소견이 자기보다 오히려 현명한 생각이었는지도 모른다고, 아내에게 한 점 더 놓아보기도 했다.

H그릴에서의 모임에는 원우도 참석했다. 석구는 원우를 보자 금시 난희와 정아의 영상이 한데 어울려왔지만, 원우는 아무 일도 없었던 듯이 천연스럽게 웃으며 인사를 하고 있지 않는가.

난희와 아래 다방에서 서로 만나게 되어 있는 약속…… 그것으로 인하여 석구는 오히려 자신이 비굴하여지는 것만 같은 강박관념에 묶여 있는 것만 같았다.

다른 때에는 길에서 만나도 왜 집안일을 가지고 밖에까지 소문내게 하느냐고 넌지시 한 마디 던지기도 하고, 건실하게 잘해 나가라고 충고 비슷한 이야기도 예사롭게 할 수 있었다. 그럴 때마다 원우는, 내심은 어떻게든 외면으로는 아무 일도 없이 잘해 간다면서 호의로 받아들였었다. 그러면서도 원우는 아내가 너무 억세어 양보나 이해가 없다는 말을 번번이 덧붙이곤 했었다.

그러나 이 밤만은 난희와 만난다는 것이 무슨 밀약을 하거나, 음모를 꾸미는 것만 같아 도무지 마음속이 개운치 않았다.

결국 석구는 원우 부처 사이에 현재 벌어지고 있는 사건에 대한 이야기는 한 마디도 건드리지 못하고 칵테일파티 도중에 다방으로 내려갔다.

난희는 벌써 와 앉아 있었다. 웃으며 인사를 하지만 얼굴빛은 부드럽지 않았다.

"김 선생님 바쁘신 시간에 이렇게 불러내서 죄송해요."

진정에서 우러나오는 송구함인지, 속없는 인사치레인지 분간할 수 없는 서먹한 어감으로 느껴졌다.

"아니, 괜찮어……."

"위에 원우도 와 있지요?"

꼭 범인의 뒤를 쫓아다니는 형사마냥 거미줄을 늘이고 있는 것만 같았다.

"와 있어……."

"아무 얘기도 없었어요?"

"없었어······."

반대로 신문받는 꼴이 되었다.

"저는 인제 최후 결정을 내렸어요. 그래 늘 저희들을 걱정해 주시는 김 선생님에게 정식으로 여쭈려구 뵙자구 그랬어요. 전화루 아뢰기엔 너무 경솔한 것 같구 해서요."

난희는 거의 상대에 틈을 주지 않고 계속 자기 이야기를 내쏟고 있다.

"인제 어디 취직이라도 해야겠어요. 김 선생님, 취직자리 하나 구해 주세요. 아무 데라두 좋아요."

석구는 말문이 막혀버렸다. 무엇부터 어떻게 대답했으면 좋을지 종잡을 수가 없었다.

꼭 도깨비에게 홀린 것 같기도 하고, 자신이 꼭두각시 몰골이 된 성도 싶었다.

한참 침묵이 흘렀다.

석구는 끝내 참으려고 버티다가 결국 입을 열고야 말았다.

"아무리 생각해도 개성들이 너무 센 것 같구먼······ 남자든 여자든 간에 피차 양보를 해야겠는데, 서로 버티구만 있으니까 타협이 돼야지······."

"제 처지를 속속들이 알고 계시는 김 선생님까지 그러시면 어떡해요. 남자들이란 다 마찬가지에요. 한국 남자들이 언제 자기 아내를 생각한 적이 있어요. 다 그게 그거죠······."

다 그게 그거라니, 석구는 입속으로 되뇌면서 자리를 일어날 차비를 했다.

"글쎄, 누가 뭐라 해두, 밉든 곱든 부부간의 거리는 다른 어느 것보다도 가까운 거야······ 또 그들의 관계를 가장 진실하고도 심각하게 생각하는 것도 그 당사자 자신들밖에 없다는 것도 나도 잘 알아······ 이젠 죽이 되든 밥이 되든 살겠으면 살구, 갈라지겠으면 갈라지구 마음대로 해요······ 다른 아무도 탓하지 말구······."

석구는 마음에서 일어섰다.

"그럼 김 선생님, 미안하지만 위층의 원우를 좀 불러주시겠어요?"

등 뒤에서 들려오는 난희의 목 메인 소리를 들으면서 석구는 어떻게 할까 하고 궁리하며 문 쪽으로 걸어나왔다.

순간, 그는 복도에서 몸을 돌려 이층으로 통하는 층층대로 올라갔다.

"원우, 자네 아내가 아래층 다방에서 기다리고 있네……."

끝끝내 자신은 제삼자의 부질없는 관심을 버리지 못하고 피동적으로 순종하고 만 것만 같은 느낌이었다.

도어를 열고 밖으로 나선 그는 땀 배인 이마에 선뜻한 찬 기운을 느꼈다.

'부질없는 관심…… 복덕방…….'

실없는 자신을 나무라던 아내의 모습이 망막을 스쳐갔다.

며칠 후 석구는 뜻밖에도 원우와 난희가 나란히 포도를 걸어오는 것을 먼발치로 바라보았다. 순간, 머리를 한 대 얻어맞은 것만 같이 멍해졌다. 그는 걸어가던 방향을 굳이 바꾸며 혼자 뇌까렸다.

'년놈들 변덕도 참…….'

『文學春秋』, 1964. 7.

죽음의 자세

미결수(未決囚)의 감방에도 아침은 있었다. 역시 저물녘이나 밤보다는 아침이 나았다. 오후보다는 오전 편이 한결 풀기 있게 느껴진다.

무엇인가 일어날 것만 같은 기대와 초조와 불안이 한데 뒤엉켜 오기 때문이기도 했다.

덕수(德秀)는 101호 죄수의 팔목에 며칠째 줄곧 채워진 대로 있는 수갑(手匣)을 바라보면서 기실 머릿속에서는 성규(聖奎)의 죽음을 생각하고 있는 것이었다. 그것은 혹 자신의 죽음을 연상하는 반사 작용인지도 모른다는 생각이 곁들었다.

그 위에는 또 윤식(潤植)의 모습이 겹쳐 오기도 했다.

101호는 일주일 전 사형 구형을 받았다. 좀처럼 입을 열지 않는 그다. 그의 표정이나 행동에서 구형 이전과 달라진 것을 발견할 수란 거의 없는 일이다. 있다면 그것은 밥을 먹을 때 수갑의 쇠붙이 소리를 내면서 두 손을 함께 움직인다는 일 정도일 것이다. 아니 그는 앉아 있을 때도 손의 자유를 뺏겨 염불하는 승려모양 노상 합장하고만 있다.

덕수는 성규의 장례식을 치른 날 저녁 이리로 들어왔다.

성규의 돌발적인 죽음은 그에게 적지 않은 충격을 주었다.

아침 일찍, 성규가 죽었다는 비보를 들었을 때 덕수는 너무도 의외의 사태에 얼마 동안 정신이 나간 것처럼 어리둥절한 상태에 빠져 있었다.

그것도 성규의 성격과는 전연 맞지 않는 개죽음 같은 결과였으니 말이다.

'역시, 자리를 고르지 못하고 잘못 태어났어.'

제정신으로 돌아온 덕수는 혼자 중얼거리면서 외출할 양으로 일어섰다. 우선 정규의 집으로 가 봐야만 했기 때문이었다.

장안의 명문 거족과는 거리가 먼 시골 태생에게는, 서울이란 낯선 땅이면서 하나의 공개시합장 같은 감마저 준 것은 덕수나 성규의 경우 거의 같은 심경이기도 했다.

영구차(靈柩車)를 본다는 것은 그리 유쾌한 일은 아니다. 금빛으로 띠를 둘러 장식한 차체의 외관은 죽음과 직결되어 온다.

죽음이란 시험 삼아 연습해 볼 순 없는 것이다. 그것은 단 한번 어쩔 수 없이 주어지는 것이다. 그 죽음이 지금 자신에게 직면하여 오고 있는지도 모른다고 덕수는 생각하고 있는 것이다.

그날 영구차의 뒤꽁무니 네모진 구멍으로 성규의 관(棺)이 밀려 들어가려는 찰나, 흰 관보 위에 얹힌 빨간 명정(銘旌)을 다섯 손가락으로 움켜 긁으며 미친 것처럼 발악하던 성규의 아내. 그 아내의 손을 제지하며 관이 밀려들어가던 레일의 치차(齒車) 소리. 네모진 철문이 닫히며 통곡 속으로 파문이 번지던 음향. 덕수는 지금 자기의 죽음을 연쇄시켜 생각하고 있다.

눈이 내린 망우리(忘憂里)의 아침나절, 남향 경사지여서 다양(多陽)하다고 쇠(磁石)를 든 지관(地官)은 굴광이 다 된 유실(幽室)의 방위를 가늠하며 만족한 듯한 표정을 지었다. 그 표정과 성규의 죽음은, 무슨 관계가 있는 것일까.

성규의 죽음은 성규만의 것이다. 아무도 대신할 수는 없었다. 설령 둘

이 함께 자살했다 쳐도 결국 그 죽음은 각각의 별개적인 것이다. 여기에
는 대차(貸借)도 대불(大佛)도 있을 수 없는 것이라고 덕수는 두서없는 생
각을 이어 갔다.

하관(下棺)되는 순간 덕수는 다시 성규의 죽음을 현실로 직감하는 심정
이었다. 그것은 자기의 죽음으로 회귀(回歸)되어 오기 때문이기도 했다.
어쩌면 성규의 아내도, 아니 그 자리에 모인 대부분의 인간들이 모두 그
랬는지도 모른다는 생각이 들기도 했다.

덕수는 흙을 한웅큼 쥐어 관 위에 얹으면서 성규와의 영원한 결별을
다시 의식했다. 정말 죽어진 것인가 하는 반신반의 속에 죽음을 새삼 확
인해 보는 것이었다.

봉분이 점점 높아져갔다. 기껏 흙 한줌이 될 것을 그렇게 아웅다웅 다투
고 할퀴고 물어뜯고…… 그러나 이런 체념 같은 관대성이 언제까지 자신의
마음속에 자리 잡고 있을 것인가, 그는 그것마저 계산해 보는 것이었다.

밤늦게까지 가까운 친척과 몇몇 친지들이 성규의 집에서 술로 시간을
보냈다.

그것은 유족을 위로한다기보다 기실은 제각기의 마음의 상처를 땜질하
고 있는 것이라는 각박한 생각을 더욱 금할 길 없었다. 자정이 가까워서
야 그는 집으로 돌아갔다.

삼엄한 경계의 포위망은 이미 그를 대기하고 있었다.

처남, 즉 아내의 동생인 윤식의 출현은 덕수에게 있어서 참말 의외의
사태를 연출시키게 했다.

그러니까 벌써 십여 년의 기간이 흘렀다.

거의 끝장까지 지하실에 숨었던 윤식이, 그날 밤은 무슨 귀신이라도
붙은 것처럼 갑갑증이 난다면서, 그간의 형편이나 알아보겠다고 누나의
말리는 손을 억지로 뿌리치면서 밖으로 나갔었다.

일은 극히 간단했다. 그것으로 막은 내려졌다.

처남과 함께 숨어 있던 덕수는 여전히 지하실에 혼자 남아 있었고 아내는 동생의 행방을 알려고 손이 닿는 데까지 앞뒤로 수소문을 했었다.

하늘같이 믿던 정부가 시민을 헌신짝같이 버려두고, 야밤도주를 한 지 이미 오랬고, 인간의 목숨이 버려지만도 못하게 무더기로 쓰러져가는 판국에 윤식 하나쯤의 실종으로 대세에 큰 전환이 올 리는 없었다.

덕수는 말없이 윤식을 기다렸고 가까운 피붙이란 오누이뿐인 아내는 동생의 일을 노상 푸념거리로 했다.

피란, 수복······.

많은 인간의 무리가 떼를 지어 이동되고, 얼키고 설킨 속에서 그 으리으리한 눈방울을 휘둥굴리면서 불쑥 나타날 것만 같은 기적을 바라는 심정은 덕수나 아내에게 오래도록 지속된 환각이었다. 그러나 세월의 흐름 속에 기억이나 미련 같은 건 엷어져갔고, 체념이 겹쳐, 이제는 망각의 안개가 퍼져가기 시작했다.

거기에 아이들이 커가니 아내까지도 그 치다꺼리에 골몰하여, 명절 같은 특별한 경우 이외에는 별로 동생의 이야기를 끄집어내지 않게끔 되었다.

지난 추석날.

제사나 차례의 의식적인 절차가 필요치 않은 덕수네 가정은 여느 때나 별로 다를 것이 없었다.

어디 교외라도 가자는 애들의 조름에 못 이겨 그들 부부는 집을 나섰다.

막상 거리에 나서고 보니 성묘 아닌 그들로서는 갈 곳이 없었다.

아이들의 의견을 모아 낙착된 곳이 우이동이었다.

개울을 따라 산길을 걸어 올라갔다. 물이 이 시리도록 맑다. 다른 꽃들이 거의 져 버린 길섶에, 들국화가 유난히 눈에 들어온다. 아까 미아리 어귀에서 본 소복(素服)의 젊은 여인과 무의식중에 엇갈려 온다.

아이들은 도토리를 따는 데 재미를 붙여 서로 앞질러 가락나무 새로 뛰어다니어 뒤처지기 일쑤다.

맑게 갠 하늘 한 끝에 고향이 연결되어 온다.

예전 같으면 지금쯤은 선산에 성묘를 끝내고 돌아올 시간이다. 덕수의 눈길은 그 하늘 끝에 매어달려 있었다.

"여보, 이쯤에 앉으면 어때요?"

오랫동안 물에 씻겨 반들반들해진 큰 돌을 끼고, 흰 모래가 깔린 개울섶에 아내는 들고 온 보자기를 내려놓으며 동의를 구하는 눈매로 덕수 쪽을 건너다보았다.

"좋구만……."

거목 숲속에 숨바꼭질하듯이 박혀 있는 방가로가 건너다보이나, 사람의 그림자는 별로 눈에 뜨이지 않았다. 덕수는 바지를 벗어 던지고 정강이를 물속에 첨벙 집어넣었다. 땀이 배게 산길을 한참 걸은 뒤라 한결 시원했다. 찍찍하던 등허리의 땀기가 잦아들어갔다.

아내도 버선을 벗어 버리고 발을 담갔다.

"참 물이 맑아요, 이런 물에서 빨래를 했으면……."

"하필이면 빨래야, 홀딱 벗고 목욕을 했으면 하지……."

"당신두……."

그들은 서로 마주보며 웃었다.

큰애가 중학으로 들어가게 됐는데도 오래간만에 문득 신혼 초기 같은 환각마저 느꼈다.

아이들은 아래위 호주머니가 터지게 도토리를 따 넣고 손에는 이름 모를 진기한 풀들을 따들고 기쁨을 참지 못해 토끼처럼 졸랑대며 뛰어다니고 있었다.

"저렇게들 좋아하는 것을…… 가을이 다 가도록 한번도 나와 보지 못하고……."

만면에 웃음을 띠며 즐거운 낯으로 어린것들을 맞는 아내를 바라보며 덕수도 흐뭇한 기분에 젖었다.

사실 가을이 다 간 것은 아니다. 아직 단풍도 제철에 들지 않았다. 가을이 참말 좋은 것은 이제부터일 게다. 덕수는 담배 연기를 깊숙이 빨아 넘기면서 생각에 잠겼다.

애들에게 졸리면서도 일에 쫓겨 한번도 가족을 데리고 교외로 나오지 못한 것이 새삼 미안쩍은 생각이 들었다.

"여보, 이젠 좀 자주 나옵시다."

"그래요……."

"봐, 아빠, 늘 오자니까……."

"그래, 그래……."

꼬마의 말에 건성 대답을 해 주면서도 덕수는 오래간만에 아비 구실을 해 보는구나 하는 흡족한 기분이 들기도 했다.

아내는 맑은 물을 그대로 보고만 있기는 아쉬운지, 어느 사이에 타올과 어린것들의 손수건을 빨아 헹구고 있다.

"역시, 여자란 일복을 타고 났어……."

덕수는 넙적바위 위에 걸터앉아 물속에 발을 담근 대로 꼬마의 손발을 씻겨 주며, 빨래하는 아내 쪽으로 눈길을 돌렸다.

가운데 놈은 홀딱 벗고 물속에서 점벙대고 있다. 큰 것은 빈 깡통을 주워 들고 돌을 들어가며 가재를 잡느라고 한눈도 팔지 않는다.

"산물은 때가 잘 지는데……."

급기야 아내는 저고리를 벗고, 맑은 물에 머리를 빨기 시작한다. 파마가 풀린다고 걱정하던 심정도 돌 틈을 새어 흐르는 맑은 물의 유혹에는 끝내 견딜 수 없었던 모양이었다.

점심이 끝난 후 그들은 아이들의 조름에 이끌려 고개 마루 쪽으로 산길을 디듬어 올라갔다.

길섶에서 뱀이라도 기어나올 것같이 풀이 엉키었으나 그러기에는 벌써 계절이 지난 것 같다고 느껴지기도 했다.

걷다가 쉬고 쉬다가 걸으며, 고개 마루턱까지 올라갔다. 바람이 선뜻 목덜미를 어루만졌다. 눈앞에 우이봉과 백운대가 막아섰다.

아내는 숨이 차 허덕이고 아이들은 이마에 땀방울이 내배었다.

길 옆 풀밭에 앉았다.

개울에서 샘물에 닦아 보자기에 남긴 과일을 깎지도 않고 불쑥 문대어 떼어 먹으며, 홍조 띤 얼굴에 모두들 즐거움이 넘쳐흐르고 있었다.

"아부지, 인제 주일마다 등산하기로 해요."

"참말 그래…… 아빠."

큰것의 제의를 금방 꼬마가 받아 붙이며 아버지의 대답을 기다리는 표정들이다.

애들 말에 아내는 의미 있는 눈길을 남편에게 보내었다.

"응, 그래……."

"아이, 좋아……."

아내의 활짝 핀 웃음과 아이들의 환성에 차 손뼉치는 소리를 들으며, 덕수도 기쁨에 넘치는 웃음을 감추질 못했다.

이날따라 가을 해는 더 쉬 지는 것만 같게 여겨졌다. 주위가 어둑어둑 해 올 때 그들은 산을 내려왔다.

벌써 동녘 산마루에 보름달이 솟아오르고 있었다.

노래를 부르며 내려가는 아이들을 앞세우고 그들 부부는 뒤를 따라 천천히 걸었다.

물에 반사되어 쪼개지는 달빛, 풀섶에서 들려오는 벌레 소리, 덕수는 문득 어릴 때의 추석날 밤을 회상하고 있었다.

"여보!"

앞에서 천천히 발을 옮기며 콧노래를 부르던 아내가 그를 돌아보며 말을 건넸다.

"응!"

아내는 그와 나란히 서서 걷고 있었다.

"그때 윤식이가 나간 것도 이 무렵이었어요."

참 아닌 밤중에 홍두깨격이라고 느껴졌다.

아내는 지금 생사를 모르는 동생을 생각하고 있는 것이다.

"참 그날 밤도 달이 이렇게 밝았어요."

"그랬던가……."

지하실에만 박혀 있었던 덕수는 그날 밤의 바깥 세계에 대한 기억은 전연 없었다. 또 오랜 시간이 지나는 사이에 윤식의 생각이란 점점 엷어져가 이 근래에는 거의 머릿속에 떠올리는 일조차 없었다.

그러나 아내는 이날 밤 달빛을 보며 새삼 그 십여 년 전으로 되돌아가는 것이다.

"저두 살아 있으면 이런 밤은 누나 생각을 할 텐데……."

아내는 울먹한 목소리다. 보지 않아도 눈물을 흘리고 있음에 틀림없다.

그러나 덕수는 그런 아내의 마음에 덧불을 지르고 싶지 않아 묵묵히 걷고만 있었다.

"여보, 참말 윤식이가 살아 있을까……."

"글쎄……."

"막판이었으니까, 그 수라장 속에서 어디…… 살아났다면야 왜 여태 나타나지 않아……."

"글쎄말이에요."

대화는 한참 끊어졌다.

윤식의 생존 여부에 대하여 그 이상의 것은 저대로의 상상의 날개를 펼쳐 그려보는 것이었다.

"살아 있다면 언젠가는 만나겠지요……."

미련어린 아내의 말을 들으며 덕수는 여전히 침묵 속에 걷고 있었다.

산마루 위에 훨씬 올라 솟은 달은 더욱 둥글게 환한 모습으로 온 누리를 내리 비추고 있었다. 그들에게는 달빛마저 싸늘하게만 느껴졌다.

집 앞에 다다랐다. 아내는 큰애들을 이끌고 앞섰고 덕수는 차 속에서부터 잠든 꼬마를 안고 대문 앞 돌층층대를 올라가고 있었다.

대문 열리는 소리에 이어 식모애의 소곤대는 소리가 들려 왔다.

"아주머니세요! 손님이 오셨어요."

"응…… 어떤 손님이?"

아내의 말소리는 거칠었다. 평소에 덕수나 아내가 없는 사이는 절대로 아무도 집안에 들여놓지 않기로 타일러 왔었는데, 그 철칙을 어겼다는 데 원인이 있는 것만 같았다.

"아주머니를 꼭 만나구 싶다구요."

"아저씨 아니구 나를?"

"네, 젊은 남자예요……."

"남자?"

아내의 음성은 더욱 의아에 차 있었다. 덕수의 머릿속에도 일만의 의혹이 꿈틀거리기 시작했다.

아내는 서두르는 걸음걸이로 현관에 들어섰다. 덕수도 밤중에 아내를 찾아온 젊은 남자란 대체 어떤 놈팡인가 하는 호기심이 곁들이는 심정으로 뒤를 따랐다.

"아무리 거절해도 막무가내예요, 떼밀고 들어오지 않겠어요, 그래 노 옆에 지키고 있었어요."

아내의 옆에 바싹 다가서서 소곤대는 식모는 주인이 없는 새에 외인을 들여놓은 일에 대한 자책감에 견디지 못함인지, 변명을 늘어놓으며 발뺌을 하는 것이다.

"막 떼밀고 들어올 정도의 남자……."

절도나 강도에 대한 두려움이 없지 않았으나, 신발을 벗으면서도 덕수에게는 호기심만 더 덮쳐 갔다.

"아니 네가……."

방 안에 먼저 들어선 아내의 경악에 찬 고함소리가 크게 들려 왔다.

덕수도 서두르며 방 쪽으로 들어섰다.

아내가 붙잡고 흐느끼는 사람.

"아."

그것은 분명히 윤식이 아닌가. 덕수는 거의 비명에 가까운 소리를 외쳤다. 이미 죽었던 사람을 만나는 것만 같은 이 순간. 가슴속이 미어질 듯한 충격과 함께 두려움이 서리어 왔다.

덕수는 더 다가가지 못하고 그 자리에 선 채 안쪽을 바라보고만 있다.

윤식이도 우뚝 선 채로 누나에게 얼싸안겨 눈물을 떨구며 덕수를 멀거니 바라보고만 있다.

덕수가 천천히 윤식이 쪽으로 나아가 그의 손을 잡은 것은 한참 뒤의 일이다.

"대체 어떻게 된 일이야……."

덕수의 마음속은 격했으나 목소리는 나직이 가라앉았다.

"형님!"

윤식의 눈에서도 저도 모르게 눈물이 괴어 흐르고 있었다.

"그래, 어떻게 살아 왔니…… 응."

방 아랫목에 셋이 자리잡고 나자, 아내는 무엇을 느꼈는지 동생을 바라보며 의아에 찬 질문을 던졌다.

"누님!"

아내와 윤식은 손목을 마주잡은 채 둘의 눈에서는 아직도 눈물이 번지고 있다.

윤식은 누나를 부르고는 뒷말을 잊지 못한다. 그것은 단순히 감정의 충격 탓만도 아닌 것 같이 덕수에게는 느껴졌다. 무엇인가 제대로 말을 하지 못하는 사연이 숨어 있는 것만 같았다.

"어떻게 된 거야, 응⋯⋯."

아내는 무슨 영문인가 알고 싶은 조바심에서 거듭 다그쳐 묻는 것이었다.

"천천히 얘기할게요⋯⋯."

윤식은 후 한숨을 내어쉬고는 눈물을 닦았다.

"아무튼 살아 왔으니⋯⋯."

덕수는 거듭 담배만 피우면서 이렇게 졸연간에 나타난 처남의 정체를 알아내려는 의아에 찬 육감이 앞서 그의 표정을 놓치지 않으려고 눈여겨 보고 있었다.

깔끔히 이발한 것이나, 단정한 옷차림이나, 그러한 외양에서는 무엇 하나 이상하게 느껴지는 것이 없었다.

다만 그의 눈동자, 떳떳하게 대상에 초점을 박고 똑바로 주시하지 못하는 그 눈동자, 무엇인가 이야기를 꺼내고자 하면서도 조마조마하는 입술 언저리의 들뜬 표정, 이러한 것은 덕수에게 의혹과 불안을 거듭 일게하는 일들이었다.

죽은 줄만 알았던 사람이 살아 온 이 밤, 오래간만에 만나는 피붙이이면서 그 사이를 가로 막는 거미줄 같은 장벽이 걷혀지지 않는 것만 같은 어색함. 이젠 아내도 동생의 말이 스스로 풀려 나오기를 기다리는 자세로 그 이상의 추궁은 하지 않고 있다.

차를 가져온다, 저녁상을 마련한다 하는 등의 어수선한 시간이 흘렀다.

아내는 동생을 거들어 주고, 덕수는 공연히 이 방 저 방을 왔다갔다하며 서성거리기만 했다.

간혹 아내와 눈이 마주치는 순간, 아내가 물끄러미 바라다보는 시선 속에는 단순치 않은 의미가 서려 있는 것이라고 덕수에게는 느껴졌다.

자정이 가까워서, 떠들썩하던 아이들도 잠들었고 부엌 설겆이가 끝나 식모의 왔다갔다 하는 발걸음 소리도 끊어졌다.

　아내는 굳게 잠겨진 대문을 다시 나가 다져 보고 현관을 비롯한 다른 방의 불들은 죄다 끄고 돌아왔다.

　동생을 만난 기쁨 속에서도 아내의 얼굴에는 한 줄기의 긴장이 서려 있음을 덕수는 놓치지 않았다.

　"얘들은 외삼촌의 얼굴도 기억 못하나봐……."

　자리에 앉은 아내는 얼굴에 부드러운 웃음을 띠어가며 동생을 바라보는 것이다.

　"윤식인 영순이 기억이 나……."

　아내는 동생더러 그때 하나밖에 없었던 큰아이의 이야기를 꺼내는 것이다.

　"첫 번에 볼 때는 전연 모르겠더니만 차차 눈언저리에 어릴 때 모습이 떠오르더군요."

　윤식이도 처음보다는 훨씬 긴장이 풀려 자연스러운 어조였다.

　"코 흘리던 애가 여학생이 됐는데 어디 기억이 나려구……."

　덕수는 분위기를 부드럽게 하기 위하여 웃음을 섞어가며 이야기에 끼어들었다.

　십 년이면 강산도 변한다는데…… 하고 속으로 뇌까리며 윤식의 그 반들반들 광이 나던 이마에 잡혀진 주름살을 바라보는 것이었다.

　"형님도 많이 늙으셨어요."

　덕수의 희끗희끗해진 귀밑의 머리칼을 바라보며 나긋한 어조로 윤식은 말을 건넸다.

　그도 자기와 같은 생각을 하고 있는 것이라고 덕수는 느꼈다.

　"세월이 흐르는데 별수 있어…… 너도 그새 많이 변했구나……."

　"저두요?"

"응!"

그는 씁쓸한 웃음을 지었다.

이때 윤식의 눈 가장자리를 스치는 지나간 일에 대한 추억어린 표정, 그것은 얼마나 많은 사연들을 담고 있을까, 하고 덕수는 생각에 잠겼다.

그것은 덕수 자신이 십여 년간에 겪은 곡절보다 더한 것임에 틀림없을 것이라고……

"그래, 그 날 집에서 튀어나가서 어떻게 됐니……."

아내는 이 부드러워진 분위기를 놓치지 않으려는 듯이 단도직입적으로 이야기를 휘몰아갔다.

윤식은 긴 한숨을 쉬고, 침을 꿀컥 삼켜 입을 다신 다음 지난 이야기들의 토막토막을 풀어 놓기 시작했다.

덕수가 육감으로 느낀 대로 윤식은 휴전선을 넘어 왔다는 것이다. 아무렴 그렇지, 죽지 않고 살아 있었다면야 여태껏 소식이 없었을 리가 없다고 생각하며 덕수는 그 다음을 기다렸다. 과거로 거슬러 올라가고 현재로 되돌아오고 하는 기구한 운명의 실마리를 푸는 것 같은 윤식의 이야기를 듣는 동안, 아내는 몇 번이고 긴 한숨을 꺾으면서 눈물어린 눈동자를 깜박이고 있었다. 덕수는 윤식의 곡절 많은 역정 속에서 두 가지 초점에 모든 사태를 연결시켜 산발적인 이야기의 귀결점을 찾는 것이었다.

그 하나는 그가 월북하게 된 경위, 다른 하나는 현재의 그의 자세였다.

지금 아내는 단 하나의 친정쪽 혈육인 아우를, 육친의 애정 속에서만 느끼고 있는지도 모른다. 그러나 덕수는 그에 대한 처남으로서의 애정 외에, 현 시점에서의 그의 생사와 자신의 생사를 결부시키려는, 어쩌면 이해가 상반되는 것 같은 감정의 복잡한 도가니에서 허덕이고 있는 자신을 의식치 않을 수 없었다.

아내는 동생의 이야기하는 사이사이에 탄성을 발하기도 하고 반문도 하지만, 덕수는 비스듬히 모로 기대어 팔베개를 한 채로 시종 듣기만 하는 것이었다.

"그래, 수복한 뒤로 벌써 세 차례나 이사를 했는데, 이 집은 어떻게 알았어?"

덕수는 상반신을 일으키며 입을 열었다.

"형님두……."

그는 냉소에 가까운 웃음으로 입을 씰룩거리며 다음말을 찾는 것이었다.

"왜?"

"아직두 유치원생이시군요……."

덕수도 이 말에는 실소하지 않을 수 없었다.

"하기야, 기어코 찾을려면 못 찾을 것도 없겠지만…… 아무튼 어떻게 찾았어……."

"전화번호부에도 주소가 있지 않아요……."

"응……."

참말 그럴 법한 일이라고 덕수는 거의 무릎을 칠 뻔했다.

"그러나 동성동명이 많아 미심하기에, 회사에 전화를 걸어 확인했지요……."

그의 꼼꼼하던 성격은 이런 경우도 역시 빈틈없었구나 하고 덕수는 생각하는 것이었다.

시계가 세 시를 알렸다.

"고단할 텐데, 어서들 주무세요……."

아내는 건넌방에 동생의 자리를 마련하고 돌아왔다.

불을 끄고 잠자리에 들고도 덕수는 도저히 마음속이 개운하지 않았다.

처남이 암만해도 가슴 속에 품은 사연을 다 실토하지 않은 것 같이만 느껴졌기 때문이다.

아까 이야기 속에서 또다시 갈 생각이 있느냐고 물었을 때, 여기 있을 수만 있다면 있지요, 하던 말이 도시 석연하지 않았다.

왜 선뜻 품으로 돌아오겠다고 잘라서 말하지 않는가.

아내도 좀처럼 잠을 청할 수 없는지 부스럭거리기만 한다.

"여보, 자요?"

"아니."

덕수의 물음에 아내는 잠기가 없는 맑은 목소리로 대답했다.

"윤식이가 참말 돌아온 걸까!"

"그렇잖으면 어떻게 찾아와요."

"하기는 그렇기두 하지만, 그 고집쟁이 성격이 속에 무엇을 생각하구 있는지 알 수 있어야지……."

"하두 오래 떨어져 있으니까, 아무래도 좀 서먹하지 않겠어요……."

아내는 동생을 두둔하는 어조로 말하고 있으나, 덕수의 의혹은 완전히 풀려지지는 않았다.

얼마 후 덕수는 다시 입을 열었다.

"여보……."

"네……."

"그렇다면 자수를 시켜야 하지 않을까?"

"글쎄요…… 시켜야지요. 그렇지만 잡혀 들어가면, 도루아미타불이 되잖겠어요……."

"하지만, 떳떳하게 살려면 어차피 한번은 거쳐야 할 것 같은데……."

아내는 후 한숨을 내쉬고는 더 이상 말이 없다.

아내는 아내대로 육친의 애정에 얽매였고 덕수는 그대로 자기와 윤식의 이해관계를 저울질하고 있는 것이다.

아마 윤식 자신도 쉬 잠들지 못하고 궁리에 잠겼는지도 모른다는 생각이 덕수에게는 들었다.

"형님, 이 방으로 좀 건너오세요……."

아침에 세수가 끝난 다음 윤식은 자기가 자던 방으로 덕수를 청하는 것이었다.

간밤에 잠을 제대로 이루지 못했는지 윤식은 흰자위에 핏기가 서려 있다.

부모 처자 한데 어울리던 집도 오랫동안 떠나 있다 들어오면 첫날밤은 으례 서먹한 법인데 오죽하랴, 하고 덕수는 윤식을 건너다보며 생각하는 것이다.

"형님, 아무래도 마지막 실토를 해야겠어요."

그는 덕수의 얼굴을 말뚱히 쳐다보며 말머리를 끄집어내었다.

덕수는 인제 올 것이 왔구나 하는 간밤의 미진한 기분에 대한 대기 태세로 그의 말을 한마디도 놓치지 않으려는 듯이 청각을 집중시키고 있다.

윤식은 침을 꿀컥 삼키고 말을 이었다.

"사실은 형님을 비롯한 주변 인사들의 포섭 공작을 지령받고 왔습니다."

덕수는 너무나 의외의 말에 순간 당황하지 않을 수 없었다.

자기가 생각한 미심한 점이란, 그가 무슨 정보 수집이나, 연락 등속의 사명을 띠고 왔으면서도 그것을 아직 속 시원히 털어놓지 않고 있는 것이라는 정도로 생각했던 것이다.

그러나 그 불이 직접 자기 발등에 떨어질 줄은 꿈에도 생각하지 못했다.

덕수는 눈을 내리감고 침묵을 지키면서도 갈피를 잡을 수 없는 복잡한 생각 속에 얽매이고 있었다. 얼굴이 상기되다가 차츰 핏기가 가시어지는 것만 같게 머릿속이 아찔해 왔다.

"그래, 내가 네 공작에 쉽사리 포섭될 것같이 보이든……."

그는 눈을 부릅뜨고 윤식을 곧장 쏘아보았다.

"아니에요, 제 의사가 아니라 지령을 받았으니까요."

"지령이 아니라 지령의 할애비래도, 내가 그렇게 포섭 공작의 중요한 대상물 자격이나 된다든……."

덕수는 기가 차다는 듯이 억지의 웃음을 지으며 쏟았다.

한참 침묵이 흘렀다. 윤식은 방바닥을 내려다보고만 있고, 덕수는 그의 얼굴에서 시선을 떼지 않았다.

"그런 뚱딴지같은 생각이란 아예 집어치우고, 옛날의 순수한 너로 돌아오렴."

윤식은 머리를 들었다.

"아니에요, 형님……."

"아니긴 뭐가 아니란 말이냐……."

덕수의 말끝에는 노기가 서려 있었다.

"저는 제 책임을 다하지 못하면, 어디 가 어떻게 죽을지 몰라요……."

"못난 자식이…… 죽음이 그렇게 두려우면서 아직도 그 짓을 하겠다는 거냐……."

"저에게는 기회가 없어요."

"기회……."

그러나 그 뒤는 덕수로서도 선뜻 대답해 줄 만한 구체안이 없었다. 그는 한참 묵묵히 있다가 다시 입을 열었다.

"모든 것을 고백하고, 자수하면 되지 않겠니……."

"글쎄요……."

그의 말소리는 나직하였으나 투명하지는 못했다.

"글쎄요가 아니라, 결단을 내려야 한단 말이야……."

"잘 생각해 보겠어요."

"생각이 아니라, 즉시 행동으로 옮겨야지……."

"그러나 자수하면 저는 틀림없는 총살되는 거예요."

"총살……."

"네, 간첩은 모조리 극형이라지 않아요……."

"나는 법률은 잘 모른다만, 거기도 정상의 참작이야 있지 않겠니……."

"그 참작 이전에 저의 주변에는 더 많은 감시의 눈이 현재도 저의 거의 일거일동을 좇고 있어요."

"경찰말인가……."

"아니요……."

"그럼 정보 계통……."

"그것도 아니예요."

"그럼…… 뭔데……."

"그 이전에 다른 감시의 눈이 저의 행동을 뒤따르고 있어요……."

윤식의 열기 띤 얼굴에서 덕수는 눈을 돌려 창밖을 내다보았다.

아침 햇살이 환하게 뜰 안을 비추고 있었다.

"태양빛을 등지고 살겠다니 원……."

"아니에요, 형님……."

"……."

"저는 사실 휴전선을 넘어올 때는 형님을 설복해서 사명을 수행하려고 마음 먹었어요…… 그러나……."

덕수는 양미간을 찌푸리며 윤식의 눈동자를 쏘아보았다.

"그러나, 막상 서울 거리에 들어서니 그런 결의는 점차 풀이 죽어 갔어요……."

"왜……."

덕수는 기회를 놓치지 않고 불쑥 다그쳐 물었다.

"향수라 할까요, 동심이라 할까요, 그런 나약한 감정이……."

덕수는 묵묵히 다음 말을 기다리고 있었다.

"조직 생활 속에서 훈련을 받았으면서도 저의 정신 무장이 강하지 못했던 탓인지도 모르겠어요……."

"그만두어, 네 본심은 아직 종잡을 수 없어……."

"그런데, 정작 형님이나 누나를 만나고 나니, 그런 저의 포섭 계획은 그대로 무너지는 것만 같았어요……."

"그러게 맘을 돌리란 말이야……."

"아니에요, 저는 이제 갈 수도 없고 있어도 죽기는 매일반이에요."

"왜, 죽어……."

"두구 보세요…… 그렇게 되지 않는가……."

"글쎄, 천천히 살아날 길을 서로 잘 생각하잔 말이야."

"아무튼 우선은 나가겠어요."

"어디로……."

"아니, 다시 들러서 상의하겠어요."

덕수는 자리를 일어서는 윤식의 소매를 당황히 붙잡았다.

"이렇게 서두르지 말고, 천천히 좋은 방도를 강구해 보재두……."

"그러니까 여유를 주세요……."

그는 벌써 현관 쪽으로 걸어나가고 있었다.

"글쎄, 여유를 두고 같이 방법을 생각하자는데두……."

윤식이 대문 쪽으로 나갈 때, 부엌에서 일하던 아내가 뛰쳐나왔다. 동생에게 매어달리듯이 하며 아내는 만류했다.

"저는 벌써 제 주위에 위협을 느끼고 있어요."

"글쎄 왜 이러는 거야, 응, 들어가 차근차근 이야기하자꾸나……."

"아니예요, 저는 북으로 가든, 여기 남든 누나나 형님에게 누를 끼치구 싶진 않아요. 체포되어도 딴 데서 되고, 자수해도 제 혼자서 하겠어요……."

아내는 눈물을 흘리면서 어쩔 바를 몰라했다.

"아무튼, 들어가서 얘기하자……."

윤식은 휙 몸을 돌려 대문 앞 계단을 재빨리 내려가고 있었다.

무엇인가 쥐었던 새를 놓친 것만 같은 심정이었다. 윤식이 사라지고 난 골목에서 눈을 돌린 덕수는 아내 쪽을 바라보았다.

아내는 대문 안으로 돌아서며 흐느껴 울고 있다.

덕수는 얼마 동안 넋빠진 양 뜰에 선 채로 있었다. 허전하기 짝이 없었다.

좀 더 억지로 붙잡았더면 하는 아쉬움도 들었으나 욱기로 뛰어나가는 그를 막아낼 도리가 없었다. 그보다는 복잡한 생각이 행동의 적극성을 제어시키는 것만 같은 감정의 탓인지도 몰랐다.

덕수는 곰곰이 생각하고 있다.

십여 년 만에 뜻하지 않게 윤식을 만났다는 것은 참말 꿈만 같다. 그리고 방금 그가 바람처럼 자기 집 울타리 밖으로 사라진 것도 도무지 현실 같게 여겨지지 않는다.

자기와 윤식의 사이, 그것은 인척간의 촌수를 따져서 처남 매부지, 사실은 친형제나 조금도 다를 바 없는 사이다. 침식을 비롯한 하루의 기거를 거의 같이해 왔었고 대학 공부도 자기가 전담하여 시키고 있었었다.

부모를 잃고 남매만 남았던 그들에게 있어서, 아내는 윤식의 누이이자 어머니 구실을 했었고, 자기는 형인 동시에 어떤 면에서는 아버지 몫까지 해 왔던 것이다.

그가 생명에 대한 최악의 위기에 처했다 해도, 그 은거처로 마음 놓고 뛰어들 곳은, 이집밖에 없었을 것이라고 생각이 들자 가슴이 아려 왔다.

서울 장안이 송곳 박을 자리 없이 집이 들어박혔다 해도, 아니 하늘 아래가 한없이 넓다 해도 그를 달갑게 받아 줄 곳은 이곳밖에 없을 것만 같았다.

덕수는 대문 밖으로 나가 황급히 층층대를 내려갔다.

설레는 가슴의 동요를 느끼면서도 아주 태연한 듯이 앞 뒤 골목을 살펴보았다.

얼마간의 시간이 흘러간 지금, 그가 그대로 제자리에 남아 있을 리라 만무하다는 것을 빤히 알면서도 부질없는 일을 막다른 심정에서 저질러 보는 것뿐이었다.

지나가는 두부장수나 신문 배달 아이의 예사로운 시선까지도 그에게는 이상하게 느껴지기만 했다.

방에 돌아와서도 덕수의 심정은 안정되지 못했다. 꼭 무엇인가 하던 일을 내팽개치고 돌아앉은 것만 같은 미흡한 기분을 가눌 길 없었다.

조간신문을 펴 들었다. 그러나 주먹만큼한 커다란 활자도 눈에 바로 들어오지 않고, 그 위에 뚜렷이 윤식의 모습이 겹쳐 왔다간 명멸하는 것이었다.

아내의 흐느끼는 소리가 아직도 부엌 쪽에서 가느다랗게 들려 왔다.

참, 손쓸 사이도 없는 순간에 일어난 일만 같았다.

만일 친동생이었다면, 그리고 아들이었다면, 하고 그는 윤식과 자기와의 거리를 다시금 재어 보는 것이다.

사실은 조금도 그런 거리를 잴 시간의 여유도 없이 일어났고 그리고 또 곧장 끝나 버리고 만 것이다.

아니, 이미 자기는 자신과 윤식의 사이에 선입관적인 어떤 거리를 가지고, 간밤부터 대해온 것이나 아닐까, 하고 자신에게 힐문하는 것이다.

자기와 윤식, 그것은 벌써 독립된 하나하나의 개체로서 이해관계, 그것도 생사에 관계되는 궁극의 경우에 있어서는 상반되는 것이라는 이기적인 의식이 자신의 마음속에 깔려져 있었는지도 모른다는 생각마저 들었다.

덕수는 담배를 피워 물고, 긴 한숨 속에 담아 뱉었다.

그러나 가슴 속은 조금도 후련하지 않았다. 시간이 흐를수록 더욱 막혀 가는 것만 같았다.

그는 아내를 보기가 어쩐지 민망해졌다. 십 수 년 아무것도 숨김없이 살아온 사이에도 미안쩍은 생각은 금치 못했다. 선명한 이유를 꼬집어 낼 수는 없이 막연하게 그저 덮어놓고 미안하기만 한 심정이었다.

날이 갈수록 아내와 윤식에 대한 미안감에 겹쳐 자신에 대한 자책과 불안이 휩싸여져왔다.

얼마 동안은 아내도 그도 말수가 줄어들었다.

어쩌다 아내가 말끝에 윤식의 걱정을 덧붙여도 그는 대답할 말을 찾지 못했다. 그러면 아내는 그의 눈치를 살피다간 그대로 시무룩해져서 말을 잇지 못하거나 자리를 뜨는 것이었다. 그는 그대로 윤식의 행방이 걱정되면서도 아내 앞에서 대놓고, 그 걱정을 토하지 못하고 가슴속에 담은 채 혼자 꿍꿍거리기만 했다.

아무튼 이 돌발의 사태로 말미암아 그들의 가정 분위기는 일대 태풍이 쓸어간 뒤의 정적 같은 것이 깃들면서도 그 상처는 좀체 아물지 않았다. 불안과 공포는 그에 못지않게 아내의 마음도 휩싸, 서로의 의견도 제대로 토로하지 못한 채, 제각기의 추리를 진행시키고 있는 것이었다.

덕수는 신문을 보는 눈의 각도가 달라져갔다.

혹 윤식에 대한 기사가 어디 나지나 않았나 하고, 아내는 아내대로 전과는 달리 조석으로 신문이 배달되면 그에게 눈치를 보이지 않으려는 듯 태연을 가장하면서도 삼면기사를 눈여겨보는 걸 그는 감득하지 않을 수 없었다.

그러면서도 그는 홀로 어떤 적당한 시기, 그런 기회를 노리는 심리적인 강박관념에 사로잡히고 말았다.

성규의 죽음은 자신이 좀 더 의식할 겨를이 없이 잠 속에서 일방적으로 진행되었고, 그리고 그대로 결말을 이루어 버렸다.

얼마나 살겠다고 버둥대던 그던가. 바로 죽기 전날 밤 덕수는 그와 함께 술을 마셨다. 그는 앞으로 이십사 시간 이내에 자기의 죽음이 닥쳐올 것을 몰랐고 덕수 자신 또한 그의 죽음이란 상상조차 할 수 없었던 일이다.

덕수와 함께 최후의 자리를 같이한 그날 밤, 성규는 민정이 복구되면 꼭 입후보 해야겠다는데, 아직 그러기에는 선거 비용에 충당할 액수가 모자란다는 애석한 자탄 같은 것을 털어놓았었다.

이것이 그와의 마지막 자리였고, 그는 돈과 권력에 대한 생의 철학을 끝까지 포기하지는 않았다.

바로 그 성규가 너무나 시시하게도 연탄가스의 중독으로 다음날 아침에는 죽어간 것이었다.

가장 현실적인 생활 방식을 자처하고 실천해 온 그가 가장 예사로운 조건으로, 엇갈린 돈 문제에 대한 단 한 마디의 유언도 못하고 본의 아니게 죽어간 것이다.

장례식을 마친 후 성규의 집에서 돌아오면서도 덕수는 그의 죽음이 아직도 믿기지 아니하였고, 그렇게도 돈이라면 수단 방법을 가리지 않던 그의 죽음과 지극히 평범하고도 무기력한 자신의 삶을 견주어보는 것이었다.

대문 앞에는 이미 자기를 기다리고 있는 사람들이 있었던 것을 덕수는 전연 알지 못했었다. 집안 층층대 계단에 올라서려는 찰나 그는 억센 팔속에 뒤로 안겨졌다. 순간 몸을 돌리며 요동을 쳤으나 움직여낼 도리가 없었다.

"누구야⋯⋯."

"반항하면 쏜다."

술기운이 바싹 깨어 왔다.

벌써 몇 사람이 그의 두레를 둘러싸고 있었다. 재빠른 동작들에 의하여 그는 포승에 묶이고, 저항할 엄두도 못낸 채로 연행되었다.

도중 그가 가만히 있는 사람을 보고 왜 이러느냐고 항의했을 때, 가보면 다 안다는 적의에 찬 목소리를 들었을 뿐, 그 밖에 그와 그들의 대화란 거의 없었다.

다만 골목을 나오며 집 쪽을 쳐다보니 대문 열리는 소리가 나던 것밖에 현장에서 벌어진 일은 그 외의 아무것도 없었다.

취조가 진행됨에 따라 덕수는 윤식의 체포를 짐작하게 되었고, 자신이 범죄자 은닉 및 불고지(不告知)의 죄명으로 검거된 사실을 알게 되었다.

그러나 그에게는 은닉이라는 어마어마한 사태에 대한 의식적인 동기나 행동은 물론 없었고 그러한 범죄 의식은 더욱 없었다.

다만 알쏭달쏭하고 전연 귀에 익지 않은 죄명이 그의 머리에 캥겨들어 지금도 그 풀 수 없는 수수께끼 같은 거미줄에서 헤어날 수가 없을 뿐이다.

있는 대로의 전후 경위를 순순히 자백한 그의 진술이 윤식의 그것과 부합되었는지는 몰라도 거기에 대한 추궁은 별로 없이 취조는 진행되었다. 다만 왜 그렇게 중대한 범인인 줄 알면서 그것을 즉시 고발하지 않았느냐는 것이 그에게 대한 화살의 초점이었다.

그 일에 대해서는 이틀 건너, 또는 사흘 건너씩 심심할 겨를이 없이 거의 똑같은 문초가 반복되었지만, 그로서는 같은 말의 되풀이 이외 그 이상 대답할 건덕지가 없었다.

그의 얼굴은 별로 변화하는 표정을 느낄 수 없이 단순하다. 멍청히 앉아 있지 않으면 눈을 살금히 감은 채로 몇 시간이고 그대로 벽에 등을 기대고 있을 뿐이다.

그는 어저께 사형 언도를 받았다. 그러나 언도 전의 그나, 그 후의 그의 모습에는 아무런 변화도 발견할 수 없다. 죽음을 체념하고 있는 것이 아니라 확정된 죽음을 의식하고 있다.

그를 대기하고 있는 죽음은 어쩌면 그의 자체 의사의 예정 코스대로 진행되고 있는 때문인지도 모른다.

어떤 경우에 처했든 저렇게 태연하게 죽음을 기다릴 수 있다는 것, 그것은 삶의 자세에 있어서 미덥고 거룩한 일면인지도 모른다는 생각이 덕수에게는 들기도 했다.

죽음을 스스로의 신념으로 대기하고 있는 것만 같은 그와, 아직도 한 가닥의 삶을 희구하고 있는 옹졸한 것만 같은 자신의 경우는 너무나 대조적이다.

그것은 또한 예측도 없이 죽음을 당한 성규나, 그것을 피해 다니다가 결국엔 걸려 버린 윤식의 경우와도 전연 판이한 국면을 주기도 한다.

환기창을 거쳐 내다보이는 손수건만한 하늘에서 덕수는 바깥 세계의 향수를 느끼고 있었다.

아내를! 어린것들을! 그리고 자신의 주변에 펼쳐졌던 좋고 나쁘던 뭇 군상들을 생각하고 있었다.

덕수는 면회실로 나갔다.

아내가 와 있었다. 자기를 바라보는 첫눈에 눈물이 맺히는 것을 보며 외면했다. 아내는 입술을 깨물며 울음을 참고 있다 말없이 얼굴을 숙였다가 들었다.

내일이 자신의 공판날이기에 오늘쯤은 누구든 면회를 올 것이라는 예기는 했지만 막상 아내를 만나니, 가슴이 뭉클할 뿐이었다.

그의 시선은 아내의 불룩해진 배 언저리에 머물렀다. 어떻게 기어코 살아 나가야겠다는 생각이 새삼 소용돌이치면서, 핏기가 머리로 휘몰아옴을 느꼈다.

"윤식인 사형 구형을 받았어요. 그저께……."

아내는 말끝을 맺지 못하고 울음을 터뜨렸다.

아내에게서 듣지 않아도 그는 감방 안의 통문으로 어렴풋이 알고 있는 일이었다.

아내와 마주 앉아도 그는 할 말이 없었다.

"그때 억지로 끌고 가서 자수라도 시켰던들……."

아내의 안타까워하는 말투를 그는 대답 없이 듣고만 있었다.

"차라리 곧 신고라도 했더면…… 혹 당신만이라도……."

"헴……."

그는 큰기침으로 공간을 메웠다.

"연판장을 찍은 진정서도 변호사에게 넘겼고, 밖에서 다들 서두르고 있어요."

모두가 고맙다는 생각이 번져 왔다.

면회란 그 어느 때보다도 빨리 가는 시간인 것만 같게 여겨졌다. 아내가 눈물이 번질한 얼굴로 사라지는 반대 방향으로 그는 감방에 돌아왔다.

101호는 그 사이에 독감방으로 이송되고 없다.

지기 하나를 잃은 것같이 방안이 허전해 보인다.

101호, 그도 남들 싸움의 틈바귀에 끼인 사상범이다.

사형 구형을 받았다는 윤식이도 저렇게 태연할 수 있을까. 그는 지금쯤 재빨리 손을 써서 자수하지 못한 것을 후회하고 있을지도 모른다. 언도 때의 감형을 예상해도 본다. 신고 운운하던 아내의 남긴 말을 곱씹어 본다.

윤식이 걷잡을 사이 없이 떠나간 후 아내에게는 몰래 자신도 그런 것을 생각하지 않은 것은 아니다.

처남을 고발하면, 자신에게는 아무것도 해될 것이 없다는 것도…….

한때 자기와 윤식의 일대 일의 관계에서 이러한 경우가 예측될 때, 생명에 대한 이해가 전혀 상반된다는 이기적인 상념이 고발을 유혹하는 충동으로 바뀌어진 바도 없지 않았으나 그는 그것을 지그시 눌러 왔다.

아버지가 아들을, 형이 아우를, 그는 이렇게 연쇄적인 상관 관계를 얽어 가며 자신에게 머리를 가로저었다.

일은 그것으로 끝난 것이다. 아니 같이 죽고 살자던 벗이라고 하자…… 그런 경우도…….

덕수는 아직도 후회는 하지 않고 있다. 신통히 잘 살아 오지도 못한 자신에게 이제 그런 낙인까지 하나 더 찍고, 죄의식 속에서 가책으로 살아 간다면…… .

악착하게 살겠다고 버티던 성규의 죽음, 태연하게 죽음을 자처하고 이 방을 나갔을 101호, 지금쯤은 창백하게 질려 있을지도 모르는 윤식…… 그러나 덕수는 아직 삶을 바라고 있다. 차라리 지난 일은 묻지 않겠다는 심정으로…….

새날이 왔다.

덕수는 지금 공판정으로 나가고 있다. 어떤 운명이 그에게 덮쳐 와도 달게 받을 수밖에 없다고 뇌까리며…….

이 일에 대한 회한이나 비굴감이 없는 그것만으로도 차라리 거뜬한 심정이다.

하늘은 푸르고 용수 구멍으로 내다보이는 거리는 여전히 어수선하게 법석대고 있다. 그는 오늘의 공판 결과보다는 차라리 아득한 브라질 이민을 생각하고 있다.

먼 하늘 끝을 바라보며…….

『現代文學』, 1963. 7

세끼미

－제발 나에게 부질없는

　관심을 가져 주지 말았으면

　늦가을 잔뜩 찌푸린 하늘. 싸늘한 바람이 포도의 낙엽을 휘몰아 가는 저물녘.

　교문을 나선 마리아는 묵묵히 고궁(古宮)의 담 모퉁이를 돌았다. 그의 눈은 아래로 깔린대로 움직이지 않았다.

　시야에는 아무것도 들어오는 것이 없었다. 그는 자기대로의 생각에 골똘하고 있었다.

　'그럼 두구 잘 생각해 봐요.'

　그는 브라운 목사가 어깨 너머로 무겁게 다지던 마지막 한 마디를 곱씹었다.

　갈 것인가 안 갈 것인가, 그 어느 쪽도 간단한 예스, 노우의 한 마디로 귀결지어질 수 없는 복잡한 심정으로 휩싸여져왔다. 아니 그러한 문제에 부닥치기 전보다 몇 갑절 가슴을 짓누르는 중압감을 이겨낼 수 없었다.

　경수(京秀)의 모습이 스쳐갔다. 이러한 양자택일의 중대한 분기점에서 하필이면 왜 경수가 제일 먼저 떠오르는 것일까. 역시 지금까지의 자기 마음속엔 가장 큰 비중을 차지하고 있었다는 증거가 아닐까. 거기에 다시 혜숙(惠淑)의 짙은 눈동자가 덮쳐져 왔다. 혜숙의 티없이 맑은 얼굴은 그 명랑한 웃음과 더불어 언제나 즐거움을 안겨다주었다. 그 뒤를 이어 가족들의 영상이 저 나름으로 떠올랐다가는 사라져갔다. 모두가 아끼고 싶은 사람들뿐이었다. 영원히 놓치고 싶지 않은 대상들만 같았다. 이들이 이렇게껏 정답게 느껴지는 것은 자기 자신의 마음이 이미 한곳으로 돌려져 있다는 결과가 아닐까 하고 그는 스스로에 자문자답해 보았다.

마리아는 남대문 지하도를 빠져 나왔다. 그는 자기 발길이 저도 모르는 사이에 남산 오르막길에 접어들고 있는 것을 깨달았다. 집이 있는 청파동 쪽과는 다른 방향이었다. 그러나 그는 되돌아설 염은 하지 않았다. 그대로 걷고만 싶었다. 방과 후 돌아오는 걸음에 곧장 집 쪽으로 가지 않고 옆길로 쏠리는 일은 이 가을에 접어들면서부터 가끔 있는 일이었다. 그만큼 그의 심정은 평온 상태를 잃고 있었는지도 몰랐다.

아무도 없는 곳에 호젓이 있고 싶어지는 심정, 그러한 마음의 변화는 그 자신도 무엇이라 확연한 단정을 내려낼 수 없었다. 스쳐가고 스쳐오는 뭇 사람들이 자기에게는 모두 관계도 없는 먼 나라 사람들만 같게 느껴졌다.

마리아는 어린이 놀이터 한 모퉁이의 벤치에 걸터앉았다. 재잘거리며 뛰놀던 아이들도 하나둘씩 흩어져 갔다. 주위는 점점 고요해지고 저녁 어두움이 깔리기 시작했다. 자기 이외의 아무 간섭도 받지 않고 이렇게 혼자 있는 것이 그에게는 무엇보다 좋았다. 그는 불빛이 환하게 두드러져 오는 거리를 내려다보며 몇 번이고 브라운 목사의 마지막 말을 되풀이했다.

갈 것인가 안 갈 것인가.

그러나 아무런 해답도 주어지는 것은 없었다.

쌀쌀한 바람이 스커트 자락을 휘몰아 올렸다. 목덜미가 선뜻해 왔다. 그래도 마리아는 일어날 줄 모르고 그 자리에 굳어진 듯 앉아 있었다.

주위를 둘러보아야 자기 이외의 아무도 없었다. 가까운 피붙이란 아무 것도 떠오르는 것이 없었다. 산 중턱까지 총총히 박힌 창마다 불이 반짝였다. 그러나 자기가 돌아갈 안식처란 아무 데도 없는 것만 같은 외로움이 물결쳐 올 뿐이었다.

아까 브라운 목사에게 자기의 혈통에 대한 과거를 송두리째 털어놓은 것이 거뜬하면서도 한편 솟구치는 뉘우침을 누를 길 없었다.

"나도 마리아 같은 누나가 있었으면……."

필립이 말끄러미 쳐다보며 말하던 소리를 지금 마리아는 되뇌고 있는 것이다.

초가을 어느 날 마리아는 브라운 목사를 따라 이태원 외인촌(外人村)으로 간 일이 있었다.

학교 예배 시간에 가끔 나오는 브라운 목사는 마리아가 관계하는 영어 회화반의 과외 특별 지도를 담당하고 있었다. 그러한 인연이 마리아를 브라운 목사의 눈에 들게 한 최초의 계기가 되게 했다.

브라운 목사는 다른 학생들보다 마리아를 유달리 귀여워해 주었다. 그것은 마리아의 뛰어난 영어 실력의 탓만은 아니었다. 그보다 마리아의 이국적인 인상이 브라운 목사의 색다른 관심을 끌었다는 편이 더 옳을 것이었다. 그러나 시간이 흘러감에 따라 다른 학생과는 표나는 자기 외모에 연관시켜, 브라운 목사의 관심이나 동정이 쏠려지는 것 같은 느낌을 받았을 때부터 마리아는 거북스러워지는 심정을 가눌 길 없었다. 그러한 점에 비켜 브라운 목사는 단 한번도 마리아의 상처를 찌르는 질문을 한 적은 없었다. 마리아 자신도 그런 자기 신상 문제에 대해 속을 털어놓고 이야기한 일은 없었다. 자기에 관한 다른 일에는 그렇게 관심을 가지면서 혈육 관계에 대해서는 지극히 무관심한 듯한 브라운 목사가 마리아에겐 오히려 다행스러웠다. 그러기에 마리아는 브라운 목사 댁도 자주 놀러 갔고, 그들의 가족들과도 친숙하게 지내게끔 되었었다.

이날 마리아가 이태원 쪽으로 브라운 목사를 따라 나선 것도 그러한 평상시의 예사로운 접촉의 연장에 불과했다.

유숌의 어느 부서 책임자로 가 있다는 스티븐 씨는 마리아를 즐겁게 맞아 주셨다. 부인도 낯선 첫 손님을 대하는 것이 아니라, 오래 떨어져 있던 가족을 반기는 것만 같이 마리아에게는 느껴졌다. 마리아보다 두 살 아래라는 아들 필립은 친누나라도 만난 것처럼 신이 나서 자기 집 구석 구석으로 손목을 이끌고 다니며 자랑스럽게 소개해 주었다.

마리아는 오래간만에 흐뭇한 따사로움에 젖을 수 있어 그날의 감명을 얼마동안 잊을 수 없었다. 그는 필립의 인상에서 자신에게 깊이 잠재해 있던 어떤 동류의식의 움직인 같은 것을 느끼기까지 했다.

돌아오는 차중에서 브라운 목사는 마리아를 돌아다보며 만면에 웃음을 띠고 말을 건넸다.

"마리아, 오늘 재미있었지?"

"네."

"참 좋은 분들이야……"

"저도 그렇게 느꼈어요."

마리아는 참말 진심에서였다.

"마리아네 집안도 그렇게 다정스럽지?"

마리아는 금방 말이 나오지 않았다.

잠시 머뭇거리다가 네 하고 들릴락말락하게 대답했다.

"아버지 어머닌 다 계시니?"

"네."

"몇 형제나 돼?"

"동생이 하나 있어요."

"그래, 그럼 역시 재미있겠군."

대답은 했으나 마리아의 가슴 속은 꺼림칙하기만 했다.

마리아는 가족 관계에 대한 질문을 받는 때가 가장 괴로웠다. 어릴 때는 철없이 지껄여댔지만 나이가 차 가면서부터는 그러한 물음에 머뭇거려지기 일쑤였다. 자기의 외형에서 눈치 챈 사람들은 그런 어색한 질문은 애초에 하지 않았다. 이즘에 와서는 그러한 화제는 짓궂게만 여겨져 마리아 쪽에서 굳이 외면하고 대답을 회피해 왔었다.

그러나 브라운 목사의 질문에는 그렇게 무례한 태도로 대할 수만은 없었다. 그것은 또한 브라운 목사의 표정이나 말씨에게 느껴지는 어딘지 모르게 자기의 내력을 속속들이 알고 있는 것만 같은 강압 관념의 소치이기도 했다.

그 다음 토요일은 필립이 학교로 찾아와 교문 앞에서 기다리고 있었다. 싱글벙글하며 퍽이나 기쁜 표정이었다. 마리아도 즐거웠던 첫인상이 아직 가시지 않은 때여서 필립을 반갑게 맞아 주었다.

"우리 집으로 갑시다. 엄마가 놀러 오래요."

"고마워요."

승낙인지 거절인지 모를 대답을 해놓고도 마리아는 잠시 머뭇거리지 않을 수 없었다.

왜 오라는 걸까…… 의아스러우면서도 그것을 그대로 물을 수는 없었다. 그러면서도 단란한 그들 가족의 분위기에 잠시나마 싸이고 싶은 호기심 같은 것을 부인할 수는 없는 실정이었다.

마리아는 옆에 서 있는 혜숙이를 이끌고 같이 차에 올랐다. 필립은 사뭇 만족한 듯한 웃음을 머금고 운전대에서 뒤의 두 소녀를 흘금흘금 돌아다보며 신나게 차를 몰아갔다.

스티븐슨 내외는 마리아를 끌어안으며 먼젓번보다 더 다정스럽게 맞아 주었다. 마리아는 육친의 따뜻한 애정에 접하는 것만 같은 황홀한 착각에 젖어들었다. 혜숙이를 그들에게 소개하면서도 마리아는 마치 자기가 주인이 된 양 기분이 들떠 있었다.

식사 대접을 받은 후 이들은 음악을 듣는다, 게임 놀이를 한다 하며 시간 가는 줄 모르고 즐겼다.

"우리도 이런 딸이 있었으면……."

스티븐슨 부인은 마리아의 어깨를 두드리며 진정에서 스며나오는 푸념을 털어놓았다. 마리아는 그 말이 고맙게 느껴지면서도 옆에 앉아 있는 혜숙이 보기에 오히려 민망할 정도였다.

"참말, 어머니, 나도 마리아 같은 누나가 있었으면……."

"아들 하나니까, 필립이 외로워서……."

필립의 말에 간격을 두지 않고 곁들이면서 스티븐슨 부인은 남편 쪽을 건너다보았다. 스티븐슨 씨도 흥 흥 하고 콧소리 대답을 하면서 만족스러운 표정으로 마리아를 바라보았다.

마리아는 얼굴을 붉히면서도 가슴속은 개운하지 않았다.

필립이 바래다주는 차를 타고 집 앞에서 내릴 때까지도, 그들의 대화는 마리아의 머릿속에서 몇 고비고 맴돌기만 했다.

'나는 어쩌면 집 식구들보다 저들에게 더 어울리게 태어났는지도 몰라…….'

대문을 흔들며 마리아는 착잡한 생각에 사로잡혀갔다.

마리아는 자신을 낳아 준 어머니가 누군지 아직도 모르고 있다. 아버지는 더욱 어떤 사람인지 알 길이 없다. 그러면서 그는 이상하게도 세 사람의 어머니를 가지고 있는 셈이었다. 그런 식으로 따진다면 아버지도 몇 사람 될 수 있는 계산으로 되었다.

지금 생각하면 이러한 것을 전연 모르고 지낸 시기가 그에게는 가장 행복했던 시절인 것만 같게 느껴지기도 했다.

자신이 아주 철부지였던 어릴 때의 일까지를 그는 뚜렷하게 기억해낼 수는 없었다. 그러나 유치원에 들어가 꼬마 친구들과 놀던 때 이후의 일들은 흐리멍덩하게나마 흩어진 인상의 조각들을 아련하게 더듬어낼 수 있었다.

그때 그는 아버지와 어머니 사이의 외동딸로서 온 집안의 귀염둥이로 자랐었다. 그의 위에는 오빠가 하나 있었다. 그러나 그 오빠는 그의 어머니가 낳은 아들이 아니었다. 집안에 어린애가 하나도 없기 때문에 고모, 즉 아버지의 누이동생인 인순(仁順) 아줌마의 아들을 데려다 길렀다. 인순 아줌마는 결혼 후 얼마 안 되어 남편을 여의었다고 한다. 그리하여 몇 달 뒤에 유복자로 태어난 것이 경수 오빠였다. 그러나 경수는 국민학교에 입학하게 되자 개가 한 자기 어머니에게로 돌아가고 말았다.

마리아는 거의 부러운 것 없이 어머니와 아버지의 사랑을 한몸에 독차지하며 유치원을 마치고 국민학교에 들어갔었다.

이 무렵의 일이었다.

"저게 튀기 아니야?"

지나며 떨어뜨리고 가는 어른들의 부질없는 한 마디가 그의 마음 한구석에 풀리지 않는 의문을 남겨 주었다.

"얘, 아이노꼰가……."

"응, 세끼미야."

저 앞쪽으로 걸어가다가 몇 번이나 되돌아보며, 이런 말을 지껄이던 여인들의 히히덕거리는 모습을 그는 오래도록 기억에서 지워 버릴 수 없었다.

튀기, 아이노꼬, 세끼미, 머릿속에 감아붙는 이런 말들을 그는 혼자 뇌까리면서도 그때가 지나면 또 그대로 잊어버리고 천진난만하게 뛰놀았다. 어머니에게 한번 이러한 말들의 뜻을 물어 보리라고 생각하면서도 집에 돌아오면 그런 생각들은 깡그리 씻어지고 따사로운 집안 분위기에 젖어 행복에 찬 나날을 즐겁게 보냈었다.

그런데 하루는 어머니를 따라 시장엘 갔었다. 커피니 버터니 양담배니 하는 양키 물건들이 늘어놓인 골목길을 어머니에게 손목을 이끌려 뒤따라가고 있을 때였다.

"야, 저 튀기 봐라…… 고 참 예쁜데!"

튀기라는 말에 깜짝 놀란 듯이 마리아는 소리나는 쪽으로 고개를 돌렸다.

"아이노꼬란 본래 잘 생기는 법이야……."

한데 모여 선 젊은 여자들이 주고받는 말들을 주워들으면서 그는 어린 가슴에 찌릿하게 부딪히는 아픈 감정을 느꼈었다.

한눈을 팔고 있는 그를 낚아채는 어머니의 꼭 쥐어진 손에서 오는 힘을 느끼면서 마리아는 어머니를 쳐다보았다. 순간 얼굴이 빨개진 어머니는 마리아와 눈이 마주치자 아무 일도 아니라는 듯이 금방 태연해졌다.

그러나 갑자기 태연해지는 어머니의 그 표정이 마리아에겐 오히려 이상하게만 느껴졌다.

복닥거리는 장터에서 큰길로 벗어나왔을 때 마리아는 어머니에게 다그쳐 물었다.

"엄마."

"응."

"그 튀기라는 거 뭐야?"

"그거 아무것도 아니야……."

어머니는 억지로 웃음을 띠면서 마리아를 내려다보았으나 그 모습은 아까모양 마리아에게는 어색하게만 느껴졌다.

"그럼, 아이노꼬란 건?"

마리아는 재우쳐 물었다.

"그것도 별거 아니야, 거저 그래 보는 거야……."

어머니는 대수롭지 않게 말을 잘라 버리지만 마리아는 도무지 마음속이 후련해지지 않았다.

학교에서 돌아오는 길에 사내아이들이 '얘 저기 양키 계집애 온다'하며 손가락질을 할 때도 마리아는 웬일인지 분함을 이기지 못해 눈물이 핑 돌았다.

"엄마, 애들이 나더러 양키 계집애래!"

마리아는 집에 돌아오자마자 어머니에게 화풀이라도 하려는 듯이 뾰로통하게 쏘아붙였다.

"별소리를 다……."

어머니는 마리아를 힘주어 끌어안으며 머리를 쓰다듬었다.

"자, 이것 봐. 엄마두 코가 높구 눈이 크지 않아? 마리아는 엄마 닮아서 그래."

마리아는 어머니 얼굴을 뚫어지게 들여다보았다. 어머니 말대로 어머니도 코가 당실하고 눈이 옴폭하게 커서 서양 여자 비슷한 인상이라고 생각되었다.

"그래도 애들이 자꾸만 놀리지 않아?"

그럴 때면 어머니는 후 한숨을 쉬며 무엇인가 생각에 잠기는 듯한 모습으로 보였다.

"괜히들 네가 예쁘니까 장난들 치느라구 그러는 거란다."

그럴 때면 어머니는 후 한숨을 쉬며 무엇인가 생각에 잠기는 듯한 모습으로 보였다.

마리아는 경대 앞에 가 앉아 제 얼굴을 뚫어질 듯이 들여다보았다. 다른 데는 다 어머니와 비슷한데, 눈빛만은 틀리는 것 같았다. 어머니의 눈동자는 까만데 자기 눈동자는 파아랗게 보였다. 그래도 자기 어머니는 이웃 어느 집 아주머니들보다도 예쁘게 생겼다고 느껴졌다. 남들이 엄마더러 미인이라고 소곤대는 것도 마리아는 여러 번 들었었다.

아버지는 마리아에게 적잖은 희망을 품고 있었다. 아직 어린 딸을 바라보며 마리아는 세계적인 예술가로 키워야 되겠다고 늘 입버릇처럼 되풀이했었다.

사업에 분주한 아버지였지만 취미는 다각도로 넓었다. 승마나 골프는
물론, 미술에도 관심이 깊었었다. 집에는 아버지가 대학 시절에 보던 책
을 비롯하여 많은 장서가 있었고 골동품 서화 등 값진 것도 적지 않게 수
집되어 있었다.

거기에 어머니는 음악 전공이어서 레코드도 클래식은 말할 것 없고,
새로 유행되는 판들도 어지간히 장만되어 있었다.

이러한 집안의 분위기는 차츰 성장해 가는 마리아의 가슴을 부풀게만
해 주었다.

마리아는 유치원으로 들어가기 전부터 피아노를 배웠다. 국민학교 때
는 음악 콩쿠르에 나가 입상까지 한 일도 있었다. 그것만이 아니었다. 방
학이면 미술 연구소에 나가 그림 공부를 하고, 집에 돌아오면 어머니와
함께 즐기는 음악을 듣기도 했었다.

마치 그는 어머니 아버지 품 안에서 유리관 속의 인형처럼 때묻지 않
고 키워져갔다.

어머니는 첫아이를 잘못 배어 수술을 했었다고 한다. 그 후부터는 어
린애를 낳지 못하게 되었다는 것이다. 그렇게 된 어머니를 아버지는 더욱
극진하게 아꼈다. 어머니는 이 세상에 아버지보다 더한 남자란 없는 것만
같이 받들고 보살폈다. 어린 마리아의 눈에도 아버지 어머니처럼 그렇게
사이좋은 집안은 없는 것만 같게 느껴졌었다.

그러나 마리아가 여학교에 입학한 뒤 어머니에게서 지난날의 숨은 이
야기들을 듣지 않을 수 없게 된 때는 이미 집안 공기가 달라지기 시작한
시기였다. 그렇게 다정하게 보이던 어머니와 아버지 사이에 말다툼이 잦
게 되고, 단란하던 집안 분위기에 금이 가기 시작했다. 그러한 여파는 마
리아에게도 밀려왔다.

아버지가 사업에 실패했다는 것이 그 중요한 원인이기도 했지만, 그 보다는 아버지 앞에 어머니 아닌 새로운 젊은 여인이 나타났다는 사실이 마리아가 확실히 알게 된 것도 이때의 일이었다.

남의 이야기를 어느 정도 분별하여 들을 수 있고, 그 스스로의 판단이 조금씩 서질 수 있을 무렵부터 마리아는 자기 몸뚱이에 흐르고 있는 핏줄기의 근원에 대하여 회의를 품기 시작했다. 그러나 아무에게도 그런 내색을 보이지 않고 그 의심을 스스로 부인하는 데 힘써 왔었다. 그런데 막상 어머니의 입에서 그러한 자신의 정확한 과거를 들었을 때에는 어찌할 바를 몰랐다. 꼭 들어서는 안 될 이야기를 들은 것만 같은 허황한 심정이었다. 마리아는 낭떠러지에서 천 길 바닥으로 떨어지는 것만 같은 현기증을 느끼며 어머니 가슴 속에 파묻혔다. 어머니의 옷섶은 그의 눈물에 흠뻑 젖어 있었다. 어머니도 딸을 껴안은 채 흐느껴 울고 있었다.

그렇다면 실지로 자신을 낳은 어머니는 누구일까? 그리고 아버지는? 이것은 이때부터 그의 가슴에 깊이 못 박힌 상처였다. 그리고 아직까지도 풀리지 못한 안타까운 수수께끼의 하나이기도 했다.

그러나 어머니도 마리아를 낳은 친어머니를 모른다는 것이었다. 그리고 아버지도 물론……

마리아는 난 지 한 달도 못되는 핏덩이로 길가에 버려졌다.

이른 봄 아직 밖은 쌀쌀한 새벽 공기를 뚫고 갓난아기의 울음소리가 집안에까지 들려 왔다. 부인이 먼저 들었으면서도 처음에는 예사롭게 흘려 넘겼다. 그러나, 한참 있어도 아기의 울음소리는 끊이지 않았다. 오히려 더욱 거세게 창문에 와 부딪혔다. 아직 사람도 다니지 않는 동트기 전이었기에 이상하게 생각한 부인은 남편을 흔들어 깨웠다.

아기 없는 젊은 부부의 귀에는 그 울음소리가 더욱 신기하게만 들렸다. 배를 째고 아기집을 들어 낸 부인은 몸소 자신의 해산을 단념했지만, 남편도 자식에 대한 집착에서 어느 정도 풀려난 시기였다. 그것이 그들의 부부에게 아무 지장도 주지 않을 만큼 둘의 사랑은 두터웠다. 그러나, 부인은 늘 남편에 대한 미안한 감을 금하지 못했고 자기 앞이 허전해 옴을 느꼈다. 남편은 남편대로, 굳이 부부간의 화제에는 올리지 않았지만, 자식이 있었으면 하는 최후의 일념마저 송두리째 포기해 버린 것은 아니었다.

찢는 듯한 아기 울음소리를 듣고 서로 얼굴을 마주보기만 하던 부부는 호기심에 창밖으로 나갔다.

아기는 바로 대문 기둥에 기대놓여져 있었다. 그믐달이 서산마루에 걸린 희미한 새벽, 두터운 새 보료에 싸인 아기는 아무것도 모르고 얼굴만 비죽이 나타낸 채 계속 울고 있었다.

사람의 그림자란 보이지 않았다. 주위를 두리번거리며 살피던 부부는 아기를 안고 대문 안으로 들어왔다. 대문 빗장이 걸리는 소리만이 이슬 젖은 새벽의 정적을 깨뜨리고 긴 여운을 남겼다.

방 아랫목에 뉘어진 아기는 계속 울고 있었다. 그것이 밖에서 보다 더 요란하게 들리는 것만 같았다. 그들은 도둑질이라도 해온 것처럼 서로의 표정만 바라볼 뿐 말이 없었다. 둘의 가슴은 뛰기만 했다.

혼혈아(混血兒)! 아기의 얼굴 모습을 바라보는 순간 부부의 눈길은 마주쳤다. 어떤 기대가 허물어져가는 찰나의 낙망 같은 아쉬움이 두 사람의 표정 속에 깃들었다. 동여맨 아랫도리를 헤쳤다. 아기는 겹겹으로 싸여져 있었다. 그것이 속내의에서부터 겉담요까지 모두가 외국제 신품으로 되어 있지 않은가…… 그들의 머릿속엔 외국 주둔군을 연상하는 영감의 환영이 번개같이 스쳐갔다.

사내가 아니고 계집애라서 어느 한쪽이 더 서운할 것도 기쁠 것도 없었다. 마지막에 아기의 맨 속샤쓰에서 핀으로 꽂혀 있는 천 조각 하나를 발견했다.

'마리아!'

이것이 마리아가, 낳아 준 친어머니에게서 물려받은 단 하나의 처음이 자 마지막 선물이었다. 그것은 새로 난 아기의 이름으로 지은 것인지, 또 는 애끓는 심정으로 남겨 준 어머니의 이름 그대로인지도 알 길이 없었다.

그러기에 마리아의 실지 태어난 날은 아무도 몰랐다. 다만 주워 온 그 날이 그의 생일 구실을 할 뿐이었다.

어머니의 이야기를 듣고 난 이후도 아버지나 어머니에 대한 마리아의 마음은 조금도 달라진 바 없었다. 그리고 어머니나 아버지의 딸에 대한 사랑에도 색다른 변화를 발견할 수는 없었다. 어머니는 오히려 자신이 친 어머니가 아니래서 딸의 생각이 비뚤어지지나 않을까 걱정하여 전보다 더 마리아를 귀여워해 주는 것만 같았다.

그러나 그때 이후의 마리아는 자신의 핏줄기에 대하여 끝없는 날개를 펼쳐 가는 버릇을 가졌었다.

참말 자기를 낳은 어머니는 어떻게 생겼을까…… 아름답고 마음씨 고 운 사람임에 틀림없을 것만 같았다. 그러면서도 그는 친어머니를 단 한 번도 한국 사람이 아닌 다른 나라 여인으로 생각해 본 적은 없었다.

그렇다면 아버지는? 자기 자신의 훤칠히 큰 키나 선이 뚜렷한 얼굴 모 습이나 동무들보다 흰 살 빛깔로 보아, 아버지까지 한국 사람이라고 생각 되지는 않았다. 아무리 자기 쪽에 유리하게 해석하려고 해도 친아버지까 지 외국인이 아니라고 억지로 우겨댈 용기는 나지 않았다.

한국인 여자와 외국인 남자 사이에 태어난 핏덩이, 그것은 어머니의 뱃속에서 떨어지는 그 순간부터 벌써 고행의 십자가를 젊어지고 나온 것 이라는 자기 운명을 긍정할 수밖에 없는 야릇한 심정이기도 했다.

엄마는 왜 나를 길가에 버리지 않으면 안 되었을까…….

동무들이 즐겁게 뛰놀고 있는 방과 후의 한가한 시간에도 마리아는 교 정 잔디밭 옆 벤치에 홀로 걸터앉아 멍하니 흰구름이 떠가는 하늘 끝을 바라보며 생각에 잠기고 것이었다.

대학에 다니는 아름답고 순결한 여학생으로서 외국인 교수와 사이가 가까워, 그 첫사랑의 타오르는 불길을 막을 길 없어 예기치도 않은 경우에 아기를 배고, 그것으로 모든 사태는 바뀌어진 것이나 아닐까…… 그렇잖으면 미군 부대에 근무하던 소녀가 외국인 상관의 강요에 이기지 못해 어쩔 수 없이 몸을 버리게 된 결과의 혹 같은 열매일까…… 생각은 다시 끝없는 꼬리를 이어갔다. 그대로 앉아 있어서는 단 하루의 끼니도 그득할 길이 없어 밤거리에 우글거리는 여인들처럼, 돈을 위하여 스스로 몸을 판 윤락된 여인의 피에서 맺어진 악의 상징 같은 씨앗일까…… 마리아는 전신에 휘몰리는 전율을 느끼며 그것만은 굳이 부인하고 싶었다.

엄마는 지금도 이 세상 어느 구석엔가 살아 있을지도 모른다는 생각마저 들었다. 그렇다면 엄마는 아빠가 누군가를 알고 있을 것이 아닐까, 아니 어린 핏덩이마저 함께 죽일 수 없어 남겨 두고 자기는 스스로 목숨을 끊어 버린 것이나 아닐까…… 아무리 생각해도 엄마는 조국이 지닌 비극 속에 잠깐 등장했다 사라진 이름 없는 한 떨기의 피해자인 것만 같은 상념을 지워버릴 수가 없었다.

마리아의 가슴속에 뭉쳐져 오는 우울증은 저도 모르는 사이에 그를 피아노에서 손을 뜨게 하였다.

그는 잠 오지 않는 밤엔 자기 방에 홀로 앉아 늦게까지 책을 뒤적였다. 그러나 그것으로 그의 부서진 마음의 완전한 평정으로 회복되어질 수는 없었다.

마리아의 가슴 속엔 무엇인가 따뜻한 애정이 그리워지는 갈증이 일기 시작했다.

그러나 마리아의 둘레를 맴도는 거센 물결은 그것만으로 멈춰지진 않았다.

아버지가 밖에서 사귄 젊은 여인에게서 아들이 생겼다는 소식이 날아들어왔다. 집안은 발칵 뒤집혀갔다. 어머니의 강짜는 사나와져 갔다. 끝내 아버지는 어머니에게 주먹질을 하기 시작했다. 집안에 싸움이 찌는 날이 별로 없게 되었다. 어머니는 이불을 뒤집어쓰고 드러눕기 일쑤였다. 아버지의 외박은 공공연하게 잦아졌다. 결국 살림은 파탄이 나고 말았다. 어머니는 집을 나갔다. 몇 달 뒤 새어머니가 아기를 업고 들어왔다.

점점 성숙해 가는 마리아에게는 모든 사태가 자기 때문인 것만 같게 느껴졌다. 아버지의 사랑도 자기에게서 차츰 멀어져 가는 것만 같았다. 집안의 화기는 싸늘하게 가시어졌다. 거기에 살림은 꿀려 가기만 했다. 다가올 앞날은 어둡게만 느껴졌다.

마리아는 옷을 벗고 자리 속으로 들어갔다. 그러나 잠은 오지 않았다. 브라운 목사, 스티븐슨 씨 부처, 그리고 아들 필립의 영상이 엇갈려 떠올랐다가는 사라지곤 했다.

생각은 자기 집과 스티븐슨 씨 집안을 견주어보는 비교 의식으로 바뀌어졌다. 자기 집도 예전엔 그만 못지않게 잘 살았었다. 집안의 분위기도 단란했었다. 지나간 시간이 추억 속에 아름답게 펼쳐져 왔다. 자기의 혈통 관계를 전연 모르고 순진하게 자라던 시절, 그때가 견딜 수 없이 그리웠다.

집을 나가 버린 어머니의 모습이 떠올랐다. 어디로 갔는지 알 길이 없었다. 가슴에 사무치도록 보고 싶어졌다.

아버지의 마음은 변함이 없다지만, 새 어머니의 눈살에는 확실히 자기에 대한 증오의 독기가 서려 있는 것만 같았다. 아버지의 사랑이 짙게 나타날수록 새 어머니의 눈에는 마리아에 대한 질투가 어려 옴을 놓칠 수 없었다.

마리아는 베개에 얼굴을 박고 소리를 죽여가며 울었다. 어떻게 했으면 좋을지 갈피를 잡을 수 없었다.

경수 오빠가 떠올랐다. 그 위에 곧 혜숙의 모습이 겹쌓여 얹혀졌다. 어려서 같이 자란 오빠였다. 모든 사태를 알고 난 후부터 경수는 마리아를 더 감싸고 아껴 주었다. 가엾은 동정이었는지도 몰랐다.

경수의 마리아에 대한 애정은 육친의 경계선을 넘은 것이었다고 마리아에게는 생각되었다. 그것이 멀어져 갔다. 다른 사람 아닌 혜숙에게로 쏠려져 갔다. 그것은 지난 봄 경수가 대학에 입학해서부터 현저하게 밖으로 나타났다. 대학생이 된 후의 경수는 전처럼 마리아와 같이 거리를 다니는 것을 즐겨하지 않았다. 확실히 꺼려하는 눈치였다. 마리아는 경수의 계산을 추측하고 있었다. 혼혈아와 같이 다니는 것에 대한 멋쩍은 심정, 이런 일은 마리아 자신이 경수와 동행했을 때 직접 느낀 일이기도 했다. 경수가 자기 친구에게 마리아를 소개할 때, 떳떳치 못하고 어딘가 어색해하는 표정, 그러한 야릇한 분위기는 즉각으로 마리아의 가슴에까지 번져 왔다. 그것은 또한 그대로 마리아의 마음속에 무어라 쳐들어 말할 수 없는 비굴감 같은 미묘한 감정의 충격을 불러일으켰다. 거기에 비하면 경수가 혜숙이와 같이 다닐 때에는 훨씬 떳떳해 보이는 것같이 느껴지기도 했다.

마리아는 모든 것이 싫어졌다. 그러한 일들을 생각하는 것조차 괴로웠다. 미워하건 좋아하건 모든 사람들이 자기에 대하여 지나친 관심을 가져 주지 말았으면 하는 생각뿐이었다.

경수는 물론, 브라운 목사도, 스티븐슨 씨 가족도, 아니 아버지마저도……

자리에서 일어난 마리아는 슈미즈 바람으로 경대 앞에 섰다. 불룩한 가슴팍을 비롯하여 몸 전체에서 풍기는 성숙감이 자신에게도 거세게 느껴져 왔다. 같은 나이의 혜숙이에 비하면 육체적으로나 심리적으로나 자기가 월등 조숙한 것만 같았다. 날씬하게 큰 키, 쭉 곧은 두 다리, 잘룩한

허리, 오뚝한 코, 푸르스름한 눈동자, 모든 것이 서양 사람의 인상 그대로
였다. 다만 까만 머리와 약간 흰 살결만이 집안 식구들의 모습을 닮았을
뿐이었다. 혹시나 아버지가 한국 사람이 아니었던가 하는 생각이 그의 머
리를 스쳤다. 그러나 그러한 생각도 길게 끌고 싶지 않았다. 될 대로 되
려무나 하는 반발어린 체념 같은 것이 솟구쳐 왔다. 학교고 뭐고 다 집어
치울까 하는 막다른 생각마저 떠올랐다.

마리아는 자기 가슴팍을 마구 헤살짓던 경수의 간지러운 촉감을 그리
며 맥없이 자리 위에 쓰러졌다.

가야 할 것인가 안 가야 할 것인가. 마리아는 수업 시간 중에도 전날
브라운 목사가 남겨준 문제를 부둥켜안고 혼자 씨름하고 있었다. 선생님
의 설명이 전연 귀에 들어오지 않았다. 학과 진도가 어디까지 나갔는지도
알 수 없었다.

종례 시간이 되었다.

"어저께 집에 가서 모두들 잘 상의하고 왔을 터이니까 우선 지망 학교
와 학과를 제 일지망, 제 이지망별로 써 내요."

프린트된 용지를 돌려주고 난 후 담임선생은 설명을 덧붙였다.

마리아는 지방 대학을 마음속에 정해 놓은 것이 없었다. 아니 대학 진
학 문제 자체가 결정되어 있지 않았다. 선생님께서 집에 가 잘 상의하라
고 했지만 자기는 그 문제를 지금껏 아버지 앞에 내어놓지 못했었다. 그
만큼 집안에서 자기 혼자만이 날이 갈수록 외톨로 떨어져나가는 것만 같
은 감을 느꼈었다. 아버지는 어떤 기회를 타든지 외국으로 가는 것이 좋
겠기에 영문과를 택하라는 이야기를 한 적은 있지만 확정된 결말을 지은
일은 없었다. 아버지의 그러한 의사가 적당한 시기에 자기를 아주 외국으
로 따돌려 보내겠다는 의도에서 나온 것이나 아닌가 하고, 이즈음의 마리
아는 자기대로의 곡해를 해보는 때도 없지 않았다. 사실 지금의 마리아에

게는 진학 문제가 그렇게 절실하게 관심거리가 되는 것도 아니었다. 다른 동무들이 서둘러가며 다 적어 낼 때까지 마리아는 우두커니 앉아 있었다. 끝내 그는 아무것도 적어 내지 못했다.

대학 그것도 마리아에게는 귀찮은 하나의 관문만 같았다. 여학교에 입학했을 때만 해도 입학시험에서부터 처음 대하는 사람들은 모두들 자기의 얼굴을 유심히 들여다보았었다. 입학 후의 동급생들로 얼굴이 서로 익을 때까지는 자기를 보면 귓속말들을 소곤대는 것이 느껴졌었다. 그러다가 한 해가 가면 또 신입생들이 들어와, 낯선 그들은 다시 자기에게 유독 주의를 끄는 눈길을 보내 왔었다. 그러한 일은 봄마다 주기적으로 찾아왔다. 그럴 때마다 마리아는 동물원 안 철사 그물 속에 갇힌 구경거리의 원숭이 같은 심정이었다. 자기를 예쁘다거나 멋지다고 칭찬하는 말까지도 고깝게만 들려 왔다.

그러나 이제 다 자란 처녀가 대학까지 가서 그러한 구경거리의 대상이 되고 싶지는 않았다. 어디 먼 곳으로 혼자 떠나 버렸으면 하는 허망한 심정에 사로잡히기만 했다. 아무도 자기에게 관심어린 눈길을 보내지 않는 그런 곳으로……

영어 회화의 특별 활동 시간이 끝난 다음 마리아는 브라운 목사와 함께 교정으로 나왔다.

"참 마리아, 전번 얘기는 잘 생각해 봤어?"

자기의 심중을 진심으로 이해해 주는 브라운 목사의 호의가 고마웠다. 그러나, 마리아는 즉석에서 대답할 마음의 준비가 아직도 되어 있지 않았다.

"아직 결정짓지 못했어요."

"그래, 좀 더 잘 생각해 봐요."

"네."

"나로선 강권하고 싶지는 않아. 마리아의 생애를 좌우하는 문제인만큼 어디까지나 본인의 의사에 달린 거야. 하지만 미스터 스티븐슨의 가정은 모두 인품이 좋구, 마침 가족도 단출하니까. 또 그쪽에서 마리아에게 퍽 호감을 가지고 있단 말이야……."

마리아는 대답 없이 묵묵히 걸었다.

"그분들이 크리스마스 전에 미국으로 돌아가게 되는 모양이야. 그래서 빨리 결말을 알려 주었으면 좋겠다기에……."

마리아에게는 솔깃하게 들렸다. 이곳에 그대로 머물러 있지 않고, 낯 모르는 먼 곳으로 곧 떠나간다는 것이 구미를 당겼다.

"아무래도 자기를 낳아 준 친부모가 아닐 바에야 다 정 붙이기로 가겠지."

그 말이 마리아에게는 오히려 가슴이 아픈 자극을 주었다. 떠나간 어머니나 지금 아버지는 친자식과 조금도 다름없이 자기를 아끼고 키워 주었다. 그것을 생각하면 브라운 목사 앞에서 선뜻 노우하고 대답하지 못하는 자신이 죄스럽게 여겨지기만 했다.

"남들은 친부모와 떨어져서 일부러 외국 유학도 가는데……."

브라운 목사의 선의에 찬 권유는 아무런 반대 의사도 표시할 수 없이 마리아를 죄어 오기만 했다. 그것은 모두 자기의 앞날을 생각해 주는 애정에서 나온 것이라고 생각되어 고맙기만 했다.

"웬만하면 유학 가는 셈치고 결정해 버리지."

그 성의에 보답하는 뜻으로라도 마리아는 무엇이든 가부를 대답해야만 했다.

"네, 고맙습니다, 목사님. 그러면 며칠만 더 여유를 주세요."

브라운 목사의 입가에는 웃음이 번졌다.

"좋아요, 잘 생각해서 후회 없도록 해요."

브라운 목사와 갈라진 마리아는 그길로 혜숙이를 찾아갔다.

혜숙의 방문을 열고 들어선 마리아는 주춤 멈춰 섰다. 거기엔 경수가 와 있지 않은가. 순간 상기되는 마음을 가라앉히며 마리아는 태연하게 경수를 대했다.

"나, 미국 간다……."

막연히 둘을 향해 마리아의 입에서 튀어나온 첫마디였다. 사실은 그 문제에 대해서 혜숙의 의견을 들어 보고, 자세한 상의를 하러 온 걸음이었다. 그것이 혜숙이와 경수가 함께 있는 장면에 맞닿자 가벼운 질투 같은 심정이 그로 하여금 자신도 예기치 않았던 그런 말을 불쑥 내뱉게 했다. 말이 떨어지자 입빠른 자신을 내심 나무랐다. 그와 함께 상대의 약점에 화살을 던진 것만 같은 흐뭇한 통쾌감이 뒤따르기도 했다.

"참말?"

경수는 급습을 당한 것같이 경악에 찬 목소리로 반문해 왔다. 이태원에 같이 다녀온 혜숙이는 반신반의하는 눈매로 마리아를 바라보다가,

"너, 참말이니?"

하고, 경수의 뒤를 따랐다.

"그럼, 예스라고 했어."

마리아는 계속 우기고 나갔다. 그러면서도 울음이 복받쳐 견딜 수 없었다.

"계집애도, 거짓말……."

혜숙이는 알아차린 눈치였다. 그러나 경수는 충격이 컸던 모양으로 계속 긴장이 어려 있었다

"하지만 곧 떠날지도 몰라."

"언제?"

"크리스마스 전에."

"참말?"

"아직 몰라. 다 후라이야."

마리아는 깔깔 웃었다. 막혔던 가슴이 탁 트인 것만 같았다.

"뭐, 대학 졸업하구 가두 되지 않아?"

그제야 경수가 좀 풀린 목소리로 끼어들었다. 그 말 속에는 아직도 얼마간의 자기에 대한 미련이 감싸여 있다고 마리아는 느꼈다.

"날 대학에 보내 주겠어, 오빠?"

마리아는 짓궂게 오빠에 힘을 주어 물었다.

"주지 않구."

경수의 대답은 힘없이 맥 빠져 있었다.

어쩌면 이들과 아주 헤어질지도 모른다는 아쉬운 생각에 마리아는 브라운 목사와의 이야기를 전부 털어놓았다.

다 듣고 난 경수는 긴 한숨을 내뿜었다. 혜숙이는 눈물이 글썽해졌다.

"어떻게 하는 것이 좋아, 네 생각은?"

마리아는 혜숙에게 물었다.

"글쎄, 좋은 기회니까 가는 것도 좋다고 생각해."

"오빠는?"

"나는 찬성도 반대도 못하겠어. 좀 더 생각해 봐. 아무 데문 사람이 못 살라구……."

경수의 말에는 아쉬운 여운이 감돌고 있었다. 자기와 어릴 때부터 같이 자란 동심의 애정으로 돌아가는 심정, 아니 그 이상의 사랑이 깃든 진정이라고 마리아에게는 느껴졌다. 자기 자신이 사실 이상으로 경수를 앞질러 곡해한 것만 같은 자책이 휘몰려 왔다.

이들의 이야기는 끝이 없었다. 그러나 화제는 끝까지 제자리를 맴돌고 있을 따름이었다.

마리아는 오래간만에 가슴 속을 활짝 털어놓은 것만 해도 거뜬한 기분이었다. 그러나 밤늦게 집으로 돌아오면서도 마리아는 자기 자신의 태도를 확정지을 수는 없었다. 보이지 않는 무엇이 자꾸만 발목을 끌어 잡는 것 같은 끌리움에 얽매여 있는 심정이었다.

마리아는 최후의 단정을 내렸다. 그는 스티븐슨 씨의 양녀로 갈 것을 브라운 목사에게 확답했다. 일단 결정하고 난 뒤는 마음이 가벼웠다. 그러나 그것으로 모든 일이 끝난 것은 아니었다. 마지막 대답을 해 놓고도 시간이 흐를수록 마음은 몇 번이고 제자리로 되돌아오는 것을 막을 길 없었다. 또한 아버지에게 모든 경위를 그대로 이야기할 수는 없었다. 다른 사람한테 양녀로 간다는 것, 그것은 이십 년 가까이 길러 준 아버지에게 대한 최악의 배신으로 여겨졌다. 그것만이 아니었다. 사실 그대로 이야기한다면 아버지는 절대 허락할 리가 없을 것이었다. 장학금을 얻는 단순한 유학이라면 몰라도 마리아 자신으로도 양녀로 간다고 이야기 할 용기도 면목도 없었다.

"아버지, 저 미국으로 유학하게 됐어요."

마리아는 태연한 표정으로 꾸며댔다. 그러나 기뻐서 어쩔 줄 몰라야 할 자신이 먼저 눈물이 앞질러 나왔다.

"응, 그래."

아버지는 놀라면서도 웃음을 띠며 기뻐했다.

"그런데, 어떻게 가게 됐니?"

마리아는 가슴이 막혀 말이 나가지 않았다.

"애두, 울기는 왜?"

"브라운 목사님이 알선해 주셨어요."

마리아는 목멘 소리로 간신히 대답했다.

"그거 참, 고마운 분이로군. 나도 좀 트이기만 하면 하고 그것까지 생각하고 있었단다."

마리아는 격하여 그 이상 더 이야기할 수 없었다. 아버지의 끝말에서 벌써 자기의 내막을 알아차린 것만 같은 예감을 느껴서였다.

"울지 말고 좀 더 자세히 이야기하렴."

굴곡 많은 흘러간 긴 시간을 주름잡듯이 아버지의 한숨은 몇 토막으로 끊기었다.

그러한 아버지 앞에서 마리아는 그 이상 거짓말을 꾸며댈 수는 없었다. 그는 훌쩍거리며 전후 사정을 그대로 토로하고 나서야 눈물을 닦았다. 아버지는 묵묵히 듣고만 있다가 긴 침묵 끝에 나직한 목소리로 말했다.

"모두들 고마운 분들이다. 하지만 경제적 조건이 좀 낫다구 해서, 나 이상의 애정을 너한테 쏟을 사람이 있겠니?"

아버지는 한참 쉬었다가 다시 말을 이었다.

"그 사람들이 너를 꼭 행복하게 해 준다구 보장할 수야 있겠니?"

아버지의 말은 그 이상 계속되지 않았다. 아버지도 가슴속으로 울고 있는 것이라고 생각하며, 마리아는 숙였던 머리를 그대로 아버지 무릎 위에 떨구었다.

브라운 목사의 연락을 받은 필립은 거의 매일같이 마리아를 학교로 찾아왔다. 처음 한두 번은 마리아도 즐거운 마음으로 그를 따라 이태원 외인촌으로 갔다. 그러나 그것이 거듭되자 마리아는 방과 후 교문 앞에 그 집 차가 와 있는 것을 보면 마음속에 무거운 부담을 느끼게 되었다.

그쪽에선 자기 식구가 될 확답을 받은 이상 모든 편의를 보아 주려고 노력하지만, 마리아는 그것이 점점 짐스러워 견딜 수 없었다. 그렇다고 모처럼 와 있는데 핑계를 대고 회피할 도리는 없었다. 마리아가 스티븐슨 씨 댁으로 아주 떠나가야 할 예정 날짜가 다가왔다.

가야 할 것인지, 안 가야 할 것인지 모든 일이 결정적으로 되어 있는 지금에 와서도 마리아는 망설이고 있는 것이다.

스티븐슨 씨 댁으로 가면 모든 것이 자기에게는 과분할 정도로 마련되어 있는 것이었다. 그러나 그들 분위기 속에서 자기는 주체적인 자기 의사로 움직인다기보다 그들 세 가족 속에 끼인 인형 같은 존재라는 감이 없지 않았다. 온 식구가 자기에게 지나치게 관심을 쏟는다는 것 그것은 보이지 않는 구속에 얽매여 있는 느낌이었다. 훨훨 하늘로 자유롭게 날아다니던 새가 장 속에 갇혀 있는 것만 같은 부자유를 느끼기 시작했다. 그것만이 아니었다. 이제 네 번째의 어머니를 맞아야만 하는 자기, 마리아는 앞이 아찔해 왔다. 그 이상 생각하고 싶지 않았다. 그러나 지금에 와서 브라운 목사에 대한 신의를 저버릴 수는 없었다. 스티븐슨 씨 가족에 대한 약속을 위반해서도 안 되는 일이었다.

이십 년의 인연으로 얽매인 아버지의 관심, 이질적인 육체에 대한 비굴감을 느끼면서 미련을 버리지 못하는 경수의 관심, 그리고 학교나 사회에서 접하는 부질없는 관심들, 이러한 모든 것에서 마리아는 해탈하고 싶어졌다.

'꼭 너를 행복하게 해 준다고 보장할 수야 있겠니?'

아버지의 말이 등골에 전율을 일으켜 왔다.

자기를 행복되게 하거나 불행하게 하거나 하는 모든 관심에서 잠시나마 떨어져 있고 싶었다. 자기 이외의 아무도 자기를 생각하지 않는 곳에서 자기에 대한 자기만의 관심만으로 지쳐진 심신을 휴식시키고 싶을 뿐이었다.

마리아는 집을 나왔다. 아무에게도 알리지 않고.

결국 자기에 대한 책임은 자기 홀로 지고 자기 속에서 해결할 수밖에 없다고 생각하면서……

『思想界』, 1965. 4

목단강행 열차 牧丹江行 列車

어쩌다 꿈에 보는 어머니!

그에게 있어서 그것이 길조(吉兆)의 예시(豫示) 같은 것이기도 했다.

그것은 지금껏 어머니나 고향 식구들의 꿈을 꾸면 그 후 얼마 안 있어 반드시 그의 주변에는 좋은 일이 생기기 마련인 까닭이었다. 예를 들면 입학시험이 임박할 무렵 꿈에 어머니를 보면 응시한 아이들이 운 좋게 합격된다든지, 아무 데도 돈 나올 구멍 수가 없는데도 고향꿈을 꾸고 나면 며칠 안 가서 느닷없이 인세(印稅)를 받아 가라는 통지가 온다든지, 집안일에 이모저모 좋은 조짐을 가져다주는 것이었다.

그러나 어머니의 꿈은 기껏 일 년에 한 두어 번, 기적 같이 나타났다가는 번개같이 사라져버리는 찰나의 아쉬움이었다. 그러한 꿈은 또한 거의 예외 없이 고향 집에서의 어머니의 옛 모습이었다.

어떤 때는 방학에 고향에 돌아가 과수원 능금나무 밑에서 첫물 과일을 따면서, 타향살이 하숙집 이야기를 오순도순 나누는 장면인가 하면, 어떤 때는 삼팔선을 힘들게 넘어 겨우 집에 닿자마자, 맨발로 뛰어나오는 어머니를 먼발치로 바라보는 순간, 등 뒤에서 괴한에 덮쳐 연행되어 가다 가위에 눌려 깨는 경우 등 실로 갖가지였다.

그러나 그러한 쓰디쓴 악몽(惡夢)의 찜찜함을 곱씹으면서도, 그는 어머니를 더 길게 더 자주 꿈에서라도 볼 수 있기를 바라지만, 서울에서 천리길, 아득한 북쪽 땅에 있는 고향의 어머니를 만나기란 꿈자리에서마저도 인색하기 그지없는 일이었다.

사진 한 장만이라도 가지고 왔더라면 하는 것은, 그가 어머니에 대한 그리운 안타까움에 지치다 못해 차라리 체념해 버린 부질없는 넋두리의 푸념이었다.

그는 물장수로 이름난 함경도 북청(北靑)에서 태어났다.

어린 시절에 고향을 떠난 그는 무척 옛 고장을 그리워했다. 고향이란 그에게 있어서 어머니의 모습과 겹쳐져 떠오르는 영상(影像)이었다. 그의 어머니는 맏아들인 그가 장성한 후까지도 굳이 아명(兒名)으로 부르기를 좋아했었다.

그의 아명은 금바우[金巖]였다. 애지중지하는 장손에게 조부가 붙인 이름이라고 했다. 항렬자가 놓인 관명(官名)은 보통학교에 입학한 후, 선생님에게서 처음 들어본 이름이었다. 금바우의 첫 자는 한자(漢子)의 음(音), 둘째자는 훈(訓), 이것이 합쳐서 이두식(吏讀式) 비슷하게 불리운 것이었다. 아들 둘, 딸 넷의 육남매건만, 마을 아낙네들은 그가 장성해 갈 때까지도 그의 동생들의 이름으론 부르지 않고, 첫 입 버릇 든 대로 금바우 아니면 큰집 금바우 그리고 금바우에미, 금바우네 집이라고 노상 불러댔었다. 혹 어쩌다가 사람들이 다 큰 아들 이름을 막 내깔겨 부르기 민망해서 그의 동생의 이름들을 붙여 부를라치면, 그의 어머니쪽에서 오히려 그것을 어색하게 느낄 정도였다. 그의 어머니에겐 첫정을 들인 큰아들 금바우에미로 불리는 것이 더없이 자연스러웠고 또한 자랑스럽기까지 했다.

그의 본관(本貫)은 정선(旌善)이라지만 입북 시조(入北始祖)의 원거지(原居地)가 경주(慶州)였던가 보아 족보상의 분파(分派)인 경주 전씨(慶州全

氏)로 불리는 문족(門族)들이 북청 고을 처처에 큰 마을을 이루고 있어 이른바 지방의 명문 거족의 행세를 하고 있었다.

백 호(戶)가 넘는 전씨 성만으로 이루어진 그가 태어난 마을은 동해 북쪽 바닷가에서 십리쯤 떨어진 야산 밑 남향받이 양지쪽에 자리 잡았고, 장손댁인 그의 집은 마을 맨 앞쪽 동구 입구에 덩실 놓여 있었다.

그의 집앞 길 건너 큼지막한 돌각담에는 한 그루의 수양버들이 가지를 늘여 여름 한 철은 사람들의 쉼터 구실을 했다. 그 돌각담에 올라서면 아득히 동해 바다의 물결이 아스라하게 수평선을 금 그었고, 눈 아래에는 학교, 면사무소, 우체국, 장터들이 놓여 있는 큰 거리를 거쳐 상봉(上洑), 중봉(中洑), 하봉(下洑)의 기름진 벌판이 바닷가 솔밭까지에 뉘엿하게 십여 리에 펼쳐져 있었다. 그리고 그 벌판 동편 가장자리 산기슭으로 서울에서 목단강(牧丹江)으로 통하여 가고 있었다. 마을의 좌상격인 와당태 영감은 곧잘 이 돌각담에 올라서 어느 방학엔가 동경 유학에서 돌아왔다 간 아들이 남겨 놓은 찢겨진 콘사이스의 인디안 페이퍼에 담배를 말아 붙여 길게 한 모금 빨고는, 수평선 너머 아득한 하늘 끝에 눈길을 박았다 간, 문득 기적 소리에 제풀로 돌아와 해안선 터널 속으로 꼬리를 사리는 기차 연기의 마지막 가닥이 사라질 때까지 이마의 굵은 주름 밑에 가늘어진 눈 가장자리에 아들의 모습을 더듬어 그리기도 하는 것이었다.

나지막한 마을 뒷산에는 여진(女眞) 시대의 유적이라고들 전하는 이끼 낀 바위로 된 옛 성터 성재(城峴)가 있고, 동편으로는 수십 리의 한끝 산골짜기 전골[寺洞] 분수령에서 첫 물줄기를 타 흘러내리는 맑은 동개[東川]가 있어, 누가 지었는지는 몰라도 까마득한 옛날부터 마을 이름을 성천(城川), 또는 자산(慈山)이라고 불러 왔었다.

산 좋고 물 좋은 곳이라, 예전부터 사람들은 장작불에 이밥(쌀밥) 먹는 곳이라고 노 제 고장 자랑을 해 오는 것이었다.

그러나 진흥왕순수비(眞興王巡狩碑)가 있는 만령(蔓嶺) 밑 시중대(侍中

臺) 절경을 낀 바닷가 백사장이나, 기암절벽의 홍진(鴻津) 바위 그늘에 석양을 끼고 앉아, 넘실대는 동해의 맑은 물보라를 맞으며 펄펄 뛰는 생선회에 한잔 술을 기울이는 주흥 또한 잊을 수 없는 아취라고들 했다.

그의 어머니는 이씨 조선의 개국 공신으로 알려진 그 논공행상 덕에 북청의 옛 지명인 청해(靑海)에 봉(封)하여져, 왕위에 오른 이성계(李成桂)의 사성(賜姓)으로 청해 이씨(靑海李氏)가 된 이지란(李芝蘭)의 후손 계열이었다.

수천 호의 거벌(巨閥)로 북청 평야의 옥토 한복판에 자리잡고 버티어 양반을 자처하는 이씨 가문에서 열여덟에 열 네 살짜리 어린 신랑에게 시집 온 그의 어머니는 호랑이 같이 성칼진 시아버지 밑에서 그 첫날부터 평생토록 기를 펴지 못하고 고된 시집살이를 해야만 했었다.

거센 눈초리의 시아버지 앞에선 언제 한번 남편하고 정다운 이야기를 나누어 볼 수도 없었고, 자식을 낳아 기른대야 어른 앞에서 버릇없게 군다는 말이 무서워 아기를 안고 마음 편하게 얼러 보지도 못하고 세월이 흐름에 따라 육남매의 어머니가 되었을 뿐, 아내나 어머니의 구실보다는 며느리의 고역으로 오십 고개를 넘었었다.

남편이나 자식들하고 이야기하다가도 시아버지가 얼씬하기만 하면 야 아바이 온다 하며 흠칫 대화를 중단하고, 아들이 무엇인가 잘못을 저지를라치면 그 잘못을 타이르는데 겹쳐 노상 아바이 보겠다 하며 겁낸 눈매로 주위를 두리번거리는 것이었다.

그러면서도 어머니는 자식에 대한 정은 극진했다.

특히 맏아들에 대해선 익애(溺愛)의 사랑이었다.

추운 겨울 장날 오후였다. 아들 금바우는 마지막 시간을 끝내고 눈이 녹다 말다 얼음 강판이 진 운동장에서 새끼로 둥둥 뭉친 새끼공을 동무들과 함께 차고 있었다. 운동장 가장자리로 굴러간 공을 주우려다가 문득 그의 눈길은 철조망 울타리 쪽으로 쏠렸다. 거기엔 어머니가 가시줄에 매어달리다시피하여 아들의 모습을 넋없이 바라보고 있지 않은가. 아들과 눈이 마주치는 순간 어머니는 오라는 손질을 하고 있었다. 그는 어머니 쪽으로 뛰어갔다. 아들이 울타리 쪽으로 눈을 돌리기를 기다리느라 어머니는 오랫동안 추위 속에서 그대로 서 있었다는 것이다.

어머니는 허리춤에서 꾸러미를 끄집어내어 겹겹이 싼 것을 헤쳤다. 그 속에서 검붉게 맑은 수수엿이 나왔다. 어머니는 아들에게 그것을 철조망 사이로 넘겨주고는 만면에 흐뭇한 웃음을 띠며 돌아섰다. 아들은 어머니의 허리춤에서 말랑말랑해진 엿을 한 입짝 떼어 물고 혀 속에서 어머니의 체온을 핥으며 동무들 쪽으로 뛰어갔다.

중학 시절 방학에 집으로 돌아가면 제일 만나고 싶은 것이 어머니였고, 울먹하며 가장 기쁘게 맞이하는 것이 또한 어머니였다. 방학이란 으레 집에 붙어 있는 사이보다는 밖으로 떠돌아다니는 시간이 더 길게 마련이었다. 그럴라치면 어머니는 만나는 대로 이걸 먹어라 저걸 먹어라 하며, 객지에서 얼마나 배가 고팠느냐는 푸념을 노상 되풀이하기만 했다. 그리곤 옆에 앉아 오래오래 같이 이야기해 주지 않는 아들을 아쉬워하고 서운해했다.

어머니가 그렇게 원하는 음식도 집에만 돌아오면 당기지 않고, 먹지 않아도 늘 배부른 것 같고, 방학이 끝나 집을 떠나게 되면 차에 오르자마자 벌써 배는 고파지는 것이었다. 어머니의 진정어린 뜨거운 사랑은 아무 것도 먹지 않아도 사랑 그것만으로 배마저 만복감을 주는 것만 같았다.

8·15 해방이 되자 일주일 후, 아들은 잠시 머물렀던 고향을 떠나 서울로 왔었고 일년 반 사이에 다섯 번이나 삼팔선을 넘었었다. 고향이 애틋하고 어머니가 그립고 가족들이 보고 싶어서였다.

1947년 이른 봄날, 그것이 그가 어머니와 헤어진 마지막 날이었다. 이십대의 성장한 아들도 어머니에게는 어린애처럼 보였을 것이었다. 정거장 플랫폼에서 눈물어린 눈동자로 바라보던 어머니의 얼룩진 모습은 그 후 삼십 년 가까운 세월이 흐른 지금까지도 아들의 망막엔 어제일같이 선명히 박혀 있는 것이다.

6·25동란이 일어나 천하는 뒤집혀져 전국토가 잿더미가 되었고, 수많은 피난민이 삼팔선을 넘어 육지와 바다로 밀려 왔었다. 그러나 그 많은 피난민 속에서 아들은 어머니의 모습을 찾아낼 수는 없었다.

그래도 아들은 어머니를 만날 양으로 철원 쪽으로 한 번, 평양 쪽으로 한 번 국군을 따라 북진 길에 올랐으나 때 아닌 중공군의 가담으로 두 번 다 실의로 돌아오고 말았다.

아마도 어머니는 전씨 종가의 마지막 남은 장손며느리로 마치 격랑에 파선되어 침몰해 가는 선장의 최후의 운명같이, 그리고 평생을 바쳐온 손때 묻은 터전을 버리지 못해, 아들에 대한 그리움을 어금니로 악물고 참으면서 일종의 미덕 속에서 제자리를 지키고 있었으리라.

적십자회담이 진전되고 남북조절위원회가 열릴 무렵, 이 기적 같은 사태에 아들은 일말의 의구를 품으면서도 어머니를 만날 천행의 요행을 기대해 보기도 했었다. 그러나 날이 갈수록 길은 더욱 험해지고 담은 더욱 높고 두텁게만 쌓여지는 것만 같았다.

피는 물보다 진하다더니, 그것도 전세계의 유물 같은 격언인지도 모를 일이었다.

다시 시작되는 남북 간의 욕지거리 기사를 읽다 신문을 내던진 아들은 뉴스 시간의 라디오 스위치를 틀어 놓은 채 쓰디쓴 입맛을 다시며 비몽사몽간에 어슴푸레 눈을 감았다.

어제일 같은데 그 사이 벌써 반세기의 세월이 흘렀다.

고향도 많이 달라졌다. 기찻길은 모두 전철(電鐵)로 바뀌어지고 들판은 온통 경지 정리가 되어 농사도 트랙터를 쓰는 등 기계화되었고, 들판을 질러 남북으로 통하는 신작로는 고속도로로 바뀌어져 있었다. 건자개(乾自浦)는 축항(築港)이 되어 큰 배들이 드나들고 바닷가 송림 지대에는 화학공장이 들어서서 드높은 굴뚝에서 연기가 뿜어지고, 그 옆에는 비행장이 닦여져 면모를 일신해 있었다. 예전도 대부분 기와집이어서 초가집은 적었지만 이젠 거의 초가집이라고 찾아볼 길 없고 신식 양옥들이 슬라브 콘크리트가 아니면, 붉고 푸른 지붕들로 새로 단장되어 있었다.

국민소득 이천 달러, 수출고 삼백 억 달러의 전국적인 부흥 붐은 자기 고장에도 물결쳐 왔구나 하는 것을 그는 새삼 절감하는 심정이었다.

대한민국 제 십일대 대통령 선거를 앞두고 포스터나 담화문 벽보는 골목마다 모퉁이마다 나붙어 있었고, 사람들은 모이는 자리마다 여당과 야당의 대통령 후보 어느 쪽을 뽑느냐는 데 제작기 핏대를 올려 주장을 내세우며 흥분들을 하고 있었다.

그러나 어머니는 자기가 마지막 떠날 때의 모습과 조금도 변한 것이 없는 것만 같게 느껴졌고 자기 집도 옛모습 그대로였다. 그뿐만 아니라, 어린 시절의 친구였던 권섭이, 기봉이 그리고 그 아래 또래인 나팔을 잘 불던 도선이와 지원병에 갔다 와서도 우쭐대던 동섭이, 우락부락한 장개바우 등도 그때 이후 별로 늙은 흔적을 발견할 수가 없었다.

그는 어머니의 백팔세 생신날을 맞기 위해 오래간만에 별러서 목단강행 특급열차편으로 고향에 내려온 걸음이었다.

그는 어머니를 부둥켜안은 순간 통곡하듯 울음을 터뜨렸고, 어머니도 아들을 얼싸안은 채 눈물을 방울져 흘리고 있었다.

이 순간 그는 난데없이 무엇인가 억센 힘으로 어깨를 붙잡는 것을 느껴다. 그는 반사적으로 재빨리 몸을 빼며 뛰었다. 그러나 아무리 뛰어도 다리는 앞으로 나가지 않고 허둥대기만 했다. 그는 신음소리를 내며 어리둥절한 속에서 눈을 떴다.

방안엔 아무도 없었다. 다만 스위치를 틀어 놓은 채 깜박 잠이 들었던가 보아 라디오에선 북괴 운운하는 방송 소리가 잉잉대고 있었다.

그는 어머니와 단 한마디의 대화도 나눌 사이 없이 꿈을 깬 아쉬움을 달랠 길 없었다.

그는 넋잃은 사람처럼 멍청히 앉았다가 책장에서 시집 한 권을 꺼냈다.

그리곤 한 마음의 문족인 천하(天何)의 시(詩) 「續 故鄕」의 한 대목을 조용히 읊조리며 허황한 심정을 달래는 것이었다.

나 사는 서울에서 예전 같으면 목단강행 급행열차로 천 리 길.

언 다섯 시간의 가쁜 길, 검불랑을 넘어 석왕사를 지나 고원 영흥을 떠나면서 옛 여진의 나라.

고향에 돌아가기 전에 청춘과 인생은 가고 주름은 늘고 사람은 남아서

오늘도 기쁜 품 속에 돌아갈 수는 없는 몸, 슬픈 세월과 함께

목단강행 급행열차의 난이 지워진 시간표 없는 정거장 대합실을 탓하면서 오만분의 일의 한국지도를 펴놓고 여기는 휴전선.

잠시 천길을 따라 북어 대가리를 뜯오면서, 기억이 착각이 아니기를 바라면서

도시와 마을을 떠나와서 신북청에서 완행열차를 바꿔 타고 밤나무골의

할머니와 부모 형제를 찾아서 근심 걱정 끝에

– 마음은 구름을 잡고.

얼어서 묻혀서 사는 산이나 바다나, 하늘을 우러러 사는

제 고향으로 가는 것이다.

『北韓』, 1974. 9.

현실의 나신 裸身

박동규(서울대 명예교수)

　전광용(全光鏞)의 호는 백사(白史)이다. '어찌 그렇소'하고 강한 함경도 사투리를 버리지 않고, 독특하게 쩌렁쩌렁하는 목소리를 가졌다. 그리고 그는 소설가이며 교수이고 문학 박사이다.

　1919년 3월 1일 함경남도 북청(北靑)에서 태어나 21세가 되던 해, 『동아일보(東亞日報)』 신춘문예에 「별나라 공주와 토끼」으 처음 문단에 데뷔하였다. 그런데 이렇게 일찍 1939년에 등단한 사실을 아는 사람이 드물다. 그것은 그가 밝히지 않은 점도 있을 것이고, 그것보다도 더 큰 이유는 해방(解放) 후 본격적인 창작 활동의 시기를 더욱 중시한 때문이리라.

　1947년에 서울대학교 문리대 국어국문과에 입학, '시탑(詩塔)' 동인이 되어 김윤성(金潤成)·조남사(趙南史)·공중인(孔仲仁)·정한모(鄭漢模)와 어울려 문학적 수업을 펼쳐 나갔다. 그리고 그의 최초의 단편집인 『흑산도(黑山島)』의 발문(跋文)에서 '나의 작품 행동에 끈기 있는 격려와 편달(鞭撻)을 퍼붓는'이라고 밝힌 '주막(酒幕)' 동인을 그 다음 해인 1948년에 만들어서, 정한숙(鄭漢淑)·남상규(南相圭)·김봉혁(金鳳赫) 등의 동인과 거의 매월 작품 낭독회나 회람 등을 통해 서로의 문학 활동을 도와 나갔다. 환도(還都) 후인 1955년 『조선일보(朝鮮日報)』 신춘문예에 「흑산도」이 당선되었다. 그의 두 번째 문단 데뷔였다.

그 해 서울대학교 문리대 국문과 교수로 취임하고, 『사상계(思想界)』에 「신소설 연구(新小說研究)」라는 알찬 학술 논문을 1년간 연재하여 학계에 큰 관심의 대상이 되었다.

그 후 그의 활동은 1962년 동인 문학상(東仁文學賞)을 받기까지 1950년 대의 전위적 위치에 서서 전통적 수법에 의한 현장의 소설로 평가되면서, 성의 있는 활동을 하였다. 당시에 발표된 중요한 작품들을 열거하여 보면, 「G·M·C」라는 사회 고발적 주제의 작품을 필두로, 「동혈인간(凍血人間)」 「지층(地層)」 「영 1234」 「사수(射手)」 「크라운 장(莊)」 「충매화(蟲媒花)」 등이다.

「꺼삐딴 리」으로 동인상을 받은 후 장편 『태백산맥(太白山脈)』 『나신(裸身)』 『젊은 소용돌이』 등을 통하여 인간의 새로운 삶의 역정(歷程)을 그려 보려는 시도가 있었고, 「죽음의 자세(姿勢)」에서와 같은 새로운 기법(技法)의 실험도 기도하였다.

그는 그렇게 다산(多産)의 작가는 아니다. 오히려 과작하는 편이다. 그는 펜클럽 사무총장, 부회장을 거치는 한편 국어국문학회 대표 이사를 역임하는 등 사회 활동도 폭이 넓다.

소설에 있어서 특이한 소재(素材)야말로 독자들의 호기심을 자아내게 하는 첫 번째 기술이 된다. 광부촌이라든지 군인 집단·창녀촌·기지촌·바라크촌 등 특이한 인간 집단의 생활이야말로 그 자체가 어떤 특이한 호기심을 자극하는 것이다. 따라서 소설가는 이러한 인간 집단을 선택하는 경우가 흔히 있다. 그러나 이 특이한 인간 집단이 단순히 어떤 하나의 호기심적 대상(對象)일 때, 그것은 소설의 참다운 소재적 특이성을 가진 것이 되지 못한다. 그것이 주는 인간관계의 깊이와 농도, 삶의 진실적 양태(樣態)와 굴절 등을 승화(昇華)시켜 내어야만 비로소 소재의 특이성이 살아나게 되는 것이다.

이러한 단순한 논리가 오히려 그 반대적 입장에서는 독자적인 관심을 끌지 못하는 경우가 있다. 즉, 평범하고 일상성(日常性)이 짙은 소재를 선택하였을 경우 독자들은 자기들 주변에서 흔히 체험하는 것들이라고 지루해 하거나 무시하려는 경향이 있다.

그리고 그 평범하고 일상적인 소재를 통한 인간의 영원하고 견딜 수 없는 고통이나 삶의 행적 등을 독자들은 그것이 단순히 특이하지 않다는 것만으로 외면하는 경우가 그것이다.

그러나 이러한 양면성(兩面性)은 무엇보다도 소재의 중요성만을 강조하는 시점에서 얻은 결과이다. 그것은 소설로서 소재를 어떻게 선택하느냐의 가장 기초적 설명에 해당하는 것일 뿐이다. 새삼스럽게 이 기초적 설명을 문제 삼는 것은 전광용의 소설에는 이 두 가지 측면을 모두 갖추고 있는 점이 특이하기 때문이다.

어떤 특이한 인간 집단에 대한 강력한 집착과 일상성에 젖은 인간 집단에 대한 애착 등 두 가지의 극단적인 대조적 소재를 전광용의 소설에서는 찾을 수 있다.

그의 초기작이며, 바닷가 어부의 특이한 생활철학과 윤리의식을 가진 인간들의 생활상을 다룬 「흑산도」과 국토 건설대라는 특이한 병역 기피 집단의 생태를 다룬 장편 『태백산맥』 등이 특이한 소재를 가진 부류(部類)이고, 일제시부터 미군이 있는 한국에서의 생활을 엮어 놓아 동인상을 받은 「꺼삐딴 리」나, 운전 조수의 이야기인 「영 1234」 「주봉씨」 「충매화」 등은 일상성이 짙은 평범한 우리 주변을 소재로 한 소설류이다.

이러한 두 가지 부류의 극단적인 대조적 경향을 보여 주는 원인은 무엇일까.

이 대조적 소재의 선택에서 찾을 수 있는 점은 그의 소설 기법적 특징에서 알 수 있다. 그는 분명히 소재를 선택함에 있어 그가 지닌 체험의 성질을 항상 근거로 하고 있다.

그 체험의 성질이 과거 직접 겪었던 일이라든가 현장에서 목도하였다든가 하는 직접적인 체험과, 다른 누구를 통한 구술(口述)이라든가 혹은 소설가 특유의 상상에 의한 것이라든가 하는 간접적 체험이 그것이다.

　누구나 소설가는 이 두 체험을 혼입해서 소설을 쓰는 것이지만 그에게 있어서는 이 두 체험이 소설의 질량을 다르게 하는 바로미터의 역할을 하고 있다.

　그것은 먼저 「꺼삐딴 리」과 같은 인간의 생애와 민족적 역사의 접합 관계라든가 하는 파노라마적 전개의 양식은 과거의 직접적 체험에 의해 리얼리티를 얻은 것이고, 『태백산맥』과 같은 작품은 국토 건설대라는 특이한 집단의 경험을 듣고 쓴 간접적 체험의 소설이다. 그리고 이들 두 작품은 극단적인 대조적 양상을 보여준다. 즉, 「꺼삐딴 리」은 인간의 역사적 기술이며 『태백산맥』은 인간의 공간적 상관관계를 그려 놓은 것이다. 바꾸어 말한다면 전광용은 직접적 체험의 소재를 다루는 경우 대체로 인간의 생애적 역사나 혹은 사건적 전개를 보여 주고, 간접적 체험의 소재를 다룰 때는 인간관계의 공간적 영역을 확대해 나가는 방법을 가지고 있다. 그것은 그가 지닌 독특한 작가 정신에 뿌리박고 있는 점을 지적하지 않을 수 없다. 즉, 그는 현장성 있는 현실을 그대로 재현하려는 전통적 리얼리즘에 깊이 침몰되어 있는 것이다. 그에게 있어서는 무엇이든지 확인하지 못하는 현실은 가장 미묘한 인간관계처럼 애매성의 가치만을 지닌 것으로 판단되는 것이다. 그의 「사수(射手)」을 제거시켜 버린 결과를 보여 주고 있는 점이 좋은 예가 될 것이다.

　안전 장치를 푸는 쇠붙이 소리가 산골짜기의 정적속에 음산하다.

　나는 무심중 귓바퀴의 상처에 손이 갔다. 호도껍질처럼 까칠한 감촉이 손 끝에 어린다.

　지나간 조각조각의 단상들이 질서없이 한 덩어리로 뭉겨져 엄습해 온다. B와, 경희와, 곰과, 공기총과. 걷잡을 수 없는 착잡한 감정이다.
　"겨누어 총."

「사수(射手)」

　평나무, 누럭나무, 재빼나무가 우거진 속 용왕당(龍王堂)이 버티고
있는 당산(堂山) 기슭에 감아붙어 갯밭에 오금을 괴고 조개껍질처럼
닥지닥지 조아붙은 마을 한 기슭으로 뒷주봉 나왕산(羅王山) 골짜기에
꼬리를 문 개울이 밀물을 함빡 삼켰다가 썰물에 구렁이처럼 갯벌로
꿈틀거리고 흘러내리는 것이 희미한 달빛에 비늘처럼 부서진다.

「흑산도」

　「사수」의 경우와는 달리 「흑산도」은 배경 묘사의 치밀한 구도가 두드
러지게 대조적인 점을 알 수 있다. 죽음 앞에 선 사형수와 사수의 인간
관계로 인하여 백설이 덮인 황량한 계곡, 그곳은 어떤 형상성(形象性)을
띤 것이 아니라, 단순한 계곡에 지나지 않고 있음에 반하여, 「흑산도」은
그 흐르는 냇물과 썰물과 밀물과 나뭇가지 하나에 이르기까지 치밀한 현
실을 보여주고 있는 것이다.
　그의 이러한 대조적 기법의 사용을 통해서 그는 무엇을 얻고자 한 것인가.
영국의 여류 소설가 러머 윌슨(Romer Wilson)은 다음과 같이 말한 바 있다.

　깨어 있는 시간에 공상해 본 일이 없는 사람들은, 이 공상의 세계
로 이따금 찾아가는 것이 가져다주는 슬픔이나 싸움에서 벗어난 근사
한 휴식을 도저히 이해할 수가 없을 것이다. 고생이나 슬픔에 몸부림
치는 사람이 잠잘 수 없는 하룻밤을 침상에서 뒹구는 대신 지금의 생
활에서 벗어나 태양이 빛나는 이탈리아의 남빛 하늘 아래의 도시에
발을 내린다고 상상한다면, 거기서 만나는 사람들은 현실에서 결코

만나기로 작정되어 있지 않던 사람들, 이쪽에서 주입시킨 말이 아니라 이쪽의 사상이 아닌 사상에서 생긴 그들 스스로의 말을 걸어오는 사람들이다.

『All alone』

상상은 현실과 다른 현실의 교량이다. 이 다리를 왕래하는 것이 소설가의 상상력이다. 이 상상력은 시에 있어서의 현상의 영원한 동결(凍結)과는 달리 진행하고 변모하는 인간 삶의 행적에 대한 상상을 의미하는 것이다. 이 길을 따라서 독자는 펼쳐져 가는 활자와 이에 비례해 가는 상상의 폭과 길이로 해서 인간의 삶을 깨닫고 감동하고 느끼는 것이다.

전광용씨의 소설에 등장하는 인간군들은 불행하게도 이러한 상상의 여울에 물들지 않고 있는 점이 특징이다.

「흑산도」의 '용바우'도 『태백산맥』의 '한철' '형우' '영혜' '경은이' 그리고 '건설대의 모든 인물들', 또 「영 1234」의 '민현철', 「크라운장(莊)」의 '문호', 「죽음의 자세(姿勢)」의 '덕수'에 이르기까지 이 인간들은 한결같이 우리 주변의 가장 친근하고 소박하고 익숙한 인간들이다. 이들에게서 '이탈리아의 도시(都市)'를 상상하듯 눈을 감고 환영(幻影)을 떠올릴 수는 없다. 이러한 인간군이야말로 그 성격적 특징과 삶의 양식에서 현실과 밀착되어진 '살아가는 인간'이라는 의미가 된다.

얄팍한 감각적 대화를 통해 말초적 신경으로 전달되는 쾌감의 상상도 없고 묵직한 관념의 유추에서 흘러나온 사상의 분신도 없다.

그러나, 이 '살아가는 인간'이라는 극히 전형적 속성으로 해서 우리는 새로운 리얼리티를 창출하게 된다. 즉, 그의 '용바우'는 가장 전형적 어부이다. 이 어부는 어부로서 살아가는 과정에서 맺어지는 현실과 인간과의 인연으로 해서 숙명을 알게 되고, 그 숙명을 긍정함으로써 새로운 삶의 가치를 체득하게 된다. 「꺼삐딴 리」은 가장 전형적 속성이 강한 인간이다. 일제 치하에서 시작하여 소련군의 진주, 공산 체제하의 북한, 월남 이후 한국적 현실을 견디며 다시 미국으로 떠나가기까지 카멜레온적 철새로서 '살아가는 인간'인 것이다. 꺼삐딴 리에게 있어서는 아름다운 영혼도 내일의 무지개빛 꿈도 없고, 당면된 현실의 대응에만 골몰하고 그것을 긍정해서 살아가는 처세의 엄청난 기술이 있을 뿐이다.

그러나 이들을 만나는 동안 삶의 역정이 주는 고달픔과 비극의 애틋한 미학을 느끼게 된다. 이들은 한결같이 살아가는 현실에 대한 애정을 바닥으로 하고 있기 때문이다.

오늘을 인정하지 않고는 내일이 성립될 수 없듯이, 태백산맥의 골짜기에 들어가 병역 기피의 오명을 씻고 돌아올 때까지의 기나긴 역정 속에서도 오늘을 아는 지혜를 가진 '한철'처럼 그의 소설의 인간군은 '오늘'을 사는 것이다.

그것은 작가의 철저한 전통적 리얼리즘의 작가 정신을 의미한다.

앞서 말한 바 있듯이 그는 직접적 체험과 간접적 체험의 질량을 달리 평가하고, 그는 스스로 찾아다니며 완전한 기억의 메모로써 현실을 그려내고자 하는 보수적 자세를 지니고 있다.

이러한 점은 한국 소설문학의 기초적 원천이 되는 '현실'이라는 극히 객관적 현상을 객관적으로 인정하려는 의도에서 나온 것이다. 오늘의 소설이 미셸 제라파가 지적하듯이 사회와 개인의 소원한 관계에 흐르고 있는 점을 생각한다면 이는 다시 더듬고 넘어가야 할 부분이다. 사실 굿맨 (Th. Goodman)의 '소설이란 사회에 대한 사적 체험'이라는 말이 정당한 것이 되어 가고 있지만 소설의 근본적 양상에서 너무나 벗어나 버린 소설 풍토는 생각지 않을 수 없는 것이다.

그의 소설의 구조는 단순하고 극명하다. 르포트타지식의 삽입적 에피소드라든가, 의식의 시간적 단절을 통한 구조 양식을 가진 것이라든가 하는 여러 기법상의 특성을 보여 주는 점도 있지만, 대체로 그의 소설 전체를 분석해 보면 전통적 기승전결(起承轉結)의 양식을 가지고 있다.

그러나 이 단순하고 극명한 구조 양식이 낡은 것이긴 하지만 그의 소설의 특징과 잘 조화되어 있는 점에 주목할 필요가 있다.

『태백산맥』은 이러한 구조가 얼마나 적절히 밀착되어 있는 것인지를 보여 주는 좋은 예가 될 것이다.

「꺼삐딴 리」도 마찬가지이다.

'흥 그 사마귀 같은 일본놈들 틈에서도 살았고, 닥싸귀 같은 로스케 속에서도 살아났는데, 양키라고 다를까…… 혁명이 일겠으면 일구, 나라가 바뀌겠으면 바뀌구, 아직 이인국의 살 구멍은 막히지 않았다. 나보다 얼마든지 날뛰던 놈들도 있는데, 나쯤이야……'

「꺼삐딴 리」

리의 독백(獨白)처럼 소설은 이렇듯 흘러온 것이다.

그것은 그의 소설이 사건 중심적 전개 양식을 택한다는 점과 또 한 가지 그의 소설은 '있는 현실'을 근거로 하고 있다는 점이다.

'있는 현실'을 '살아가는 인간'을 통해 전개할 때 가장 어울리는 구조 양식은 '무엇이 일어나 어떻게 되었는가' 하는 원리적 방식이다.

극적 소설에 있어서 일련의 사건과 작중 인물의 성격과의 조화는 아주 본질적인 것이어서 과장되었다고 오해받을 만한 설명을 쉽게 찾아볼 수 없다.

에드윈 무어, 「소설의 구조(構造)」

이는 전광용의 소설에 그대로 적용되는 바이다. 그에 있어서 인물은 사건의 변이와 변형에 따라 움직여지는 것으로 되어 있다.

그것은 바야흐로, 현장(現場)의 소설이라고 지적받는 점이 되듯이 어부의 소설은 어부가, 운전수의 소설은 운전수가 쓴 것과 같은 현장의 증언이 살아나게 하는 원동력을 이루고 있으면서, 그것을 통해 완전한 구조적 조화를 이루고 있다.

전광용이 시도해 오는 일관성 있는 창작 태도의 핵심에는 항상 '현실을 보는 눈'의 객관적 표준성이 담겨 있다.

그것은 가벼운 새털처럼 반짝거리는 위트와 감각이 드러나 보이지 않는 결점도 있다. 그러나 이 반짝거리지 않는 원인은 간단하다. 그것은 현장의 한가운데 있기 때문이다.

그리고 그의 소설은 고전적 형질의 윤리 의식이 지배한다고 한다. 사실, 그의 소설에는 인간의 원초적 욕구나 욕망의 화려한 꽃이 피어 있는 것은 아니다.

그러나 그것은 그가 직접 발로 찾아다니며 확인한 살아 있는 인간의 이야기이기 때문이며 사건의 극적 확대를 암시만으로 처리한 때문이다.

마지막으로 그의 소설은 현실의 나신(裸身)이다.

그것은 현실의 시작도 아니요, 끝도 아닌 그 한가운데 우뚝 세워진 나신 그대로다. 그의 소설 속에서 우리가 만날 수 있는 비극적 인물은 얼굴에 깊은 주름이 가 있으면서도, 웃고 서 있는 중년의 살아 있는 인간인 것이다.

그리고 그 중년의 몸짓을 통해서 내일을 아는 것이 아니라 지금을 깨닫게 되고, '지금'을 통해서 인생의 숙명과 동양적 인생관의 너그러움과 관용과 폭넓음을 배울 수 있는 것이다.

그의 참다운 면목은 이러한 담담한 현실 감각과 차근차근한 문장의 세련된 객관성과 이지적 도구가 주는 안정감 위에 피어나는 '현장의 꽃'인 오늘에 있는 것이다.

역사적 삶의 가치 추구

이용남(명지대 명예교수)

창작과 연구 사이에서의 갈등

전광용(全光鏞)은 1919년 3월 1일(실제로는 1918년 음력 9월 5일) 함남 북청군 거산면 하입석리 성천촌 1011번지에서 태어났다. 그가 문학과 인연을 맺게 된 구체적 동기는 동화 「별나라 공주와 토끼」이 1939년 『동아일보』 신춘문예에 입선한 사실과 깊이 관련 있다. 해방 직후 대학 시절에는 '주막'과 '시탑' 동인으로 창작에 뜻을 두기도 했다. 그러나 그의 작가로서의 진정한 출발은 1955년, 단편소설 「흑산도」이 『조선일보』 신춘문예에 당선된 이후라는 것은 잘 알려진 사실이다.

그는 「별나라 공주와 토끼」과 「흑산도」 사이에 어떠한 이유에서인지 전검(專檢)에 합격(1943)하고 경성경제전문학교(서울대 상과대 전신) 경제학과에 입학하여 2년을 수료한 적이 있는데, 1947년 9월 서울대 문리대 국문과에 입학을 함으로써 문학에의 길을 평생의 길로 선택하게 된다. 이 기간 동안 그의 생활은 1년 2개월 간의 『한성일보』 기자직을 제외하고는 대부분 고등학교(고명·숙명·휘문·서울사대부고)와 대학(서울대 문리대·덕성여대 강사)에서 교편을 잡았다. 그러니까 「흑산도」 당선 이후에는 소설창작과 소설연구와 교육이 그의 생활이었다. 그는 1955년 4월 수도여자사범대학(현 세종대) 교수로, 11월에 서울대 문리대 조교수로 취임하며 1956년 4월에는 논문 「설중매」으 『사상계』 논문상을 수상함으로써 문단과 학계에 두각을 나타내기 시작했다.

그래서 우리는 흔히 그를 가리켜 교수 작가라고 일컫는다. 소설 쓰기에 있어서 '작가적인 입장'과 '학자적인 입장'이 어떻게 작용할 것인지는 그의 작품을 통해서 확인될 수 있는 것이겠지만, 이 두 가지 입장을 직접 조율하는 당사자에게는 상당한 고통으로 다가왔으리라는 것을 우리는 쉽게 짐작할 수 있다.

> 그 동안 자기깐으로는 창작에 심혈을 기울여 온다고 했지만, 월래 과작의 지둔이라, 그렇게 많은 작품은 쓰지 못하였다. 더욱이 교단만으로 일관되어 온 생활 속에서, 학문과 창작의 두 길을 걸을 수밖에 없는 역정이 되고 보니, 이는 다 천부의 재질과 각고의 노력을 요하는 길이라, 소기의 성과를 거두기에는 아직도 요원한 것만 같다.……(중략)……
>
> 그러나 안고수비, 창작의 길은 갈수록 험하여, 스스로의 마음속에서 모색과 갈등이 거듭되는 종착역 없는 영원한 과정으로만 느껴진다.
>
> ─「목단강행 열차」 후기에서

여기서 우리는 '종착역 없는 영원한 과정'으로 창작의 길을 더듬고 있는 전광용 교수의 마음속에는 작가로서의 심각한 고뇌가 자리잡고 있음을 확인할 수 있다. 그래서 소설창작과 연구, 두 길을 걸어온 전광용 교수가 지닌 내면 풍경과 그의 작품세계에 대해서 조남현 교수는 다음과 같이 지적하고 있다.

> 전광용은, 소설을 쓰는 그 시간에 국문학 논문에 대한 걱정을 해야

하고 논문 쓰는 그 시간에는 창작에의 갈증을 짙게 느끼곤 하는 ……
(중략)…… 소설을 쓰는 방법과 연구하는 방법을 대학에서 가르치는
가운데 틈나는 대로 소설을 썼다는 점은 한 편의 소설을 만드는 과정에
서 긍정적 측면의 변수만으로 작용하는 것은 아니다. ……(중략)……
현실감이나 구체적인 맛은 약하지만, 소설작법의 교범을 잘 일러 주
는 작품이 나오기가 쉽다.

-「전광용론」, 『한국현대작가연구』(민음사, 1989), 47면.

창작과 연구 사이에서 개인적 갈등을 겪으면서도 전광용은 「신소설연
구」「이인직 연구」 등 한국근현대소설에 관한 논문 30여 편을 썼으며, 단
편집 「흑산도」(을유문화사, 1959), 「꺼삐딴 리」(을유문화사, 1975), 「동혈
인간」(삼중당, 1977), 「목단강행 열차」(태창, 1978), 장편 『나신』(휘문출
판사, 1965), 『창과 벽』(을유문화사, 1967), 『젊은 소용돌이』(『현대문학』
연재, 1968), 『태백산맥』(삼성출판사, 1978) 등 단편 30편, 장편 4편을 남
겼다. 1955년 『조선일보』 신춘문예로 등단한 이후 근 15년이 그의 작가
로서의 본격적인 활동시기라고 볼 때, 30편의 단편소설과 4편의 장편소
설은 결코 과작이라고 볼 수 없다. 하지만 대학에서 소설을 강의하는 교
수로서 교육과 연구를 통해 30여 편의 논문을 발표한 사실을 간과하지
않는다면, 문학활동에 바친 그의 업적을 가볍게 볼 수 없을 것이다.

발로 뛰는 리얼리스트

전광용의 문학세계를 얘기할 때, 기왕의 그를 가리켜 '발로 쓰는 작가'
(이형기)라든가 '리얼리스트(이형기·조남현 등)라고 일컫는다.

'발로 쓰는 작가'란 말은 그의 작품 「흑산도」에서 비롯한 말로 그가 처
해 있는 학자로서의 입장이 크게 작용한 것이라고 말할 수 있다.

「흑산도」을 집필하게 된 때의 일이다. 1954년 9월 30일, 나는 서울대 학과 국립도서관 공동으로 주최된 '흑산도학술답사대'의 일원에 끼여 새벽차로 서울역을 떠났다. ……(중략)…… 태풍이 잦을 때까지 다시 섬에 체류할 수밖에 없었다. ……(중략)…… 이때 찰나적으로 나의 머리에 섬광을 일으킨 일이 있었다. 이 기회에 이 섬을 소재로 한 작품자료를 수집해야겠다는……. 나는 한쪽으로는 작품 테두리를 엮어 가면서 그에 필요한 지명, 물명(특히 선구, 해산물, 계절도, 화초 등), 방언, 민요 등을 채록하고, 특히 이 섬 특유의 망언, 어미 채집에 신경을 썼다.

　　－「작가는 말한다」, 『현대한국문학전집』 5(신구문화사, 1965), 489면.

이처럼 그의 작품들은 현지답사에서 힌트를 얻거나 취재된 것이 적지 않으니, 「진개권」은 휴전선 오지에 있는 친구의 미군 쓰레기칸에서, 「지층」은 태백산맥의 탄광에서, 「해도초」은 독도 근해 어부에 대한 미군 비행기의 무차별 폭격의 현지조사에서, 「크라운 장」은 비어홀의 악사에서, 「반편들」은 동해안 해수욕장에서, 「곽서방」은 다도해 경호도의 반농반어촌에서, 그리고 「동혈인간」 및 「경동맥」은 Y여사의 모델에서, 「주봉씨」은 L화백의 실화에서, 「충매화」은 이웃 의사의 경험담에서, 「초혼곡」은 K씨의 소년 시절 회고담에서, 「면허장」은 어느 소년의 고백에서, 「퇴색된 훈장」과 「영 1234」은 시정의 낙수에서, 「꺼삐딴 리」과 「의고당실기」은 주변에 흩어진 군상 속에서, 각각 현지 취재한, 그리고 힌트를 얻은 작품들이라는 사실을 그의 작가 노트에서 확인할 수 있다.

이와 같은 사실은 그의 대다수의 작품들이 작가적 창작 충동이나 영감에 의존한 것이 아니라, 학자적 탐구욕과 관찰의 소산이라는 점을 명확히 해주며, 발로 뛰는 작가로 불리게 되는 결과를 가져온 이유가 되는 것이다. 여기서 우리는 전광용의 소설작법 또는 작가적 임무에 대한 그의 생각을 읽어낼 수 있다. 다시 말해서 작가 전광용은 전후 한국사회의 리얼리티를 이러한 방법을 통하여 이룩하고자 하였던 것이다. 이러한 점에서 전광용을 1950~1960년대에 활약한 리얼리스트라고 지칭한 것은 결코 무리한 발언이 아닐 것이다.

장서방에게는 세상이 온통 쓰레기로만 보였다. 장터도, 교회도, 정당도, 회사도, 군대도, 학교도 모조리 쓰리기칸과 더불어 머리를 스쳐갔다. 깊은 지식은 없어도 세상을 넓게 밟아온 장서방이다. 그 속에서 자기 자신이 가장 쓸모 없는 쓰레기라고 생각되었다.

－「진개권」 중에서

일터의 이권을 싸고도는 분쟁이 복잡하게 벌어진 이래 그에게는 세상이 온통 똥으로만 보였다.

"에이 똥같은 자식들, 통째로 다 먹어라."

－「G·M·C」 중에서

전광용에게는 현실이 쓰레기통이고 똥이었다. 그러나 그에게 있어서 현실은 강한 투지와 생명력으로 극복해야 할 대상이지 굴복할 대상은 아닌 것이었다. 「진개권」의 장서방의 경우, 진눈깨비 오는 날 밤 쌍과부의 손을 덥석 쥠으로써 쓰레기에서 인간으로 비약하고 있다.

「G·M·C」의 경구는 똥 같은 자식에게 패배하지만 똥통에 빠져 허우적거리는 것이 아니라, 신사복을 벗어 던지고 작업복을 입고 똥차를 직접 몰고 나온다.

「지충」의 칠봉이는 아버지가 묻힌 원수의 굴 속, 권노인을 자기 손으로 죽인 것만 같은 굴 속으로 다시 들어간다.

「크라운 장」의 밴드 마스터 무호는 뇌일혈로 반신불수가 되었지만 아들에게 음악을 연주하도록 함으로써 영락한 현실을 극복하고자 하는 강한 의지를 보인다.

이와 같은 인물들의 성향을 통해서 전후 한국사회의 리얼리티를 추구한 작가적 흔적을 찾아볼 수 있다.

그의 작품에 나타난 인물들은 다양한 직업을 가진 인물들이며 사회적 계층도 다양한 인물들이다. 트럭 운전수(「G·M·C」), 어부(「흑산도」「해도초」), 광부(「지층」), 청소부(「진개권」), 샌드위치맨(「벽력」), 조수(「영 1234」), 밴드 마스터(「크라운 장」), 술집여자(「반편들」), 상이군인(「퇴색된 훈장」), 혼혈아(「세끼미」), 대학교수(「남궁박사」), 의사(「충매화」「꺼삐딴 리」), 화가(「주봉씨」), 기자(「해도초」) 등 다양한 계층의 다양한 직업을 가진 인물들이 그의 작품에 나타나고 있다. 이것은 전후 한국사회의 리얼리티를 포착하기 위한 작가적 시도에 다름 아니다. 한편 소설에 있어서 인물설정 방법은 작가의 주제의식과 밀접하게 관련되어 있다. 이러한 점에서 볼 때 전광용의 소설들은 전후 한국의 척박한 현실을 극복하고자 하는 강한 의지를 가진 인물들의 이야기이며 그 가운데에서 간간이 엿보이는 휴머니티도 간과할 수 없다.

"꼭 어린애를 낳고 싶은 그것뿐이에요."

여인은 충의 가슴에 머리를 박고 흐느껴 울기 시작했다. 충의 머리속에는 헷갈리는 여러 갈래의 생각으로 가득 찼다. '참 제비도 더럽게 뽑았지. 하필 나 같은 것의 종자를 받으려고……' 그는 중대한 결의라도 한 것처럼 입술에 경련을 일으키고 눈에는 살기가 등등했다. '피동이 아니라 능동으로, 이 여인에게 정확한 수태를 시켜야지.' 충은 성난 이리처럼 여인을 끌어안고 절름거리는 다리에 힘을 주어 침실로 통하는 도어를 박차고 방 속으로 들어섰다.

「충매화」의 의사 충은 정신적 육체적으로 심각한 열등감과 소외감에 시달리면서도 인공수정을 거의 강요하다시피한 한 여인에게 메카니즘적 방법으로가 아닌 휴머니즘적 방법으로 수정을 시도한다. 충의 이러한 능동적 행동은 자신의 행동에 대한 확고한 책임을 담보한다는 것이다.

소설 구도의 치밀성과 묘사의 정확성

한편 전광용은 현실 극복의 의지가 기회주의적인 현실대응방식으로 왜곡된 인물을 비아냥거리기도 한다. 그의 대표작 중 하나인 「꺼삐딴 리」(1962년 동인문학상 수상작품)가 그 예이다.

「꺼삐딴 리」의 이인국 박사의 처세술, 다시 말해서 현실대응 방식은 너무도 잘 알려진 기회주의적 방식이다. 이인국은 우리나라 근대화 과정에서 어쩔 수 없이 형성된 인간 유형이다. 작가는 이 작품에서 이인국과 같은 인물을 형성시킨 역사와 시대 상황을 주목하면서 개인과 역사와의 불가분의 관계를 지적하고 있다. 역사적 소용돌이의 체험자로서, 역경과 비극의 연속선상에서 처세해야 할 한 개인으로서 이인국이 미 국무성 초청을 받기 위해 대사관 직원과 대화를 나누는 다음 장면은 역사와 시대 상황에 의해 변질된 한 개인의 모습을 단적으로 말해 주고 있다.

"딱터·리는 영어를 어디서 배웠습니까?"

"일제시대에 일본말 식으로 배웠지요. 예를 들면 '잣도 이즈 아 캇도' 식으로요."

"그런데 지금 발음은 좋은데요. 문법이 아주 정확한 스탠다드 잉글리쉬입니다."

그는 이 말을 들을 때 문득 스텐코프의 말이 연상되었다.

일어, 노어, 영어 등 3개 국어를 사용하면서 현실에 대응해야 했던 한 개인에게 작가는 연민을 넘어 분노까지 느낀 듯하다. 살아남기 위해 교활한 기회주의자로, 비굴한 권력 지향의 해바라기 인간형으로 설정된 이인국이라는 인물은 시대적 속성으로 전형화되고 있다. 이러한 인간형이 개인적인 차원을 넘어서서 사회적, 역사적 의미를 갖게 되는 것은 바로 이 때문이다.

등장인물의 전형화와 삶의 역사적 인식을 포괄하기 위해 시도된 작품들은 그의 장편소설 『나신』 『창과 벽』 『젊은 소용돌이』 『태백산맥』 등이다.

그의 장편소설들은 한국전쟁에서 시작하여 4·19, 5·16을 걸친 근대사의 역사적 단계를 소설화하고 있는 것이지만 대체로 미완인 상태로 끝나고 있어 섣불리 논의하기가 어렵다. 그러나 작가의 궁극적 의도는 삶의 총체성을 역사적으로 인식하여 진실한 삶의 가치를 추구하고자 하였다는 사실이다.

전광용의 소설기법에 대한 논의에서 자주 지적되는 것은 소설 구도의 치밀성과 묘사의 정확성, 그리고 극적인 사건의 전환 등이다. 이점에 대해서 혹자는 작가가 소설을 가르치는 대학교수이기 때문이라는 점을 지적하고 있다. 학문적 입장에서 소설을 교육하고 연구하는 교수로서 원론적 소설이론에 충실하고자 했던 작가의 창작기법이라고 할 수 있다.

그의 대부분 작품에서 사용된 역순적 진행방법은 그가 소설의 플롯을 남달리 크게 의식하였다는 것을 의미하며, 소설의 형식미에 치중한 작가이게끔 하였다. 그가 사용한 소설 문장은 정확한 서술과 섬세한 묘사, 그리고 대담한 생략이 특징적이다. 그래서 감각적이며 간결한 문장, 압축된 문체를 보여 주고 있다.

머루알 같은 젖꼭지에 용바우의 손끝이 닿으니 등줄기가 저리도록
간지러웠다.

-「흑산도」 중에서

얼어서 튼 손등은 그물코처럼 금이 갔다.

-「지층」 중에서

덕수는 담배를 피워물고, 긴 한숨 속에 담아 뱉었다.

-「죽음의 자세」 중에서

그의 소설문장에서 볼 수 있는 결벽성은 결국 실제 그의 엄격한 성격
과 무관하지 않다. 소설에서 지나치리만큼 정확한 서술과 묘사는 소설의
리얼리티를 나타내기 위한 생생한 표현을 저해한 경우도 있을 것이다.

그의 작품 대부분은 명확한 결말구조(「해도초」「사수」 등)와 암시적인
결말구조(「흑산도」「진개권」「경동맥」 등)를 하고 있으며, 그것을 통해서
극적 전환을 성공적으로 이루고 있다고 하겠다.

전광용은 1988년 이 세상을 떠났다. 그는 실향민이었다. 꿈에도 그리
던 어머니도 만나뵙지 못하고 운명하는 순간 그의 모습은 너무도 처절하
였다.

어쩌다 꿈에 보는 어머니!

그에게 있어서 그것이 길조의 예시 같은 것이기도 했다. 그것은 지
금껏 어머니나 고향식구들의 꿈을 꾸면 그 후 얼마 안 있어 반드시
그의 주변에는 좋은 일이 생기기 마련인 까닭이었다.

-「목단강행 열차」 모두에서

자전적 소설이라고 할 수 있는 「목단강행 열차」에서 그는 고향 북청에 두고 온 어머니를 그리고 있다. 한식과 추석이면 으레껏 집안 식구 모두가 도봉산 산정에 올라 어머니가 살 소 있는 북녘 땅을 향해 절을 하고 내려오곤 하였다. 영원한 청춘이었던 그가 갑자기 병환으로 돌아가자, 병원 뜰에서 거행된 영결식에서 제자들과 친지문우들이 한결같이 눈물로 그를 배웅하였다. 벌써 20여 년이 지났건만 아직도 많은 사람들은 그의 엄격함과 사려 깊음을 잊지 못하고 있다. 목단강행 열차에 몸을 싣고 고향산천을 둘러보는 그의 얼굴이 눈에 선할 뿐이다.

작가 연보

1918년		음 9월 5일(호적부 1919년 3월 1일로 출생 신고) 咸南 北靑郡 居山面 下立石里 城川村 1011번지에서 부친 全周協 (본관 慶州)과 모친 李泉春(본관 靑海)의 2남 4녀 중 장남으로 출생.
1925년	**4월**	향리 소재 사립 又新學校 입학.
1929년	**3월**	又新學校 4학년 졸업.
	4월	北靑郡 陽化공립보통학교 제 5학년 편입.
1931년	**3월**	陽化공립보통학교 졸업.
1934년	**4월**	北靑공립농업학교 입학.
1937년	**3월**	北靑공립농업학교 졸업.
1939년	**1월**	동아일보 신춘문예에 「별나라 공주와 토끼」 입선. 동화 「별나라 공주와 토끼」(東亞日報, 1939.1)
1943년	**10월**	專檢 합격.
1944년	**11월**	韓貞子(본관 淸州)와 결혼.
1945년	**9월**	京城經濟專門學校(서울대학교 상과대학) 경제학과 입학.
1947년	**7월**	서울대학교 상과대학 2년 수료.
	9월	서울대학교 문리과대학 국어국문학과 입학. 高明중학교 야간부 교사 취임(사임 1949.10). 희곡 「물레방아」(公演, 1947.1)
1948년	**11월**	鄭漢淑, 鄭漢模, 南相圭, 金鳳赫 諸友와 『酒幕』 동인 창립.

1949년	10월	漢城日報 기자 취임(사임 1950.12).
		단편 「鴨綠江」(大學新聞, 1949.3)
1951년	9월	서울대학교 문리과대학 졸업.
		서울대학교 대학원 국어국문학과 입학.
1952년	4월	숙명여자고등학교 교사 취임(사임 1953.3).
	11월	부산 피난지에서 國語國文學會 창립에 참여.
1953년	4월	휘문고등학교 교사 취임(사임 1954.6).
		서울대학교 문리과대학 강사 피촉.
	9월	서울대학교 대학원 수료.
1954년	4월	덕성여자대학 강사 피촉(사임 1960.3).
	6월	서울대학교 사범대학 부속고등학교 교사 취임(사임 1955.3).
		논문 「昭陽亭攷」(국어국문학 10, 1954)
1955년	1월	조선일보 신춘문예에 단편소설 「黑山島」 당선.
	4월	수도여자사범대학 교수 취임(사임 1957.3).
	11월	서울대학교 문리과대학 조교수 취임.
		논문 「黑山島民謠硏究」(思想界, 1955.1)
		「雪中梅」(思想界, 1955.10)
		「雉岳山」(思想界, 1955.11)
		단편 「黑山島」(朝鮮日報, 1955.1)
		「鹿芥圈」(文學藝術, 1955.8)
1956년	4월	학술논문 「雪中梅」 사상계 논문상 수상.
		서울대학교 음악대학 및 서울문리사범대학 강사 피촉 (사임 1961.9).
		논문 「遺産繼承과 創作의 方向」(自由文學, 1956.12)
		「鬼의 聲」(思想界, 1956.1)
		「銀世界」(思想界, 1956.2)
		「血의 淚」(思想界, 1956.3)
		「牧丹峰」(思想界, 1956.4)
		「花의 血」(思想界, 1956.6)
		「春外春」(思想界, 1956.7)
		「自由鍾」(思想界, 1956.8)

「秋月色」(思想界, 1956.9)

　　　　　단편 「凍血人間」(朝鮮日報, 1956.1)

　　　　　　　「硬動脈」(文學藝術, 1956.3)

1957년 3월　서울대학교에서 「李人稙研究」로 문학석사 학위 받음.

　　4월　동덕여자대학(사임 1972.8), 외국어대학(사임 1959.3)

　　　　　및 수도여자사범대학(사임 1958.3) 강사 피촉.

　　　　　논문 「李人稙研究」(서울大學校 論文集 6 人文社會科學, 1957)

1958년　논문 「祖國과 文學」(知性, 1958. 가을)

　　　　　「素月과 小說」(知性, 1958. 겨울)

　　　　　「玄鎭健論」(새벽, 1958)

　　　　　단편 「地層」(思想界, 1958.6)

　　　　　　「海圖抄」(思潮, 1958.11)

　　　　　　「霹靂」(現代文學, 1958.12)

1959년　단편집 『黑山島』(乙酉文化社, 1959) 출간.

　　　　　단편 「주봉氏」(自由公論, 1959.1)

　　　　　　「G.M.C.」(思想界, 1959.2)

　　　　　　「褪色된 勳章」(自由文學, 1959.2)

　　　　　　「영 1 2 3 4」(新太陽, 1959.3)

　　　　　　「射手」(現代文學, 1959.6)

　　　　　　「크라운莊」(思想界, 1959.9)

1960년　단편 「蟲媒花」(思想界, 1960.9)

　　　　　「招魂曲」(現代文學, 1960.12)

1961년 4월　성균관대학교 강사 피촉(사임 1962.2).

1962년 10월　단편소설 「꺼삐딴 리」로 제7회 東仁文學賞 수상.

　　　　　논문 「雁의 聲 攷」(국어국문학 25, 1962)

　　　　　단편 「반편들」(思想界, 1962.1, 「바닷가에서」 개제)

　　　　　　「免許狀」(미사일, 1962.1)

　　　　　　「꺼삐딴 리」(思想界, 1962.7)

　　　　　　「郭書房」(週刊 새나라, 1962.7)

　　　　　　「南宮博士」(「擬古堂實記」 改題)(大學新聞, 1962.9)

1963년 11월　국제 P.E.N.클럽 한국본부 사무국장 취임(사임 1964.12).

		논문 「解放後 文學 二十年」(解放二十年, 1963)
		장편 「太白山脈」(新世界 連載, 1963.2 - 1964.3)
		「裸身」(女苑 連載, 1963.5-1964.9)
		단편 「죽음의 姿勢」(現代文學, 1963.7)
1964년		논문 「古典文學에 나타난 庶民像」(韓國大觀, 1964)
		단편 「모르모트의 反應」(思想界, 1964.5)
		「第三者」(文學春秋, 1964.7)
1965년		장편 『裸身』(徽文出版社, 1965) 출간.
		단편 「세끼미」(思想界, 1965.4)
1966년	3월	서울대학교 미술대학(사임 1970.2) 및 서강대학(사임 1967.2) 강사 피촉.
		논문 「常綠樹考」(東亞文化 5, 1966)
		단편 「머루와 老人」(思想界, 1966.11)
		장편 「젊은 소용돌이」(現代文學, 1966.6 - 1968.2)
1967년		논문 「韓國小說發達史(新小說)」(韓國文化史大系 5, 1967)
		장편 『窓과 壁』(乙酉文化社, 1967)
1968년	3월	서울대학교 문리대 의·치의예과부장 피촉(사임 1970.3).
	9월	고려대학교 교육대학원(사임 1972.8) 및 단국대학교 대학원(사임 1969.2) 강사 피촉.
		논문 「小說 六十年의 問題點」(新東亞, 1968.7)
1969년	3월	서울대학교 약학대학 강사 피촉(사임 1970.2).
	6월	國語國文學科 대표이사 피선(사임 1971.5).
		논문 「3·1運動의 文學創作面에 끼친 影響」(3·1運動 五十周年 紀念論文集, 1969)
1970년	3월	성심여자대학 강사 피촉(사임 1978.2).
		제37차 P.E.N.대회(世界作家大會, 1970년 6월 27일 서울에서 개최) 준비사무국장 피촉.
		논문 「韓國作家의 社會的 地位」(文化批評, 1970.1)
1971년	3월	숙명여자대학교 대학원 강사 피촉(사임 1977.8).
	8월	아일랜드 더블린에서 개최된 제38차 국제 P.E.N.대회에 한국 대표로 참석.

논문 「韓國語 文章의 時代的 變貌」(月刊文學, 1971.1)

1972년 3월 서울대학교 문리과대학 문학부장(사임 1974.3).

6월 서울대학교 문리과대학 학장 직무대리(사임 1972.8).

1973년 2월 서울대학교에서 「新小說硏究」로 문학박사 학위 받음.

3월 이화여자대학교 대학원 강사 피촉(사임 1974.2).

논문 「新小說硏究」(서울대학교박사학위논문, 1973)

「白翎島地方 民謠調査報告」(文理大學報 28, 1973)

1974년 1월 문교부 파견으로 중화민국 교육·문화계 시찰.

11월 국제 P.E.N.클럽 한국본부 부회장 피선.

12월 이스라엘 예루살렘에서 개최된 제39차 국제 P.E.N. 대
회에 한국 대표로 참석.

논문 「民族文學의 意義와 그 方向」(月刊文學, 1974.6)

「李光洙硏究序說」(東洋學 4, 1974.10)

단편 「牡丹江行列車」(北韓, 1974.9)

1975년 4월 서울대학교 교수협의회 회장 피선(사임 1977.5).

9월 명지대학 대학원 강사 피촉(사임 1976.2).

단편집 『꺼삐딴 리』(1975) 출간.

논문 「近代 初期 小說에 나타난 性倫理의 限界性」(藝術論文
集 14, 1975)

1976년 1월 韓國比較文學會 부회장 피선.

4월 중화민국 臺北에서 개최된 국제 P.E.N.아세아작가대회
에 한국 대표로 참석.

8월 영국 런던에서 개최된 제41차 국제 P.E.N.대회에 한국
대표로 참석.

편저 『新小說選集』(同和出判公社, 1976) 출간.

논문 「枯木花에 대하여」(국어국문학 71, 1976)

「祖國統一과 文學」(統一政策, 1976)

1977년 단편집 『凍血人間』(三中堂, 1977)

논문 「韓國現代小說의 向方」(冠岳語文硏究 2, 1977)

「兒童文學과 歷史意識」(兒童文學評論, 1977)

「國語와 現代文學」(文協심포지움, 1977)

1978년	3월	인하대학교 교육대학원 강사 피촉(사임 1979.2).
	5월	스웨덴 스톡홀름에서 개최된 제43차 국제 P.E.N.대회에 한국 대표로 참석.
	12월	韓國現代文學硏究會 회장 피선.
		단편집 『牡丹江行列車』(泰昌出版社, 1978)
		장편 『太白山脈』(韓國現代文學全集)(三省出版社, 1978)
1979년	3월	서울대학교 含春苑에서 『白史全光鏞博士華甲紀念論叢』 봉정식 가짐(10일).
	7월	중화민국 臺北에서 개최된 韓·中 學者會議에 한국 대표로 참석.
	12월	소설 「郭書房」으로 대한민국문학상(흙의 문학상 부문) 수상.
		단편 「時計」(서울대학교 동창회보, 1979.6)
		「표범과 쥐 이야기」(韓國文學, 1979.8)
1980년	4월	韓國比較文學會 회장 피선.
	5월	한미 친선 관계로 미국 방문.
		논문 「독립신문에 나타난 近代的意識」(국어국문학 84, 1980)
		「百年來 韓中文學交流考」(比較文學 5, 1980)
1981년	3월	한국정신문화연구원의 한국학대학원 강사 피촉(사임 1981.8).
	8월	미국 피닉스에서 개최된 제15차 世界現代語文學大會에 한국 대표로 참석.
	10월	중화민국 臺北에서 개최된 제1차 韓·中作家會議에 한국 대표로 참석.
		논문 「李光洙의 文學史的 位置」(崔南善과 李光洙의 文學, 새문사, 1981)
		「李人稙의 生涯와 文學」(新文學과 時代意識, 새문사, 1981)
		「戰後 韓國文學의 特色」(比較文學 6, 1981)
1982년	8월	미국 뉴욕에서 개최된 제10차 世界比較文學大會에 한국 대표로 참석.
	9월	연세대학교 대학원 강사 피촉.

1983년	**1월**	서울시 교육회 주관 해외교육연수단 참가, 남태평양지역 교육 문화계 시찰.
	2월	北靑 民俗藝術保存會 이사장 피선.
	3월	문교부의 교류교수 계획에 의하여 청주사범대학에 1년간 근무차 부임(사임 1984.2).
	8월	중화민국 臺北에서 개최된 比較文學大會에 한국 대표로 참석.

편저 『韓國近代小說의 理解』(民音社, 1983)

논문 「金東仁의 創作觀」(金東仁研究, 새문사, 1982)

　　「韓國小說에 있어서의 漢字表記問題」(比較文學 8, 1983)

1984년	**1월**	서울시 교육회 주관 해외교육연수단 참가, 유럽 교육 문화계 시찰.
	8월	서울대학교 교수 정년퇴임. 국민훈장 동백장 수훈.
	9월	세종대학 초빙교수 취임.

北靑 民俗藝術保存會 등 5개 단체로 구성된 대한민국 民俗藝術公演團을 인솔, 일본 방문.

서울대학교 정년퇴임기념논문집 『韓國現代小說史研究』(民音社, 1984)를 편저 형식으로 발간.

1986년	저서 『韓國現代文學論攷』(民音社, 1986)
	『新小說研究』(새문사, 1986)
1988년	6월 21일 별세.